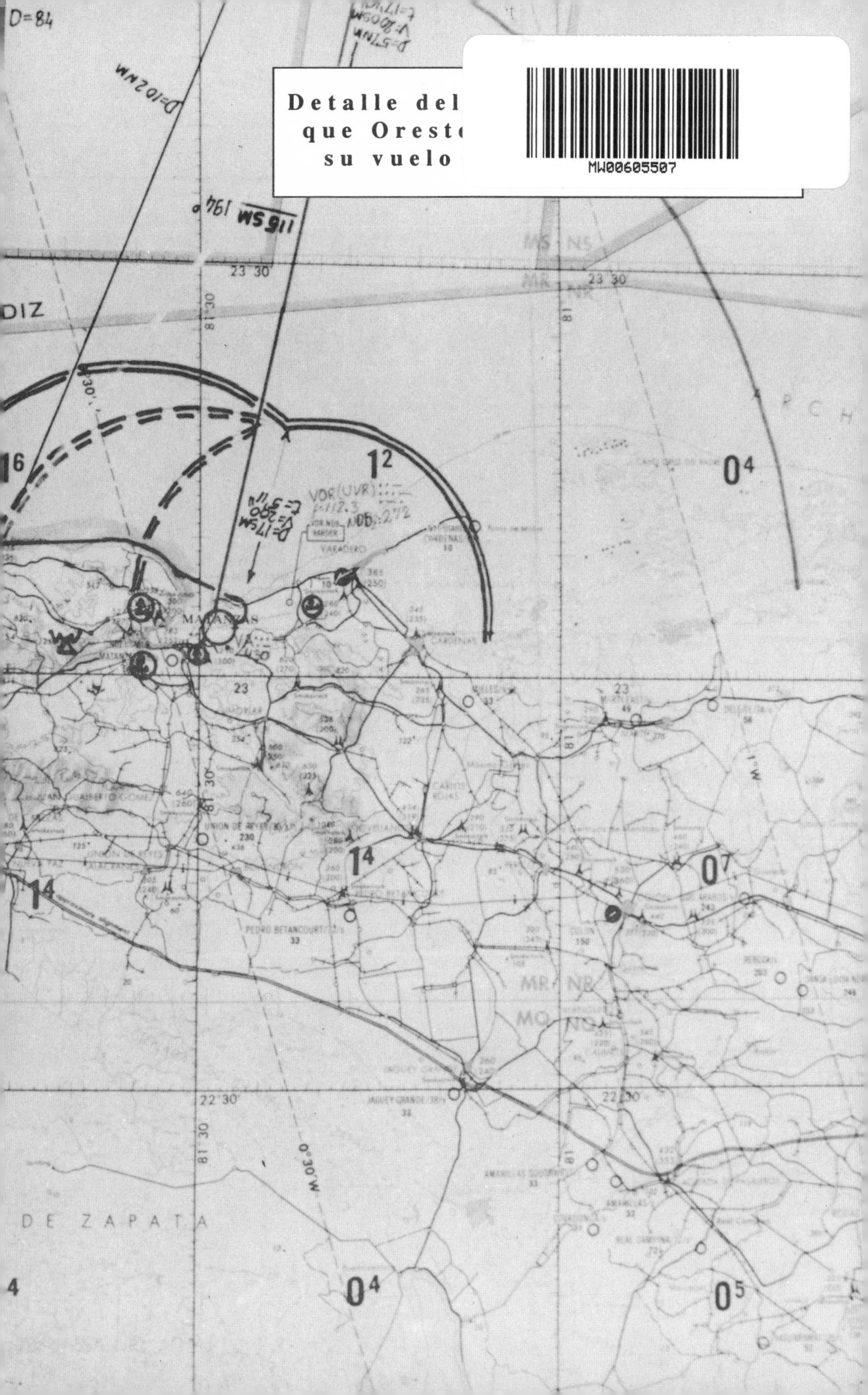

Detalle del
que Orest
su vuelo

Vuelo hacia el amanecer

Orestes Lorenzo

Vuelo hacia el amanecer

El vuelo de Orestes Lorenzo

St. Martin's Press / New York

Diseñado por Jaye Zimet

ISBN 0-312-10009-4

Primera edición: Enero 1994

10 9 8 7 6 5 4 3 2 1

A Vicky,
quien rescató en mí el amor.
A mis hijos Reyniel y Alejandro,
con la esperanza de que luchen siempre
por que historias como ésta jamás se repitan.

Tabla de materias

Vuelo hacia el amanecer

Capítulo 1

—

Welcome to the United States

Alabama, 20 de marzo de 1991, 10:45 am

El coronel Barton se detuvo ante la puerta y observó el tablero de botones a su izquierda. Pareció meditar por un segundo y, con gesto resuelto, oprimió varios de ellos en la combinación requerida. Una luz verde resplandeció sobre su cabeza, y un motor eléctrico pareció conectarse tras la puerta. Con un chasquido, comenzó a abrirse la mole de quince toneladas, descubriendo un amplio salón iluminado con luz tenue y uniforme que parecía surgir de todas partes . . .

De espaldas a él, un grupo de operadores sentados ante un largo panel abarrotado de interruptores y pequeñas luces de colores, observaban con atención la enorme pantalla ante sus ojos, por la que cientos de puntos luminosos con una estela de cifras y símbolos tras ellos, se desplazaban en todas direcciones dentro del contorno del mapa de los Estados Unidos. El típico zumbido del alto voltaje y algún aislado ''beep'', creaban una atmósfera de tenso silencio, interrumpido únicamente por partes breves, dados de cuando en cuando por alguna voz salida de los intercomunicadores.

Parecía aquel salón, el escenario de un filme de ciencia ficción, mas la gruesa pared de hormigón y plomo que lo envolvía a varios metros bajo la superficie y los cientos de líneas de comunicación codificada que salían del mismo, hacían de él, una especie de centro neurálgico en el Sistema de Alerta Previa y Defensa Antiaérea de los Estados Unidos.

Era la Sala de Dirección del Puesto de Mando del Comando Estratégico Sur de la Fuerza Aérea y, ocupando sus puestos en la vigilancia y dirección de las tropas: los hombres y mujeres de la dotación de guardia de turno.

El coronel Barton esperó a que la puerta se cerrara tras él, y avanzó en dirección al panel central. Recorrió con la vista la pantalla y los tableros de datos que cubrían toda la pared y, posando su mano izquierda sobre el hombro del Oficial Operativo sentado a los controles, preguntó en voz apenas perceptible:

-¿Todo bien, capitán Lee?

-Todo en orden, señor.

-¿Fue reparada la línea de reserva con el Punto Tres?

-Sí, señor. Así lo he informado después del chequeo.

-¿Firmó el libro de reportes?

-Sí, señor.

El coronel Barton sabía que todo marchaba en orden dentro de la rutina acostumbrada y, aunque conocía la excelente preparación de sus oficiales, el control directo y los informes precisos de éstos lo hacían sentirse mejor.

Años atrás, cuando fue destinado al frente de una de las dotaciones de guardia del Puesto de Mando, pensó que finalmente descansaría del "stress" que le acompañó durante sus años de servicio en el Sudeste Asiático y en Europa, donde los cohetes y tanques del Tratado de Varsovia permanecían emplazados a escasos kilómetros de distancia.

El regreso a casa fue la mejor noticia en muchos años. En Alabama, además de no tener un enemigo con capacidad nuclear en miles de kilómetros a la redonda, el clima era excelente. Para más dicha, su hija Kathy, quien se había mudado al casarse, vivía a unas 3 horas de su nuevo destino. Aquel día, cuando llegó con la noticia a casa, Elizabeth se le abrazó llorando, y en el abrazo ambos dieron escape a la nostalgia por Kathy y su recién nacida bebé.

Pero la tranquilidad se había tornado recientemente en preocupación. El general de la Fuerza Aérea Cubana, Rafael Del Pino, quien desertara a los Estados Unidos en 1987, había informado sobre los planes de Fidel Castro para atacar con sus MiGs la Central Atómica de Turkey Point, en la Florida, provocando así, los efectos de un golpe nuclear. ¡Y estos MiGs estaban a sólo unos minutos de su objetivo!

Sonrió inconscientemente al imaginar a su nieta de 4 años corriendo a su encuentro por el jardín y gritando: "abuelito, abuelito", para prendérsele del cuello, y con pícara mirada preguntarle después: "¿qué me trajiste abuelito?"

Ya quedaban sólo unas horas para terminar el turno de guardia. Después, tendría cinco días libres, y ya había acordado con Elizabeth que irían a casa de Kathy. Su yerno le había prometido llevarlo de pesquería, pero más le ilusionaba la idea de quedarse jugando con su nieta en el jardín.

Levantó la vista nuevamente, deslizándola por la pantalla y se detuvo mirando el reloj digital sobre la misma. Eran las diez y cincuenta de la mañana . . .

En Cuba, a más de mil kilómetros de distancia, catorce MiGs-23 esperaban bajo un sol abrasador por los pilotos que habrían de abordarlos de un momento a otro. El escuadrón de cazabombarderos MiG-23BN, de la base aérea de Santa Clara, estaba listo para cumplir la misión del día.

-¡Permiso para dirigirme, compañero Mayor!

La frase, pronunciada con marcialidad a mis espaldas, interrumpió mis pensamientos mientras observaba en el mapa meteorológico los detalles del tiempo al norte de Cuba.

-Adelante -respondí, mientras me volvía.

-¡La máquina 722 está lista para el vuelo!

-¿Chequearon el sistema inercial de navegación?

-Chequeado y listo, Mayor.

-Gracias Gutiérrez, ya voy para el avión -dije al joven ingeniero mientras le daba una palmada en el hombro invitándolo a adelantarse y pensando que tal vez nunca más le vería.

Reluciente bajo el sol estaba el MiG-23 matrícula 722 esperando por mí, con la pintura de tonos azul y verde aún fresca, para su primer vuelo después de pasar la reparación capital. También, sería mi primer vuelo en un MiG-23BN. Éstos habían llegado recientemente a la base, en la que durante 10 años había volado únicamente los MiG-21. Mi primera misión en un 23, y casi seguro que la última en un MiG.

Me enfrentaba al vuelo más arriesgado de mi vida. No existía en mi mapa de navegación referencia alguna a la travesía que haría esta vez. Ni siquiera un parámetro de rumbo, velocidad, consumo de combustible o altura. La computadora de a bordo no registraba detalle alguno del vuelo. Todos y cada uno de los datos estaban en mi memoria: dos variantes diferentes de travesía a mi secreto destino, dos grupos de datos numéricos guardados con celo en mi cerebro.

Mis pertenencias: la billetera, los cigarrillos, el encendedor y dos fotos recortadas con angustia la noche anterior al tamaño y forma de mis bolsillos, con las imágenes de lo que más amaba en la vida -mi esposa y mis niños, Alejandro y Reyniel, de cuatro y nueve años de edad.

Junto a la nave me esperaban en formación el técnico y los mecánicos de ésta para rendir el informe sobre su estado de "listo". Pero, en lugar de escuchar el parte y revisar la máquina, les saludé en silencio con un apretón de manos y me encaminé a la escalerilla de acceso a la cabina.

-¿Cómo se siente para su primer vuelo en un 23, Mayor? -me preguntó el técnico mientras me ayudaba a ajustar los cinturones del paracaídas.

-Como el primer día, -le respondí, ocultando la verdadera razón de mi excitación. Pilotar un nuevo avión ya no era motivo de especial regocijo para mí, como antes solía ocurrir.

-Halcón, Catorce Seis y Uno, arranque -pedí a la torre de control después de escuchar en el auricular la voz del técnico informándome que podía poner en marcha el motor.

-¡Arranque, Seis Uno!

-Enterado.

Llevé el acelerador a la posición de ''Gas Mínimo'' y oprimí el botón que iniciaría el ciclo, notando que las manos me temblaban de manera inusitada.

-Catorce Seis Uno, autorización para taxear.

-Taxee, Seis Uno.

La máquina rompió la inercia con pesadez, dando inicio a un lento rodaje hacia la cabeza de la pista . . .

¿Estás seguro de lo qué vas a hacer? -me preguntaba a mí mismo mientras miraba a través del plexiglass del cánopy aquel paisaje tan amado, como acariciando con la vista sus palmeras en una despedida definitiva.

Sudando copiosamente al calor de la reducida cabina, sentí molestia de la máscara de oxígeno atada herméticamente a mi rostro, y noté que mi respiración se tornaba jadeante, como en los combates aéreos de entrenamiento bajo el efecto de las sobrecargas. Sólo que ahora estaba en tierra, desplazándome apenas a la velocidad de una persona en marcha . . .

Detuve el avión en el umbral de la pista, alguien se aproximaba al aterrizaje. Habría que esperar a que abandonara la pista para entrar y despegar. Mientras tanto, el calor, el sol, la falta de ventilación, la mortificante máscara. ¡Ya todo me molestaba en tierra!

Todavía pasa algo y no despego. ¡Suerte la mía!

¿Cuánto tiempo estaré sin ver a Vicky y los niños? Tal vez . . . nunca?

Otro avión aterrizando . . .

¿Es que se pusieron de acuerdo para venir todos a la vez?

Flaps, quince grados; cabina, hermética; contestador automático, conectado; código en uso, el cinco . . .

¿Qué dirán mis padres cuando se enteren? ¿Cómo recibirán la noticia ellos y mis hermanos, mis amigos? ¿Cómo hará Vicky para explicárselo a los niños?

Otro avión . . .

¿Es que nunca se acaban? ¡Es insoportable este calor, y este sudor cayéndome en los ojos!

¿Qué ocurrirá con Vicky cuando todo se sepa? ¿Podrá dominar sus emociones y hacer lo que debe?

¡Por fin, la pista está libre!

-Catorce Seis Uno, autorización a la pista.

-¡A la pista, Seis Uno!

Ya lo tengo. Dirección de la rueda de nariz desconectada . . . Trimmer neutral, brújula sintonizada, autopiloto conectado . . . Potencia ochenta y cinco por ciento, presiones y temperatura normales, voltímetro . . .

-Halcón, Catorce Seis Uno: autorización despegue.

-Catorce Seis Uno: despegue zona uno.

-Enterado.

Cien por ciento de potencia . . . Revoluciones, temperatura y presiones hidráulica y de aceite en norma, voltímetro correcto . . . ¡Postcombustión!

Una fuerza descomunal ha crecido en un segundo tras el avión, empujando sus diecinueve toneladas de aluminio y acero hacia adelante, sin que los frenados neumáticos, que rechinan sobre el pavimento, puedan impedirlo.

Lámpara de postcombustión prendida, tobera abierta . . .

Libero por fin los frenos, y en unos segundos estoy en el aire.

Tren arriba, flaps . . . Velocidad seiscientos kilómetros por hora: desconectar la postcombustión.

Busco en mi mente los datos que sólo allí conservo . . .

Flechado del ala cuarenta y cinco grados, rumbo trescientos cuarenta y siete, altura mínima posible, velocidad novecientos kilómetros por hora . . .

Mi respiración se hace más acelerada, y aflojo por fin la máscara, dejándola colgar libremente del casco.

Es como enfrentarse a la muerte -pienso . . .

—

Muy cerca de allí, Vicky caminaba hacia el mercado con Alejandro, cuando sintieron el ensordecedor ruido producido por la postcombustión del avión que despegaba. Lo vieron elevarse, impetuoso y brillante, de color azul.

-¿Mami, ese es papi? -preguntó Alejandro.

-Sí, Ale, ese es papi.

-Mami, yo no quiero que papi siga volando en esos aviones feos -se quejó, con toda la autoridad que le daba la inocencia de sus cuatro años.

Vicky tragó en seco y sintió que un nudo le apretaba la garganta. Hizo lo indecible por no romper a llorar, y rogó a Dios que llegara sano a mi destino. Sabía que aquél era mi último vuelo.

Ayúdalo, señor. Ayúdalo a llegar sano y salvo. Y ayúdanos a reunirnos con él -rezaba mientras caminaba con el niño en busca de la ración de pan y leche del día.

—

Mientras, en el reducido espacio de aquella cabina, me enfrentaba a mí mismo en una desesperada lucha interna.

Pero, ¿qué haces, te has vuelto loco? ¿Y tus padres, tus hermanos, tus amigos, todos los que te conocieron? ¡Se sentirán traicionados!

No creas que sabes toda la verdad. Lo que has visto en la televisión y leído en los periódicos rusos también puede ser falso. ¿Y quién asegura que no te devolverán a las autoridades cubanas o te enviarán a la silla eléctrica o a la cárcel? En todo caso, no has sido más que su enemigo desde que naciste. ¿Y si es cierto lo de las torturas . . .?

¡Al diablo!

¿Y mis niños? ¿Permitiré que tengan una vida como la mía? ¿Les dejaré crecer como esclavos en silencio? ¿Consentiré en que sigan envenenando sus almas con el odio, como hicieron con la mía?

¡Antes me muero! Si aquel mundo es peor que el que conozco, si lo que he leído y visto últimamente es también falso, no vale la pena vivir. Entonces, ¡Adelante!

Sudando, jadeante, sumido en una lucha febril con mi conciencia y mi alma, pilotaba la nave 722 sobre las azules aguas del Estrecho de la Florida, con destino que sólo Vicky y yo conocíamos.

-Catorce Seis Uno . . . Cuatro Siete.

La voz irrumpió clara y potente en los auriculares del casco, interrumpiendo mis pensamientos. Estaba a mitad de camino, volando a unos treinta metros sobre el agua, y hacía unos minutos había dejado de escuchar al Dirigente de Vuelos de Santa Clara.

-Adelante Cuatro Siete, para el Seis Uno.

-Halcón te está llamando.

-Dile que no lo copio.

-Halcón, Cuatro Siete . . .

Silencio.

-. . . Dice el Seis Uno que no lo copia -retransmitió el piloto que me había llamado, y que se encontraba a unos cinco mil metros de altura, en el proceso de aproximación al aterrizaje por instrumentos.

Unos segundos más de silencio.

-Seis Uno, Halcón pregunta tu posición.

-En el centro de la zona uno, descendiendo en una figura vertical.

El Cuatro Siete repitió mi informe para Halcón, y después de una pausa:

-Seis Uno, dice Halcón que continúe.

-Enterado -respondí, mientras pensaba, ¡seguro que continuaré!

Fue mi último contacto radial con los Halcones de Santa Clara.

Alabama, 11:10 de la mañana

Pensando estaba el coronel Barton en lo que haría los próximos días en casa de su hija, cuando su ilusión estalló como un cristal roto en mil pedazos por el estridente aullido de la señal de alarma que daba la computadora del sistema de aviso.

Sobresaltado, buscó en la pantalla el origen del aviso, pero el parte del operador le llegó al unísono.

-¡Objetivo enemigo en vuelo rasante. Cuadrante 2532, rumbo 350, Velocidad 510 nudos!

Un punto luminoso al sureste de Cayo Hueso se dirigía con rapidez rumbo al norte. Leyó sus parámetros de vuelo, y sintió que el corazón le daba un vuelco. Estaba acostumbrado a ver en las pantallas la aproximación de aeronaves procedentes del sur que intentaban burlar la vigilancia del Sistema de Alerta Previa, pero eran generalmente pequeños aviones de baja velocidad que penetraban el territorio procedentes de Centro y Sudamérica intentando introducir narcóticos en los Estados Unidos. El objetivo que veía ahora desplazarse con rapidez hacia la Florida encerraba un peligro mayor, se trataba de un avión supersónico de combate, probablemente armado con bombas y misiles, en altura y velocidad de ataque. Ya se encontraba a 25 millas náuticas de Cayo Hueso. ¡Le tomaría tres minutos para sobrevolar la base aérea de Boca Chica, y 10 para atacar la planta nuclear de Turkey Point!

El inmenso peligro surgido en un instante le heló la sangre. Aunque poco probable, nadie podía ignorar una acción eventual de Castro contra los Estados Unidos. Como militar de carrera responsabilizado con la vigilancia de su país, comprendía que ninguna posibilidad era descartable, como ningún error de su parte, perdonable.

-¡Despegue inmediato para los interceptores de Homestead! ¡Posición de alerta para los complejos de misiles de la Defensa Antiaérea del Sur de la Florida y los interceptores de MacDill! -ordenó con presteza, y sin alarma en la voz.

La orden pareció interpretada de antemano por los hombres de su equipo que ya corrían a sus puestos.

Alguien preguntaba algo con voz exaltada por el intercomunicador, al operador de radares en algún punto distante de allí. Quería más datos sobre el objetivo que se aproximaba, pero que el operador aún no podía obtener. Otro impartía órdenes a gritos por una de las líneas de comunicación con las Unidades en la Florida, como queriendo, con sus gritos, ganarle al tiempo en su marcha.

El coronel Barton observó los datos enviados a la pantalla por la computadora acoplada al sistema de exploración aérea, y confirmó con un escalofrío lo que sospechó al primer instante.

Sabía que había transcurrido un minuto aproximadamente desde el momento en que los radares localizaron el objetivo. En realidad, ya éste se encontraba unas 8 millas náuticas más al norte. Otro minuto se habría invertido en tomar las decisiones y hacerlas llegar a las Unidades ejecutoras de la Fuerza Aérea. Los complejos de misiles tierra-aire necesitarían otros 4 minutos para estar en estado de listos, uno más para localizar el objetivo y otro para destruirlo. Los pilotos de guardia en la base de Homestead necesitarían unos 3 minutos en correr a sus aviones, ocupar sus puestos en las cabinas y conectar los sistemas, más unos 2 minutos que les tomaría arrancar los motores, taxear y despegar para interceptar y destruir al objetivo que se aproximaba peligrosamente.

Había tomado la decisión de poner en estado de alerta a las unidades de aviación con base en MacDill, previendo que aquel caza solitario formara parte de una agresión de mayor. Tal vez un vuelo de distracción para asestar el golpe principal con más aviones desde otra dirección. Todo era posible.

Mientras este tiempo transcurría el avión enemigo seguiría volando hacia su objetivo. Si su intención era atacar la Base de Boca Chica, ésta apenas podría tomar medidas de protección, pues ya era imposible derribar el caza antes de llegar a Cayo Hueso. Mas si su propósito era atacar Turkey Point, existían muy pocas oportunidades para destruirlo antes de que golpease las instalaciones de la Planta Nuclear produciendo un desastre peor que el Chernovil. ¡Sería como un golpe nuclear a los Estados Unidos!

Barton pensó en su nieta y en los millones de niños y ciudadanos inocentes que trabajaban y descansaban en la Florida ajenos por completo al peligro mortal que les acechaba, y recordó lo que había aprendido durante su carrera militar: los errores son inadmisibles. Y sintió que la realidad espeluznante de lo que ocurría en aquellos momentos, la extraordinaria responsabilidad caída sobre sus hombros en unos segundos, en lugar de asustarlo, lo llenaban de valor para actuar con serenidad y precisión.

Tomó el teléfono directo con el Estado Mayor del Comando Estratégico, y en frases breves y precisas informó a su Jefe. Las órdenes le llegaron breves y precisas también. En un instante, las líneas de comunicación con las Unidades del sur de la Florida se vieron saturadas de señales. Los informes y órdenes iban y venían, cada vez con mayor exaltación en las voces que las transmitían. Lo que tantas veces habían practicado estos hombres hasta convertirlo en un reflejo, mostraba ahora la tensión que sólo el peligro real produce. Esta vez, la expresión de sus rostros era diferente de la que mostraban cuando les introducían nuevas variantes en los entrenamientos, era, sencillamente, dramática.

-¡Destruir el objetivo enemigo en la Segunda Línea! -la voz le salió firme, segura. Era la voz del jefe que confía en la habilidad de sus subordinados y en la eficacia de su armamento.

Los interceptores F-16 de Homestead apenas si tendrían una oportunidad única para disparar de frente contra el avión enemigo unas millas al sur de Turkey Point, pero los complejos de misiles antiaéreos sí podían interrumpir con éxito el vuelo mucho antes de que el caza se aproximara a la planta nuclear. Ya los pilotos y los operadores de las estaciones de conducción de los complejos de misiles tierra-aire corrían a sus puestos. La maquinaria del Sistema de Defensa Antiaérea del Sur de los Estados Unidos se había puesto en marcha, y sólo quedaba esperar a ver quien saldría vencedor en este duelo en el que la sorpresa había dado ventaja al enemigo.

La alarma llegaba también a Boca Chica, pero era tarde . . .

No quería alarmar a las autoridades norteamericanas y, había previsto tomar una altura de unos dos mil metros y reducir la velocidad hasta 450 kilómetros por hora desde una distancia prudente para facilitar que me interceptaran los cazas de Boca Chica. Mi estación de radio tenía veinte canales presintonizados en frecuencias secretas de uso militar que me era imposible cambiar desde la cabina. Y no tendría, por tanto, comunicación con el control de tráfico aéreo de los Estados Unidos. Sabía que mi suerte dependía de como interpretaran mis intenciones, y planeaba hacer las tradicionales señas visuales explicando mis propósitos a los interceptores norteamericanos.

Es hora de trepar . . . -me dije al tiempo que tiraba de los mandos a la distancia prevista. Pero la silueta de Cayo Hueso se dibujó ante mis ojos apenas comencé a ascender y, comprendí con un estremecimiento que estaba mucho más cerca de lo que suponía . . .

Había decidido navegar por el método de velocidad y tiempo, conservando en mi mente los parámetros de dos variantes diferentes de ruta. Pero la memoria me había jugado una mala pasada. Había volado en el rumbo correcto, pero con el cálculo de tiempo correspondiente a la otra ruta. ¡Y ya me encontraba sobre Cayo Hueso sin otra alternativa que sobrevolar la base de Boca Chica! ¡Así sería la alarma que había provocado!

Seguramente ya han dado la orden de derribarme al menor intento de continuar hacia el norte -supuse, reprochándome el error cometido. Y aunque nunca había estado en la sala de dirección del Sistema de Defensa Antiaérea del Sur de los Estados Unidos, ni conocido al coronel Barton ni al capitán Lee, la imagen de aquellos hombres actuando para interrumpir mi vuelo, se proyectó de un golpe en mi mente con todo su dramatismo. No, no debía estar muy distante de la realidad lo que imaginaba estaría ocurriendo allí.

Debo mantenerme en los límites de Cayo Hueso . . . ¡Ni una pulgada de más hacia el norte! -advertí, mientras evadía los pequeños Cessnas y Pipers que sobrevolaban la zona, consciente de que un error mal interpretado podía serme fatal.

Disminuí la velocidad y giré a la izquierda, descendiendo para pasar en vuelo rasante sobre la pista 07 de la base mientras alabeaba las alas en señal de amistad. Miré la cantidad de combustible en los tanques.

Demasiado peso . . . ¡Tengo que consumir unos doscientos cincuenta galones más para aterrizar!

Desplegué las alas a dieciséis grados y saqué los aerofrenos, los trenes y los "flaps."

Un pase más sobre la pista con todos los "trapos" afuera. Comprenderán que, en la próxima, vengo al aterrizaje.

—

A las 11:18 minutos de la mañana, un pacífico MiG-23 aterrizaba en la pista principal, ante la mirada atónita de los controladores de vuelo y del personal de la base.

Abandoné la pista por el primer "taxiway", y detuve el avión en espera de instrucciones. Sentí que me temblaban las piernas, no comprendía aquella tranquilidad a mi alrededor, y no me gustaba.

¿Estarán consultando al gobierno cubano para tomar una decisión?

¡Qué venga lo que venga! Ya nada puede ser peor.

Desde la torre de control, el controlador de vuelo me observaba con sus prismáticos a la vez que describía por teléfono al Jefe de la base lo que veía:

Un MiG-23 con las insignias de la Fuerza Aérea Cubana permanecía detenido allí en espera de alguna indicación. De su cola, colgaba el paracaídas de freno, inflándose a intervalos cuando los gases del motor y alguna racha ocasional de viento se combinaban para llenar su cúpula, levantarlo y dejarlo caer nuevamente sobre el concreto del "taxiway" en convulsiones breves, como pájaro que agoniza, creando una imagen de desolación en el llano paisaje de la base.

Una camioneta con luz amarilla intermitente sobre la cabina se detuvo frente al MiG, indicándome que la siguiera. Lentamente, con el paracaídas a cuestas, taxeé tras ella bajo un sol radiante, solitarios la camioneta y el MiG, como si fuéramos los únicos moradores de la base.

Una pequeña rampa al otro extremo de la pista fue el lugar escogido por el conductor para descender de la camioneta y poner sus manos en cruz, indicándome que podía desconectar el motor. Hice girar el avión para apuntar su cola hacia el césped, y oprimí el botón de liberar el paracaídas, que cayó con una convulsión final.

Segundos después, cesaba el agudo zumbido de la turbina y un automóvil rojo se aproximaba al avión. Su conductor: el jefe de la Base. Y junto a él: un sargento de apariencia hispana.

Ahí están . . . -pensé, mientras les observaba -*He sido su enemigo desde que di los primeros pasos. ¡Veamos qué pasa!*

Ambos salieron del auto cuando vieron que el cánopy del MiG se abría, descubriendo el rostro de un piloto que no podía ocultar su nerviosismo.

Me quité el casco y salté a tierra para cuadrarme militarmente ante el hombre en traje de vuelo, y decirle con voz temblorosa que el Sargento tradujo:

-Mi nombre es Orestes Lorenzo.

-His name is Orestes Lorenzo.

-Soy mayor de la Fuerza Aérea Cubana.

-He says he's a major in the Cuban Air Force.

-Y pido protección a las autoridades de este país . . .

-He's asking for protection by the authorities . . .

-por razones políticas.

-Political asylum.

El coronel escuchó con atención, mirándome a los ojos fijamente. Luego, sonrió, dio unos pasos hacia mí y tendiéndome la mano dijo:

-Welcome to the United States!

Capítulo 2

—

La pobreza perdida

Las memorias más tempranas que conservo se remontan a Cabaiguán, pueblo en el centro de Cuba en el que nací a mediados de 1956. Era Cabaiguán, famoso por sus tabacos y sus mujeres. "Las mujeres más lindas de Cuba son las de Cabaiguán", le escuchaba decir con frecuencia a los adultos. "Estas tierras negras son las mejores de la isla. Aquí se da la mejor vianda y el mejor tabaco". Decían otros. Lo cierto es que en la lengua de los aborígenes cubanos "cabaiguán" significa "tierra de las iguanas".

Pero más de una vez que salí de las inmediaciones del pueblo con mis padres, alguien me decía en tono jocoso: "Ah, conque eres del pueblo de los *verracos*". Y yo sentía cierta vergüenza, pues el nombre de *verraco* se interpreta en Cuba como *tonto*. Sin embargo, para los oriundos de Cabaiguán, el sobrenombre del pueblo se debía a los magníficos cerdos sementales que allí se criaban, a los que se les llamaba también *verracos*.

Había en Cabaiguán varias escogidas en las que se procesaban las hojas de tabaco, librándolas manualmente de sus nervios y rociándolas con agua para envolverlas en grandes pacas que enviaban a las fábricas. Allí los torcedores realizaban su labor de artesanos, dándole con sus manos la forma de los famosos puros de Cabaiguán.

Laboraban en las escogidas mayormente mujeres llamadas "despalilladoras", mientras que en las fábricas de tabaco predominaban los hombres.

Fue en la llamada "Escogida de Zorrilla" que se conocieron mis padres en 1950, al cruzarse sus destinos casi por las mismas razones. Mi madre había sido la séptima de nueve hembras y un varón nacidos del matrimonio formado por una joven campesina de los campos de Pedro Barba y un emigrante español de las Islas Canarias, quienes se habían conocido en medio de la miseria y la desesperación.

Tenía mi abuela doce años cuando quedó al frente de la crianza de sus nueve hermanos al morir la madre en el parto del último y escapar el padre de la casa, enloquecido por la tragedia. Entonces, un tío fue el único que les socorrió en su desamparo, asumiendo la responsabilidad de alimentar aquella prole de niños hambrientos. Trabajaba él desde el amanecer a la noche en los campos de una finca arrendada, pero no eran suficientes sus fuerzas para sustentar tantas bocas, y poco a poco se consumía en el agotamiento que se traducía en menos y menos comida que podía traer a casa.

Fue entonces que apareció aquel joven alegre y de vivaces ojos azules llamado Casildo, que había llegado de España huyendo del Servicio Militar y ahora buscaba un trabajo para sobrevivir en aquella isla en la que no tenía ni parientes ni amigos.

Le ofreció el tío trabajar con él en la finca, y aceptó el joven gustoso a cambio de un lugar donde dormir que consiguió en el establo, y un plato de comida que le concedieron junto a todos en la mesa.

Pasaban los meses de duro trabajo bajo la fuerte tutela del tío, y cada día se sentía Casildo más y más atraído por aquella adolescente de catorce años que cuidaba del hogar como la madre de familia, y cruzaba con él insistentes y tímidas miradas cuando servía la mesa.

Una tarde que María estaba en el patio lavando la ropa de todos, él se fue al pozo fingiendo buscar agua para acercarse a ella y decirle:

-María, quiero casarme contigo.

Ella encogió los hombros, bajó la cabeza sin decir palabra y comenzó a restregar aún con más fuerza la sucia camisa que tenía en las manos. Y él comprendió que ella aceptaba.

Casildo volvió al huerto en que le esperaba el tío doblado sobre la siembra, y le pidió la mano de mi abuela en matrimonio. Pero el tío, fiel a su fama de hombre terco, respondió enfadado con la sangre subida al rostro:

-¡Sinvergüenza, no quiero verlo más en mi casa! -y extendió una mano apuntando al Camino Real mientras apoyaba la otra en la empuñadura del machete que llevaba a la cintura.

Lloró María esa noche en la soledad de su hamaca, y durmió Casildo bajo las estrellas en el monte, pues no había querido irse lejos sabiendo que la necesidad terminaría por vencer la terquedad del tío.

Regresó mi abuelo al cabo de los tres días para pedir otra vez la mano de mi abuela, y aceptó esta vez el tío a regañadientes el matrimonio que contrajeron de inmediato.

Casildo resultó ser un joven inteligente y enérgico, que propuso enseguida al tío salir en busca de hombres que necesitaban trabajo a toda costa para emplearlos en la finca. Y así fueron arribando nuevos jornaleros que se alojaban en el establo y comían parados junto a Casildo y al tío en la cocina, elogiando la exquisita comida preparada por la joven María, quien además cuidaba de la prole de hermanos menores.

Con el tiempo, la finca fue prosperando, y ya trabajaban en ella los hermanos varones de mi abuela, mientras ella traía cada año al mundo una hembra tras otra, hasta llegar a nueve con un solo varón.

No parecían mi abuelo y el tío atormentarse por el creciente número de mujeres en la familia, y las tomaban con ellos a los campos cada mañana dándoles los trabajos menos rudos que ellas cumplían dichosas de ayudar.

Así pudieron mantener la finca, que producía cada vez más, mediante contratos de arriendo que renovaban cada diez años, hasta alcanzar la prosperidad que permitió a mi abuelo contratar a un maestro del pueblo que venía seis meses al año para instruir por las tardes a sus hijas, después de las labores del campo.

Parecía que ya sus vidas habían echado raíces en aquellas tierras, como los árboles frutales junto a la casa, cuando el dueño de la finca no quiso renovar el arriendo de la tierra.

-Lo siento mucho Casildo, pero tienen que marcharse -le había dicho a mi abuelo cuando insistió en reanudar el contrato.

Ese día Casildo regresó a casa sin la sonrisa de siempre, y las muchachas se unieron a él en triste mutismo, andando taciturnos y desconsolados por la casa, entre la misma frase que alguien dejaba escapar de vez en cuando: ¿Qué va a ser de nosotros?

-¡Basta de llantos. No podemos dejarnos morir en la desgracia! -estalló mi abuela en medio de aquel drama colectivo, y levantando la frente se dirigió a Casildo con tono resuelto: -¡Nos iremos al pueblo!

Y marcharon a los pocos días con los bultos a cuesta y los ahorros de toda la vida en los bolsillos, en busca de una casa que alquilar y algún trabajo que las muchachas pudieran desempeñar en aquel pueblo llamado Cabaiguán, adonde cuatro años antes había llegado también, con sus bultos a la espalda, la familia de mi padre.

Estos últimos nunca pudieron arrendar tierra alguna, y vivían con sus nueve hijos en una finca en la que el dueño les permitió construir su pequeño bohío de piso de tierra, que la abuela curaba cada tarde con las cenizas del carbón de madera utilizado para cocinar.

Un día el dueño vendió su finca, y los nuevos propietarios exigieron a mis abuelos que abandonaran el lugar. Entonces la familia se marchó al Camino Real, pues temían a la vida en el pueblo y esperaban que los cinco hijos varones ganarían lo suficiente para mantener el hogar, si trabajaban como jornaleros junto al abuelo.

Compartía mi padre las tareas del campo con la atención a los cerdos que criaban en el patio de la casa, y cada Nochebuena, veía con tristeza como el abuelo iba entregando aquellos animales en pago por los alimentos y ropas que les habían fiado durante todo el año, hasta que no quedaba ni uno. Otra vez, celebrarían la Navidad con las odiadas viandas de siempre.

Una tarde, que regresaba de los campos de tabaco montado en el caballo tras el abuelo, se inclinó a un lado para ver el origen del extraño ruido proveniente del camino, y vio por primera vez aquella masa de hierro sobre cuatro ruedas que avanzaba a su encuentro saltando sobre los baches del camino. Sonó las bocinas el conductor del automóvil para anunciar su paso, y saltó mi padre del caballo, huyendo aterrorizado de aquel ''animal monstruoso'', ante la risa y la asombrada mirada de mi abuelo.

Mi padre tenía entonces catorce años, que había vivido sin usar zapatos que nunca le pudieron comprar, y se jactaba ante otros muchachos de apagar los cigarrillos encendidos con la callosidad natural que protegía sus pies.

Para entonces había podido estudiar hasta el tercer grado en una escuelita pública abierta junto al Camino Real por un maestro empeñado en educar a los campesinos, y comenzaba a descubrir lo que se convertiría en una pasión de su vida: la lectura.

Acosados por las deudas y la desesperanza, decidieron los abuelos marchar por fin al temido pueblo, donde al cabo de unos años mi padre encontró empleo como lector en la Escogida de Zorrilla.

También mi madre había llegado allí con sus catorce años, en busca de los seis pesos semanales que podía ganar despalillando y clasificando las hojas de tabaco, durante los tres meses que operaba la escogida cada año.

Y allí estaba aquel joven de veinte años, parado en el centro del salón atestado de muchachas, levantando la vista a intervalos del periódico que leía en voz alta, para clavarla en la arisca adolescente que permanecía sentada frente a él, con la cabeza sumergida en la mesa llena de hojas de tabaco.

Un día mi padre se detuvo junto a la ventana que quedaba al lado del puesto de mi madre, y le comentó al amigo que lo acompañaba:

-Esa muchacha va a ser la madre de mis hijos.

La joven enrojeció al escuchar la frase, y volvió la cabeza con arrogante gesto que arrancó la risa de mi padre.

Cumplía mi madre los quince años, cuando le permitieron pintarse los labios y asistir con la hermana mayor a la película que exhibían los domingos al mediodía en el único cine del pueblo. Llegó curiosa, prendida con fuerza del brazo de la hermana a aquella sala oscura que de momento la asustaba, y tomaron asiento en una de las filas casi vacías.

-¿Me puedo sentar aquí? -sintió la conocida voz del ''lector'' junto a ella apenas habían pasado unos minutos.

-Claro, este es un lugar público -respondió, tan arisca como cuando había dejado los campos de Pedro Barba, y le vio con el rabillo del ojo ocupar un lugar dos asientos más allá.

Mas no parecía mi padre interesado en la pantalla, y le hablaba a ella de la escogida y de lo que le gustaría visitar su casa, cuando ella volvió el rostro hacia él preguntándole con evidente enfado:

-Dígame . . . ¿Me está usted enamorando?

-No, no . . . ¡Cómo puede pensarlo! . . . Yo sería incapaz de tal cosa.

Tiempo después ya eran novios, y mi padre visitaba la casa de mi madre los días que le fijó Casildo. Él ansioso siempre por besarla, y ella aterrorizada de hacerlo, hasta que hubieron pasado seis meses . . .

Corría el año 1955 cuando decidieron casarse e irse a vivir a una pequeña casa de frágiles paredes de tablas en el barrio llamado "De La Cafetería", por ser el único lugar de la región donde existía una procesadora de café, y pasaron allí los primeros años economizando cada centavo de sus pobres salarios para comer y pagar el alquiler.

El gobierno había aprobado en aquella época una ley que exigía a los dueños de escogidas el pago de una tarifa mayor a sus obreros en respuesta a sus demandas. Pero los dueños decidieron llevarse sus escogidas a otros pueblos con mano de obra más dócil en lugar de pagar la tarifa establecida, y mis padres se vieron en la desesperación por no tener cinco centavos en las mañanas para comprar el litro de leche que exigía a gritos aquel primer glotón nacido en 1956.

Ya entonces, los hombres del movimiento 26 de Julio se encontraban en las montañas prometiendo hacer una Revolución que impusiera la justicia en el país, y comenzó mi padre a colaborar con ellos vendiendo los bonos de la organización para recaudar fondos.

Transcurrían los últimos días de 1958 cuando las tropas comandadas por el Ché Guevara entraron triunfadoras a Cabaiguán luego de algunas escaramuzas, y establecieron su comandancia en la Escogida de Manuel Gutiérrez, próxima a nuestra casa.

Hacía tres días que mi padre se había marchado para encontrar a los combatientes del 26 de Julio antes de la toma del pueblo, y ahora estaba mi madre en un rincón de la cocina, con más de ocho meses de embarazo del segundo hijo y una extrema palidez en el rostro por el pánico que le producían los esporádicos disparos que escuchaba.

Pensaba ella en mi padre ausente, cuando escuchó los gritos desesperados de la vecina. Ésta estaba enferma, y dos horas atrás había enviado a su nieto adolescente por una medicina a la farmacia. Recién le habían traído la noticia de que un francotirador del ejército, apostado sobre un techo, había matado al muchacho cuando cruzaba la calle tratando de llegar a la farmacia.

Sintió que el terror la invadía por la tragedia de su vecina, y corrió conmigo en brazos de regreso al hogar cuando sintió el típico sonido de un avión en picada sobre la casa, seguido de las explosiones de los proyectiles al caer.

-¡Todos a sus casas! ¡Están ametrallando la comandancia!

Escuchó gritar a alguien que corría por la calle, y se lanzó conmigo bajo la cama convencida de que allí tendríamos protección.

Pasó el bombardeo, y se fue al patio en busca del colchón expuesto al sol para curarlo de los orines de su pequeño. Al levantarlo, descubrió horrorizada, que lo habían perforado varios proyectiles de grueso calibre.

Escapó el antiguo gobierno y entraron los guerrilleros como héroes a la capital, envueltos en los vítores que les dedicaba la delirante multitud a su paso. Regresaron todas las escogidas a Cabaiguán, y sus dueños pagaban ahora la tarifa fijada, ascendente a unos veinte pesos semanales. La renta de las casas había disminuido notablemente, y cada día se aprobaban más y más leyes que favorecían a los humildes. El júbilo era total. ¡Había triunfado la Revolución!

Mi padre trabajaba entonces como lector en la fábrica de tabacos ''Bauzá'', en cuyos altos tenía un cuarto pequeño al que se llegaba por una escalera angosta. En el cuarto, un inmenso amplificador en su armazón de hierro, y un viejo micrófono frente a una pequeña silla, desde la que mi padre pasaba las horas leyendo para los obreros las obras de los más conocidos escritores. Desde Cervantes hasta Víctor Hugo y Hemingway.

Sería por ello, que a pesar de no haber asistido a escuela alguna, muchos de los tabaqueros de Cabaiguán tenían una cultura literaria peculiar.

—

Vivíamos entonces con mis abuelos en una pequeña casa de madera, que pudo rehacerse después con cemento y ladrillo gracias al dinero que trajo el hermano menor de mi padre en uno de sus viajes de vacaciones desde los Estados Unidos adonde había emigrado en busca de mejores horizontes.

Estaba la casa situada al extremo de la cuadra de una angosta calle de piedra que reposaba sobre una pequeña colina. La separaba de la calle transitada casi únicamente por los vecinos, un portal sin techo construido con lajas llanas de piedra, y una zanja por la que corría el agua copiosamente cuando llovía.

Era mi delicia entonces, escapar al portal y sumergir mis pies descalzos en aquella zanja por la que corría el agua tibia y turbia después de cada aguacero.

-¡Muchacho, que te vas a enfermar! -solía decirme mi abuela desde el umbral de la puerta para ordenarme entrar a casa.

Así pasaba el tiempo con mis abuelos, viéndoles torcer sus propios tabacos, cuyas hojas guardaban celosamente en una caja de madera sobre la mesa del comedor al final de la casa.

Fumaba mi abuela sus rudimentarios puros generalmente en la cocina, mientras mi abuelo lo hacía sentado en un viejo sillón junto a la ventana de la sala, escupiendo constantemente hacia el portal una mezcla carmelita de saliva y tabaco que iba formando grandes manchas oscuras sobre las piedras.

Era el tabaco el sustento de la familia, y tal era el culto que se le rendía que, teniendo yo catorce meses, me llevó mi padre a un estudio fotográfico donde me tomaron una foto con un puro encendido entre los labios. La foto, ingenua y graciosa entonces, quedó para la posteridad en defensa mía que hube de fumar escondido de mi padre hasta después de casado.

Acostumbraba mi abuelo a entablar conversación con cuanto transeúnte pasaba, y muchas veces lo escuché llamar a mi abuela en tono jocoso para decirle:

Mira, María, esa muchacha que va ahí . . . ¡Esa sí que es una mujer!

Mi abuela salía de la cocina ante el reclamo, y al escuchar la exclamación de mi abuelo, se volvía de regreso con un gesto de cansancio diciendo solamente: -Bah!

Mi abuelo reía entonces con sana picardía, y mi abuela continuaba sumergida en los quehaceres de la cocina murmurando algo incomprensible.

Decían los que lo conocieron bien, que le fue mi abuelo muy fiel, aunque nunca dejó de bromear con ella para provocar sus celos.

Ella solía reprocharle:

-Pero, Cristino, ¿cuándo vas a cambiar?

Años después, cuando éste murió de manera repentina, mi abuela cayó en triste espera. Siempre dijo que prefería estar con él, allí donde estuviese. Y fue marchitando en su ausencia hasta que la muerte los unió para siempre.

En las tardes, cuando llegaba mi padre del trabajo, solía yo esperarlo en el umbral de la puerta. Lo veía subir por el centro de la calle siempre con algo en las manos, y me lanzaba en una carrera a su encuentro. Él se ponía entonces en cuclillas y yo saltaba a su cuello, besándolo en la mejilla.

La entrada a casa siempre la hacía en sus brazos, y él me sentaba sobre la mesa para mostrarme lo que traía para mí: algunas veces un dulce, otras, algún jugo de frutas.

La primera vez que me trajo jugo de tomate lo rechacé, pero mi padre me dijo que era el jugo de tomate lo que hacía crecer los huevos de los hombres. Entonces, lo tomé con apetito desmedido en mi afán de ser hombre cuanto antes. Desde entonces, adoro el jugo de tomate, y utilizo la misma técnica con mis hijos cuando rechazan algún alimento rico en vitaminas.

En el patio de la casa había dos árboles de mango que hacían las delicias de mis primos y yo en el mes de junio. Una vez vi que de una semilla abandonada en un extremo del patio brotaba un retoño. Pregunté a mi abuelo que era aquello y me explicó algo sobre la siembra mientras ponía la semilla más abajo de la superficie.

Después, estaba yo siempre a la caza de centavos que me daban mis tíos, y me iba corriendo a sembrarlos en el patio. Pero nunca llegó a nacer el tan añorado árbol de monedas.

—

Una madrugada alguien me despertó con un beso. Era mi tío Orlando, el más joven y el único soltero de los hermanos de mi padre, que acababa de llegar de los Estados Unidos. En las manos sostenía un avión inmenso que había traído para mí. Esa noche quedamos todos en la sala, excitados por la llegada de Orlando, y nadie pudo convencerme de regresar a la cama.

Estaba yo con mi nuevo juguete, rodándolo entre las piernas de mis abuelos y padres, disfrutando aquel aparato con alas que me llevaba en un vuelo fantástico alrededor del mundo, vuelo que no aceptaba interrumpir por tener que dormir.

Desde entonces, siempre que me preguntaban que sería yo "cuando fuera grande", yo respondía: piloto. Aquel avión, el primero que volé en las alas de la imaginación a mis cuatro o cinco años, sería el último juguete de mi vida. Era diciembre de 1960 o 61, y Orlando: el primero de mis tíos en llegar para las navidades.

Tenía mi padre otros tres hermanos y cuatro hermanas, todos con hijos, que llegaban a casa para las fiestas, llenándose así ésta de tíos y muchísimos primos que la pasábamos de maravilla en un ambiente familiar y feliz que nunca más volví a disfrutar.

De los Estados Unidos venía también Miladis, la hermana menor de mi padre, con su esposo e hijos. Una vez trajeron ellos un proyector con películas ''del Norte'', que exhibieron en la noche sobre la blanca pared de la casa del frente, siendo aquella la más interesante atracción para chicos y adultos del barrio.

El día de Nochebuena se iban los hombres al patio con mi abuelo mientras las mujeres permanecían en la cocina, y los chiquillos corríamos por toda la casa en una guerra a tiros con nuestros revólveres imaginarios.

En el retozo, los varones nos la ingeniábamos de alguna manera para tomar por asalto la casita de muñecas que las primas habían preparado en el patio, perturbando así la paz con que jugaban ellas, y originando una lluvia de quejas sobre las tías, que las pasaban a los hombres en el patio:

-¡Pongan orden en esta casa, que estos muchachos nos van a volver locas!

Allí, junto a un agujero rectangular en el que lentamente iban asando el cerdo de la cena, rodeaban mis tíos al abuelo, bebiendo de vez en cuando largos sorbos de las botellas de cerveza que sostenían en sus manos. Riendo y hablando quien sabe de qué cosas.

Comenzaban ellos a preparar el cerdo dos días antes. Le traían vivo hasta el patio de la casa, y era el momento de su ejecución, toda una ceremonia a la que asistíamos curiosos los muchachos.

-¡Ya van a matar el puerco! -gritaba, dando la alarma, alguno de los chiquillos, y todos corríamos al patio para ver ''cómo era la muerte''.

Allí estaba el cerdo, con una soga atada al cuello desde una estaca clavada en el suelo, para que no escapara, hurgando en la tierra con su hocico al tiempo que emitía sordos ronquidos. Mientras, el abuelo afilaba un largo cuchillo sobre el que vertía el agua de un viejo jarro de metal, dejándola correr por la hoja para caer luego sobre la piedra redonda por la que volvía a deslizar el filo con celo.

A ratos limpiaba el abuelo el cuchillo, y pasaba la yema de sus dedos cuidadosamente por el borde de la hoja murmurando: Aún no está bueno.

Listo el cuchillo, curiosos los muchachos, se iba el abuelo junto al cerdo, al que tomaba por las patas de un lado volteándolo de un tirón sobre el costado. Luego hacía un giro para situarse a espaldas del animal yacente y apoyar con todo su peso una rodilla sobre sus costillas. Tomaba entonces una de las patas delanteras con la mano izquierda elevándola un tanto para descubrirle el pecho, y extendía su mano derecha hacia atrás, pidiendo a uno de los tíos el cuchillo. Blandía entonces el mango con firmeza, e ignorando los ensordecedores chillidos del animal, lo hundía de un golpe en el pecho de éste partiéndole el corazón con certera estocada.

Brotaba la sangre entonces a borbotones de la herida, mientras el animal ahogaba sus chillidos en estertores intermitentes y convulsiones que se hacían cada vez más lentas, ante la mirada atónita y asustada de los chicos.

Luego, algún tío vertía agua hirviente sobre el lomo del animal, que reaccionaba con alguna última convulsión, y exclamaba entonces: -No está listo para pelar, aún no está muerto. Muerto el cerdo, iban los tíos presurosos, entre sorbos de cerveza, a verter más agua hirviente sobre éste, a la vez que frotaban su oscura piel con unas piedras porosas hasta librarla de la misma.

Quedaba el cerdo, blanco, y procedían a abrirle el vientre para extraer sus vísceras. Luego, vertían cubos de agua fresca en su interior para limpiarlo de residuos de sangre, y le colgaban del techo de la cocina con un recipiente debajo en el que goteaba la última sangre durante la noche.

Al próximo día, preparaban un ‘‘mojo’’ con naranjas agrias traídas del campo, comino, ajo y sal, que introducían en la carne del animal por agujeros que le abrían en todas partes con un cuchillo de hoja fina.

Dejaban el cerdo otra noche, esta vez reposando sobre la mesa y tapado con hojas de plátano para que le ‘‘penetrara’’ el mojo, quedando éste listo para asar desde la mañana siguiente, día de Nochebuena.

Mientras el puerco se asaba, se sentaba mi padre frente a una caja de botellas de cerveza vacías. Tomaba una botella, le pasaba una cuerda de rayón en derredor por la mitad de su altura, tensaba el hilo por ambos extremos y lo haciá frotar con fuerza la superficie de la botella en una y otra dirección varias veces. Luego, introducía ésta con agilidad en un cubo de agua fría, donde la botella finalmente se quebraba dejando de un lado el pico inservible, y del otro, un rústico vaso para la cena.

Se realizaba la cena en la sala de la casa, tras una mesa alargada con cajones y tablas cubiertos por manteles blancos. Allí nos sentábamos todos, chicos y grandes, a disfrutar el lechón asado y a escuchar al abuelo darle las gracias a Dios y brindar por la unión y felicidad de la familia.

Aquellas fueron las últimas y únicas navidades que recuerdo.

Un día, los líderes de la Revolución decidieron que las tradiciones navideñas eran importadas y dañinas para la economía, pues coincidían con el mejor período de la zafra azucarera, momento de cortar la caña por su alto rendimiento en azúcar. Tampoco los niños tenían por qué celebrar el día de los ‘‘Reyes Magos’’ el seis de enero. La celebración infantil sería trasladada para finales de julio, coincidiendo con los días de celebración por el ataque al cuartel Moncada de un grupo de jóvenes liderados por el máximo líder. Los encantados personajes sobre camellos que respondían nuestras cartas dejando juguetes bajo las camas en la madrugada, desaparecerían en lo adelante de nuestros sueños.

Nunca más volvería a sentarse toda la familia a la mesa, nunca más se darían las gracias a Dios. Pronto dejaría de pedir la bendición antes de irme a dormir. Y pasarían treinta años para volver a ver a mi primo ‘‘del Norte’’, a quien no podría ni siquiera escribirle.

—

Transcurría nuestra vida en la rutina acostumbrada, cuando los nuevos líderes del pueblo ofrecieron a mi padre enviarlo a la escuela de ‘‘Instrucción Revolucionaria’’, pues necesitaban nuevos cuadros para dirigir la obra creativa de la Revolución. Y le vimos partir contento de buscar horizontes más amplios que los de lector de tabaquería.

Pasó mi padre en la escuela un tiempo que me pareció largo, y trabajaba ahora en el Ministerio de Educación, cuando una tarde le vi salir enfurecido del cuarto llevando en sus manos un cuadro de la Virgen María que colgaba sobre mi cama.

-¡He dicho que no quiero ver más esta porquería en el cuarto del niño! -blasfemaba mientras lanzaba el objeto al patio.

Mi madre sollozaba en silencio, y mi abuelo permanecía neutral e impasible en su viejo sillón junto a la ventana.

Me fui, asustadizo y sin comprender, junto a las faldas de mi abuela, que sumergida aún más en las cazuelas, echaba su brazo por mi espalda apretándome contra el regazo.

Por las noches, antes de irme a la cama, solía ver a mis abuelos inclinados sobre el radio escuchando una emisora lejana con el volumen muy bajo, y ya en la cama les decía:

-Abuelos, la bendición.

-Que Dios te bendiga mi niño -me respondían ambos casi a coro.

En las mañanas, cuando mis padres se habían marchado al trabajo, solía visitarnos un hermano de mi abuela, seco y pedante, que nunca me dirigía la palabra, pero que mientras esperaba el aromático café, comentaba con mis abuelos lo que habían escuchado en la radio lejana la noche anterior.

-¡Aquí lo que tiene que pasar es que vengan los americanos a arreglar las cosas! -decía Modesto, el hermano de mi abuela.

-Este hombre es peor que Batista -recalcaba mi abuela en voz baja y triste, mientras mi abuelo asentía con la cabeza.

Y yo no entendía de quien hablaban, ni que cosa podía preocuparlos tanto en la radio.

Un día, unos hombres trajeron a mi padre en estado semiconsciente. Mi madre, mi abuela y una tía lo sostenían luego acostado en la cama, mientras vomitaba, inclinado sobre un cubo que habían puesto en el suelo frente a él.

Observaba yo la escena, asustado, desde la puerta del cuarto. -Está totalmente borracho, -le escuché decir a mi tía. Los amigos de mi padre explicaron que habían estado celebrando la supuesta aparición de Camilo Cienfuegos. Años después, sabría que Camilo había sido el Comandante más popular de la Revolución Cubana, y que desapareció para siempre con su avión una tarde de tormenta de manera inexplicable. Aquella fue la única vez en que he visto a mi padre borracho.

—

Mi padre se marchó en 1963 a otra provincia y regresó tiempo después a buscarnos en un camión ruso acompañado por un chofer joven y robusto llamado Mario. Tenía allá un nuevo trabajo, como ''Dirigente de Educación'', escuchaba yo decir a sus hermanos y amigos.

Montamos las pocas pertenencias que teníamos en aquel camión y nos fuimos todos, mi madre, mi padre, mi hermano menor, el chofer y yo, apretados en la pequeña cabina bajo un aguacero interminable en lo que me pareció el más largo de los viajes, a la ciudad de Matanzas. Ese día descubrí que el mundo llegaba mucho más allá de Cabaiguán y que era, en verdad, muy grande.

Era el chofer tan corpulento que mi hermano Faure y yo pasamos todo el viaje fascinados con sus músculos y escuchando embobecidos las historias que nos contaba de sus peleas de boxeo en las que siempre resultaba vencedor.

Semanas después, llegaría mi padre a casa contando que a Mario se le había escapado un disparo mientras hacía la guardia de miliciano en la escuela en que trabajaba, causándole la muerte. No podíamos entender Faure y yo, como algo tan pequeño como una bala podía matar a alguien tan grande como Mario. En todo caso la muerte de nuestro héroe nos conmovió bastante.

Al llegar a Matanzas, descubrimos nuestro nuevo hogar: un apartamento en el tercer piso de un edificio recién construido del que éramos los primeros habitantes, y en el que aún viven mis padres y hermano menor. Desde el balcón, vimos por primera vez el mar, distante apenas cien metros. Éste se convertiría, en lo adelante, en el centro de nuestras andanzas, y en la mayor preocupación para mi madre, que viviría de un susto en otro.

Pronto fueron ocupados los otros apartamentos del edificio por personas rubias y de ojos claros que no hablaban nuestro idioma.

-Son técnicos alemanes -decía la gente.

Desde entonces le llamaron a aquellos edificios ''Los edificios de los técnicos''.

Los alemanes solían ser callados y poco comunicativos, a no ser cuando hacían una fiesta, en la que lanzaban copas y botellas de cerveza escaleras abajo dejando una estela de vidrios rotos, que limpiaban completamente en la madrugada. Una vez tuvieron una boda y, en lugar de cristales, lanzaron monedas que los chiquillos del barrio nos lanzamos a recoger entre empellones.

Todas las tardes, nos íbamos un grupo de muchachos en neumáticos inflados a las aguas de la bahía, para zambullirnos en busca de los cobos que cambiábamos a los alemanes por caramelos de chocolate y otras chucherías.

Cuanto más cobos y otros caracoles traíamos, más querían ellos, haciendo que otros chicos de barrios cercanos viniesen con sus neumáticos inflados a cuesta, atraídos por las golosinas.

—

Tras los edificios se alzaba una colina de terreno pedregoso sembrado de henequén, por la que pasaba la línea del tren. Y los chicos más grandes solían ir allí a esperar el tren cargado de caña, que pasaba a poca velocidad. Al sonido de la locomotora, corrían todos a la línea, parándose junto a ella para agarrar con las manos las cañas que sobresalían de los coches y tirar de ellas. Después, nos sentábamos sobre los rieles a saborear el guarapo que chupábamos con ardor.

Pastaban entre los henequenes los caballos de algunos agricultores de la zona, a los que hacíamos un cerco para capturar y montarlos a pelo limpio por aquellos parajes. Pero más de una vez corrimos despavoridos ante la furia de algún campesino que nos sorprendía en la tarea de cansar a sus caballos de trabajo, y nos perseguía blandiendo un machete entre las manos. Una vez que tratábamos de atrapar un potro, éste pateó hacia atrás alcanzando a Luis Alberto en la boca, y dejándole para el resto de su vida una gran cicatriz en el labio inferior como recuerdo de nuestras cabalgatas clandestinas.

Era Luis Alberto un muchacho muy soñador y con ideas aún más alocadas que las de Faure y yo. Un día, nos pidió acompañarle a las ruinas de un edificio abandonado a medio construir para mostrarnos el "laboratorio espacial" que estaba preparando para comunicarse con civilizaciones extraterrestres. En una de aquellas habitaciones mugrientas descubrimos unos cables, un par de lámparas de radio y otros tarecos con los que pensaba hablarle a los Marcianos. Con el tiempo, el laboratorio de Luis Alberto se convirtió en una especie de micro-zoológico en el que criábamos cuanto animal nuestras madres nos impedían traer a casa.

Una tarde que nuestra madre nos envió a la farmacia con una receta para una medicina que necesitaba, encontramos Faure y yo un gato abandonado con la piel poblada de repugnantes gusanos. Observamos el pobre animal con pena, y no dudamos en verter la medicina sobre sus heridas, convencidos de que le curaría.

-Mami comprenderá -nos decíamos.

Nuestra madre volvió a amenazarnos con perder la paciencia cuando nos vio regresar con el frasco vacío y un repulsivo gato entre las manos. Minutos después también ella buscaba afanosamente un medicamento apropiado para curar el infeliz animal.

En aquella época, mi padre trabajaba día y noche recorriendo la provincia. Muchas veces llegaba sucio y agotado, explicando que había estado en la Ciénaga de Zapata, inaugurando alguna escuelita para los carboneros analfabetos que allí vivían.

Rara vez paseábamos o nos íbamos de descanso a algún lugar el fin de semana. El trabajo de mi padre era como una obsesión que ocupaba todo su tiempo y sobre el que no dejaba de hablar un instante. La palabra Revolución estaba frecuentemente en sus labios. Y nos hablaba de ella a mi hermano y a mí como la razón de su vida. Si alguna vez íbamos al cine o a comer fuera, mi madre discutía con él, porque en lugar de vestir adecuadamente para la ocasión, él prefería mostrarse en esos lugares vistiendo la ropa de kaqui, de color gris, o la camisa azul claro de miliciano con la que solía trabajar.

-Orestes, no seas indecente. Vístete correctamente para salir -le reprochaba mi madre entonces. Y él contestaba:

-El hombre vale por dentro y no por fuera. Eso de vestir elegante es una necesidad para los burgueses, no para mí.

Capítulo 3

—

El hombre nuevo

Cuando cumplí los siete años mi padre habló de enviarme a una nueva escuela. A una beca, dijo. Y me vi repentinamente separado del hogar.

-Yo nunca tuve escuela, pero hoy la Revolución se lo da todo a los niños. Allí tendrás educación, ropa, comida, todo gratuitamente. Tú y todos los niños. No importa si eres hijo de un ministro o del más humilde obrero. Esa es la justeza de la Revolución -me decía entonces sin que yo comprendiese mucho de qué me hablaba.

Estaba "el Internado", como llamaban a la escuela, en la cima de una colina desde la que se divisaba toda la ciudad de Matanzas. Nuestra semana comenzaba los domingos a las ocho de la noche cuando los padres acompañaban a sus hijos hasta la entrada. Allí nos despedíamos hasta el próximo sábado al mediodía, en que nos íbamos a casa a pasar el fin de semana.

Dormíamos unos sesenta muchachos en un amplio salón dividido por dos filas de literas de dos pisos que debíamos tender nosotros mismos a las seis de la mañana, hora en que entraba el maestro dando la voz de "¡De pie!"

Después de lavarnos los dientes, formábamos en dos filas en el patio del albergue e íbamos marchando hacia el comedor al compás de las voces de mando del maestro:

"¡Atención! ¡De frente! ¡March! Uno, uno-dos-tres-cuatro . . . !

También, cantábamos al compás de la marcha, los himnos revolucionarios que comenzábamos a aprender:

-Marchandooo, vamos-hacia-un-ideal, sabiendoo, que-debemos-de triunfar. En aras de paz y prosperidad, lucharemos todos por-la-libertaaad . . . pues somos soldados, que-vamos-a-la-patria a-liberar . . .

Otras veces, entonábamos lemas pioneriles:

-Eehh, "malembe", los becados ni se rinden ni se venden. ¡"Malem-beee" . . . !

En las tardes, después de las clases, tomábamos el baño en una habitación sin duchas junto al dormitorio. Allí, una mujer mulata y gruesa a la que llamábamos la "Conserje", y a la que teníamos pánico, velaba nuestro aseo.

Tenía la Conserje siempre varias latas de cinco galones que iba llenando con el agua que brotaba de un grifo bajo, y que lanzaba luego sobre nosotros para enjuagarnos. Completamente desnudos y enjabonados, esperábamos en un susto, el torrente de agua fría que nos caía encima cortándonos la respiración.

Un muchacho campesino llamado Osvaldo, que compartía el segundo grado con nosotros a pesar de sus catorce años, era el único que escapaba del frío y súbito envío de la Conserje, pues lo consideraban un joven en la pubertad, y era vergonzoso mostrarse en cueros ante ella.

En las noches, se quedaba un maestro de guardia que hacía su posta con un viejo fusil. Siempre nos hablaban de la invasión norteamericana y los contrarrevolucionarios que querían esclavizarnos. Había que estar alerta por ello, y allí estaba el maestro durante la noche, despierto mientras nosotros dormíamos, con su potente fusil, para defendernos de la "agresión imperialista."

Una tarde apacible en que nos disponíamos a tomar el baño, se sintió una detonación que nos ensordeció a todos. Uno de los alumnos había entrado al cuarto del maestro, situado a la entrada del dormitorio, y quiso manipular el "potente fusil" que reposaba sobre la cama. Se disparó el arma en sus manos inexpertas y, cuando corrimos al lugar, le vimos petrificado, observando con el pánico en los ojos, el tremendo boquete abierto en la cama del maestro. Al observar la humeante huella del disparo en el colchón, recordé a Mario, y comprendí por primera vez por qué una bala podía matar a un hombre tan corpulento.

Durante la noche, éramos castigados los que nos habíamos comportado indebidamente durante el día. Todos los maestros entregaban antes de marcharse una lista de "sentenciados" al que quedaba de guardia, y éste nos llamaba a la hora de dormir para castigarnos, obligándonos a permanecer parados por varias horas frente a él, en posición marcial. Una madrugada, mientras ponía la cabeza en la almohada dispuesto a dormir luego de un largo castigo, sentí que todo en derredor se estremecía por dos explosiones lejanas.

A la mañana siguiente, durante la formación para el desayuno, nos dijeron que un avión procedente de Estados Unidos había lanzado dos bombas sobre una de las fábricas junto al puerto. Aquella mañana, comencé a pensar por primera vez en lo malos que eran los americanos.

—

La separación de mis padres me produjo una profunda nostalgia, y me pasaba el tiempo de clases, soñando con la llegada del sábado para marcharme a casa.

Los fines de semana eran el momento más feliz, pues me iba con Faure a las mismas andanzas por los ''montes'', como le llamaba mi madre a los campos de henequén, o a sacar cobos de la bahía.

Una tarde mi padre vino con Faure.

-Tienes un nuevo hermano. Acaba de nacer y se llama Orlando -me dijo con cierta preocupación en el rostro.

Nos fuimos los tres en el ''jeep'' al hospital, pero sólo pudimos saludar a nuestra madre desde la calle. Estaba ella asomada a una ventana del tercer piso haciéndonos señales con las manos. Después, supe que nuestro nuevo hermano había estado muy grave, luchando entre la vida y la muerte durante una semana.

-Hubo que cambiarle toda la sangre -contaba mi padre a sus amigos.

-Fue por el problema del factor -decía mi madre.

Cada dos o tres meses, nos marchábamos todos a Cabaiguán para pasar unos días con nuestros abuelos. Y aquellos viajes eran una festividad para Faure y para mí, que echábamos de menos el hogar en que nacimos y a los consentidores abuelos.

Una vez que los visitábamos encontramos la familia envuelta en una atmósfera de luto.

Permanecía mi abuela sentada en un taburete de la cocina, cabizbaja y silenciosa, con los ojos enrojecidos de llorar, rodeada de hijas que dejaban escapar algún sollozo de cuando en cuando. Mi abuelo estaba en su sillón de la sala conversando con personas que venían a verlo como si le dieran el pésame. Y había allí todo un ambiente de gente que entraba y salía hablando en voz muy baja, compartiendo con los abuelos el dolor de la tragedia ocurrida.

Pero nadie había muerto. El día antes había llegado la noticia que causó el mismo efecto de una perdida familiar: Edelso, el cuarto de los hijos varones, y que vivía en la capital, había sido condenado a veinte años de cárcel por complicidad en un delito de robo.

El mayor de los hermanos, abogado de profesión, explicaba que el delito en sí no merecía condena tan severa; pero apenas un tiempo atrás, el Líder de la Revolución había pronunciado una frase que se convirtió en ley instantáneamente: *''El que meta la pata, se la sacamos. Pero el que meta la mano, se la cortamos''*. Pasados muchos años, comprendí que la frase, expresada en ''buen cubano'' establecía la diferencia entre el castigo que recibían los dirigentes revolucionarios por corrupción, a la que llamaban ''errores cometidos'', y los actos de hurto cometidos por ciudadanos comunes. La vergüenza por el hijo encarcelado acompañó a mis abuelos hasta sus últimos días, sin que pudieran realizar su sueño de verlo en libertad.

Mi padre había cambiado mucho desde que nos mudamos a Matanzas, donde él trabajaba como ''Dirigente de Educación''. Lo veía muy poco y, cuando me hablaba, la mayoría de las veces era para reprenderme, haciendo comparaciones entre su sufrida niñez y la mía.

-A tu edad ya yo era un hombre -solía decirme entonces.

Yo sentía vergüenza de mis travesuras infantiles, y al mismo tiempo me cohibía de preguntarle sobre lo que supuestamente ya debía conocer. Menos aún le contaba mis problemas, por miedo al reproche. Una noche de domingo, en que mis padres me llevaban de regreso al internado, sentí unos deseos tremendos de quedarme en casa, y así se lo hice saber a mi padre en el trayecto a la escuela.

-Déjate de blandenguerías -ripostó- en la escuela no te falta nada.

-Orestes, por favor. ¿Por qué no lo dejamos en casa esta semana? -le pidió mi madre.

-Onelia, déjate de blandenguerías con él. Ya es un hombre y tiene que dejarse de ñoñerías. Cuando yo tenía su edad estaba con el lomo inclinado sobre el surco junto a papá, trabajando de sol a sol, sin poder siquiera soñar con una escuela -replicó y, continuó alzando más la voz en la medida que se adentraba en su discurso.

-¿Sabes cuántos niños hay en el mundo sin escuela, sumidos en la ignorancia y la miseria?: ¡Millones! ¡Cuánto darían esos niños por tener la oportunidad que hoy le brinda la Revolución!

Ahora volteaba la cabeza desde el volante para mirar hacia donde yo permanecía sentado, aplastado por el peso de sus palabras.

-Deberían comprender que esto costó muchas vidas lograrlo, y hoy cuesta mucho esfuerzo mantenerlo para aceptar las ñoñerías de los hijos.

Sólo el motor del "jeep" se dejó escuchar por un rato después de sus palabras, hasta que mi madre intervino nuevamente:

-Pero, debes comprender... Apenas si pasas tiempo con los muchachos. No haces más que trabajar, día y noche, sin descanso.

Trataba ella de llamar su atención sobre el hecho de que hacía mucho que no teníamos él y yo una conversación de padre e hijo. Siempre que hablábamos era de revolucionario a revolucionario, lo que a mis siete años me amargaba bastante.

-Métete en la cabeza que nuestros hijos no son los únicos niños del mundo, ni los mejores. Trabajo con desvelo porque me debo a la Revolución, que hizo posible estas escuelas para todos, escuelas que yo nunca tuve . . .

-Pero, Orestes, la familia . . .

Mi madre no pudo terminar la frase. Fue interrumpida de plano por mi padre, quien enrojeciendo de ira por la insistencia, dijo con voz que le brotó de lo más profundo de la garganta:

-Entiéndanlo bien: primero la Revolución, y después la familia.

Me encogí en el asiento trasero del "jeep", sintiéndome insignificante y avergonzado. Quería que la tierra me tragase. ¡Es que era yo una porquería! Esa noche, cuando me dejaron en la puerta de la escuela y se marcharon, corrí a la cerca ahogado en llanto y gritando al "jeep" que se alejaba calle abajo:

-¡Papiii, mamiii! ¡No me dejen!

Después del discurso de mi padre, me faltaría siempre el coraje para reclamar su afecto directamente. Lo que hacía a gritos sin embargo, cuando sabía que no podía oírme.

Regresé al dormitorio en el que me esperaba la fría litera y me dormí entre sollozos que escondí bajo la colcha.

Terminado el tercer grado, fui trasladado para una escuela recién inaugurada en la famosa playa de Varadero. En esta ocasión, Faure me acompañaba, y compartiría conmigo las aventuras de la beca y de los viajes entre Varadero y Matanzas durante varios años. Ésta era una escuela especializada en natación, cuyas instalaciones estaban formadas por una larga hilera de mansiones a lo largo del extremo oeste de la playa, famosa por su fina y blanca arena. Eran las casas de los llamados "antiguos ricos", que se habían marchado a los Estados Unidos porque la Revolución, nos decían, no les había permitido continuar explotando a los pobres. Una calle con palmeras e hicacos a sus costados bordeaba la línea de casas diferentes en estilo, pero opulentas por igual, tras las que se extendía la playa.

Nos tocó a nosotros dormir en el albergue número tres, del que decían los maestros, había sido la casa de descanso de un expresidente llamado Ramón Grau San Martín. Estaban "los albergues" llenos de muebles finos y espejos, más los alumnos, campesinos en su mayoría provenientes de la Ciénaga de Zapata y otras familias humildes, no demoramos mucho en destruirlo todo.

Por las noches, cuando se apagaban las luces, alguien lanzaba una primera bota que era seguida de un denso fuego cruzado que acababa siempre rompiendo algún cristal. A la mañana siguiente, cuando los instructores de natación y los maestros intentaban buscar a los culpables, se encontraban siempre con una multitud de muchachos cabizbajos de los que ninguno sabía nada de lo ocurrido la noche anterior.

Era el primer curso en la escuela, y todas las semanas llegaban nuevos alumnos. Un día llegó Nelson, un muchacho de nueve años y de aspecto delgado y hermético, oriundo de la Ciénaga de Zapata e hijo de carboneros. Después de presentarse y tomar posesión de su litera, Nelson pasó al baño, y al rato le sentimos batallar con algo y fuimos curiosos a ver qué pasaba. Allí estaba Nelson, con una toalla al cuello y un pie en el bidet, tratando de controlar el ascendente chorro de agua que salía del mismo y salpicaba en todas direcciones.

Al vernos, con el rostro empapado, dijo en tono de queja:

-¡Oyeé! ¡Qué brutos eran estos ricos! ¡Pusieron el agua al revés para lavarse los pies!

Con el tiempo, Nelson se convirtió en un magnífico nadador de estilo mariposa, que ganaría varias medallas en los Juegos Escolares que tenían lugar todos los veranos en la capital.

Entrenábamos en las piscinas de los mejores hoteles de Varadero, para pesar de los escasos turistas, que no podían utilizarlas mientras tanto, hasta que construyeron una olímpica en el perímetro de la escuela, y comenzamos el duro entrenamiento tres veces al día.

Prácticamente, nuestro ritmo de vida se convirtió en un trayecto constante entre la piscina, las aulas y el comedor. Siempre marchando al compás de las voces de mando del maestro, siempre cantando himnos revolucionarios que aprendíamos poco a poco.

Después de la comida, al crepúsculo, solíamos irnos junto al canal en el que algunos pescadores pasaban largas horas con sus jamos y sus faroles, capturando los camarones traídos por la corriente de la marea. Allí, nos sentábamos a escuchar las historias fantásticas de aquellos hombres flacos y curtidos por el sol, sobre la famosa ''cornuda mocha'', que habitaba en las aguas del canal, y que ya había cobrado varias víctimas. Boquiabiertos, escuchábamos cómo el voraz escualo había devorado a uno y otro rival que intentó capturarlo. De cómo saltó una vez fuera del agua para atrapar a un pescador sentado en el borde del canal, y arrastrarlo con él a las profundidades, sin dejar rastro alguno.

Por las mañanas temprano un avión plateado sobrevolaba la escuela para aterrizar en el aeropuerto cercano. Era la época de las salidas por Varadero de quienes emigraban a los Estados Unidos. Un día, alguien preguntó al entrenador de natación sobre aquel avión plateado que acaparaba toda nuestra atención:

-Es el carro de la mierda que vino a recoger su carga -respondió éste inmutable, mientras se volvía para hacer sonar el silbato de la arrancada nuevamente.

Veintiséis años más tarde, me enteraría de que los cubanos que abandonaban el país en aquellos vuelos los llamaban: ''Los vuelos de la libertad. Tiempo después comenzarían las salidas en masa hacia los Estados Unidos por el puerto de Camarioca, pequeña población pesquera entre Matanzas y Varadero, por la que pasábamos mi hermano y yo todos los sábados y domingos en nuestro trayecto entre la escuela y nuestra casa.

Una hermana de mi madre llamada Felicia, y su esposo Raúl Rodríguez, también habían decidido marcharse con sus hijos pequeños a los Estados Unidos, pues habían perdido la bodega de la que vivían humildemente a causa de la intervención de propiedades ordenada por las autoridades revolucionarias.

Mi padre se refería en aquella época con frecuencia a los muchos que marchaban, considerándolos personas que preferían cambiar el amor a la familia y a la patria por unos cuantos objetos que podían obtener en Estados Unidos. Un apodo popular acompañaba, desde que partieron los primeros, a todo el que quería salir del país: ''Gusano'', haciendo analogía con lo que se arrastra sin levantar la frente.

-Los que preferimos quedamos viviremos humildemente, pero con dignidad. Esa es la mayor riqueza de un individuo -le escuchaba decir a mi padre.

Un día, lo vi discutir con mi madre algo que me resultó incomprensible.

Le había llegado a Felicia el turno para abandonar el país con su esposo e hijos por Camarioca, y como vivían tan lejos, alguien había llamado para que ellos pasaran la noche anterior a la partida en nuestra casa.

-¡Pues aquí, aunque sea tu hermana, no van a pasar la noche! -sentenció mi padre.

Y mi madre se fue sollozando al cuarto, pensando en la hermana que tal vez dejaría de ver para siempre, sin comprender por qué no podían ellos dormir esa noche en nuestra casa.

Por aquella época, en que mi madre cosía vestidos por encargo en una vieja máquina Singer, comenzó a visitarla una mujer joven y hermosa que gustaba de conversar con ella entre costura y costura. Una mañana de domingo, la escuché cuando invitaba a mi madre a visitar su casa, pero sólo después que la Seguridad del Estado nos investigara, pues su marido temía mucho que los visitaran los enemigos de la Revolución. Era la esposa del comandante Joaquín Quinta Solás, jefe del Ejército Central.

Mi madre escuchó en silencio, y yo me marché al parque de los bajos con un sentimiento de humillación anidado en el pecho.

¿Es que no somos nosotros revolucionarios? -me preguntaba.

Algunos domingos, se reunían amigos de mi padre, "dirigentes" como él, en casa. Y pasaban horas debatiendo temas políticos e históricos que yo escuchaba con atención. Fue la palabra de mi padre la que dio fuerza a las doctrinas que ya entonces nos enseñaban en la escuela. La conversación giraba siempre en torno al enemigo poderoso y acechante, el honor de la patria y la grandeza de nuestro líder. Nuestro enemigo: un país grande y poderoso llamado los Estados Unidos, que nos despreciaba y quería humillarnos dictándonos su voluntad. La historia que aprendíamos en la escuela daba fundamento a lo que discutía mi padre con sus amigos. Durante más de un siglo el gigante del norte había codiciado a la Isla, despreciando la inteligencia y el decoro de sus ciudadanos. Como prueba, fueron desempolvados los artículos publicados en los periódicos de Nueva York hacía casi cien años, en los que sus autores abogaban por la anexión de Cuba, refiriéndose de manera despectiva a los cubanos como seres de inferior categoría intelectual, espiritual y moral.

Hoy, la Revolución nos daba una nueva dimensión. Éramos dignos y no admitíamos que se nos tratara como a seres inferiores, y preferíamos la muerte, antes que la humillación de aceptar imposiciones de quienes nos despreciaban. Nunca más aceptaríamos sumisos las ofensas. La escena de un "marine" norteamericano ebrio, trepado sobre la estatua de José Martí en La Habana, como lo mostraba una famosa fotografía de los años cuarenta, no volvería a repetirse. Quien viniese a Cuba hoy, tendría que dejar la arrogancia en casa.

También soñaban mi padre y sus amigos vislumbrando el futuro luminoso que se abría ante los cubanos:

-Miren el desarrollo de la Unión Soviética hoy . . . -comentaba mi padre -Un país que saltó del feudalismo al socialismo y ha sido el primero en enviar un hombre al espacio. ¡Y pensar que tuvieron que construir su primer tractor, mientras nosotros los recibimos hoy por miles! ¿De qué no seremos capaces en unos años?

El culto a la Revolución era el fundamento de cuanto aprendíamos en la escuela, y no pasaba un día sin que nos recordasen que antes los hijos de campesinos, como mi padre, no podían asistir a la escuela.

-Hoy sin embargo -decían los maestros -ustedes disfrutan de educación, nada menos que en las propias casas de los que se enriquecieron con el sufrimiento de los pobres.

Conmigo estudiaban los muchachos hijos de científicos, comandantes, campesinos y los obreros más humildes. Algunos ya ganaban medallas nadando en los llamados Juegos Escolares Nacionales, y yo me sentía dichoso de tener una revolución que nos protegía y nos daba los mismos derechos sin tener en cuenta la posición de nuestros padres.

Durante aquellas reuniones mi padre me llamaba en ocasiones para preguntarme sobre asuntos políticos, orgulloso de los conceptos adquiridos por mí a tan temprana edad.

Una vez que discutían sobre los ''Gusanos'' que se marchaban por Camarioca y la importancia que tenía la educación de los hijos en el amor a la patria, me llamó ante ellos para preguntarme:

-¿Qué tú dirías si mañana tu mamá y yo decidimos marcharnos a los Estados Unidos?

-Prefiero verlos muertos antes que traidores a la patria -respondí presto, en tono grave y solemne.

Un destello de orgullo apareció entonces en los ojos de mi padre, y una sonrisa aprobatoria se dibujó en sus labios.

En la escuela de natación, el constante entrenamiento nos producía un hambre insaciable, y tarde en la noche salíamos ocultos en pequeños grupos por la arena de la playa hasta el comedor para hurtar de los estantes los panecillos que recién habían traído para el desayuno del próximo día.

A esas horas, increíblemente, aún teníamos energía para escondernos en la arena con la esperanza de observar alguna ''kawama'' que saliese del mar para poner sus huevos.

Como pioneros, también teníamos alguna Unidad Militar que nos apadrinaba. Y alguna que otra vez venían a la escuela y nos enseñaban como armar y desarmar un fusil de combate M-52. Luego, en las festividades pioneriles, se organizaba siempre una competencia entre alumnos para armar y desarmar los fusiles en contra del reloj.

Los sábados nos íbamos todos a casa, y nos las ingeniábamos Faure, que entonces tenía seis años, y yo, para persuadir a algún chofer de alquiler de que nos llevara gratis hasta Matanzas.

Era Faure muy pícaro, y cuando no lográbamos convencer a nadie, fingía tener el peso que costaba el pasaje, y una vez en Matanzas, decía al chofer con una mezcla de sorpresa y vergüenza en el rostro, mientras volteaba sus bolsillos hacia afuera:

-No entiendo . . . ¡Se me ha perdido el dinero!

Un sábado que llegamos a casa descubrimos que nuestro padre estaba ingresado en el hospital. Habían venido algunas de sus hermanas desde Cabaiguán para ayudar a mi madre que no podía atenderlo a él y al niño de un año al mismo tiempo.

Nuestro padre había estado vomitando y corrigiendo sangre. Los médicos le diagnosticaron una úlcera estomacal y le recomendaron cambiar de trabajo, pues la pasión con que lo desempeñaba, quedándose muchas veces sin comer ni dormir en sus recorridos para inaugurar escuelas y alfabetizar campesinos por toda la provincia, había sido la causa de su enfermedad.

También, al poco tiempo Faure y yo comenzamos a sentir un agudo ardor que nos subía por el esófago y que sólo podíamos aliviar con leche pura o algún antiácido. Era la gastritis, producida por la clase de alimentos que comíamos en la escuela, y la manera en que éstos eran preparados. Años después, alguien bautizaría esta patología como "la enfermedad de los becados".

Con la enfermedad de mi padre comenzaron a visitar mi casa los llamados "dirigentes del Partido", y otros del Ministerio de Educación que se interesaban por su salud. Todos se sorprendían de que en mi casa no hubiera ni refrigerador ni televisor, pues daban por sentado que, dada la posición de mi padre, éste los habría adquirido anteriormente.

No comprendían ellos que mi padre vivía orgulloso de su austeridad.

-Mientras más humilde el hombre, más grande es -le escuchábamos decir a menudo. Y era en realidad extremadamente austero mi padre.

Un día, estando aún en el hospital, llegó alguien con un refrigerador y un televisor a la casa.

-Es para que pueda cumplir la dieta que deberá seguir -dijo el hombre a mi madre, señalando el refrigerador que no podía comprarse en lugar alguno pues sólo el Estado podía asignarlo.

Las vacaciones eran el tiempo de nuestros mayores proyectos. Entre los henequenes de "La Loma", como llamábamos al lugar por donde pasaba el ferrocarril, se encontraban varias cuevas llenas de misterio para nosotros.

Todos habíamos visitado alguna vez las famosas cuevas de Bellamar, abiertas al público y muy próximas de allí. Pero nos fascinaba la idea de ser los "descubridores" de otra caverna llena de cristalinas estalactitas, y tal vez hasta de algún tesoro ocultado en ellas por piratas siglos atrás.

Una mañana, formamos nuestro propio equipo de exploración: Faure, Alfredo Fomero, su hermano Rolando y yo. Con una linterna y una cuerda delgada, tomada a escondidas de la "tendedera" en que mi madre acostumbraba a colgar la ropa recién lavada, nos fuimos a explorar la más fascinante de aquellas cuevas.

Próximo a su entrada existía un pozo llamado "el pozo ciego", por el tiempo que demoraba en impactar contra el agua una piedra que se dejara caer en el mismo. Decían que la cueva tenía un río subterráneo que pasaba bajo el pozo, y decidimos verlo con nuestros propios ojos.

Tras unos arbustos, en un farallón formado por el "diente de perro" se abría la entrada a una gruta que daba paso a un pequeño salón, en cuyo centro se abría un oscuro agujero. Aunque nuestra linterna no llegó a mostrarnos el fondo, determinamos que éste era sólido y menos profundo que el largo de nuestra cuerda, por el cálculo del tiempo que demoraban en llegar abajo las piedras que dejábamos caer al negro abismo.

Atamos un extremo de la cuerda a una roca y descendimos de uno en uno a lo largo de la pared rocosa para explorar la más fascinante caverna de la región. Pero, en lugar de fondo compacto y llano, encontramos una pendiente pronunciada de tierra blanda que moría mucho más abajo, en las márgenes de un precioso río de agua cristalina salido de entre las rocas calcáreas.

Allí hicimos de Robinson Crusoe, investigando y descubriendo nuevos salones y grutas a lo largo del río. Nos bañamos y bebimos de su agua, inocentes y despreocupados del peligro y del tiempo que podrían durar las pilas de la linterna.

Por accidente, Alfredo apagó la linterna, y la oscuridad total, nunca antes vista, nos asustó a todos recordándonos que era hora de regresar. Comenzó entonces lo que sería una batalla fatigosa, que en la medida que la librábamos nos hacía cobrar conciencia del peligro en que estábamos, expresada en unos deseos incontenibles de ver a nuestros padres, quienes tantas veces nos habían advertido del riesgo que se corría en aquellas cuevas.

Había que subir la cuesta, pero en cada intento nuestras ropas empapadas resbalaban en el lodo de la misma haciéndonos rodar nuevamente hasta el río. Ya fatigados y con la luz de la linterna empobrecida, descubrimos que el mejor método de escalar la arcillosa pendiente consistía en golpear varias veces su superficie con la punta de los zapatos hasta formar un agujero en que introducir la mitad del mismo e ir ascendiendo lentamente, pero más seguros.

Ya en la cima, encontramos la mayor sorpresa: la cuerda se había encogido inexplicablemente y ninguno podía alcanzarla. Salté en un intento por atrapar su extremo, y me vi rodando cuesta abajo en la oscuridad hasta el río nuevamente.

Ya el hermano menor de Alfredo había perdido la paciencia y lloraba desconsolado clamando por su mamá. Los otros tratábamos de calmarlo pero estábamos tan desesperados como él. En un último esfuerzo, mientras me afanaba por mantener el equilibrio en el borde de la pendiente y no resbalar nuevamente, Faure se sube a mis hombros, y avispado y, dinámico como era, logra atrapar el extremo de la cuerda y sube por ella con ligereza.

Al ver a mi hermano arriba respiré con alivio de sabernos salvados, pero preocupado de cómo evitar el momento de encarar a nuestros padres. Habíamos desaparecido desde la mañana sin decir adonde íbamos, y Faure nos decía desde arriba que ya estaba oscuro. Nos había sorprendido la noche.

-Faure, escucha -grité a mi hermano desde abajo.

-Todo lo que necesitamos para salir de aquí es una cuerda gruesa y larga. En la Estación de la Policía cercana pueden ayudarnos. Dile que estamos bien y fuera de peligro, que lo único que necesitamos es una cuerda. Y que por favor, no digan nada a nuestros padres.

-Está bien -contestó Faure, y se marchó por la línea del ferrocarril con sus ocho años a cuestas, quedando yo aterrorizado de que pudiera ocurrirle algo en la oscuridad de la noche por aquellos parajes. Faure respetaba mucho la oscuridad, y los cuentos de las apariciones de fantasmas por las inmediaciones de aquellos montes era algo que siempre le ponía la piel de gallina. Imaginé entonces, con inevitable sonrisa, la ligereza que haría el trayecto mirando a uno y otro lado del camino.

Allí, en la oscuridad de aquella cueva, con las pilas de la linterna ya agotadas, quedamos sumidos en el silencio de una espera interminable, interrumpido de cuando en cuando por los sollozos de Rolando.

De momento, nos pareció escuchar a personas en la lejanía, y alguien dijo: ''Es la policía, ya vienen a rescatarnos''. Pero al aproximarse las voces reconocí entre ellas a la de mi madre, que venía dando gritos de angustia y llorando a todo pulmón.

-¡Ahora sí que me la he buscado! -me asusté, pensando en las explicaciones que tendría que dar a mis padres.

Una luz apareció en el salón de arriba, y tras ella las siluetas de varios hombres, que dirigieron sus linternas hacia nosotros preguntándonos cómo estábamos. Nos lanzaron luego una gruesa cuerda, y ascendimos por ésta sin dificultad.

Los policías habían enviado a alguien a la casa para informarle que estábamos trabados en una cueva a causa de un derrumbe, y nuestra madre, sencillamente, nos daba por muerto. Esa noche, cuando nos vio, sólo atinó a abrazarnos y besarnos con frenesí, para exclamar luego:

-¡Van a matarme un día de un susto, muchachos!

La historia sobre los muchachos "trabados por el derrumbe" en la cueva del Pozo Ciego se hizo famosa en la ciudad. Luego, cuando conocíamos a alguien por primera vez, nos decía:

-¡Ah, ustedes son los de la cueva!

Corría el verano de 1968 cuando, terminado el sexto grado en la escuela de natación, nos enviaron por primera vez al campo durante cuarenta y cinco días para ayudar a la Revolución en las tareas agrícolas. Era La Escuela al Campo, período de trabajo en la agricultura que, desde entonces, pasan los estudiantes de la enseñanza media en cada curso escolar.

Estaba nuestro "campamento" en Hoyo Colorado, junto al límite noreste de la provincia de Matanzas. Dos largas naves con techo de fibrocemento formaban los dormitorios abarrotados de literas construidas con cabillas y un saco de yute cosido de sus bordes como bastidor y colchón. En las madrugadas bajaba mucho la temperatura y, por mucho que nos tapáramos, de todos modos nos entraba el frío por debajo. ¡Tal era el grosor de nuestros "colchones"!

Una nave similar, situada a un costado de los dormitorios y dividida por la mitad, hacía de cocina y comedor. Tras ésta, una especie de cabaña con un gran candado a la puerta. Era el almacén de víveres.

Un cercado de poco más de un metro de alto marcaba el límite del campamento, dejando un espacio libre en su frente a manera de "puerta de entrada". Más allá, separada por unos árboles de poco follaje, se encontraba una rara vaquería en cuyos potreros pastaba un grupo de reses de aspecto flaco y triste. Nunca logramos ver pastorear ni ordeñar vaca alguna en aquel lugar.

A las cinco de la mañana irrumpía el profesor de guardia en los dormitorios dando la aborrecible voz: "¡De pie!", que nos hacía saltar de las literas aún soñolientos para asearnos y tomar el desayuno, muchas veces compuesto únicamente de pan y un poco de agua con azúcar. Dos tractores, con tres carretas rústicas a remolque cada uno, esperaban por nosotros a la entrada del campamento. Montábamos en éstas entre gritos de "¡Se van los tractores!" dados por los profesores, y partíamos formando un pequeño tren que semejaba un inmenso gusano arrastrándose por el lodo de aquellos caminos de roja y arcillosa tierra.

Llegábamos a los campos sembrados de boniato cuando el sol asomaba por el horizonte. Ya dos o tres campesinos que solían venir a caballo habían preparado una montaña de guatacas para nosotros, y comenzábamos la labor de limpiar de malas hierbas aquellos surcos que se perdían en la distancia, dejando caer la guataca lenta y pesadamente, dispuestos a interrumpir el trabajo a la menor oportunidad.

A media mañana, ya el sol se hacía insoportable y mirábamos con ansiedad al camino en espera del "tanque de agua", remolcado por dos bueyes, que a esa hora solía traer un campesino. Reposaba el tanque sobre un extraño vehículo sin ruedas, hecho con dos troncos de madera en forma de V y algunas tablas que hacían de travesaños y piso al mismo tiempo. La "rastra", como llamaban los campesinos a la curiosa carreta, se deslizaba con facilidad sobre la tierra bajo la fuerte tracción de los bueyes.

En aquellos campos de boniato descubrí que en Cuba existían unas moscas negras, grandes y voraces que nos atacaban bajo el sol haciéndonos soltar la guataca para espantarlas y rascarnos desesperadamente.

El otro gran descubrimiento fueron los boniatos que sacábamos de la tierra. Los limpiábamos con las manos, les quitábamos la corteza con los dientes, y los comíamos a gusto crudos, bajo los efectos de un hambre desesperante. Pasado el mediodía, llegaba el tractor con el almuerzo que devorábamos con avidez a pesar del eterno menú, compuesto siempre de un pescado seco, chícharos y arroz. Era tan poca la ración, que preferíamos un plato más abundante del mismo menú que algún alimento delicioso pero escaso. De nuevo eran extraídos del surco los boniatos que mitigaban nuestra hambre.

En las noches, se repetía la misma comida por cena, y el recuerdo que guardo del momento de irnos a la cama es el de un hambre terrible aguijoneándome el estómago, junto a unos deseos inmensos de estar en casa.

Una noche, descubrimos que el candado del "almacén de víveres" había desaparecido, y curiosos y hambrientos abrimos la puerta hurgando en la oscuridad con unos fósforos que alguien trajo. Allí, descubrimos cientos de pequeñas cajas de cartón de leche en polvo, acumuladas unas sobre otras en desorden. Pero cuando abrimos la primera, descubrimos adentro un mar de gusanos.

Como separar los gusanos del polvo de leche con los dedos era tarea casi imposible, alguien trajo un pedazo de mosquitero por el que logramos filtrar el polvo, dejando los gusanos del otro lado. Aquella noche, al menos, nos fuimos a la cama sin hambre, pero preguntándome sin entender por qué los responsables dejaron que la leche se contaminara de gusanos a la vez que nos daban agua con azúcar como desayuno.

Por aquella época se pusieron de moda unas maletas de madera que llevaban los estudiantes a la Escuela al Campo. Aquellos artefactos eran la obra maestra de los carpinteros de barrio, que las crearon según las nuevas necesidades en las escuelas.

Ocurría que los padres, alarmados por la mala alimentación que recibían sus hijos, les llevaban a éstos durante las visitas de los domingos, alimentos suficientes para compensar las pobres raciones que recibían durante la semana. Y como era el hambre una de las razones más fuertes para romper las barreras de la honradez, muchos se dedicaban a hurtar y comer a escondidas lo que no les pertenecía.

Por ello, las maletas eran, generalmente, sólidas y herméticas, con un candado en su cierre impidiendo el fácil acceso a la leche condensada, los dulces caseros, las galletas, el famoso gofio y otras chucherías que los alumnos administraban con celo durante la semana.

Los domingos, llegaban los familiares de los alumnos, y uno a uno se iban con sus padres bajo los árboles que nos separaban de la vaquería. Allí tendían una manta sobre la hierba, y se sentaban a conversar entre los platos y los calderos en que habían traído el almuerzo preparado con tanto celo en casa para la ocasión.

Eran aquellas horas para muchachos y familiares, el momento más bello y esperado de la semana, compartiendo esa intimidad familiar en que nacimos y que se suele extrañar cuando vivimos agobiados por la promiscuidad de la vida diaria en las instituciones.

Pasaba yo el tiempo añorando la llegada del fin de semana que me traería la visita de mis padres, y la oportunidad de verme como otros, compartiendo con ellos bajo uno de aquellos árboles. Pero pasaban los domingos uno tras otro sin que ellos vinieran, y yo volvía a quedarme solo en el dormitorio, fingiendo leer mientras pensaba en mis padres, esperando que me "sorprendieran" con la visita que no se producía.

Algún amigo se percataba de mi soledad y me invitaba entonces a compartir con su familia, pero siempre me negaba dando las gracias y alguna excusa. Me avergonzaba en extremo que otros padres descubrieran que los míos no iban a verme.

Pasaron así cinco domingos de tristeza en los que no lograba explicarme la ausencia de mis padres, hasta que, desesperado, escribí una breve carta a mi madre:

" . . . mami, por favor, estamos pasando un hambre terrible. Mándame con alguien de Matanzas aunque sea un poco de azúcar prieta . . ."

El hambre que pasábamos ciertamente era grande, pero no la razón por la cual escribía a mi madre. Necesitaba saber que me querían, como los otros padres lo demostraban a sus hijos, pero no tuve el coraje de ponerlo en el papel por temor a ser tildado de "blandengue" por mi padre.

Días después, bajo una tarde lluviosa, llegó mi madre, extenuada y triste, con el lodo incrustado hasta media pierna después de andar más de tres kilómetros que nos separaban de la carretera. Me abrazó con lágrimas en los ojos mientras decía: ¡Pobresito . . . ! Pero, ¡qué mal luces!

Tenía yo entonces doce años, todo un hombre según el concepto de mi padre, por lo que no me permití llorar con ella. Simplemente, la besé con fuerza, respirando a todo pulmón para ahogar con aire la pena que me oprimía el pecho y agradeciéndole con el corazón su cariño.

-Tu padre es muy terco hijo mío . . . -me decía afligida -Por más que le pedí venir a verte, siempre se negó diciendo que ya eras un hombre para estar con tantos mimos. Esta vez, se enfadó y no quiso ni traerme en el "jeep". Así que he venido en lo que he podido, de tramo en tramo, haciendo señas por la carretera.

Mientras mi madre hablaba, sentí vergüenza de mí mismo por haberla llamado, dejando que viniera en esas condiciones.

-¡Qué egoísta he sido! -me reprochaba, entristecido doblemente al pensar en lo mucho que sufriría ella, sumida por mi culpa en un conflicto con mi padre.

Mi madre se marchó bajo el crepúsculo, sola, por los caminos inundados que conducían la carretera. Se iba triste, sin comprender. Como triste me quedaba yo, sin comprender por qué para estudiar y trabajar debíamos estar separados, distantes.

Aturdido, regresé al dormitorio del frío campamento, recordando los lejanos días vividos en Cabaiguán con mis abuelos, las bulliciosas navidades con mis primos. Sin saber si las había vivido, o habían sido solamente un sueño lejano y feliz.

El último de los domingos, por fin fui ''sorprendido''. Mis padres y hermanos habían venido a visitarme en el flamante jeep del Ministerio de Educación que usaba mi padre. Nunca me había sentido tan orgulloso de ellos. Quería que todos mis compañeros de campamento les conocieran, y los acompañé en un paseo por cada rincón de nuestra morada.

Mi madre se veía feliz de haber logrado convencer a mi padre de venir a verme, y me hacía preguntas todo el tiempo sobre las condiciones en que vivía, con el evidente propósito de que mi padre comprendiera escuchando mis respuestas. Mientras, mis hermanos corrían y jugaban, haciendo una aventura de lo que mañana sería una realidad en sus vidas: la Escuela al Campo.

Aquel día, mi padre quiso restar importancia a las quejas y comentarios de mi madre sobre las condiciones en que vivíamos.

-No seas tonta . . . -le respondía en tono de broma -La están pasando aquí de maravillas. Quisiera yo poder tomarme unas vacaciones en estos campos como las que está pasando nuestro hijo.

Pero podía verse en sus ojos que él mismo no creía lo que decía. Era su manera de protegerse, de aliviar el sentimiento de culpabilidad que lo invadía. Antes de marcharse, me miró desde el volante del ''jeep'' y me dijo:

-Aguanta, que tú eres macho. ¡No te rajes!

Vi el ''jeep'' alejarse bamboleando entre los baches inundados de agua del camino, y sentí que yo era capaz de vencer las peores dificultades. No me sentía solo . . .

Cuando regresé a casa, una semana después, mi padre estaba orgulloso de que hubiera pasado la prueba.

-Estás más flaco, pero eres más hombre. Te estás graduando de revolucionario -dijo alabándome, y continuó:

-Cuando yo digo que ''primero la revolución, y después la familia'', no significa que los ignore a ustedes. Por el contrario, ustedes son parte de un mundo al que yo llamo Revolución. Son ustedes, la gente sufrida del planeta, la dignidad humana, los niños de todas partes . . . Eso es revolución. Soy duro contigo porque no quiero que crezcas como un egoísta, insensible al dolor ajeno. Millones de seres humanos mueren en la miseria todos los años alrededor del mundo por la ambición de quienes los explotan. Esa gente necesita de ti, de mí, de los hombres libres y dignos. Cuando la comida no sea buena, piensa en los que no tienen ninguna. Cuando las circunstancias sean duras, piensa en el Ché Guevara. Un revolucionario no vive para llenar a sus hijos de privilegios. Lo que nos hace diferentes es la disposición constante al sacrificio por otros . . .

Y continuaba mi padre, explicándome el sentido de su frase mientras yo pensaba en los que no tenían nada . . . Ellos primero; después, nosotros . . . ¡Ese es el sentido! ¡Primero la Revolución y después, la familia!

—

Había pasado la prueba de la Escuela al Campo, y me consideraba un hombre de doce años capaz de vencerlo todo. Ya no era *blandengue*, y admiraba extraordinariamente a mi padre, a pesar de sentirlo alejado. Me creía un modelo de revolucionario, como el Hombre Nuevo que el máximo líder se había propuesto moldear a semejanza del Ché Guevara. Y yo quería ser como el legendario comandante, fuerte y justo, dispuesto siempre al sacrificio.

Me sentía un revolucionario graduado y quería demostrarlo, por lo que pedí a mis padres continuar los estudios en la escuela de más reputación entonces. De vocación militar, había sido recién inaugurada con el nombre del comandante más carismático de la Revolución, el mismo que había causado la única borrachera de mi padre con la falsa noticia de su aparición: Camilo Cienfuegos, por lo que sus alumnos eran llamados ''camilitos''.

Si las cosas marchaban bien, podría incluso ser seleccionado para estudiar piloto de caza. Cierto que aún tendrían que pasar varios años, pero ya estaba en la antesala: en una escuela militar.

Era gigantesca la escuela, con flamantes edificios de cuatro pisos que ocupaban un área extensísima a las afueras de Matanzas. Los uniformes de los alumnos eran de color verde olivo, iguales a los de gala de las Fuerzas Armadas, sólo que sin grados, con botones dorados en los que estaba impreso a relieve el escudo nacional. En la gorra, de plato, también el escudo dorado, pero más grande, circundado por ramos de olivo. Aquel elegante uniforme era la admiración de los chicos, y un sueño lograr la distinción de vestirlo.

Tenía aquella escuela un programa especial, diferente a las del resto del país. Y mientras yo había pasado los dos primeros meses del curso en el campo, allí el programa de clases no se había detenido. No obstante, el médico principal de la escuela, y amigo de mis padres, resolvió que se me permitiera el ingreso . . . a mi primer gran fracaso.

Llegué lleno de energías, dispuesto a ''tragarme el mundo'', y mientras los alumnos disfrutaban unas cortas vacaciones, me dediqué a estudiar con ahínco el material atrasado. Un día que el director de la escuela, capitán Palacios, me encontró estudiando solo me preguntó:

-¿Qué edad tienes?

-Doce años, capitán.

-Cuando cumplas trece, te haremos militante de la Unión de Jóvenes Comunistas por adelantado.

Aquello sí que era algo grande. Mi padre no cabría en sí mismo de orgullo. Para ser joven comunista se necesitaba tener catorce años, y a mí, con trece, me iban a aceptar. Sería vanguardia en esta escuela, y mis padres serían felicitados. Nada más lejos de la realidad. Cuando regresaron los alumnos de sus vacaciones, un mundo diferente se abriría ante mis ojos . . .

La escuela la componían dos bloques principales de edificios separados por un polígono de asfalto en que practicábamos la instrucción de infantería. Tanto nos entrenábamos que nadie, ni los propios oficiales de las Fuerzas Armadas, formaban en bloques y marchaban con la elegancia y marcialidad con que lo hacíamos nosotros. Así, éramos invitados con frecuencia a participar en desfiles conmemorativos, y por ello ensayábamos largas horas, marchando y gritando a coro consignas revolucionarias.

Era impresionante escuchar las más de mil voces juveniles gritar al unísono:

-Comandante en jefe: para lo que sea, como sea y donde sea . . . ¡Ordene!

Al lado sur del polígono estaban los edificios de dormitorios, compuestos de amplísimos salones llamados cuarteles, con sus literas perfectamente alineadas sobre el piso de granito pulido que los ''Cuarteleros'' se ocupaban de limpiar meticulosamente cada día. Al final del cuartel: los baños y las duchas que compartíamos los ciento ochenta alumnos que allí convivíamos.

Al norte, estaban los edificios de aulas, construidos al mismo estilo, pero con pasillos exteriores en cada uno de sus pisos que daban acceso lateral a las aulas. Por último, flanqueando el polígono por el este, el gigantesco comedor capaz de albergar a media escuela.

Sólo el lado oeste del polígono quedaba libre de edificios, dando acceso a un área de deportes a cielo abierto que terminaba en un riachuelo angosto y seco, rodeado de arbustos en los que abundaba una planta de hoja y resina irritante conocida por ''guao''.

Unos cien metros hacia el norte del área deportiva, comenzaba una inmensa laguna de oxidación, en la que un sistema de cañerías subterráneas, vertía los residuos albañales de la escuela.

Con sus dieciséis cuarteles, tenía la escuela casi tres mil alumnos de séptimo, octavo y noveno grado, que formaban un enjambre humano en las gigantescas formaciones de práctica de infantería que hacíamos en el polígono antes de irnos a dormir. Cada cuartel, organizado por grados, era un batallón. Cada batallón tenía tres compañías, que estaban compuestas a su vez por tres pelotones de veinte alumnos que formaban los grupos de estudio por clases. Y por último las escuadras: cuatro de cinco alumnos cada una. Cada escuadra, pelotón, compañía y batallón tenía su jefe-alumno, quien era responsable de la disciplina durante las marchas.

La voz de ¡De pie! nos era dada a las seis de la mañana, y disponíamos de cinco minutos para estar en el polígono, formados por compañías. Allí se hacía de inmediato el pase de lista, y quien llegara tarde, aunque fuera por un segundo, pagaba con la privación de su pase -el derecho a irse a casa durante el fin de semana.

Corríamos y hacíamos ejercicios durante unos treinta minutos, y después disponíamos de otros veinte para asearnos y estar formados nuevamente en los bajos e ir marchando al comedor, tirando el pie sobre el asfalto con fuerza y marcialidad a la voz de mando del sargento García.

Ya entonces eran muy famosas las anécdotas que los alumnos mayores contaban sobre el agrio sargento, hombre terco y torpe en extremo.

Acostumbraba García a lucir su talento en el arte de conducir una tropa en marcha, e imponía una férrea disciplina en las formaciones, al punto que durante las largas esperas para pasar al comedor gustaba de tener a los alumnos en posición de atención, con la vista fija en algún punto imaginario del espacio. En tales condiciones, el movimiento más simple se pagaba con una corrección.

Pero los alumnos, impacientes, la pasaban ideando siempre la forma de abandonar la formación para descansar por un rato de aquella tortura bajo el sol. Por eso, el sargento, después de dar la voz de ¡Atención!, acostumbraba a decir:

-Lo advierto por adelantado: no hay permiso para ir al baño ni a tomar agua. Aguanten o revienten. ¡Pero no hay permiso!

Un día alguien pidió desde su puesto mientras miraba al frente con la frente erguida en atención:

-¡Permiso, compañero sargento, para tomar H_2O!

Titubeó el Sargento un instante, y respondió luego:

-Para medicinas sí. ¡Autorizado!

—

Algunos días de la semana teníamos clases de tiro, que realizábamos en el polígono al otro lado de la carretera, junto al mar. Comenzábamos las clases de tiro con fusiles "Verno-2", y pasada su instrucción, practicábamos con los famosos AKM.

El servicio de guardia en los cuarteles estaba compuesto por los propios alumnos, que por veinticuatro horas y en grupos de a cuatro, se ocupaban de la limpieza y el orden interior en los mismos. Eran los llamados "cuarteleros", y los alumnos esperábamos impacientes el momento en que nos llegara el turno de guardia, pues así salíamos por veinticuatro horas de la rutina de las clases y la instrucción de infantería.

Todos las mañanas, a las diez, pasaba la Comisión de Inspección por los cuarteles, revisando meticulosamente la limpieza y el orden interior. Un pliegue en la sábana de la cama que debía lucir impecable o una prenda mal doblada en el pequeño ropero, podían ser la razón para recibir un reporte por el que debíamos responder el sábado durante la temida Corte. Y el sargento García, malhumorado siempre, gustaba de pasar un pañuelo blanco por los travesaños inferiores de las literas. Si aparecían residuos de polvo, ya podía uno considerarse en desgracia.

Una o dos veces por semana se anunciaba la inspección general. Entonces, debíamos todos pararnos en posición de atención junto a las literas, y éramos sometidos a una revisión que comprendía el pelado y el aseo general hasta las uñas.

En las tardes, cuando la mayoría de los profesores e instructores se marchaban a sus casas, quedaba en la escuela un reducido grupo de los mismos para velar por el orden. Era entonces que los jefes de batallones, alumnos de los grados superiores, hacían valer su voluntad de manera despótica y abusiva.

En ocasiones, aparecían en los cuarteles de los grados inferiores para golpear a algún alumno rebelde y hacerle pasar en público las mayores humillaciones. Una vez, se la tomaron con Gustavo, un muchacho de trece años que había discutido con uno de ellos.

Llegaron y lo invitaron a salir del cuartel para arreglar cuentas, pero Gustavo escuchó inmutable, sin salir, pues afuera le esperaba un grupo de muchachos fornidos que darían buena cuenta de él. Entonces, pasaron a las ofensas más denigrantes, llamándole las peores cosas, y gritando obscenos epítetos a su madre. Pero Gustavo tampoco salió, y la multitud de muchachos lo tildó de cobarde, expresando así su decepción por la flaqueza de un miembro del grupo que se negaba a pelear.

Desde ese día, su vida se convirtió en una pesadilla. Dondequiera que iba, alguien le gritaba: ¡Trajín!, poniéndolo en ridículo constantemente. No había lugar de la escuela en el que Gustavo pudiera estar tranquilo. En el aula le lanzaban objetos desde atrás, en la formación lo empujaban. Cuando dormía, le ponían papel de periódico encendido entre los dedos de los pies, haciendo que el pobre infeliz despertara aterrorizado en loca carrera hacia el baño.

Casi todos le ofendían y querían medir fuerzas con él. Todos reían. Tal era la crueldad masiva de un mundo en el que sus protagonistas tenían de doce a quince años.

Y Gustavo no resistió. Un lunes, vino temprano con su madre a recoger sus pertenencias. La voz corrió de boca en boca en unos segundos: "¡Gustavo se rajó! ¡Gustavo se rajó!" Y se fue congregando un grupo de alumnos frente a la Dirección de la escuela, en la que permanecían Gustavo y su madre tramitando los documentos de la baja.

Estábamos en un receso de quince minutos entre clases, y desde un ángulo del pasillo situado en el segundo piso contemplaba yo la escena. Cuando salieron, Gustavo, en ropa de civil, iba cabizbajo, como si temiese mirar a la multitud de muchachos. Entonces, alguien gritó:

-¡Gustavooo! ¡Rajaooo!

Y decenas de voces se alzaron repitiendo el grito:

-¡Rajaooo, pendejooo, m . . . !

Gustavo y su madre caminaban lentamente hacia la salida, como ignorando la turba que los seguía a gritos.

Alguien del grupo lanzó una piedra que describió una parábola en el cielo, como si volara en cámara lenta, y golpeó a Gustavo en la cabeza produciendo un sonido seco que llegó hasta mí con claridad. Gustavo se llevó la mano a la cabeza inclinándose levemente hacia adelante, pero la madre le tomó del brazo haciéndolo erguirse nuevamente. Cuando miró su mano, la vio roja de la sangre que ya le corría por el cuello.

Y continuaron ambos caminando hacia la salida, lentamente, sin volver la vista hacia la turba de muchachos que continuaba gritando. Sin comprender la razón de tanto ensañamiento.

Aquel día, descubrí la crueldad de las multitudes cuando son presa de la euforia. Para mi sorpresa, la piedra había sido lanzada por un muchacho que jamás hubiera hecho algo así de estar solo.

Muchas veces se repetiría después la escena, con otros muchachos que decidían irse a otra escuela. Eran considerados traidores, y eran víctimas del repudio colectivo. Los tildaban de débiles y les llamaban "rajados".

Nunca hicieron nada los profesores por poner fin a aquellos espectáculos de locura masiva. Tal parecía que los veían con buenos ojos y los alentaban en silencio.

—

En la escuela desarrollábamos nuestras actividades bajo una fuerte disciplina militar que nos hacía actuar con la precisión de un reloj. Tenían los profesores unas libretas de notas que llevaban siempre consigo, y que llamaban "de reportes". Siempre había una razón para recibir uno si no reaccionabas con celeridad y presteza al llamado de un superior. Tibieza: si no reaccionabas con presteza al llamado de un superior; botas sucias: si éstas no estaban relucientes; réplica: si intentabas explicarte. En fin, todos preferíamos poner distancia de por medio cuando veíamos venir a algún profesor o instructor.

Decíamos entonces: "Del jefe, como del león: mientras más lejos, mejor".

Cada dos semanas teníamos derecho al pase, pero antes debíamos pasar la terrible Corte. Se realizaba ésta cada segundo viernes, después de almuerzo, en los dormitorios. Allí nos reuníamos todos, en formación cerrada frente al Oficial-Instructor jefe del batallón, quien iba llamando, uno por uno, a los acusados que avanzábamos marchando marcialmente hasta situarnos frente a él.

-¡Alumno Fulano de Tal, listo para responder!

-¡Descanse! -respondía el instructor, observando la marcialidad con que uno cumplía la orden.

Muchas veces, uno recibía más reportes durante la propia Corte, perdiendo dos y hasta tres pases de una vez. Por ello íbamos siempre planchados y reluciente, aceptando nuestra culpabilidad de antemano aunque el reporte fuera injusto o incluso erróneo. Todo intento de defensa o de dar explicaciones terminaba en otros reportes por réplica.

-Tiene usted un reporte por hablar en formación el día tal a tal hora . . . ¿Responsable o no responsable? -preguntaba el instructor mirando fijamente al acusado.

-¡Responsable! -respondía por lo general el alumno.

En verdad, no recuerdo haber disfrutado jamás de un pase. Apenas llegaron los alumnos a la escuela, y comenzó la vida normal allí, encabecé yo la mayoría de las Cortes.

Botas sucias, hablar en formación, réplica, réplica y más réplica, eran las razones que me impedían salir de pase. Cada Corte que pasaba hacía más amplia mi lista personal de reportes por las réplicas.

Quedarme callado por lo que consideraba injusto, aunque fuera una táctica inteligente, fue algo que nunca pude lograr. Así, pasaba los fines de semana de pase en la escuela, haciendo "Guardia Vieja" y esperando la noche para escapar a mi casa a escondidas por el riachuelo seco. Y comenzaron entonces, otra vez, los problemas.

Al verme, mi padre me reprochaba mi desorden y falta de disciplina.

-¡No sirves para nada! -me espetaba, haciéndome volver a la escuela que comenzaba a odiar con todas mis fuerzas.

-De aquí me voy de seguro -me decía yo por mi parte, sin importarme ya mi sueño de estudiar para piloto de caza.

Pero no estaba dispuesto a soportar la humillación de una turba gritándome rajado, en la que tal vez mi padre, hubiera sido el director del coro.

Poco a poco, mi lista de reportes se hacía más extensa; poco a poco, mi fama de "protestón" se ampliaba entre los profesores e instructores, que enfocaban su atención en mí para corregir mi rebeldía privándome del pase. Poco a poco, se me hacía más asfixiante la escuela. Pero, ¿adónde ir?

Una tarde, en la que pasaba el tiempo escapado entre los arbustos del riachuelo, partí una rama de guao, y vertí un poco de su resina sobre mi antebrazo derecho, mientras pensaba:

-¡De aquí me voy, aunque sea para el hospital!

Pero el resultado fue funesto. Me ingresaron en la enfermería de la escuela donde pasaba las horas con algodones empapados en fomento sobre mi brazo inflamado. Los médicos me interrogaban y yo trataba de demostrarles que el guao me había rozado accidentalmente.

Curado el brazo, muertas las esperanzas de salir de allí por intoxicación, regresé a la vida normal de la escuela. Aún más protestón, aún con más reportes, aún con más instructores empeñados en corregirme.

Había decidido irme de allí, y lo lograría a cualquier precio. Ya no me importaba la multitud delirante dando gritos tras de mí, ni que me dijeran rajado, nada.

Pero . . . ¿y mi padre? ¿Aceptaría que su hijo pidiera la baja? No, jamás lo aceptaría. Sólo lograría más reproches haciéndole tal petición.

Pero, ¿qué humillación era mayor? ¿La que me daría el colectivo, o lo que me diría mi padre?

-¡Pero me voy. Como sea . . . , pero me voy! -resolví.

Un día, me encerré en uno de los baños, extraje una cuchilla de afeitar del bolsillo y di dos cortes profundos en mi antebrazo sin alcanzar las venas. Alguien que vio la sangre gotear bajo la puerta, dio la alarma, y fui llevado en camilla al hospital militar. Había salido de allí para no volver.

Mi madre casi enloquece cuando lo supo, y estuvo todo el tiempo junto a mí, colmándome de cariño, los días que permanecí ingresado. Mi padre prefirió no hablar del asunto conmigo, pero la angustia le inundó los ojos por mucho tiempo.

Vinieron las consultas con psiquiatras y psicólogos que me dieron la "baja médica" de la escuela. Con la baja terminó la enfermedad, y el tratamiento, hasta donde yo sabía.

—

Pasé los dos meses restantes del curso escolar con mi padre, acompañándolo en sus recorridos por la provincia y a los trabajos voluntarios cortando caña de azúcar, visitando campesinos. Una vez, le vi contento, pero preocupado, al mismo tiempo. Le habían comunicado que lo habían seleccionado para hacerle el proceso de ingreso al Partido Comunista. Aquél era su sueño y, por tanto la mejor noticia que podían darle. Durante muchos años había sentido cierta vergüenza interna por no ser militante del Partido, se sentía como excluido de aquella gran familia de revolucionarios por la que daba la vida, como si no confiaran lo suficiente en él. Y, por fin, le hacían justicia llamándolo. Pero algo le preocupaba: el año anterior al triunfo de la Revolución, lo habían atrapado los soldados del anterior gobierno y lo habían obligado a votar en unas elecciones que los rebeldes de la Sierra Maestra habían pedido al pueblo boicotear. Y si él no lograba justificar el por qué lo hizo, no sería aceptado en las filas del Partido Comunista. Lucía por tanto, serio, sumido en sus propios pensamientos, preocupado. Hasta que llegó la gran noticia: lo habían aceptado en las filas del Partido Comunista. Aquello lo llenó de alegría como a un niño, y fue a contarlo a sus amigos más cercanos. La Revolución confiaba en él.

Yo, por mi parte, no tendría que mentir más cuando llenaba los formularios de la escuela, en los que a la pregunta de "Integración revolucionaria de los padres" siempre ponía a él como militante del Partido.

Durante aquellos dos meses le observé trabajar, hablar con la gente, discutir. Compartíamos todo y me sentía feliz. Mi padre había cambiado totalmente, lo sentía cercano, confidente, amigo.

Años después, comprendería con la llegada de la adultez, que tal vez los psicólogos lo instruyeron. Pero la lección recibida entonces le hizo cambiar para siempre, y dio a Orlando, el menor de mis hermanos la atención que no había prestado ni a Faure ni a mí, cuando éste tomó el camino de las becas.

No creo que intentara realmente abandonar el mundo de los vivos cuando corté mi brazo, pero evidentemente no estaba en mis plenos cabales entonces.

Durante muchos años viví avergonzado de aquel episodio que interpretaba como cobardía. Nunca lo mencionaba y trataba de borrarlo de mi vida. Hasta que la rudeza adquirida con las experiencias amargas me hiciera verlo de manera diferente.

A los doce años estaba yo muy lejos de ser un hombre. Y lo comprendí mejor el día que fui padre.

—

Pasada la aventura de acompañar a mi padre a todas partes, ingresé en la escuela secundaria del barrio. Me marchaba a la escuela por la mañana, y regresaba por la tarde a casa. Era el paraíso. Y comenzaba la adolescencia, la atención por las chicas y la presunción en el vestir. ¡Batalla aquella la de vestir! La tarjeta de racionamiento que normaba las prendas que podíamos recibir en las tiendas no correspondía con la realidad.

Había crecido yo de manera acelerada en la pubertad, y no había prenda que me sirviera. Mi madre suplicaba a las vendedoras, hablaba con los administradores de los comercios, pero siempre la misma respuesta: ''Lo siento señora, pero con tarjeta de menor usted no puede adquirir ropa de adulto''.

-Para los deberes soy un hombre, pero para vestirme, un niño -me quejaba.

Muchas veces hube de usar zapatos en los que no cabía mi pie, pero que con mil esfuerzos y dolores lograba domar, haciendo que su parte trasera se extendiera hacia atrás por la presión del pie, de manera que el tacón lucía corrido hacia delante. Con aquellos zapatos a punto de estallar, y mis pantalones siempre por encima del tobillo en tiempos en que la moda los exigía muy largos, lucía yo, sencillamente ridículo, lo que me mortificaba en extremo. Entonces, mi madre hacía maravillas en la máquina de coser para agrandar la ropa, añadiendo alguna tira de tela que nunca coincidía en color con la original.

—

Un día, pasó por la escuela una comisión del Ministerio de Educación diciendo que la Revolución necesitaba maestros.

-La primera vocación de un revolucionario, es *ser* revolucionario -nos decían recordándonos nuestra ética de ''hombre nuevo'', para quien el sacrificio es el sentido de su vida. Y, sin pensarlo dos veces, me enrolé en uno de aquellos cursos.

El curso duró todo un año, en la Escuela Formadora de Maestros de Varadero. Otra vez becado, pero en esta ocasión no nos privaban del pase. Estaba la escuela en los conocidos edificios Granma, complejo de apartamentos construidos aparentemente con fines turísticos, pero que lucían semidestruidos por la actividad erosiva de los alumnos.

Aquellos apartamentos de un baño, albergaban unos cuarenta alumnos cada uno y, como consecuencia, pasábamos los sábados limpiando los excrementos que los más impacientes dejaban en las cuartos deshabitados del último piso. Era aquella la tarea más desagradable que recuerde, y constituía requisito indispensable que cumplir, cada sábado, antes de marcharnos a casa. Tal parecía que mi vida estaba condenada a pasar pruebas repugnantes para ganar el derecho de visitar mi hogar.

Terminado el curso, con dieciséis años, fui enviado junto a un compañero de curso, llamado Víctor, a la escuela regional del Partido Comunista, en la que pasaban la primera enseñanza obreros y campesinos semianalfabetos que militaban en sus filas. Todos los alumnos eran mayores de cuarenta años y, en su gran mayoría no habían pasado más de uno o dos años de educación en sus vidas. Ignorantes de las ciencias y las letras, tenían una sabiduría adquirida con la vida que fue fuente de enseñanza para mí.

Aquellos hombres, ingresados al Partido Comunista hacía poco tiempo, eran campesinos y obreros que se enfrentaban a la política por primera vez. Habían pasado sus vidas trabajando duramente para alimentar a sus familias, y brillaban por su ingenuidad y honradez. Nunca antes habían dedicado especial atención a la política, pero la Revolución los había absorbido, ingresándolos en el Partido, y enviándolos luego a la escuela para elevar "su nivel cultural".

Nos levantábamos a las cinco de la mañana e íbamos a los cortes de caña, donde los alumnos se convertían en nuestros maestros, entre bromas por nuestra falta de destreza en el corte. Por las tardes, se impartían las clases en las que Víctor y yo enseñábamos asignaturas elementales como matemática y español.

Otros maestros de más edad, pertenecientes al aparato ideológico del Partido, impartían las clases políticas. Causaba admiración ver a aquellos hombres semianalfabetos leyendo en las noches las obras de Marx, Engels y Lenin. Queriendo desentrañar el sentido de teorías filosóficas que nunca comprendieron.

Situada a unos tres kilómetros del pueblecito de Limonar, estaba la escuela rodeada de campos de caña que abastecían los centrales de la región. Un estrecho camino entre aquellos cañaverales, daba al pueblo, al que se marchaban algunos después de la cena, para dar un paseo.

Una noche quisimos Víctor y yo hacer una broma a un grupo de alumnos cuando regresaban del pueblo. Tomamos dos sábanas blancas para cubrirnos, y caminamos guardarraya abajo hasta que sentimos sus voces al encuentro. Nos escondimos entonces dentro del campo de caña y, cuando pasaban ellos, salimos al camino dando saltos y haciendo sonidos guturales como si fuéramos fantasmas. Alguien gritó:

-Ya les voy a dar fantasmas, ¡cabrones!

Y desenfundando el machete se lanzó tras nosotros en la oscuridad, seguido de los otros que gritaban: ¡Cógelos carajo! ¡Cógelos!

En el centro del camino sólo encontraron las dos sábanas blancas abandonadas por Víctor y yo, que corríamos despavoridos en dirección al pueblo, y más asustados que si nos hubieran salido, fantasmas reales, a nosotros.

En aquel tiempo, mis padres se mudaron a un apartamento prestado en La Habana, por razones temporales de trabajo, y yo volvía a sentir los rigores de dos males eternos: el transporte y la falta de alimentos.

Los fines de semana me iba a la terminal de ómnibus tratando de lograr un espacio en los escasos autobuses que iban siempre abarrotados, pero generalmente regresaba a la casa abandonada de mis padres ya muy tarde en la noche del sábado, sin haberlo logrado.

Era tarea difícil la de conseguir alimentos para aquellos sábados y domingos. En las pizzerías, las colas de hambrientos clientes me desalentaban al punto de preferir pasármelas sin nada antes que esperar largas horas por un asiento junto al mostrador lleno de moscas en el que servían el perpetuo menú: un plato de pálidos espaguetis y una pizza de queso con un vaso de agua.

No existía restorán en el cual las colas no fueran largas y penosas, por lo que los helados, llamados "Frozen", se convirtieron en mi salvación de fin de semana. Estaban estos helados de moda en la ciudad de Matanzas, y hacía unos meses que habían instalado en varios lugares de la ciudad unas máquinas traídas de Italia que procesaban un polvo con sabor a fresa, vainilla o chocolate, que mezclaban con agua en aquellos aparatos de los que salía una pasta parecida al helado.

Si el helado en sí, necesitaba de un hambre voraz para comerlo, no así el barquillo en que lo depositaban, fino, crujiente, delicioso, y resultado también de una máquina importada de Italia. Me iba yo entonces a uno de aquellos quioscos conocidos como "Coppelitas", con un jarro bajo el brazo, y compraba una docena de aquellos helados que ponía en el refrigerador, para comer poco a poco durante los dos días que permanecía en casa.

Terminado el curso escolar, cansado de las esperas en la terminal de ómnibus y los raros helados, me fui adonde mis padres, contento de vivir en la capital. Una vez en La Habana, me fui al Ministerio de Educación con mi pobre expediente laboral sellado y lacrado bajo el brazo, en busca de trabajo, y allí me enviaron a la Escuela del Partido de Centro Habana.

Cuando me presenté a la joven directora de la escuela, me preguntó:

-¿Eres militante de la Unión de Jóvenes Comunistas?

-No -respondí.

-¿Por qué?

-No lo sé. Nunca me han hecho el proceso.

Me refería a la investigación de rutina que hacía la organización antes de aprobar un ingreso. Especie de indagación que abarca los lugares en que haz vivido, estudiado y trabajado, así como un informe del Ministerio del Interior demostrando que nunca fuiste sancionado por delito alguno.

-Deja tus papeles y ven mañana, a la ocho . . . -indicó secamente.

A la mañana siguiente, cuando volví, estaba la directora en compañía de la secretaria general de la Juventud Comunista de la escuela. Ambas me observaron escrutadoras cuando entré a la oficina.

-¿Cómo puedes explicar que con diecisiete años no seas militante de la Juventud Comunista? -preguntó la secretaria general sin responder a mi saludo.

-Ya lo dije ayer. Nunca me han hecho el proceso . . .

Mis orejas subían de tono.

-¿Y por qué razón no te han hecho el proceso antes?

Me sentí indefenso, sin saber que responder, disminuido . . .

-En ese caso, no podemos tenerlo a usted en este colectivo de trabajo -sentenció la Directora, en el tono en que se le habla a un enemigo.

Me marché aturdido, presa del bochorno que se siente ante el desprecio de otros. Cuando conté lo ocurrido a mi padre, sólo comentó:

-Son unos imbéciles. El carnet de comunista se lleva por dentro, no por fuera. No son todos los que están, ni están todos los que son.

Se refería al Partido y a la Juventud Comunistas.

Y agregó luego, mientras escribía una breve nota:

-Ve a la Dirección Nacional de Educación de Adultos, pregunta por Isabel, y entrégale esta nota. Ella te ubicará en alguna escuela.

Al otro día, después de la entrevista con Isabel, me encaminaba a otra escuela: la Provincial para cuadros del Partido.

Habían quedado atrás las travesuras de muchacho, los actos de rebeldía en la escuela. Era un hombre hecho y derecho, orgullo de mis padres, que me veían trabajar y, al mismo tiempo, estudiar Biología en la Universidad de La Habana.

—

En las noches, el teléfono sonaba con frecuencia, y mi madre me decía:

-¿Cuándo me vas a presentar a la muchacha con la que sales?

-¿Y quién te dijo que salgo con una muchacha?

-¿Crees que cuando tú no estás el teléfono no suena?

-Es muy pronto, vieja -le decía, besándola en la mejilla -sólo conocerás a la que será mi esposa.

Pero no pasó mucho tiempo para que mi madre conociera a aquella muchacha. Un día de fiesta por el aniversario de los Comités de Defensa de la Revolución, en que se reunían los vecinos de la cuadra a celebrar entre cerveza y música, vi de lejos en el patio contiguo a una muchacha que jugaba a los escondidos con niños mucho menores que ella.

Corría y reía sin mirar hacia donde estábamos, distraída, inocente. Con los ojos más grandes que jamás había visto, con toda la candidez y bondad del mundo en el rostro, con la ternura en toda ella.

-¿Cómo se llama? -pregunté a un joven vecino, mientras señalaba a la muchacha con la mirada.

-¿Quién, esa? ¿Estás loco, muchacho? No te metas con ella, que el padre te mata. La cuidan más que si fuera de porcelana.

-Está bien, pero, ¿cómo se llama?

-Vicky.

-Vicky -repetí en un murmullo mientras la perseguía con la vista en su ingenua carrera. No volví a verla aquella noche, pero cuando me fui a la cama iba pensando en ella.

-Vicky . . . -murmuré antes de dormirme.

Capítulo 4

—

Vicky

Cada día que pasaba descubríamos nuevos encantos de la capital: el cine con sus películas de estreno, el teatro, los conciertos de música clásica. Algo definitivamente diferente de lo que había conocido hasta entonces: en las madrugadas solían encontrarse en las calles del Vedado los que volvían a sus casas de los clubes nocturnos, y los que ya marchaban a sus trabajos. En las noches, la Rampa se llenaba de jóvenes que pasaban las horas caminando por los alrededores del Coppelia, conversando en pequeños grupos, y luciendo la última moda o prenda traída por alguien del extranjero. Era común ver a algunos con inmensas grabadoras portátiles bajo el brazo, alegrando la atmósfera con las notas a todo volumen de la música de "Led Zeppelin", "Chicago", "Creedence Clearwater Revival" y "Blood, Sweat and Tears".

Para los más viejos, había una dosis de inmoralidad en el comportamiento de aquella juventud que llamaban perdida. Todo un contraste cultural en una generación diferente, que se "destornillaba" en plena calle al compás del rock duro norteamericano, para entonar luego las *canciones protesta* de Silvio Rodríguez y Pablito Milanés -los trovadores de la Revolución -y mis preferidos de entonces.

La música, a diferencia de nuestros padres, era algo que no señíamos mucho a la política, cantara quien cantara. Y era el sueño de todo joven tener una grabadora portátil con que lucir a la moda y mostrar exclusividad. Pero sólo aquellos que tenían algún familiar que viajara al extranjero podían darse tal lujo. Eran por ello, los líderes naturales de aquellos grupos que paseaban por la Rampa, los hijos de diplomáticos y funcionarios del gobierno, junto a los que eran abastecidos por algún familiar radicado fuera del país.

La ropa, el reloj, todo, debía ser "de afuera" para más alcurnia en el ambiente juvenil. Existían así dos categorías visibles de jóvenes en La Habana: los que "estaban en la onda" y "los guachos". Nombre este último derivado del sobrenombre que se da a los campesinos en Cuba, y con que bautizaron los primeros a los que vestían con las escasas prendas de que se disponía en las tiendas.

-Sus padres son unos acomodados que viven a costa de la revolución -criticaba mi padre cuando le pedía ayuda para conseguir alguna ropa con sus influencias.

-Están criando a sus hijos como a unos peleles y mañana la historia les ajustará cuentas. Hay cosas más importantes en la vida que vestir, y esas tú las conoces -concluía.

Alguna que otra vez, la policía realizaba un operativo de limpieza en las inmediaciones del Coppelia, haciendo detenciones en masa de jóvenes, que se llevaban en los camiones-jaula traídos para el caso. Estaba en vigor entonces, una ley llamada "Contra la vagancia", que establecía la obligatoriedad de todo ciudadano a trabajar o estudiar, y muchos de aquellos jóvenes que no tenían empleo alguno, ni estudiaban, eran enviados prisiones especiales para "reformarlos". Luego que decenas de miles de jóvenes fueron encarcelados y marcados para el resto de sus vidas, la ley fue derogada bajo el lento pero aplastante efecto de una realidad que triunfa siempre sobre el romanticismo de los líderes.

—

La Escuela del Partido en que impartía clases de Biología estaba en el extremo oeste de la ciudad, y me levantaba yo muy temprano para atrapar el ómnibus en que viajaba hasta allí. Entre los cazadores del furtivo autobús, encontraba yo cada día antes del amanecer, a un hombre macizo e impenetrable al que siempre daba los buenos días con una sonrisa, y que siempre también me respondía con sequedad. Se llamaba Gerardo y era el padre de Vicky.

Por más que intentaba entablar un diálogo con él, sus respuestas cortas y evasivas me desalentaban.

Una noche, fuimos citados los vecinos para la reunión del Comité de Defensa de la Revolución. Era el día de la ratificación y renovación de mandatos para los diferentes cargos del Comité de la Cuadra. Presidente, Secretario, Ideológico, secretarios de cultura, de deportes, de salud, de vigilancia... En fin, casi un cargo para cada vecino.

Al llegar a la reunión vi a Vicky acompañada de sus padres. Lucía cándida y extremadamente tímida. Apenas si abrió la boca en el transcurso de la misma, y sus padres más parecían custodiarla que acompañarla.

Entre proposiciones y votaciones, yo miraba disimuladamente a aquella muchacha de aspecto humilde que parecía merecer todo el cariño del mundo. Una vez que cruzamos la vista se turbó y sus mejillas enrojecieron, lo que no pasó inadvertido para el padre.

Desde entonces, los encuentros matutinos en la parada de ómnibus se convirtieron en una especie de interrogatorio disimulado que Gerardo me hacía tratando de conocer mi procedencia y a qué me dedicaba.

A pesar de ser vecinos, nunca podía ver a Vicky. Nuestros horarios de trabajo y estudio no coincidían, y ni siquiera podía verla cuando marchaba ella a la escuela o regresaba a casa. A veces, pasaba las horas de la tarde sentado sobre el muro del portal en espera de verla salir, pero en vano. Vicky consumía obstinadamente su tiempo, tras los límites del hogar.

Sin embargo, fueron los tediosos mítines del Comité de Cuadra los que me permitieron conocerla un día.

-¿Cómo te llamas? -le pregunté en el interín de una reunión.

-Vicky. ¿Y tú? -la voz le temblaba, como si tuviera miedo. ¡Y aquello me resultaba divertido!

Al final de la reunión en la que yo había dirigido el círculo de estudio, me pidió:

-Me están haciendo el proceso para la Juventud. Pronto me harán la entrevista, y yo no sé nada de política. Me preguntarán sobre la crisis internacional del petróleo, y . . . ¿Puedes ayudarme con algunos materiales de estudio?

-Todos los que quieras . . . Ya casi soy un experto en cuestiones de petróleo . . . -le respondí con picardía que ella ignoró.

-Mira, si quieres puedo ir a tu casa a repasarte -continué, deseoso de no perderla hasta la próxima reunión. Me había consumido en la ansiedad por verla durante varios días y no iba a dejarla escapar ahora.

-Voy a pedirle permiso a mi mamá. Aunque creo que sí. A mi casa puedes venir como amigo sin ningún problema.

Comencé así a visitar a Vicky, y teníamos largas charlas, siempre en presencia de María, su madre, pero en las que apenas mencionábamos la crisis internacional del petróleo.

Por las tardes, gustaba yo de lavar frente a la casa, el nuevo auto del gobierno que utilizaba mi padre para su trabajo, y siempre alguna vecina daba el aviso a Vicky.

Entonces, ya el agua escaseaba en La Habana, y asumía ella gustosa la tarea de su hermano, yendo a un grifo cercano en busca de agua con que ayudaba a llenar dos tanques de cincuenta y cinco galones que su padre había instalado sobre la casa.

La veía yo salir en su tarea, y entre viaje y viaje que daba, podíamos entablar breves diálogos que nos iban haciendo poco a poco, más confidentes.

También se hicieron más frecuentes los encuentros en su casa, y discutíamos sobre clásicos de la música y el teatro. Vicky estudiaba y tocaba divinamente el piano, y yo gustaba de sentarme junto a éste para escucharla mientras interpretaba a Mozart y Tchaikovsky.

Una noche, que hacíamos la guardia del Comité de Defensa, sentados en la acera, y bajo la custodia de una observadora vecina, comencé a hablarle de nosotros mientras deslizaba el dedo índice por el reverso de su mano, en reposo sobre el contén:

-Vicky, siempre estuve buscándote sin saber que existías . . .

Retiró la mano con gesto nervioso y se encogió tímidamente, como asustada de lo que yo diría, pero mirándome a los ojos. ¡Qué tierna lucía!

-He estado siempre buscándote, pues ya te conocía sin conocerte . . .

Abría ella los ojos con sorpresa, como descubriendo algo que ocurría de una manera que no había imaginado. Y continué, mientras disfrutaba de su tímida mirada:

-Te habría buscado toda la vida hasta encontrarte, porque sólo a tu vida ataría mi vida.

Bajó entonces la vista y la fijó en algún punto impreciso del asfalto.

-Quiero hablar con tus padres. Te quiero y no deseo ocultarlo.

-Yo, yo, no sé . . . Este . . . -comenzó a balbucear.

Esta vez, le tomé la mano con seguridad.

-No digas nada ahora, ya hablaremos después.

-Sí, eso . . . Tengo que pensarlo.

Una expresión de alivio apareció en sus ojos, como contenta de encontrar las palabras que buscaba para salir del trance.

Terminaba ya la guardia, y la acompañé a su casa, siempre bajo la vigilancia de la buena vecina. Al despedirla, vi un brillo de alegría en sus ojos, y me marché dichoso a la cama, soñando antes de dormir.

—

Durante dos semanas, estuvo Vicky pensando.

-¿Nos unimos para siempre? ¿Y tenemos muchos niños? -le preguntaba yo en descarada insinuación, disfrutando su sonrojo cuando respondía:

-Tengo que pensarlo.

Un día, fuimos al cine bajo la custodia de una tía, y aproveché la penumbra de la sala para interrogarla mientras deslizaba mi dedo suavemente por su antebrazo.

-¿Y . . .?

Quedó pensativa un instante, y retirando el brazo en canje por su respuesta, balbuceó:

-Está bien.

Y me sentí contento, dueño del mundo, feliz. Retiré también la mano, que ya reposaba sobre la suya en escapada, y pasé la otra sobre sus hombros abrazándola, sintiéndola encogerse como una paloma asustada en su asiento.

-Te quiero . . . -murmuré a su oído, y permanecí lo más tranquilo posible por temor a espantarla.

Ya cuando nos despedíamos me preguntó Vicky la fecha.

-Domingo dos de marzo de 1975.

-Jamás lo olvidaremos -comentó con inusitada firmeza.

—

Cada vez que iba a casa de Vicky, su padre se quedaba en el piso de arriba, como si no quisiera encontrarse conmigo allí. En la parada del ómnibus estaba bien que habláramos, pero allí, cortejando yo a su hija, no. No era cosa que le agradara mucho.

-¿Tu mamá ya lo sabe? -le pregunté en un susurro, junto al piano.

-¿Qué cosa?

-¡Qué somos novios! ¿No?

-Sí -respondió sin levantar la vista del teclado.

-¿Y tu papá?

-No. Mi mamá no se atreve a decírselo.

-Entonces, hablo yo con él ahora mismo.

-No, por favor, que me muero del miedo . . .

-¿Miedo de qué?

-¡No es miedo, es vergüenza! -se quejó de mi incomprensión.

-Pero no lo vamos a mantener en secreto toda la vida. Tienes diecisiete años y debe confiar en ti. Te quiero de verdad y no tengo que temer. Por ti, me enfrentaría a mil dragones.

-Mi papá no es un dragón.

-Ni yo un sinvergüenza. Así que hablaré con él.

-Está bien, pero hazlo cuando yo no esté en casa.

-¿Cuándo?

-Mañana por la tarde, cuando yo esté en la clase de piano.

Al día siguiente, me fui a casa de Vicky y pedí a su mamá hablar con Gerardo. Mientras esperaba, sentado junto a una mesa en la planta baja me llegaban las voces de Gerardo y María arriba:

-¡No voy bajar para hablar con nadie!

-Pero Gerardo, ese muchacho está ahí esperando, y no lo vas a dejar plantado.

-¡No tengo nada que hablar con él!

Al rato de discusión se escuchó la voz de Gerardo:

-Está bien, María, voy a bajar.

Y enseguida, unos pasos rápidos y enérgicos escaleras abajo. La escalera se escondía tras una pared, por lo que solo vi a Gerardo cuando llegó frente a mí.

-¡Buenas tardes!

Me dijo en tono de pocos amigos y clavando la vista en mis ojos. Me puse de pie y le miré fijo a los ojos también. Me sentía ofendido por su actitud. Vivía orgulloso de ser un joven trabajador y serio, y no aceptaba el trato despectivo.

Pasaron así unos segundos en los que el padre de Vicky quiso tal vez explorar si tenía yo razones para no sostener su mirada. Finalmente sonrió y me tendió la mano, al tiempo que me invitaba a tomar asiento.

-Gerardo, amo a su hija y quiero casarme algún día con ella. Sé que para ustedes es importante que ella estudie. También lo es para mí. Le ruego me permita visitarla los días y horas que usted decida, en esta casa que respeto.

Gerardo me escuchó atentamente y con cierta tristeza en la mirada mientras yo hablaba, como si el tiempo lo hubiera sorprendido, como si comprendiera de un golpe que su hija había dejado de ser una niña. Tal vez pensó entonces en el día que inexorablemente llegaría para verla marchar del hogar en que nació y creció.

Se hizo una pausa larga en la que Gerardo parecía soñar, mirar al futuro; de pronto, se irguió como si despertara y pidió:

-¡María, tráenos la comida para los dos!

Y comenzó luego, a hacerme mil preguntas sobre mis padres y abuelos, sobre los lugares en que nacimos y nuestros antepasados españoles, sobre mis gustos y planes futuros. Filosofó después, un poco sobre la vida y la importancia de la familia. Al final, me dijo:

-Está bien. Puedes venir los miércoles y sábados de siete a nueve a visitar a Vicky.

Me fui a casa loco de la alegría y llamé a Vicky a la escuela.

-Tu papá me miró y exclamó: "¿Y quién le dijo a Vicky que podía tener novio?" Y con la misma me echó de tu casa . . .

-Pero . . . ¿de verdad? Y ahora, ¿qué vamos a hacer? ¿Cómo le daré la cara a mi papá? ¿Cómo nos vamos a ver en lo adelante?

Me reí a gusto antes de decirle:

-Voy con tu hermano a buscarte. Lo convencí, y puedo visitarte los miércoles y sábados.

Vicky reía del otro lado del teléfono.

A partir de aquel día, comenzaron mis visitas a Vicky como "novio oficial". Y eran aquellas cortas horas pasadas con ella en su casa, una especie de transportación hermosa al pasado de una cultura que había comenzado a extinguirse en Cuba, desde la época en que las jóvenes comenzaron a salir de sus hogares para incorporarse a las tareas revolucionarias. Éramos como una especie de fósiles vivientes en una época en que la promiscuidad entre los jóvenes, encontrada en la campaña de alfabetización, la escuela al campo y las misiones internacionalistas, nos hacía lucir deliciosamente ridículos.

El día de la visita, la mamá de Vicky tomaba especial cuidado con el orden en la casa. Todos vestían entonces de una manera más formal y Vicky, desde luego, lucía sus mejores vestidos, iniciando así un ciclo con su escaso ropero que se repetía todas las semanas. Tres vestidos, uno para cada visita.

—

Hacía ya un mes que la visitaba como novio. Conversando siempre en presencia de su madre o hermanos, apenas sin la oportunidad de iniciar las "conspiraciones" amorosas que todos los novios suelen hacer, escribiéndole pequeñas notas llenas de picardía que Vicky leía ruborizada y destruía inmediatamente, mientras yo la contemplaba extasiado. Fue en aquel ambiente que por primera vez pude tomar sus manos sin que escaparan de las mías, acariciándolas como a un pajarito asustado cuando su mamá se distraía, entre efusivas miradas que sustituían a las palabras . . .

Había pasado un mes sin que lo más trascendente en la vida de dos novios ocurriese: el primer beso, y los labios de Vicky me perseguían como una obsesión seductora en todo momento.

Un día, nos permitieron salir al cine con una tía de Vicky que vino, contenta de acompañarnos en su misión de chaperona. Exhibían una película norteamericana de estreno llamada "Terror Ciego", que contaba la historia de una joven ciega enfrentada a un asesino en su pequeño apartamento durante la ausencia del esposo.

Vicky pasó la película en un "susto" por la trama, esquiva y avergonzada por mi insistencia en besarla. Fue en el momento del grito colectivo, cuando el criminal salta en la oscuridad sobre la víctima, que tomé las mejillas de Vicky volteándolas hacia mí para besar sus labios . . . Ya teníamos un secreto verdadero, ya conspirábamos para el próximo beso. Ya éramos auténticos novios.

—

Una tarde de domingo, llegué a casa y encontré a mis padres en extremo alarmados. Mi padre permanecía sentado en la sala, con el rostro muy pálido, sumido en sus propios pensamientos, como si esperara por algo muy desagradable. Pregunté a mi madre qué ocurría y exclamó:

-¡Tu padre se ha metido en un problema gravísimo!

-Pero ¿qué ocurrió?

-Que le prestó el carro a un compañero de trabajo, y se lo chocaron por la puerta de la derecha . . .

-¿Qué tiene eso de importancia?

-Ninguna. Pero tu padre se fue esta mañana a ver un mecánico que hace trabajos por cuenta propia, para reparar la puerta porque no cerraba, y allí había otras personas con sus carros esperando para arreglarles alguna cosa.

-¿Y . . .?

-De pronto, llegó un carro de la Seguridad del Estado con varios hombres que comenzaron a tirar fotos a todos los carros y personas que había allí.

-¿Le dijeron algo a papi?

-Nada, pero él está que se muere del susto. ¿Te imaginas que él esté envuelto en una actividad ilegal? Nadie tiene permiso para trabajar por cuenta propia. ¿De dónde saca el mecánico el oxígeno y el acetileno que utiliza para chapistear los carros? Seguro lo roba de alguna empresa, porque el Estado no da esos productos a nadie, y por lo tanto, el trabajo que hace es ilegal.

-Pero papi no tiene nada que ver con eso.

-¡Cómo que no! Tu papá es *Dirigente* y militante del Partido. Aunque el carro que quería chapistear sea del gobierno, se ha convertido en un cómplice por utilizar esos servicios en lugar de denunciarlos.

-¿ . . .?

-El pobre está que no ha querido ni almorzar.

Miré a mi padre, y me conmovió verle en aquella butaca, absorto en sus propios pensamientos, ignorándonos, como transportado a algún tiempo lejano . . . , y comprendí que toda la expresión de su rostro reflejaba un solo sentimiento: miedo.

Nunca lo había visto en aquel estado, que se convirtió en preocupación para toda la familia. Durante varias semanas, el hogar se inundó de una atmósfera de suspenso, en espera del castigo por el crimen que pronto sería descubierto. Mi madre, alarmada, no hacía más que repetir:

-Tu padre ha vivido intachablemente, nunca han podido hacerle ni una crítica. Y ahora, esto lo destruye. Ha caído en desgracia.

Y aceptamos con amarga naturalidad un hecho que rebasaba la comprensión humana. Nuestro padre, que había vivido como modelo de revolucionario devoto y sacrificado, se veía destruido de la noche a la mañana por un delito que no recogían las leyes escritas, pero que era un crimen en el concepto de la ética revolucionaria: ley mil veces más severa y temida que la escrita en la constitución y el código penal.

Cada día esperábamos la llegada de nuestro padre con un cosquilleo en la garganta, preparándonos para el desagradable desenlace. Pero el tiempo pasó sin que ocurriera nada; y poco a poco, fue él olvidando y ganando confianza hasta ser él mismo. Pero no nosotros, que aprendimos con la experiencia a sentirnos culpables cuando no lo éramos. Todo lo que no fuera patrocinado por el gobierno era delito, y no combatirlo, también. Tal era el principio de la justicia que aprendimos: es culpable quien no denuncia y condena.

Nunca alguien molestó a mi padre por el hecho, pero la frase de mi madre bien que describió el estado en que vivió por un tiempo como castigo adelantado por sí mismo: "Está destruido, cayó en desgracia". Muchas veces escucharía luego la misma frase en referencia a alguna de las miles de personalidades de la política, las ciencias y la cultura que ha tenido Cuba en las últimas décadas, y que han desaparecido de la vida pública inexplicablemente: " . . . cayó en desgracia . . ."

—

Poco a poco, las visitas a Vicky fueron haciéndose más frecuentes hasta romper con el formalismo de un horario. Y en la medida que su padre y yo nos íbamos conociendo, fuimos haciéndonos más confidentes, hasta establecer una relación de genuino respeto y cariño.

Gerardo trabajaba como plomero para una empresa constructora que realizaba sus proyectos generalmente fuera de la ciudad, por lo que le tomaba horas en llegar a su trabajo y regresar luego a casa. Y dedicaba él unas catorce horas diarias a aquella labor mal remunerada, con la aspiración de acumular el tiempo que exigía la ley para retirarse. Como el salario que recibía no era suficiente para alimentar a una familia habanera de cinco miembros como la suya, Gerardo esperaba ansioso la llegada del fin de semana para marcharse al barrio de Fontanar, en que vivía uno de sus hermanos, y en cuyos límites había encontrado un terreno pedregoso en que sembraba los únicos alimentos que allí se daban: maíz y calabaza.

Fue en los domingos pasados con Gerardo bajo el sol, en aquella colina llena de piedras y malas yerbas entre las que crecía alguna planta de maíz y otra de calabaza, que fui cultivando un profundo cariño por aquel hombre humilde y generoso, para quien no había cosa más importante en la vida que la familia. Toda su vida, todo lo que hacía, era un continuo batallar por el bienestar de sus seres queridos, a quienes parecía proteger con celo exagerado de todas las nuevas influencias que pudieran anteponer alguna obligación a los valores familiares.

Y era la vida de Gerardo un continuo trabajar: en su empresa, en aquella colina pedregosa de la que podía apenas sacar unas mazorcas y alguna calabaza, y en las casas y apartamentos del Vedado que solía recorrer con una pequeña caja metálica al hombro, llena de viejas y oxidadas herramientas, para hacer pequeños trabajos de plomería que le reportaban un pobre aumento en sus ingresos.

Cuando lograba acumular algún dinero, se marchaba Gerardo a los campos más remotos, para convencer a algún campesino de que le vendiera algunas viandas y, si tenía suerte, hasta alguna carne de cerdo. Carne que muchas veces le decomisaba la policía durante el regreso. Pero nada desalentaba a Gerardo en su lucha por alimentar a su familia.

Algunas veces se reunían la familia de Vicky y la mía para pasar un rato de esparcimiento, pero encontraba Gerardo muy poco de qué conversar con mi padre, quien sólo intercambiaba él un saludo y cortas frases de la formalidad, lo que me hacía sentir avergonzado y dolido pues quería y respetaba profundamente a ambos.

Un día inquirí a mi padre sobre su comportamiento hacia Gerardo, y fríamente me dijo:

-No tengo nada en contra de él, pero no tenemos nada en común de qué hablar. Su mundo es totalmente diferente del mío.

Y era sincero mi padre, ambos tenían dos mundos muy diferentes en sus corazones. Para Gerardo, plomero humilde y semianalfabeto, su mundo era la lealtad a la familia y a los amigos. Para mi padre, dirigente y licenciado en historia; lo era el Partido, la Revolución, el máximo líder. Para Gerardo, la preocupación diaria era el alimento de los suyos. Para mi padre, eran las tareas diarias de la Revolución, la política internacional, la historia y la filosofía marxista.

Con el tiempo, el primitivo mundo de Gerardo triunfaría sobre el de mi padre, imponiéndose definitivamente en el mayor y más adoctrinado de los hijos de este último, quien comprendería que lo que se antepone a la familia termina socavando a la sociedad.

—

La capital no resultó del agrado de mis padres, quienes decidieron regresar al apartamento de Matanzas. Mas no para mí, que enamorado de Vicky, decidí quedarme mientras me lo permitieran, en el apartamento que el gobierno había prestado a mis padres para su estancia en La Habana.

Escribí entonces una carta en que decía a las autoridades:

> *Tengo dieciocho años y trabajo de maestro en la Escuela Provincial del Partido. Mis padres han regresado a Matanzas quedándome yo en el apartamento que les fue prestado por la Revolución, y quisiera casarme. Ruego se me permita continuar habitándolo por el momento. El día que la Revolución lo necesite, sólo tienen que comunicármelo y lo abandonaré inmediatamente.*

Nunca recibí respuesta, por lo que interpreté el silencio como aceptación. Transcurría el mes de septiembre, y comenzamos Vicky y yo a hacer planes para casarnos en el próximo verano. Ganaba yo entonces ciento cuarenta y un pesos al mes, y decidimos que podría sobrevivir con solo cuarenta y uno, de manera que pudría ahorrar cien pesos mensuales, y tener unos mil para el mes de julio. En aquella época cada peso equivalía a unos quince centavos de dólar en el mercado negro, pero considerábamos la cantidad suficiente, en nuestro afán por casarnos.

Gerardo se mostró sorprendido y algo reticente cuando le hablé de nuestros planes de matrimonio.

-Me temo que Vicky no pueda continuar sus estudios después del matrimonio -decía preocupado, mas aceptó con cierta reserva después de escucharme decirle que el primer interesado en los estudios de Vicky era yo.

La noticia sobre nuestros planes de matrimonios se regó como pólvora por el barrio, donde comenzaron a popular los rumores y los pronósticos en pro y en contra de éste.

-Son dos chiquillos . . . -decían algunos -en un par de meses seguro se divorciarán.

-Si se aman y son responsables, nada podrá separarlos -decían otros.

Y fueron transcurriendo los meses, en los que Vicky corría todas las mañanas en su uniforme escolar para el preuniversitario, mientras yo impartía biología por la mañana y estudiaba por las tardes en la Universidad.

Fue aquel un tiempo duro pero hermoso, en que los sueños y el empeño en moldear el futuro, nos hacía ignorar los sacrificios. Y las formales visitas que en un comienzo comencé a hacer a casa de Vicky, fueron cambiando poco a poco, a una relación de familia, hasta convertirme en una especie de hijo adoptivo para sus padres luego de marcharse los míos.

—

Dormía yo en mi casa, pero el resto de mis actividades hogareñas las realizaba en la suya como un miembro más de la familia. Cada día me levantaba muy temprano, y tocaba a su puerta para tomar la acostumbrada taza de café que Vicky me preparaba con cariño antes de marcharme al trabajo. Su recuerdo, corriendo escaleras abajo, dispuesta y hermosa, a preparar el negro brebaje, me acompañaba luego el resto del día.

A pesar de la escasez de alimentos, tenía María un arte peculiar para cocinar, imprimiéndole un delicioso sabor a los más comunes e inverosímiles platos. Fue allí que llegué a gustar por primera vez, del chícharo que tanto había aborrecido por toneladas en mis años de becado.

Estaba el modesto hogar de mi nueva familia junto a otros siete, situado al fondo de una casona bordeada por el pasillo de acceso. Con numerosas familias compartiendo el mismo patio, recordaba aquel lugar un típico solar cubano. Pero a diferencia de la grosera imagen muchas veces aceptada sobre éstos, allí los vecinos mantenían magníficas relaciones de cordialidad, regidas por una profunda ética de respeto al prójimo.

La casa o apartamento -sería difícil precisarlo- de la familia de Vicky, tenía en la planta baja una pequeña cocina-comedor de donde partía una escalera lateral hacia el piso superior que se extendía con sus tres habitaciones a un lado, sobre vivienda de un hermano de Gerardo.

Justo frente a la escalera, en el segundo piso, había siempre otra escalera de madera como las utilizadas en la construcción, reposando casi verticalmente en la pared del reducido espacio, para introducirse por una especie de claraboya que daba acceso a la azotea. Por ella ascendían Vicky y María regularmente, haciendo maravillas de equilibrio para no caer mientras se sostenían con una mano, y llevaban en la otra un balde lleno de ropa recién lavada que tendían en la azotea.

También Gerardo y Víctor, el hermano menor de Vicky, subían con frecuencia por aquella escalera en un acto que me parecía digno de un espectáculo de circo, pero llevaban ellos un cubo lleno de residuos de comida que Víctor salía a recolectar por la vecindad para alimentar a unas diez gallinas y un par de gallos que Gerardo criaba con celo para obtener huevos y carne adicional con que mejorar la alimentación del hogar.

Siempre pensé que era totalmente inverosímil cómo aquella familia se las había ingeniado para desarrollar la crianza avícola en plena capital, sobre el techo de una reducida vivienda, y lograr mantener un mínimo de higiene en aquella casa.

Con el tiempo, descubriría cosas aún más inverosímiles en la capital. Otras familias criaban hasta cerdos a escondidas en sus bañaderas. Y para evitar que las autoridades descubrieran a los animales, estirpaban a éstos sus cuerdas vocales, creando con ello la cirugía veterinaria popular.

Uno de los más audaces e imaginativos hombres que luchaba entonces por alimentar a su familia, era Cando, vecino y hermano mayor de Gerardo.

Era Cando un hombre mayor de sesenta años, castigado por la artritis que le hacía caminar penosamente, apoyado en un bastón. Ingenioso y práctico, creó Cando en su vivienda una especie de mercado ilegal para vivir, pues su pensión de sesenta pesos mensuales no alcanzaba ni para alimentar tres días a su familia. Solía él marcharse temprano en la mañana con dos sacos bajo el brazo en dirección a los campos situados en los límites de La Habana y Pinar del Río, y regresaba al anochecer arrastrando fatigosamente la carga de plátanos y otras viandas que había comprado a los campesinos de la zona.

Se iniciaba luego un desfile de personas que vivían en las inmediaciones del barrio, quienes con medias palabras y de manera disimulada se llevaban los productos traídos por Cando, no sin antes pagar una cantidad razonable por ellos.

Eran aquellos compradores silenciosos de las más diferentes profesiones y extracción social y política. Allí iba el policía que supuestamente debía encarcelar a Cando por su actividad, el médico, la esposa del dirigente, el segundo intermediario que compraba para revender y la mujer y el hombre común. Todos tenían algo en común: entraban y salían de casa de Cando como el que va a una reunión clandestina, con la expresión de duda y temor que aparece en el rostro cuando se conspira.

Algunos domingos, en el afán de mejorar la situación familiar y mejorar los ahorros para el matrimonio, me marchaba con Cando a una actividad que resultó tan lucrativa como ingeniosa. Muy próximos a la ciudad, junto a la autopista que la bordea por el oeste, se extendían unos campos sembrados de café propiedad del gobierno, que se convirtieron en la mejor fuente de nuestros ingresos.

Ocurría que la cosecha del café la realizaban obreros de la ciudad los fines de semana, traídos para cumplir con el acostumbrado trabajo voluntario, y éstos hacían su labor de la manera también acostumbrada: sin afán ni interés, dejando debajo de las plantas cientos de granos que días después recogíamos con cuidado Cando y yo, junto a otros llegados de todas partes con la misma idea.

Permanecíamos agachados entre las plantas de café hasta completar uno o dos sacos medianos con los que volvíamos al cabo de medio día de trabajo. Ya en casa, limpiábamos los granos de tierra y otras impurezas, y los poníamos a secar al sol, esparcidos sobre sacos de yute extendidos en la azotea. Una vez secos los granos, los vendíamos a un precio que podía oscilar entre diez y quince pesos la libra.

Sabíamos que el único destino que esperaba a aquel café era el abandono y la pérdida si no lo recogíamos, pero viví todo el tiempo en constante temor de ser sorprendido en tal actividad, pues el delito no consistía en recoger lo que no era nuestro, sino en realizar una actividad que era considerada ilegal por cuanto era independiente del gobierno.

Más tarde, mientras me investigaban para aceptarme en los cursos de piloto de combate, viví aterrorizado de que pudieran enterarse de que alguna vez había vendido yo café. De haberme preguntado sobre ello los oficiales de la Contrainteligencia Militar que realizaban las verificaciones de cada candidato, no habría podido explicarlo y hubiera sido descartado de plano.

Hoy comprendo que tal vez no existe en Cuba, ni una persona que no tenga en su trayectoria alguna mancha que lo prive del derecho a ocupar alguna profesión o puesto reservado únicamente para los "revolucionarios intachables". Que hayan sobrevivido tantos años, es la mejor prueba de ello.

Se acercaba el fin del curso escolar, y en la escuela en que trabajaba comenzaron las reuniones para evaluar a los maestros. Pero no era la opinión de la directora la que se impondría en cada expediente. La Revolución era justa y, por ello, era el colectivo el que debía evaluar, no el jefe. Este podría estar influenciado por sentimientos de simpatía o antipatía hacia el evaluado, pero no las masas, que nunca se equivocaban. Era el sindicato por ende, la autoridad máxima para evaluar a un trabajador, y con tal fin se hacían las reuniones abiertas para calificar el trabajo individual de cada cual durante el año.

Existía para ello un orden de cualidades por las que se medía al maestro, y sobre las que se discutía abiertamente en la reunión que solía durar todo un día. Así se medían el porte y aspecto personal, actitud ante el trabajo, disciplina, preparación política e ideológica, preparación profesional y otros como actitud revolucionaria, ejercicio de la crítica y la autocrítica . . . Y era este último punto donde se formaba el meollo, haciendo que las discusiones se extendieran hasta diez o más horas en medio de análisis triviales que conducían a escribir en el expediente del maestro conclusiones basadas en observaciones subjetivas, y no en el trabajo profesional.

Llegado su turno, todos se fatigaban en la búsqueda de una razón para autocriticarse, poniéndose a sí mismos en el banquillo de los acusados, pues si no lo hacían, serían criticados a su vez por falta de espíritu autocrítico. Quien no criticara al que le tocaba el turno en el análisis, quedaba marcado a su vez por falta de espíritu crítico.

Y se convertían aquellas reuniones del sindicato, en una especie de juicio público en el que los compañeros y amigos dejaban de serlo por unas horas para convertirse en fiscales. Al terminar, cada cual marchaba a su casa con un sabor amargo en la boca, producido por la sensación de que todos habían descorrido nuestras cortinas más íntimas para mirar adentro, y por penetrar uno mismo en la intimidad ajena. Era como ir caminando a casa completamente desnudos, sin haber podido hacer nada por evitar que uno mismo se desvistiera.

De aquella época data la popular frase "hacerse el harakiri", que caracterizaba la inevitable autocrítica con que todos debíamos comenzar al momento de ser evaluados.

Yo pagué en mi evaluación indirectamente, por los domingos pasados con Gerardo cultivando calabaza y maíz entre las rocas de Fontanar o con Cando recogiendo café. Los trabajos voluntarios a que había dejado de asistir entonces, hicieron que mi evaluación resultara negativa, por "falta de conciencia revolucionaria", como quedó en mi expediente. Me sentí avergonzado y oprimido, sorprendido de ver que todo un año de trabajo y estudio constante era lanzado por la borda por mis propios compañeros y amigos que recordaban con increíble precisión los domingos que no asistí al trabajo voluntario, pero que benévolamente se ocuparon de apuntar que ello se debía a mi juventud y no a la falta de lealtad a la Revolución, que evidentemente amaba.

—

Llegó por fin el dieciséis de julio de 1976, día de la ansiada boda. Vicky había terminado con éxito su curso, y yo me encontraba de vacaciones. Pronto tendríamos los primeros momentos de intimidad, soñados durante tanto tiempo.

Nos casaríamos en el Palacio de los Matrimonios a las seis de la tarde, y a las tres estaba yo parado ante la puerta de casa de Vicky, coordinando algunos pequeños detalles finales con ella, cuando llegó Gerardo. Al vernos allí, con el marco de la puerta entre los dos, nos miró duramente reprochándonos:

-Si van a conversar, háganlo dentro de la casa.

Hasta el último minuto, Gerardo quería proteger a su hija de los comentarios que generalmente se hacen en los vecindarios sobre los novios.

-Mi hija es una muchacha decente, y nadie me la va a desprestigiar -le había escuchado siempre decir.

Era para él, la dignidad de aquel hogar, el tesoro más amado, y no estaba dispuesto a arriesgarlo en boca de la gente poniéndose a la moda acorde con los tiempos.

La ceremonia se efectuó entre amigos y familiares que nos acompañaron al palacio, y un fotógrafo desconocido que había enviado un grupo de mis alumnos como regalo de bodas y que nos persiguió en todo momento. Luego, nos fuimos todos a casa para celebrarlo en el patio común, entre cervezas y bromas que todos nos querían hacer. Tuve que tomar medidas especiales con las maletas que escondí en casa de un vecino, pues no faltó quien quiso robarlas por unas horas para hacernos pasar la primera noche bailando con los invitados hasta el amanecer.

Habíamos reservado diez días en el hotel Internacional de Varadero y, ansiosos de estar solos, allá nos fuimos luego de un rato de compartir con todos, dejando a los invitados en plena fiesta para que bailasen ellos hasta el amanecer.

Cuando el automóvil se disponía a partir, después de besar a su hija, Gerardo me miró a los ojos con lágrimas en los suyos para decirme:

-Cuídala, hijo mío.

E inició el carro su marcha, con la cola de latas que alguien le había atado, rebotando contra el asfalto y produciendo un ruido tremendo que anunciaba a todos el paso de los recién casados.

La primera noche, ya casi en la mañana, escuché la voz de Vicky muy lejana, como desde el fondo de una cueva, que sollozaba y me reprochaba algo . . . Abrí los ojos y la vi junto a mí, con la expresión en el rostro que suelen poner los niños cuando se quejan apenas saben hablar.

-Me dejaste abandonadita . . .

-¿Qué dices? ¿Cómo que te dejé abandonada? ¿Dónde? -pregunté soñoliento.

-Allí, en la esquinita . . . -y, señaló con el índice hacia un extremo de la cama.

Comprendí entonces que el frío del aire acondicionado, al que no estábamos acostumbrados, la había despertado. La arrullé entre mis brazos y la sentí acurrucarse en busca de calor como un cachorro recién nacido.

Desde entonces, las noches que nos vimos separados después nos harían pasar terribles insomnios, añorando el lecho compartido.

—

Nuestro matrimonio se desenvolvía como el noviazgo más romántico. En las tardes acostumbrábamos a repasar juntos las tareas de la escuela, convirtiéndome en el más exigente maestro para Vicky, quien se esforzaba en obtener las mejores calificaciones que le permitirían realizar su sueño de convertirse en dentista.

Luego, en las noches, solíamos pasear por el Malecón, avenida que serpentea la ciudad por su lado norte, ocupando el espacio que en alguna época perteneció al mar, y en cuyo muro nos sentábamos a soñar el futuro: el hogar que tendríamos y los niños que vendrían después que Vicky terminara sus estudios.

En ocasiones, le comentaba que mi deber de revolucionario me había llevado a ser maestro aunque no era esa mi vocación. Mi verdadera pasión era ser piloto de aquellos aviones supersónicos cuyas fotos veía en las revistas, pero . . .

-Nunca podré aspirar a eso. La verdadera vocación de un revolucionario, es ser revolucionario -le decía, resignado y convencido de que estaba donde debía estar.

Vicky escuchaba en silencio y con cierta pena. Luego, ponía su mejilla en mi hombro para decirme:

-A mí me gusta que seas maestro.

—

Una noche, llegó a la casa un hombre en extremo demacrado y flaco con facciones comunes a las de mi padre; era mi tío Edelso, que había quedado en libertad. Le habían reducido la condena a casi la mitad por buen comportamiento y todos nos llenamos de alegría al verlo.

Comenzó Edelso a visitarnos regularmente, y fui poco a poco conociendo a aquel hombre que había dejado de ver siendo yo un niño, y que ahora me contaba las más inverosímiles historias del presidio.

Aunque lo habían condenado a veinte años de cárcel por un delito común, Edelso resultó ser, para mi asombro, una de las personas más incautas que jamás conocí. Hombre extremadamente débil que no sabe decir "no", resultaba víctima constante de cuanto timo se pueda concebir por parte de los tiburones que populan el océano de la sociedad y que tienen especial olfato para detectar a sus víctimas: individuos como mi tío.

Una vez liberado, se vio mi tío en la calle, sin hogar, sin tarjeta de racionamiento, sin trabajo. Tenía que ingeniárselas como pudiera sin delinquir de nuevo, y cada día que pasaba comprendía mejor que jamás sería aceptado nuevamente por una sociedad que había borrado de su cultura el sentido de la palabra *perdón*. Venía él a casa y pasaba las horas conversando con todos, agradeciendo con la mirada aquellos ratos pasados en familia que le hacían sentirse humano. Cuando le veía partir, ya tarde en la noche, sentía que se llevaba consigo un pedazo de mí, para exponerlo con él al desamparo y la soledad. Y me aplastaba la realidad que me negaba aceptar: la impotencia de no poder cambiar lo que ya estaba inexorablemente dictado: aquel mundo inflexible y perpetuo que provoca la peor de las amarguras cuando se le descubre. Muchas veces conversé largamente con mi tío, tratando de convencerlo para que se fuese a vivir con mis padres a Matanzas, donde nadie le conocía o a Cabaiguán con su hermano mayor. Pero se negaba, y yo descubría que había en él un sentimiento de vergüenza que lo acompañaba a todas partes. Tal parecía el noble hogar de mis suegros, el único lugar del mundo en que Edelso alzaba la mirada cuando hablaba.

—

Un día de octubre reinó la alarma y el dolor. Todos los medios de prensa se hacían eco airado de un crimen horrendo: elementos terroristas de Miami habían colocado una bomba en un avión de Cubana de Aviación que estalló poco después de despegar de Barbados con setenta y tres pasajeros a bordo, entre los que se encontraban los miembros del equipo nacional de esgrima.

En la televisión y la radio comenzaron a divulgarse los resultados de las primeras investigaciones junto a la grabación del último contacto radial de los pilotos con la torre de control. Todo el país escuchó horrorizado las voces de los pilotos informando que habían tenido dos explosiones a bordo, y sus dramáticas exclamaciones antes de impactar con el mar y desaparecer para siempre. Aquellos momentos de terror y angustia fueron vividos por todo un pueblo junto a las víctimas.

Luego, vendrían las acusaciones contra los culpables. Nuestro líder aseguraba que la Agencia Central de Inteligencia de los Estados Unidos había ejecutado el crimen a través de exilados cubanos que residían en Miami, a los que había entrenado y proveído el explosivo C-4 con que se fabricaron las bombas.

Y fueron transcurriendo los días en que todos seguíamos, expectantes e indignados, los primeros resultados de la investigación sobre "El crimen de Barbados". Fueron detenidos los sospechosos en Venezuela, y parte de los destrozados cadáveres, rescatados de las profundidades y trasladados a Cuba.

Fue entonces que el líder hizo un llamado al pueblo para darle el último adiós a nuestros mártires, que yacían cubiertos con la bandera nacional en la célebre Plaza de la Revolución. Y el pueblo concurrió en masa.

Caminábamos Vicky y yo junto a mi padre, que había venido a La Habana, hacia la Plaza, y el espectáculo abierto a nuestros ojos estremecía al más insensible de los corazones.

Cientos de miles de personas, como ríos humanos, subían por las calles del Vedado aquella tarde de octubre de 1976 hacia la Plaza. Nos sumamos a la corriente, cabizbajos y con lágrimas de dolor en los ojos como ellos. No pudimos llegar a la Plaza, ya en la esquina de las calles Paseo y Zapata era tal la densidad de la muchedumbre, que decidimos escuchar desde allí las palabras de duelo, que en nombre del pueblo, el máximo líder dirigiría a los mártires asesinados.

Retumbó la voz de Fidel en los cientos de altoparlantes situados en los edificios que rodean la plaza, quebrantada por el dolor, llegando al corazón del más de millón de personas que asistíamos al funeral. Tal parecía que el tiempo se detenía cuando el Comandante en Jefe hacía una pausa, y sólo el leve silbido de la brisa podía escucharse sobre aquella muchedumbre enlutada y herida.

Nuestro líder hizo un recuento de los atentados terroristas de la CIA contra Cuba. Recordó el barco "La Coubre" que estalló en el puerto de La Habana provocando la muerte de cientos de cubanos inocentes. Recordó a los pescadores atacados por lanchas piratas en alta mar; a la niña que recibió disparos en el pueblecito pesquero de Boca de Samá, mientras dormía; a los diplomáticos muertos en atentados terroristas. Recordó los bombardeos efectuados en vísperas del ataque de Girón contra los aeropuertos de Ciudad Libertad y Santiago de Cuba, y a los jóvenes alfabetizadores brutalmente asesinados en el Escambray. Y recordando a las víctimas inocentes, nos recordó a todos que teníamos un enemigo acechante y cobarde tratando de doblegarnos con el terror.

-No pudieron nuestros atletas llegar a las Olimpiadas -resonaban sus palabras con eco conmovedor en la bóveda que forman los edificios alrededor de la Plaza -¡Pero han entrado para siempre al Olimpo de los Mártires de la Patria!

Hombres, mujeres, niños, todos escuchábamos con los puños crispados y un nudo en la garganta. Era el dolor compartido por la multitud convertida en una gran familia por la tragedia. Y todos allí nos sentíamos entonces más cerca uno del otro, más solidarios.

-Sepa el imperialismo norteamericano que no nos doblegará jamás -continuó Fidel mientras todos conteníamos la respiración y apretábamos los dientes de rabia y odio, deseando el combate con el enemigo. Luego concluía:

-Porque cuando un pueblo enérgico y viril como éste llora, ¡la injusticia tiembla!

Una exclamación embravecida brotó de nuestras gargantas, retumbando como un grito de guerra que ahogó el sonido de la brisa en una ovación de triunfo. Éramos indoblegables . . . porque éramos dignos. ¡Y éramos invencibles!

Regresamos a casa después del funeral con la sensación de que nos habían estado abofeteando durante muchos años sin que respondiéramos a las ofensas. ¡Basta ya!, nos decíamos con unos deseos incontenibles de pelear contra nuestros enemigos y sin comprender por qué Fidel no le declaraba la guerra a los Estados Unidos. ¡Prefería yo morir peleando en el intento de vengar a nuestros muertos, antes que aceptar en silencio la impunidad de los asesinos!

Pero Fidel, sabio y sosegado, prefería sufrir antes que arriesgar a su pueblo en una guerra.

-Si por mí fuera, ahora mismo declarábamos la guerra -comentaba yo indignado, sin reconocer las fronteras entre el dolor y el odio.

—

Vicky terminó el preuniversitario, y estábamos ansiosos por saber si le habían concedido la carrera que solicitó estudiar.

Casi a diario íbamos a la Universidad a leer las listas de los alumnos aceptados en las diferentes facultades, y todos los días regresábamos decepcionados al ver que las de Estomatología no habían sido expuestas al público aún. Por fin sacaron las listas, pero el nombre de Vicky no aparecía por ningún lado. Buscaba desesperadamente sin encontrarla cuando exclamó ella a mi lado:

-¡Aquí, aquí estoy. Mira, mira . . . !

Efectivamente, habíamos pasado sobre su nombre varias veces sin verlo en el apuro por encontrarlo. Nos abrazamos felices como un triunfo de los dos.

Un día, vino a visitarnos un primo de Vicky que estaba pasando las pruebas para piloto de caza y, fascinado, comencé a interrogarle sobre el proceso de selección para la profesión que ya me parecía inalcanzable. Cuando escuchó que era mi sueño ser piloto me dijo:

-No todo está perdido. Tienes sólo veinte años y, aunque trabajas, estudias en la Universidad. Mañana preguntaré al oficial que está al frente de nuestro grupo sobre qué debes hacer para presentar tu solicitud. Al próximo día llegó con un nombre y un número de teléfono anotado en un papel.

-Es el teniente coronel de la Paz, Jefe de la Comisión Captadora de Pilotos. Llámalo, él te dirá qué tienes que hacer.

En la primera oportunidad me fui al teléfono . . .

-¿Por qué quieres ser piloto si ya eres maestro? -me preguntó el teniente coronel al extremo de la línea.

-Soy ante todo revolucionario y es por ello que soy maestro. Pero amo la aviación de combate, y creo que seré más útil como piloto. Nuestra patria necesita de hombres que la defiendan, y yo quiero estar entre ellos.

Tomó algunos de mis datos y dijo:

-Preséntate mañana a las ocho en el Hospital Militar de Marianao. Allí estaré con un grupo de candidatos que se harán el chequeo médico. Trae tus documentos.

No podía creerlo. Lo que consideraba imposible estaba resultando más fácil de lo que esperaba. Loco de alegría, fui a contarlo a Vicky, pero me escuchó con tristeza.

-No quiero que te vayas para la Unión Soviética a estudiar -dijo en voz baja y grave, con lágrimas en los ojos.

-Es un sacrificio, mi amor, pero es parte de nuestra felicidad. No me gusta lo que hago y ese ha sido el sueño de mi vida. El tiempo pasa rápido. Pero no nos adelantemos, tal vez ni pase las pruebas.

Los exámenes médicos fueron profundos y extensos, así como los interrogatorios de los oficiales de la Contrainteligencia Militar, que hacían especial hincapié en el hecho de si yo tenía familiares en los Estados Unidos.

-¿Has mantenido correspondencia o relación alguna con ellos? -me preguntó aquel hombre, quien al igual que todos los de su equipo vestía una camisa de cuadros que dejaba colgar por fuera del pantalón.

-No, nunca.

-¿Y tus padres? ¿Se han carteado con ellos alguna vez?

-Tampoco.

-¿Qué piensas de los "jeans" americanos?

-No los uso, nunca los he tenido.

-¿Y de los que los usan con el pedazo de cuero detrás, exhibiendo la marca?

-Sería como llevar la bandera de nuestros enemigos en los pantalones.

El hombre sonrió satisfecho.

-Anótame aquí los nombres y direcciones de tus amigos más cercanos.

Comencé a escribir . . .

-¿Por qué te quisiste suicidar estando en los Camilitos?

La pregunta me sorprendió dejándome sin aliento, y sentí que las orejas me ardían de la vergüenza.

¿Cómo lo habrían sabido?

Levanté la vista del papel y le respondí mirándole a los ojos:

-Por rebeldía. Tenía entonces doce años y parece que no estaba en mis cabales. He estado siempre avergonzado de ello. Creo que el suicidio es propio de cobardes.

Pasé las pruebas e investigaciones de la Contrainteligencia Militar, y en pocos días, me vi en el grupo de treinta jóvenes seleccionados para pasar el curso de Piloto de Combate en la Unión Soviética. Una noche, nos citaron a una casa situada en el barrio de Miramar.

-Vengan vestidos lo mejor que puedan, y sin acompañantes -nos dijeron en el Estado Mayor de la Fuerza Aérea.

Como hombres seleccionados para viajar fuera del país, nos habían permitido comprar una cuota de ropa en una tienda especial habilitada para los que viajaban al extranjero. Allí, por primera vez en mi vida, pude comprar zapatos y pantalones de mi talla. Hasta un traje que nunca había concebido en mis planes, tuve que adquirir obligatoriamente para el viaje.

Algo verdaderamente simpático resultó de aquello: más tarde cuando nos reunimos los treinta jóvenes en el aeropuerto, notamos que nuestros trajes y maletas eran todos iguales. Evidentemente, no pasaríamos inadvertidos.

En la casa de Miramar nos dieron una fiesta, en la que estaba el jefe de la Fuerza Aérea rodeado de varios coroneles. Un hombre joven, cercano al máximo líder y muy popular y poderoso en aquel entonces, asistió a la reunión. Era Luis Orlando Domínguez, Primer Secretario de la Unión de Jóvenes Comunistas, quien nos traía un mensaje personal de Comandante en Jefe en el que nos felicitaba, llamándonos ejemplo de la juventud cubana.

-Han recibido ustedes el privilegio de defender a la Revolución desde la primera trinchera de lucha, como pilotos y futuros oficiales de las Fuerzas Armadas . . . -nos decía en su mensaje. Y nosotros nos admirábamos de la capacidad del Máximo Líder, capaz de estar al tanto del más pequeño detalle, lo mismo se ocupaba de recibir en el aeropuerto a un equipo deportivo que ganaba unas competencias fuera del país, que de felicitar a un grupo de jóvenes que se marchaba a estudiar.

Diez años más tarde, aquel joven vigoroso y cercano a Fidel, sería condenado a veinte años de prisión por corrupción, durante un juicio llevado a cabo en secreto. Sería Fidel, entonces, quien contaría al pueblo la única versión conocida sobre los hechos en su comparecencia por televisión.

Estaba orgulloso y contento. La Revolución me daba una prueba de su confianza en mí, como la daba a muy pocos, y la perspectiva de conocer pronto la Unión Soviética, el país más adelantado del mundo, me tenía excitado. Por fin viajaría al exterior, conocería otras culturas y lenguas. Sí, era evidente que la Revolución confiaba en mí.

Pero, antes del viaje, tuvimos otra reunión, esta vez con los oficiales de la Contrainteligencia Militar que nos alertaban sobre los peligros que habríamos de enfrentar en nuestro viaje.

-Van a realizar una escala técnica en Marruecos, país capitalista de África. Manténganse todos en grupo y no hablen con extraños. No se acerquen a los estanquillos, recuerden que leer material extranjero es una violación de las órdenes del Comandante en Jefe, y se paga con la expulsión.

Y continuaron, indicando:

-Algo importante que deben tener bien claro: si el avión realiza algún aterrizaje no programado deben estar alertas, pues seguramente la CIA sabe que van ustedes en ese vuelo y pueden incluso intentar el secuestro de alguno para orquestar un show propagandístico diciendo que desertaron.

Y más consejos: -En la Unión Soviética encontrarán estudiantes de otros países con los que está prohibido relacionarse, especialmente con los iraquíes, libios, yemenitas, y todos aquellos que no pertenecen al campo socialista. Sólo se les autorizará la relación amistosa con los estudiantes vietnamitas y de los países socialistas de Europa, previo informe de ustedes al oficial de la Contrainteligencia de la Embajada Cubana en Moscú pidiendo autorización para ello.

Vicky, con su familia y mis padres, me acompañaron al aeropuerto aquel día de finales de octubre de 1977. Había ella pasado la noche anterior abrazada a mí, llorando calladamente sobre mi pecho mientras yo le acariciaba el cabello, pensando en los dos largos años que estaría sin verla.

En el aeropuerto nos dimos un abrazo final. Vicky, la última, se quedó mirándome fijo mientras entraba al salón reservado a los vuelos internacionales que llamaban "*pecera*". En sus ojos leí la soledad que enfrentaría durante dos años, y sentí como si le robara algo, y dejara una parte de mí con ella.

Cuando el avión despegaba, la realidad se me impuso en toda su crudeza: estaría dos años sin verla, añorándola a cada momento. Una angustia que disimulé me apretó el pecho, y comprendí cuánto la amaba.

Ante mí, como la vanguardia universal de la justicia y el bienestar social, me abría sus puertas la Unión Soviética. Ya era yo: un Hombre de Confianza.

Capítulo 5

—

Memorias del desarrollo

—Soy el Primer Teniente Popov, de la Décima Dirección de las Fuerzas Armadas Soviéticas -pronunció en tono seco y perfecto español aquel hombre de aspecto cansado que esperaba junto a la escalerilla del avión, y al que no había sido difícil reconocernos entre los pasajeros. Encogidos por el frío del rudo otoño ruso, éramos los únicos en descender de la aeronave de Aeroflot, sin más abrigo que nuestros débiles trajes.

-Afuera hay un ómnibus esperando por nosotros. Pasaremos la noche en la escuela de artillería, y mañana les acompañaré en avión hasta Krasnodar, su destino. Entréguenme ahora sus pasaportes, debemos pasar el control de inmigración inmediatamente.

Salimos del aeropuerto al oscurecer, y hecho un ovillo por el frío, devoraba por la ventanilla del ómnibus el paisaje que se abría ante mis ojos.

No son diferentes a las de Cuba la tierra y la hierba aquí -pensaba ensimismado, mientras absorbía con la vista aquellas tierras legendarias, escenario de las más cruentas batallas de la Segunda Guerra Mundial. Esta vez era real, estaba en el escenario que había imaginado mil veces mientras leía a Zhukov y a Boris Polevoy.

En estos cielos combatió Alexey Meriesev, derribando más de veinte aviones alemanes a pesar de haber perdido las piernas y volar con prótesis.

La historia sobre las hazañas de aquel piloto de combate había sido mi primer libro leído en la adolescencia. Y el valor y férrea voluntad de este hombre, me habían fascinado hasta el punto de convertirlo en mi modelo de héroe.

Un monumento apareció a nuestra derecha, y alguien dijo que era a los soldados de Pánfilov, el valiente general que contuvo el empuje de los tanques alemanes a las mismas puertas de Moscú con un reducido grupo de hombres.

Luego, aparecieron pequeñas chozas a ambos lados de la carretera, rodeadas de rústicas verjas, y con pequeñas ventanas de cristal tras las que resplandecían mortecinas luces. Se veían rodeadas de silencio, solitarias y tristes, como congeladas en el tiempo. Eran las mismas que aparecían en las películas, mil veces vistas, sobre la defensa de Moscú.

Comprendí que ya no imaginaba. Junto a la carretera, el escenario no había cambiado. Allí estaba la historia para tocarla con mis manos. Todo exactamente igual a como era en los años de la ''Gran Guerra Patria''. Y sin saber por qué, me sentí deprimido, triste.

Al próximo día, después de dos horas de vuelo en un viejo cuatrimotor IL-18 que vibraba desde la nariz a la cola de manera increíble, llegamos a Krasnodar. Allí nos esperaba el jefe de nuestro Curso -el mayor Argatov, hombre grueso y de baja estatura, de piel tan fina que podíamos descubrir los capilares en su rostro. Una vez que tomamos posesión de los dormitorios, Argatov vino a vernos para darnos las explicaciones de rigor. Gallardo, el jefe de nuestro grupo, nos sirvió de traductor.

-En lo adelante, y según los acuerdos firmados entre los gobiernos de Cuba y la Unión Soviética, se someterán ustedes a las leyes y reglamentos de las Fuerzas Armadas de nuestro país -comenzó explicando el mayor Argatov, lo que no nos sorprendió ni molestó, pues teníamos similares reglamentos militares -no podrán salir del perímetro de la escuela durante cuarenta y cinco días, tiempo necesario para que aprendan un mínimo imprescindible del idioma, así como las leyes que rigen la vida en este país. Luego, podrán salir los sábados y domingos, pero tendrán que regresar antes de las once de la noche. Nada de dormir fuera. El alumno ausente, será reportado inmediatamente al Estado Mayor General en Moscú, y podría ser expulsado. Mañana recibirán los uniformes, luego comenzarán el examen médico y pasado éste, las clases. Recibirán un curso intensivo de ochocientas cincuenta horas de Idioma Ruso que alternarán con filosofía marxista e historia del Partido Comunista Soviético; luego, comenzarán las asignaturas netamente técnicas.

Comenzaba nuestra vida de tres años como cadetes de aviación en aquel país que parecía convertirse cada vez más en un enigma para mí.

Estaba Krasnodar a unos mil doscientos kilómetros al sur de Moscú, junto a la rivera del río Kubán. De poco más de medio millón de habitantes y tradiciones cosacas, tenía una calle principal dividida en dos por un amplio paseo cubierto de jardines y fuentes circulares, que se extendía unos tres kilómetros desde el teatro principal hasta la estatua de Lenin en el parque del mismo nombre.

Con la frente erguida, una mano en el bolsillo, y la otra extendida hacia adelante, parecía Lenin dirigirse a la multitud diciendo: ¡Adelante!

Eran esta calle principal, y otras secundarias por las que circulaban los trolebuses y ómnibus del transporte público, las únicas asfaltadas de la ciudad. Tras ellas, los barrios antiguos compuestos de chozas de madera al estilo de las que habíamos visto en el camino a Moscú, y los más modernos: de edificios prefabricados, todos al mismo estilo. No estaban asfaltadas las calles de acceso a unos y otros barrios, y era imposible llegar o salir de casa en primavera u otoño, sin que el lodo estropeara el calzado.

La Escuela de Aviación se encontraba en el extremo oeste de la ciudad, ocupando un área de varios kilómetros cuadrados. Tenía una sola entrada oficial para los alumnos, franqueada por una garita en la que siempre había un oficial y un soldado de guardia, y a la que llamaban Punto de Control de Pase. Allí comenzaba la calle principal que atravesaba la escuela de un extremo a otro, hasta morir tras los hangares del aeródromo a poco más de un kilómetro de distancia. De su lado izquierdo se levantaba el teatro en que solíamos practicar "la hermandad entre los pueblos" con actos solemnes para conmemorar las fiestas nacionales de los países que allí estudiaban.

Del lado derecho, una estatua de Lenin, tras la que se levantaba un antiguo, pero bien conservado edificio, en el que se encontraban el Estado Mayor, con dirección y oficinas de la escuela.

Era aquel espacio de la calle entre el teatro y la dirección de la escuela, el lugar en que formábamos los lunes en la mañana para escuchar el parte y dar el saludo al jefe de la escuela. Cuando éste aparecía, se escuchaba la voz de ¡Firmes!, dada por el Oficial de Guardia, quien emprendía la marcha al encuentro del general con pasos firmes que resonaban en el pavimento sobre el silencio de la tropa. Escuchado el parte, se situaba el general frente a la formación y se llevaba la mano derecha a la visera de la gorra para pronunciar el saludo, que era respondido por ésta en un coro enérgico y fugaz como un trueno:

-¡Buenos días camarada general mayor!

—

Eran estas formaciones matutinas de los lunes nuestro único contacto con el general Paulika, momento en el que intentábamos descubrir su personalidad.

Grueso y de baja estatura, tenía el general un carácter majadero y contradictorio con el que intimidaba a todos, al extremo de lograr que los transeúntes habituales se esfumaran de su camino cuando le veían andar por alguna de las calles de la escuela.

Gustaba Paulika de aparecer sorpresivamente por algún lugar diferente en las formaciones de los lunes, haciendo que el Oficial de Guardia esperara con los nervios de punta. Erguido sobre la punta de los pies y con el cuello estirado, buscaba éste en todas direcciones: detrás de la tropa, en los flancos, tratando de descubrir la diminuta y arrogante figura del temido general. Mas, casi siempre, amparado por su estatura, que le permitía caminar por detrás de la tropa formada sin ser visto, aparecía Paulika por alguno de los flancos, y se veía entonces al Oficial de Guardia ir a su encuentro, entre marchando y corriendo de una manera ridícula, para darle el parte y recibir una sarta de insultos.

Siempre encontraba Paulika una razón para insultar al Oficial de Guardia, que era generalmente alguno de los tantos coroneles y tenientes coroneles que componían el claustro de profesores y jefes de los escuadrones de aviación de la escuela. Si no era el propio Oficial de Guardia la razón de su reprimenda, lo era entonces alguno de los alumnos que se movía ligeramente en su puesto o algún papel encontrado en la calle. Cualquier cosa, pero quien estuviese de Oficial de Guardia, sabía que sufriría la humillación pública que gustaba de propinar el general. La primera vez que presenciamos la escena nos quedamos petrificados por el despotismo con que aquel hombre trataba a sus subordinados. Y como cubanos, acostumbrados más a un trato gallardo y respetuoso, nos negábamos a aceptarlo como una norma de la vida militar, justificándolo ante sí mismos como un matiz de la idiosincrasia militar rusa.

Estaban las aulas de la escuela equipadas con una magnífica base material de estudio que iba desde pequeños túneles aerodinámicos, hasta motores y aviones enteros o seccionados en partes para su estudio, mientras que el hospital, lo componían un grupo de habitaciones mugrientas equipadas con instrumentos tan descomunales y rústicos como antiguos, operados por enfermeros militares de rudo aspecto. Fue allí que pasamos el examen médico preliminar a las clases, convirtiéndose aquellas tristes habitaciones en escenario de las primeras bromas de aquel grupo de jóvenes llenos de humor caribeño que veían en todo una razón para reír.

Había en nuestro grupo un muchacho delgado y de mediana estatura que solía hablar reposadamente las pocas veces que intervenía en un diálogo. Le llamaban "Tranquilo" por aquella razón, y todos bromeaban con él sin lograr nunca sacarle de sus cabales.

Pasábamos en pequeños grupos, de consulta en consulta, sometiéndonos a los exámenes de los diferentes especialistas, quienes nos hacían desvestirnos con tal fin. Al llegar a la consulta de oftalmología, alguien notó que Tranquilo se había quedado atrás, y propuso reunirse en el recibidor de la habitación y fingir que se vestían, como ocurría en las otras, al momento de entrar Tranquilo.

Sin más comentarios y conteniendo la risa, salieron todos mientras Tranquilo comenzaba a desvestirse para pasar el examen. Una vez en el pasillo y con el oído alerta, escuchamos entre risas el grito de la enfermera que hacía los exámenes de la vista, y un segundo después la vimos salir profiriendo una sarta de frases en ruso que, por el tono, imaginábamos lo que significaban.

Luego, supimos por el propio Tranquilo que, mientras la enfermera preparaba los equipos, éste había pasado a la consulta completamente desnudo y, sin comprender lo que pasaba, se quedó en cueros junto a la entrada observando cómo la enfermera salía disparada por otra puerta.

—

Nuestros dormitorios se componían de dos edificios de cuatro pisos llamados "hoteles" por las comodidades con que fueron construidos para estudiantes extranjeros. Había a la entrada de ambos, una especie de carpeta tras la que se encontraba siempre una de las mujeres escogidas para este trabajo por su avanzada edad, y a la que llamábamos cariñosamente "abuela", con la misión de llevar un reporte preciso de las entradas y salidas de alumnos al dormitorio. En los sábados, pasadas las once de la noche, solían verse colgar tras el edificio sábanas atadas unas a otras formando una cuerda por la que ascendían en secreto los que llegaban tarde al pase, en un intento por burlar la eficaz vigilancia de la abuela de guardia.

Estaba el dormitorio u hotel, compuesto por pequeñas habitaciones situadas a cada lado del pasillo que se extendía de extremo a extremo del edificio en cada piso. En cada habitación: dos pequeñas camas, una diminuta mesa y un reducido baño sin ducha, mientras que a mitad del pasillo se abría la llamada sala de descanso con un sofá, un par de butacas y un televisor que solía ser la atracción de todos cuando se transmitía algún evento deportivo.

A cada extremo del pasillo: las duchas colectivas. Abiertas y sin privacidad, éstas se convirtieron rápidamente en punto de referencia para comparar las diferentes culturas y tradiciones de las nacionalidades que allí convivíamos.

Éramos el grupo de cubanos el más bullicioso y entusiasta de todos los que allí estudiaban. Al menos así lo pensábamos, comparándonos a nosotros mismos con los estudiantes de Viet Nam, Afganistán, Yemén, Irak, Libia, Uganda, Congo, Zambia, Mozambique, Gana, Argelia, en fin, toda una gama de nacionalidades y culturas donde cada grupo seguramente pensaba que era el mejor.

Y eran nuestras relaciones muy cordiales con los vietnamitas, con quienes la Contrainteligencia Militar nos había permitido mantenerlas. Eran éstos de complexión física generalmente menuda y comportamiento humilde, pero con una férrea voluntad y disciplina que expresaban en su afán de aprender, dedicando interminables horas al estudio en una lengua que les resultaba particularmente difícil. La sincera simpatía y respeto que sentíamos por ellos la expresábamos llamándoles cariñosamente ''primos''.

Mas el choque de las culturas era inevitable en el caso de los estudiantes libios e iraquíes, con quienes nos habían prohibido terminantemente todo tipo de relación. Solían éstos criticar cuanto les rodeaba, y hablar de manera despectiva sobre los soviéticos, lo que nos ofendía en extremo pues considerábamos vil el criticar a quien te ayuda. Y, para colmo, los oficiales de estos países imponían castigos físicos a sus cadetes, lo que no cabía en nuestra comprensión.

La primera vez que vimos a un oficial libio golpear con una fina vara la espalda desnuda de uno de sus cadetes, arrodillado sobre la nieve con veinte grados bajo cero, estuvimos a punto de comenzar una reyerta contra los mismos. Luego nos acostumbraríamos a observar la escena, aceptándola con indignación, conscientes de que no teníamos el derecho a intervenir para cambiar una cultura y unas leyes que no nos atañían.

Comenzaba nuestro día de cadetes a las seis de la mañana con una ronda de carreras y ejercicios por veinte minutos que hacíamos en la calle frente a los dormitorios. Eran los meses de invierno, cuando despertábamos escuchando el sonido de las palas con que los soldados rusos removían la nieve de la calle, que entrábamos en disputa con nuestro Jefe de Curso, a quien logramos finalmente convencer de que con frío mayor a diez grados centígrados bajo cero, no haríamos los ejercicios. Recurrimos a cuanta explicación sobre orígenes genéticos se pueda imaginar para ampararnos en nuestra procedencia tropical y robarle al día veinte minutos más de sueño.

Desayunábamos en aquel comedor que era el primero de nuestras vidas en ofrecernos un menú relativamente variado y gustoso, y nos marchábamos luego a las aulas, para hacer un receso a la hora de almuerzo y continuar seguidamente el estudio hasta las siete de la noche de cada día.

Transcurría la rutina de las clases en aquel idioma tan diferente al nuestro, y la nostalgia por Vicky se me hacía más profunda cada noche. Me escribía ella a diario, y yo recibía en ocasiones, hasta diez cartas de un golpe que leía en completa soledad, echando a volar mi imaginación hasta ella y mi añorado país.

Contaba Vicky que estaba ahorrando centavo a centavo de mi sueldo de 141 pesos, que habían continuado enviándome a casa por haberme ido al servicio de la Fuerzas Armadas. Era nuestro anhelo que ella se pudiera costear el viaje a la Unión Soviética en el verano y así vernos, pues yo no podría ir a Cuba hasta pasados dos años.

Nos sumimos entonces en un sinfín de gestiones infructuosas que chocaban siempre con las mismas limitaciones. El único pasaje que Vicky podría costear con moneda cubana, sería como turista en uno de los viajes que otorgaban como estímulo los sindicatos a sus trabajadores vanguardias, pero Vicky era estudiante. Mas vino la suerte en nuestra ayuda, y alguien que había ganado el derecho al viaje estuvo de acuerdo en concedérselo a ella. Entonces nos llenamos de ilusiones haciendo planes para el verano, pero las dificultades aparecieron de nuevo, esta vez en la Unión Soviética. Como turista, Vicky tendría que realizar la gira prevista por todo el país con su grupo, sin derecho a separarse de éste y quedarse conmigo en algún lugar. Por otra parte, yo tampoco sería admitido en el grupo de turistas, pues no era usual que se le sumasen personas en el extranjero. En fin, agotados y decepcionados luego de varios meses de gestiones, renunciamos con tristeza a los sueños de vernos en el próximo verano y, resignados a los dos años de separación, nos dedicamos a restar día a día, el tiempo que nos separaba del encuentro.

Cada mes intentábamos hablar por teléfono, y pasaba yo las horas de la madrugada en la carpeta junto a la abuela de guardia, en espera de la llamada de Vicky, que le era muy difícil lograr. Mi estipendio de estudiante no alcanzaba para llamarla yo, y conversábamos entonces durante seis minutos celosamente limitados por la operadora, entre ruidos y ecos que apenas nos permitían entendernos. Escuchaba yo la voz de Vicky muy baja y entrecortada en la lejanía, sollozando de angustia mientras hablaba, y sentía que el pecho se me encogía impidiéndome hablarle claramente. Se convertía entonces nuestro diálogo en un emocionado repetir de la misma frase: ''te amo''.

Luego que sin piedad la operadora nos anunciaba el fin de los seis minutos reglamentarios, me marchaba a la cama para no dormir, fijaba la vista en el techo y respiraba profundo llenándome a mí mismo de fuerzas para vencer la nostalgia.

Tienes que aguantar -me decía -*este sacrificio es por nuestra felicidad futura*.

Y resistía yo, vertiendo todas mis energías en los estudios y el deporte, contando cada día que aún me separaba de ella.

—

Los sábados terminábamos las clases a las dos de la tarde, y nos íbamos presurosos a cambiar el uniforme por ropa de civil y salir a la calle, ávidos de explorar aquel mundo diferente que era la Unión Soviética. Caminábamos la ciudad de un extremo a otro, visitando los más peculiares lugares, y saciando nuestra curiosidad por conocer ese mundo gigantesco que se oculta al primer vistazo de un visitante y que suele ser el verdadero país. Fue en aquellas calles de Krasnodar que probé por primera vez las tan populares máquinas de soda, especie de armario metálico gigantesco conectado a la red de agua potable, en el que se mezclaban ésta, un sirope contenido en el interior del armario y el gas comprimido que guardaban dos tanques dispuestos en su parte trasera.

En verano aumentaba la demanda de aquel refresco, y era común ver pequeñas filas de transeúntes que esperaban para beber la ración, vertida automáticamente al depositar su moneda, en uno de los dos vasos dispuestos en la máquina. Cada consumidor fregaba el vaso antes de beber en una especie de rueda horizontal sobre la que se ponía éste invertido, y que al hacerla girar proyectaba unos finos chorros de agua contra sus paredes interiores ''librándolo'' de todo germen. Sediento y confiado de mis propios anticuerpos, bebí con soltura de aquellos vasos utilizados por mil diferentes personas antes que yo, no sin antes enjuagarlos con aquella ''milagrosa'' agua.

Recibíamos entonces un estipendio de veinte rublos mensuales que nos daba la escuela, y otros trece que nos enviaba la embajada cubana como ayuda adicional. Con aquel dinero, considerado una fortuna por nosotros, nos lanzábamos a las tiendas en busca de los más elementales artículos ausentes en Cuba, y que por primera vez podíamos obtener sin necesidad de presentar la tan odiada tarjeta de racionamiento que había estado presente desde siempre en nuestras vidas. Otros alumnos, como los libios, recibían un salario superior a trescientos dólares mensuales que les proporcionaba su embajada. Y vivían ellos en la opulencia, pues los cambiaban en el mercado negro de la ciudad a razón de ocho rublos por dólar. Solían los libios comprar cervezas y sodas que consumían dejando luego a las puertas de sus habitaciones las botellas vacías para que las recogiera el personal de limpieza. Mas los cubanos, ni cortos ni perezosos, tomábamos las botellas que guardábamos cuidadosamente en sacos para venderlas nuevamente en la pequeña tienda de la escuela a razón de veinticinco kópecs cada una.

Había en la tienda una mujer de unos sesenta años, veterana de la guerra, que en los días de fiesta solía colgarse al pecho un sinfín de medallas, y que era la encargada de comprar para el estado los envases vacíos. Recibía ella nuestro cargamento con abierta hostilidad cuando discretamente, para no llamar la atención de otros sobre nuestra pobreza, le entregábamos nuestros sacos de botellas. Ella sabía que nos avergonzaba hacerlo, y siempre contaba descaradamente diez botellas menos que le permitían embolsarse dos rublos y medio. Aquella manera desfachatada de robar ofendió a más de un cubano que quiso corregir su matemática, pero sobre el que caía una sarta de insultos y gritos dados por la compradora para llamar la atención de los transeúntes, y hacer que uno escapase avergonzado, tan ligero y silencioso como llegó.

Sin tener otro lugar próximo donde venderlas, y con la desagradable experiencia de aquellos escándalos, hicimos siempre nuestros cálculos sobre la base de diez botellas menos que irremediablemente se embolsaba la astuta compradora. Pero, cuando por primera vez vi a las ancianas veteranas de la guerra con sus medallas prendidas a los harapos que las abrigaban, paleando la nieve de las calles en el más crudo invierno para ganar unos rublos con que sobrevivir, comprendí mejor a nuestra pícara compradora y compartí gustoso con ella en lo adelante mi cargamento de botellas.

Entonces, eran tremendas mis cualidades ahorrativas, que me permitían con aquellos treinta y tres rublos mensuales más lo ganado con la venta ocasional de botellas, abastecerme de jabón, pasta de diente y otros artículos menores no proporcionados por la escuela, e irme a las tiendas en busca de ropa, calzado y otros regalos para Vicky, cada miembro de nuestras familias y amigos el día que regresáramos a Cuba. Todo cuanto veíamos en los comercios rusos estaba muy lejos de igualar la calidad de los productos de procedencia capitalista que exhibían con ostentación los estudiantes libios e iraquíes. Pero nos fascinaba el hecho de que existieran, y todos escribíamos a nuestros familiares sobre la tremenda abundancia existente en la Unión Soviética, donde se podía comprar sin tarjeta de racionamiento.

Poco a poco, fuimos aprendiendo el idioma hasta ampliar nuestras relaciones con el personal de la escuela y los residentes de la ciudad, y poco a poco fuimos conociendo aquel mundo que de vanguardia primero, y enigmático después, pasó a ser inverosímil y terrible. Nuestros desencantos con el país que habíamos aprendido a admirar como la cabeza de la civilización comenzaron a aparecer cuando los primeros enfermos fueron hospitalizados. Un estudiante yemenita hubo de soportar la operación de apendicitis sin anestesia, y las extracciones de molares las hacían los dentistas también al estilo medieval. El estado de higiene en los hospitales y del propio personal médico, muchas veces con aliento alcohólico, era pésimo, más la corrupción presente en todos los niveles de la sociedad que íbamos conociendo, fueron creando una imagen de deterioro ético que nos sumió en la peor de las frustraciones sobre aquel país. Entonces comentábamos en tono de broma ante aquellas realidades que antes desconocíamos:

-Aquí no ha llegado aún el poder soviético.

Como si culpáramos de ello al viejo gobierno del zar, derrocado sesenta años atrás.

Un lunes, reinó la alarma en la escuela. El Comisario Político había informado durante la formación general que grupos juveniles de delincuentes conocidos por "juligany", habían agredido a dos estudiantes de Uganda cuando éstos esperaban la llegada del ómnibus en una calle de la ciudad.

-A partir de este momento queda prohibida la salida de la escuela para todos los alumnos hasta nuevo aviso -había concluido el Comisario Político después de explicar lo ocurrido.

Solidarios y curiosos, nos fuimos al hospital durante un receso para visitar a los estudiantes ugandeses que permanecían ingresados allí, y la imagen que vimos nos llenó de espanto. Habían sido golpeados horriblemente en el rostro y la cabeza, produciéndoles fracturas en los pómulos y maxilares, y la pérdida de parte de la dentadura. Extremadamente inflamados y desfigurados, lucían sencillamente monstruosos.

La patrulla de policía que pasaba casualmente por el lugar en el momento que eran pateados salvajemente, ya inconscientes en el suelo, les salvó la vida. Para sorpresa nuestra, supimos luego que decenas de transeúntes habían presenciado la escena sin intervenir para ponerle fin al abuso.

Después, comprenderíamos que los jóvenes campesinos de la región sentían gran aversión por los estudiantes extranjeros, a quienes consideraban intrusos usurpadores de sus mujeres. Profesaban, además, un particular desprecio por los estudiantes africanos, a quienes llamaban "negros" despectivamente. Estaban aquellas pandillas de la calle compuestas por jóvenes altos y robustos que gustaban de asediar a los alumnos a la salida de la escuela en busca de dólares, ropas, o equipos electrónicos extranjeros. Eran capases de ofrecer una fortuna por cualquier baratija que tuviera el sello de una marca norteamericana: "Nosotros lo tenemos mejor", solían decir, pero ofrecían seguidamente doscientos rublos por un pantalón vaquero o mil por una grabadora, cuando podían obtener en las tiendas ambos artículos de producción nacional a precio de quince y doscientos rublos respectivamente.

Aquella conducta llegaba al extremo del ridículo, y era frecuente verlos ofrecer cuarenta rublos a un alumno de la escuela por unas gafas de sol que éste había comprado horas antes en el mercado de la ciudad al precio de tres rublos. Si un extranjero las llevaba puestas, no debían ser rusas, tal era la lógica que funcionaba en sus mentes.

Las golpizas propinadas por las pandillas a los extranjeros eran algo común en las ciudades del sur de Rusia, y como la experiencia de otros grupos nos decía que la queja sólo conducía a la retención temporal en la escuela, salíamos los cubanos en grupo a la búsqueda de las pandillas. Y una vez encontradas, limábamos asperezas de la manera más acostumbrada por ellos: Íbamos con sus líderes a uno de los tantos deprimentes y sucios locales en los que se vendía cerveza a granel, y tomábamos con ellos algunas jarras entre mordiscos a unos pequeños pescados secos de carne roja y fuertísimo olor, mientras hacíamos las paces adelantadas en una especie de pacto que era generalmente respetado por los "juligany".

La agresión a un cubano implicaba la guerra entre nuestro grupo y las pandillas, y rara vez se vio uno de los nuestros en apuros en la calle.

—

Terminamos nuestro primer año de estudios y nos dispusimos a descansar durante una semana en Sochi, balneario situado en el Mar Negro. El descanso en aquel lugar era parte del programa de estudio previsto en los acuerdos entre los gobiernos de Cuba y la Unión Soviética. Pero ocurrió que un grupo adicional de estudiantes libios había arribado a la escuela y ahora pedían ir a Sochi. Como era imposible lograr nuevas localidades en el balneario, la Dirección de la escuela resolvió entregar a los libios a las localidades reservadas para los cubanos y vietnamitas, teniendo nosotros que permanecer en el perímetro de la escuela durante el mes que duraron las vacaciones. En aquella ocasión la ''indestructible hermandad'' entre cubanos, soviéticos y vietnamitas no había funcionado. En lo adelante notaríamos que era política oficial del mando soviético la atención preferente hacia los militares que provenían de países capitalistas.

Pasadas las vacaciones hubimos de hacer maletas sorpresivamente. La escuela estaba recibiendo una cantidad inesperada de alumnos procedentes de países árabes, y nos hacían un cambio en el programa para instalarlos a ellos en la sede más cómoda de Krasnodar, y a nosotros en Primorskarstarskaia, aldea situada a unos ciento cincuenta kilómetros de allí, para continuar los estudios técnicos del primer avión a reacción que volaríamos, el L-29.

Se hallaba Primorskastarskaia en la rivera del mar de Azov, con sus descoloridas chozas rodeadas de rústicas cercas de madera, entre manzanos y albaricoques que crecían a uno y otro lado de sus descarnadas calles.

Habíamos llegado con el otoño, y el lodo presente en todas partes nos creó la impresión de arribar al lugar más sucio del mundo.

Componían la población de la aldea campesinos robustos y ásperos que no disimulaban su recelo hacia los extranjeros, a quienes veían como a intrusos llegados para perturbar la apacible vida campestre de la aldea con una carga de modas y artículos nuevos que hacía enloquecer a la juventud del lugar.

Con sus cuatro edificios y el pequeño aeródromo cercados al estilo de una unidad militar corriente, se ubicaba la escuela a unos cinco kilómetros de la aldea. Llegamos en horas de la tarde, y antes de desempacar nuestro equipaje recibimos las primeras instrucciones del nuevo jefe de Curso:

-Por el momento, no podrán visitar la aldea. Se han reportado varios casos de agresión a estudiantes por grupos de ''juligany''.

Y del médico:

-No les recomendamos mantener relaciones con las mujeres de la región. Nuestras estadísticas indican que más del ochenta por ciento padecen de enfermedades venéreas.

Era la primera vez que escuchaba una cosa así.

¿Cómo es posible? -me preguntaba sin salir de mi estupor.

Habíamos notado que en aquellos territorios del sur, la higiene era una norma poco observada por gran parte de la población, pero lo que acababa de escuchar de labios de aquel médico me dejó estupefacto. Era la primera vez que escuchábamos una cifra, un dato, que reflejaba el estado de atraso terrible en que vivía la población de aquel país que antes considerábamos el faro de la civilización.

Luego, cuando vimos al General Paulika arribar a la escuela en el avión de combate, reservado exclusivamente para él como una propiedad personal y en el que solía hacer sus recorridos por los diferentes aeródromos de la escuela, comprendimos también que la corrupción se practicaba allí como una norma. Con el tiempo fuimos ganando la confianza de las jóvenes camareras que servían en el comedor, y por ellas supimos que Paulika tenía un apartamento para su uso privado en cada una de las bases de la escuela. Cuando llegaba el general de visita, las muchachas se ponían nerviosas y algunas hasta se ausentaban del trabajo. Luego conocimos la causa: Paulika gustaba de pedir que le enviasen la comida a su apartamento con alguna chica que expresamente él mencionaba por teléfono al jefe del comedor. Una vez que llegaba la camarera con la comida, tenía que aceptar las ''bondades'' del general so pena de sufrir represalias.

Transcurría el año 1978, y Leonid Brezhniev se otorgaba la cuarta medalla de Héroe de la Unión Soviética en la celebración de su cumpleaños. En las clases de Marxismo e Historia del Partido Comunista nos decían los profesores que ya el socialismo había sido construido en la URSS, y que estaban ahora a las puertas de la sociedad comunista tan soñada por Marx, Engels y Lenin.

En Cuba, aquellas cosas tan comunes en la Unión Soviética eran, sencillamente imposibles. Nuestra medicina era incomparablemente mejor, y el país no vivía aislado del mundo como aquí. Nuestros ciudadanos podían moverse libremente dentro de la isla sin necesidad de obtener las visas exigidas a los soviéticos para trasladarse a muchas ciudades en su propio país.

En nuestro país, podíamos ver una película norteamericana en la televisión o escuchar a las estrellas del rock capitalista en la radio. Allá sabíamos de Barbra Streisand y Charles Bronson. No estábamos consumidos por el temor y el fanatismo imperante en este país, en que era imposible ver una película extrajera en la televisión y escuchar un grupo de rock en la radio. En Cuba estábamos seguros de nuestras ideas y no temíamos a la cultura capitalista. Allá no podíamos ni imaginar a una compradora que te robara descaradamente como la que adquiría nuestras botellas, ni a un médico exigiendo dinero adicional para facilitarte un tratamiento mejor. Menos aún, a un general forzando a una joven o disponiendo de un avión de combate como propio o a un coronel concediendo privilegios a un cadete a cambio de una grabadora, como ya habíamos visto en el trato de algunos profesores con los cadetes libios.

-Es ésta la mayor estafa de la humanidad -me decía desilusionado -si el resto de los países de Europa son socialistas al estilo soviético, entonces el único país donde existe el socialismo es Cuba.

Terminamos los cinco interminables meses de estudios teóricos en aquel lugar que nos pareció un infierno, y nos enviaron a volar en Morozovsk, poblado aldea algo mayor que Primorskastarskaia a medio camino entre Rostov y Bolgogrado. Aldea pintoresca que se cubría de flores en primavera, estaba Morozovsk habitada por hombres y mujeres muy hospitalarios y afables que nos recibieron con curiosidad y cierta alegría de que unos forasteros matizaran la rutina de sus vidas. Allí nos recibió el coronel Jriskovsky, Jefe de aquella base de la escuela ''Kachenskoe'', adonde habíamos ido a parar en los traslados para dejar espacio a la gran cantidad de cadetes procedentes de países árabes y africanos que estaban llegando a Krasnodar. Éramos los únicos extranjeros que estudiaban allí, lo que nos sirvió de provecho pues aunque habíamos perdido las comodidades de alojamiento de Krasnodar, fuimos tratados con especial hospitalidad.

Nuestro grupo se había reducido a veintiséis cadetes por la pérdida de cuatro compañeros que no aprobaron los exámenes teóricos finales y habían sido devueltos a Cuba. Todos estábamos excitados con la proximidad de los vuelos, y llenos de entusiasmo, hacíamos gimnasia y pasábamos las horas volando en el simulador terrestre, soñando con el día del ''soleo'' y las próximas vacaciones a Cuba después de dos años.

Nuestro equipo de instructores resultó ser tan joven como profesional. De una sólida preparación teórica y práctica, pasaban la tarde repasando con nosotros detalles de la aerodinámica y dinámica del vuelo, modelando con pequeñas maquetas las figuras de pilotaje que haríamos al siguiente día y haciéndonos infinidad de preguntas para probar nuestros conocimientos. Después, firmaban en nuestros cuadernos de preparación, dándonos el visto bueno para los vuelos del próximo día.

Después de cada jornada de vuelos, nos contábamos excitados unos a otros, aquellas experiencias nuevas para nosotros. Nuestro grupo había logrado consolidarse como una familia de jóvenes; y a veces, tarde en la noche, se escuchaban las voces de algunos hablando en voz baja desde sus camas sobre las formas en que intentarían cumplir las tareas del vuelo al próximo día. Todo entonces era puro entusiasmo por la realidad de estar viviendo las experiencias con que habíamos soñado durante casi dos años de dura preparación.

Cada instructor tenía de tres a cuatro cadetes bajo su responsabilidad, a los que enseñaba la técnica de pilotaje en las diferentes acrobacias y etapas del vuelo. Pasado el número mínimo de ejercicios establecidos para el ''soleo,'' el instructor presentaba los cadetes que consideraba listos a uno de los pilotos del Estado Mayor de la base, quien realizaba un vuelo de chequeo con éste y firmaba su libro personal autorizándolo a volar solo.

Había cumplido el programa de vuelos en el L-29 con mi instructor, y ahora me presentaba ante el jefe de la Base para el examen práctico, sería él quien me permitiría o no, volar solo. Cuando descendimos del avión y me cuadré ante él para recibir las conclusiones del examen, me dio una palmada en el hombro diciéndome:

-¿Pero qué haces aún en tierra? ¡Vete a volar!

Corrí, frenético de júbilo, a la máquina vecina que esperaba lista. Por primera vez volaría completamente solo, cada uno de los mecanismos de aquel avión que apreciaba como a un corcel inteligente, responderían por entero a mi voluntad.

-¡Estoy en el aire! ¡Solo! -exclamé cuando el avión se separaba de la pista.

Unas nubes oscuras habían comenzado a aproximarse al aeródromo, y comprendí que podrían ordenarme regresar si comenzaba a llover.

-08, ''Rizhnoy'' -me llamó la torre de control.

-Adelante para el 08.

-¿Cómo ve las condiciones del tiempo?

-¡Son excelentes!

Me permitieron disfrutar a plenitud mi primer vuelo solo, y desde entonces, mientras más volaba, más quería volar. Comenzaba a ser presa de una enfermedad romántica y común en los pilotos que nadie ha sabido explicar: la pasión por el vuelo.

Fue durante aquellos días que nuestro grupo se vio ostensiblemente mermado, cuando ocho compañeros no pudieron dominar la máquina en la cantidad máxima de vuelos previstos para ello y fueron descalificados como pilotos de combate.

Todos nos reuníamos en la rampa para ver cuando un amigo venía al aterrizaje durante la última oportunidad que le daban, en un chequeo que le hacía el jefe de la Base, y era terrible verle aproximarse a la pista sin poder controlar la máquina, que se movía torpemente fuera de la línea de aproximación. Entonces, todos sentíamos la tristeza natural que produce vivir los sacrificios de dos años con un amigo que ha soñado como uno con este día, y verle luego vencido por causas ajenas a su voluntad.

Fue Rafael quien más nos consternó a todos. Había dejado él en Cuba a su joven esposa y su niña, a quien extrañaba terriblemente, pero lleno de sueños y amor por la aviación había estudiado de manera brillante, pasando todos los exámenes con calificaciones de excelente. Había vencido todas las pruebas médicas satisfactoriamente, y era capaz de pasar largo tiempo girando en el columpio de tres ejes para entrenar el aparato vestibular, pero cuando subió a la cabina del avión por primera vez y despegó con la máscara de oxígeno ajustada, no pudo contener el vómito. Podía volar sin máscara, pero para un piloto de combate era imposible prescindir de ella, y fue, finalmente, descalificado. Resultó muy duro para nosotros ver a Rafael, frustrado y triste, deambulando por la base en espera del boleto de regreso a Cuba, y que inexplicablemente la embajada demoró meses en enviarle, haciendo más penosa su angustia.

Mientras tanto, seguía recibiendo las cartas que a diario me enviaba Vicky, y que a diario le respondía yo, contándole los pormenores de mis nuevas experiencias. Soñando y soñando siempre con el futuro, en el que no habríamos de separarnos jamás. Había estado ella presente en cada momento durante los dos años que llevaba en la Unión Soviética, y no existía cosa que deseara más, que abrazarla nuevamente. Pasaba cada minuto pensando en el regreso y llevando la cuenta regresiva de los días que faltaban por ver a mis seres queridos, contento de haber completado la larga lista de familiares y amigos a los que llevaba presentes de la Unión Soviética, logrados con mis treinta y tres rublos mensuales de salario más las botellas que solíamos vender.

Transcurría octubre de 1979 cuando nos fuimos a Moscú en tránsito hacia Cuba. Allí pasamos varios días en los que no pude pegar un ojo de la ansiedad por la proximidad del encuentro con los seres que amaba, y que aprovechamos para recorrer aquella inmensa ciudad con el más bello y eficiente metro que jamás he visto. Tenía la ciudad la característica de estar poblada por millones de personas de tránsito, que se movían en multitudes, como ríos humanos, por los principales comercios y las escaleras del metro, provocando una desagradable sensación de asfixia y apuro que parecía aplastarnos. Fue en uno de aquellos paseos que Enrique sintió necesidad de ir al baño, y ya habíamos recorrido casi media ciudad sin encontrar alguno, cuando nos dijo ruborizado:

-Déjenlo, es demasiado tarde, ya no es necesario seguir buscando . . .

Desde entonces bautizamos a Moscú como ''la ciudad sin baños''.

—

Parecía que nunca acabaría aquel vuelo a La Habana en el que me consumía de la ansiedad mientras observaba por la ventanilla el infinito manto azul del Atlántico fundirse con el cielo. Con un salto en mi reducido asiento y el pulso a punto de estallar escuché al fin la voz de la aeromoza, anunciando el próximo aterrizaje en La Habana. Y allí estaba: apareció bajo el borde del ala izquierda la amada península de Varadero, con sus contornos blancos cambiando a tonalidades azules, cada vez más oscuras a medida que se adentraban en el mar. Y recordé las palabras de Cristóbal Colón al llegar a las costas orientales de Cuba:

''Estas son las tierras más hermosas que ojos humanos han visto''.

Mas adelante: Matanzas -la ciudad en que crecí y en que vivían aún mis padres. Observé el puerto, la bahía . . .

Sí, aquellos diminutos edificios rodeando aquel parque . . . , sí, son los de mis padres . . . Estarán con Vicky esperándome en el aeropuerto. ¡Diablos, qué emoción!

Sentí una calma infinita invadirme cuando descendía del avión y el añorado aire del trópico me bañaba el rostro. ¡Había añorado tanto aquel momento! Respiré a todo pulmón la húmeda brisa, y me pareció de pronto que todo el sufrimiento de dos años de ausencia había transcurrido en un instante. Cuando abandonaba el ómnibus junto a la terminal, escuché mi nombre en un grito salido de la terraza, en la inconfundible voz de Vicky. Y levanté la vista turbado, sin poder distinguirla entre la multitud de amigos y familiares que extendían sus brazos saludando a los recién llegados.

Pasamos el control de inmigración y nos sumimos en una larga espera por nuestro equipaje. Fue entonces que me acerqué a la pared de cristal que nos aislaba de los que esperaban fuera. Allí estaba Vicky, de perfil, junto a mis padres, estirada sobre la punta de sus pies para mirar sobre el compacto grupo de personas junto a la puerta, en espera de sus familiares. La observé por unos segundos a través de la transparente muralla que nos separaba, y se volvió ella repentinamente, como si me hubiera sentido. Corrió hacia el cristal que nos separaba, y permanecimos unos minutos mirándonos diciéndonos cuánto nos amábamos en el silencio de la incolora barrera que nos impedía tocarnos y hablarnos. Una lágrima comenzó a rodar por su mejilla, y una voz rugió a mis espaldas sacándome de la hipnosis en que había caído:

-¡Compañero, está prohibido descorrer las cortinas! Pase a la sala hasta que llegue su equipaje.

Chequearon minuciosamente las baratijas que llevaba en mis maletas y pude finalmente salir para abrazar a los seres queridos que esperaban fuera.

Son realmente pintorescos los espectáculos de las bienvenidas en el aeropuerto de La Habana. No importa de dónde regreses ni el tiempo que hayas estado ausente, pero al llegar del extranjero eres recibido siempre por una comitiva de familiares y amigos que te abrazan efusivamente entre gritos de alegría. Con la llegada de cada vuelo, se agolpa junto a la puerta de salida, una multitud exaltada que entorpece el paso de los que salen, creando un simpático espectáculo en que no falta la exclamación cargada de sano humor cubano para vitorear los abrazos y besos que se dan los recién llegados con sus seres queridos. No fuimos nosotros la excepción, y entre lágrimas de alegría derramadas por mi madre y Vicky, puede escuchar la exclamación de un observador mientras besaba y abrazaba a esta última:

-¡Alabaooo, que apretón!

Mi padre trabajaba entonces para el Ministerio de Cultura en Matanzas como Director del Departamento de Aficionados al Arte, y en su nuevo vehículo, un destartalado Moskovich que apenas frenaba, nos apretamos todos con destino a casa de mis suegros.

-Viejo, lo nuestro es socialismo, pero lo de la Unión Soviética es una mentira -comenté a mi padre en la primera oportunidad.

Había regresado tan defraudado de todo lo que había escuchado antes de aquel inmenso país, que no podía contener los deseos de decir que había sido engañado.

-¿Qué estás diciendo?

-Lo que oyes. Allí la medicina está cincuenta años más atrasada que en Cuba. La corrupción es una norma de vida, y la cultura general tan baja que muchos nos preguntaban si habíamos ido de Cuba en tren.

-Estás loco, no sabes lo que dices. Esa es tu impresión de personajes aislados. Pero, ¿cómo vas a decir que el país vanguardia en la investigación cósmica esté más atrasado que nosotros?

-No dudo de sus adelantos científicos. Pero te aseguro que no salen de los laboratorios y centros de investigación. El sistema, sencillamente, no funciona. El nivel de vida es bajísimo, y las condiciones de higiene y vivienda de la población son pésimas. El alcoholismo y el adulterio son una epidemia en el país, y los valores éticos de la familia casi no existen. Los tan venerados mutilados de la Gran Guerra Patria se pudren en las calles sumidos en la peor miseria y falta de atención, las ancianas tienen que limpiar las calles de nieve con palas, en las madrugadas, para ganar un mísero salario vivir, y los jefes militares tratan a sus subordinados de manera despótica y humillante. Muchos profesan abiertamente el racismo y la población vive en una ignorancia total del mundo que los rodea creyendo que son los primeros y mejores en todo. Todo allí es una demagogia, un africano no puede caminar tranquilamente por las calles sin correr el riesgo de ser agredido.

-¿Sabes que te estás haciendo eco de lo que dicen los enemigos del socialismo? Tengo decenas de compañeros que han visitado la Unión Soviética y tienen una impresión muy diferente de la tuya.

-Sí, los que han estado allá de visita en delegaciones oficiales. Los mismos que son conducidos por las autoridades del gobierno a los centros modelo preparados para los visitantes. Pero nosotros convivimos con la población común y corriente, visitamos sus casas y compartimos con ellos las vicisitudes de cada día. Ojalá nunca tengas que visitar ese país en las condiciones que lo hicimos nosotros.

-Estás ciego, hijo mío.

-Soy yo y no tú quien ha pasado dos años allá. Sencillamente, te estoy contando mis experiencias.

-No me ha hecho falta estar allí para saber como es aquello. Con lo que he leído me basta -decenas de libros sobre la historia, cultura y desarrollo de ese país, que gracias al socialismo, pasó de ser uno de los más atrasados del mundo a la primera potencia mundial. ¡Ya quisiera ver si los Estados Unidos se hubieran repuesto como ellos de la terrible destrucción que les causó la Segunda Guerra Mundial!

-Está bien, viejo -murmuré mientras tendía mi brazo sobre los hombros de Vicky y la apretaba contra mí, comprendiendo que no lograría convencerlo.

En fin, la Unión Soviética era inmensa, y sólo había conocido algunas aldeas en el remoto sur del país. Tal vez fuera cierto el comentario que a tono de broma solíamos hacer en la escuela: "El poder soviético aún no había llegado en su marcha a aquellos parajes".

Esa noche, continuamos Vicky y yo hacia Varadero. Había ella logrado una reservación en el lugar en que habíamos pasado nuestra luna de miel, y allá nos íbamos enternecidos, a revivir con toda la pasión los hermosos días compartidos hacía más de tres años en aquellas playas.

Marchamos luego a casa de mis padres, y pasada una semana nos llevaron ellos, en compañía de mi único sobrino, de regreso a La Habana en su automóvil.

Pasamos casi todo el viaje riendo de las ocurrencias de Faurito a sus tres años de edad, y bromeaba mi padre con él mientras conducía, haciéndole las preguntas que el niño había ya aprendido cómo contestar:

-Dime Faurito: ¿Tú eres verraco? -preguntaba mi padre desde el volante.

-¡No, abuelo!

-Entonces, ¿tú eres tolete?

-¡No!

-¿Y qué tú eres?

-Revolucionario . . .

-¿Y qué más?

-Miliciano, cederista, comunista . . . -contestaba el niño, mientras nosotros reíamos, orgullosos de descendiente tan avispado.

En La Habana, estudiamos entre bromas y caricias, como antes solíamos hacer, para el examen de Bioquímica que se le avecinaba a Vicky. Era ella una magnífica estudiante, y cuando yo regresara definitivamente de mis estudios, sólo le quedaría un año para terminar la carrera.

-Cuando regrese el año que viene, encargaremos nuestro primer bebé, si te parece . . . -le comentaba a Vicky con picardía mientras acariciaba su abdomen, y ella me abrazaba en un gesto de aprobación.

Llegó nuevamente el día de la partida, y esta vez fue menos dramática. Estaría de vuelta en sólo diez meses, tiempo necesario para aprender a volar el primer avión realmente de combate.

—

Fuimos destinados en esta ocasión, a la base de la escuela situada en la aldea de Kushióvskaia, con los flamantes cazas supersónicos MiG-21 en su versión más reciente, esperando por nosotros. Terminados los estudios teóricos, fuimos asignados a los instructores en grupos de a cuatro, y comenzamos a pilotar aquella máquina imponente y briosa como potro cerrero, que no toleraba errores.

Un día en la noche, vinieron a buscarme el Jefe de nuestro escuadrón y el Comisario Político de la base. Habían ellos servido anteriormente en Cuba como instructores y, fascinados por el trato que habían recibido en la isla, se mostraban especialmente amigables y hospitalarios con nuestro grupo.

Vivían los instructores y profesores en una ciudadela compuesta por varios edificios de apartamentos enmarcados en los límites de la base. Y estando ahora de fiesta en uno de sus apartamentos, caminaron los escasos metros que los separaban de nuestro dormitorio, para rogarme les acompañara con mi guitarra.

Era aquella mi primera oportunidad de compartir una celebración privada con oficiales soviéticos y, curioso, marché tras ellos con mi guitarra a cuestas. En el apartamento estaban las esposas de mis anfitriones sentadas tras una mesa repleta de embutidos y otros platos entre botellas de vino y vodka. Fui presentado, y en el acto se ofreció el primer brindis: por mi llegada, colmándome después de las atenciones propias de la típica hospitalidad rusa. Así, entre bocado y bocado de la comida que me pareció deliciosa, otro y otro brindis: por la amistad entre los pueblos de Cuba y la Unión Soviética, por los hermanos caídos en la lucha para que pudiésemos nosotros disfrutar de momentos como aquel, por la salud de nuestros seres queridos . . .

Parecían sinceros cuando brindaban por la amistad entre nuestros pueblos, y no ocultaron su admiración por Cuba y nuestro líder luego de unas copas.

-Necesitamos un Fidel que ponga orden en nuestro país -exclamó el Comisario Político mostrando su antipatía por Brezhniev. Seguidamente brindamos por la salud del líder cubano. No gustaba ni tenía hábito de beber, por lo que, sin recelo, pero renuente a imitarlos, comencé a simular que bebía en cada uno de los frecuentes brindis. Me había yo sentido terriblemente frustrado por la corrupción que había visto en algunos oficiales de alto rango. La demagogia que practicaban había hecho una profunda herida en mí y, como demagogia al fin, me era imposible saber hasta donde se extendía ésta en sus relaciones con nosotros.

Y allí estaban ellos, dos oficiales soviéticos, hablando con admiración y cariño de mi patria. Haciendo que me sintiera alabado y feliz de compartir aquel momento de intimidad en que se suelen decir las cosas que verdaderamente se sienten y no las que se escuchan durante el servicio. Al menos para ellos, los valores morales tan inculcados en nosotros estaban primero que los materiales.

Les pregunté si ellos eran una regla o una excepción dentro de la oficialidad rusa, y me contestaron al unísino que eran la regla.

-La cúpula está enferma, corrupta . . . por culpa de ese viejo decrépito que aún no acaba de morirse . . .

Escuché la alusión al líder soviético de labios de aquel teniente coronel jefe de escuadrón con un escalofrío. ¡Aquello sí que era una revelación para mí! ¡No sólo lo despreciaban, sino que lo odiaban!

-Por eso pensamos que necesitamos un Fidel aquí -continuó, y noté que hablaba en plural.

¡Cuán feliz me sentía! Podía darle la razón a mi padre. No era el sistema sino un hombre quien hacía que éste no funcionara. No todos estaban corruptos. La mayoría seguía siendo idealista y romántica, como en los tiempos de Lenin. Aquello me daba una esperanza, me devolvía la confianza en la Unión Soviética.

Ya barrerán con los males que quieren imponerles -pensé con optimismo.

Juntos añoramos a mi lejana tierra, y juntos entonamos las más conocidas canciones cubanas al compás de mi guitarra. Luego, comenzaron a bailar, y continuaron bebiendo de un sorbo los vasos de vodka, intercambiando las esposas entre pieza y pieza. El jefe del escuadrón quiso que bailase con su mujer, pero consciente del estado de embriaguez en que caían, me disculpé diciendo que iba al baño. Necesitaba encontrar el modo de marcharme sin ofender la susceptibilidad rusa, de aquella fiesta que parecía interminable como el vodka que estaban dispuestos a consumir.

Salía del baño situado junto a la cocina de aquel diminuto apartamento cuando observé con sorpresa en la misma a mi jefe de escuadrón, compartiendo ardientes caricias con la esposa del Comisario Político. Pasé turbado a la habitación principal y el reverso de la escena se repetía en el sofá. No era aquél, decididamente, lugar en el que quisiera estar, y a pesar de la insistencia en que me quedara un rato más, marché presuroso con alguna excusa, olvidando mi guitarra en la escapada.

Me tiré en la cama y fijé la vista en el techo. Me había sentido tan bien en su compañía al comienzo, me habían devuelto una fe que ya no tenía en su país. Y ahora regresaba en un choque mental por los últimos minutos vividos en aquel apartamento.

No comprendo . . . -pensaba, otra vez defraudado -*¡Es que no puedo comprender! ¿Cuán de cotidiano tiene que hacerse lo inmoral para que desaparezca la vergüenza, al punto de no disimularlo?*

—

Un día, nos llevaron de excursión a la histórica ciudad de Bolgogrado, llamada anteriormente Stalingrado en honor al gran líder que había dirigido al pueblo soviético en la etapa más difícil de su historia. Alguien preguntó a nuestro guía por qué le habían cambiado el nombre después del Veinte Congreso del Partido Comunista de la URSS y éste respondió secamente:

-El camarada Stalin cometió graves errores de culto a la personalidad en la última etapa de su vida.

Dimos un breve paseo por la ciudad que se extendía a lo largo de la rivera oeste del río Volga, y nos encaminamos luego al objetivo central de nuestra excursión: el monumento Mamaiev Kurgan, dedicado a los caídos en la defensa de la heroica ciudad, y situado en una colina desde la que se dominaba toda la localidad.

Comenzamos a ascender por la amplia y larga escalinata que conducía a la cúspide del monumento, impresionados por la belleza de los jardines y fuentes que inundaban la misma. A nuestro paso, gigantescas paredes de roca se erguían a ambos lados, con los rostros agonizantes tallados en ellas, de mujeres y niños víctimas del asedio nazi. Entramos al mausoleo bajo cantos fúnebres que parecían salir del cielo, sintiéndonos transportados en el tiempo, al punto de parecernos oler la carne quemada y la pólvora de los combates allí librados.

Construido bajo tierra, con la llama del fuego eterno emanando de su centro, tenía el mausoleo decenas de miles de nombres grabados con letras doradas en su pared circular, recordando a los caídos en aquella batalla que marcó el viraje de la guerra.

Observé en silencio aquellas paredes, y leí varios nombres sintiendo que los conocía, imaginando los rostros y las vidas que había detrás de aquellas letras.

Quiso la naturaleza que naciera yo en Cuba en 1956. ¿Y si hubiera nacido aquí mucho antes? Bien podía ser yo una de aquellas víctimas en la pared. Bien podía una de ellas estar ahora en mi lugar, leyendo mi nombre allí . . .

Y me sentí como ellos, presa del horror y del pasado.

Llegamos a la cima, donde se erguía la gigantesca estatua de la Madre Patria, sosteniendo en su diestra la espada de casi veinte metros, expresando en su rostro la decisión de morir antes que caer de rodillas.

La observé de abajo a arriba enmudecido. Allí estaba imponente la patria, con su carga de muertos, con su saco de horrores, y comprendí que vivíamos en el pasado, sumidos en las angustias que no experimentamos. No teníamos derecho a olvidar, todo cuanto hiciéramos, todo sacrificio sería pequeño comparado al de los caídos. Ellos crearon con sus vidas esta sociedad para nosotros, y no teníamos derecho a cambiarla. Comprendí entonces, que estaríamos en deuda para siempre con nuestros muertos.

Terminábamos ya el programa de vuelos cuando llegó una noticia de la Sección Política de la embajada cubana. El proceso para mi ingreso en la

Unión de Jóvenes Comunistas había concluido con resultados positivos. En la carta de felicitación que recibí, adjunta al carnet de la organización, se leía: "En reconocimiento a los excelentes resultados obtenidos en los estudios y a una ejemplar actitud revolucionaria".

El último día de vuelos se efectuó un acto solemne en la rampa del aeródromo de Kushióvskaia. Con los hermosos MiG-21Bis a nuestras espaldas, y bajo las banderas soviética y cubana que ondeaban al embate de la brisa, habló el jefe de la base:

-Hermanos de armas: les felicitamos por el exitoso cumplimiento de la misión asignada a ustedes por el Partido Comunista y el pueblo de Cuba. Ustedes son un baluarte de la causa por la justicia universal, enfrentándose al imperialismo norteamericano en sus propias narices. Estamos orgullosos de haberlos instruido durante tres años, y al conocerlos comprendemos por qué los Estados Unidos no podrán doblegar jamás a la Isla de la Libertad. De nada le servirán a los imperialistas su OTAN y su tecnología militar cuando tengan que enfrentarse a hombres como ustedes. Las armas valen lo que vale el hombre que las empuña, y ustedes los cubanos, ¡han demostrado valer más que todo el poderío militar norteamericano!"

Hablaba el coronel, y en nuestras gargantas se tejía un nudo de emoción. Habíamos añorado tanto aquel momento, habíamos vencido tantas pruebas en un medio extraño y a veces hasta hostil. ¡Habíamos llegado a la meta! Y estábamos orgullosos de ello.

Y concluía el coronel:

-¡Vivan los Partidos Comunistas de Cuba y la URSS! ¡Viva la amistad inquebrantable entre nuestros pueblos! ¡Viva el camarada Leonid Ilish Brezhniev! ¡Viva el . . .

Y los "vivas" de respuesta que dábamos resonaban embravecidos y dispuestos, como los aviones que nos escoltaban, a caer en el empeño de hacer justicia en el mundo. Ya éramos los guerreros del bien, el orgullo de nuestro pueblo y de nuestros muertos.

Graduados por fin, pero aún cadetes, nos dispusimos al regreso locos de alegría. Habíamos vencido, a fuerza de amor y voluntad, la difícil carrera de obstáculos que implica estudiar para piloto de combate.

En Cuba me esperaban Vicky, mi pueblo con las costumbres que tanto amaba, la esperanza de no separarnos nunca más y el compromiso eterno con los caídos, que sería mi vida como oficial de las Fuerzas Armadas.

Capítulo 6

—

En pie de guerra

Había regresado de la Unión Soviética triunfador y era admirado por mis familiares y amigos. Vicky pasaba el último año de la carrera quería, cuyofin celebrar con la llegada del primer hijo. Podía nuestro árbol, al cabo de cuatro años, dar sus primeros frutos. Pasamos los primeros días de mis vacaciones en la playa, paseando por la arena en las noches, tomados del brazo, imaginando la criatura que anhelábamos. Amándola antes de llegar.

El día de nuestro regreso, nos había recibido en el aeropuerto un oficial de la Sección de Cuadros de las Fuerzas Armadas, quien nos entregó unas cartas de presentación diciendo:

-Preséntense en el Estado Mayor de la Fuerza Aérea dentro de treinta días.

Y llegada la fecha, nos reunimos todos allí, intrigados por nuestro lugar de destino definitivo. Nos recibió el mayor Santos, inspector de la Fuerza Aérea, quien se presentó y nos dijo:

-Mañana a las ocho partiremos en avión hacia Holguín, donde ensayaremos la ceremonia del juramento que harán al próximo día en el mausoleo del Segundo Frente Oriental.

Se refería al sitio en que había estado la comandancia del frente dirigido por Raúl Castro durante la lucha guerrillera en las montañas de Oriente. Sería aquel lugar, fundado por nuestro jefe militar, el escenario en que recibiríamos nuestras charreteras con los grados de subteniente.

-Y ahora -continuó Santos mientras extraía un pedazo de papel del bolsillo de su camisa -las Bases a que han sido destinados. Les advierto que no se admiten peticiones de traslado; así que, incorpórense a las mismas sin reclamaciones.

Desde la Base de Holguín, volamos en helicópteros Mi-8 hasta el monumento, rodeado de agrestes montañas. El paisaje allí era precioso e imponente, con la enseña nacional ondeado entre aquellos montes en que pelearon nuestros próceres. Fui designado para leer el juramento en nombre del grupo, y luego de escuchar las notas del himno nacional, me situé frente a mis compañeros que ya ponían su rodilla en tierra de manera solemne, y comencé a leer:

-Juro lealtad eterna a la patria y al legado de nuestros mártires.

Y contestaba el grupo a coro, mientras levantaba el puño cerrado en un gesto viril de compromiso patriótico:

-¡Juramos!

-Juro servir a la causa del comunismo.

-¡Juramos!

-Juro cumplir las órdenes de mis jefes como el mandato de la patria.

-¡Juramos!

-Juro ser fiel a la confianza del Comandante en Jefe Fidel Castro.

-¡Juramos!

-¡Que caiga sobre mí todo el odio y el desprecio de mi pueblo, pagando con mi vida, si alguna vez falto a este juramento!

-¡Que caiga!

Esa tarde de noviembre de 1980, volamos con nuestros grados de oficiales al hombro en el AN-26 de la Fuerza Aérea hasta la base aérea de Santa Clara, punto final de nuestro destino, en que aterrizamos con los últimos rayos de sol, luego de mil saltos entre los turbulentos cúmulos que se alzaban en nuestro camino. En la rampa de vuelos nos esperaba el coronel Cortés, quien luego de darnos la bienvenida nos acompañó al ''área de los pilotos'', grupo de edificaciones separadas del resto del complejo habitable de la Base, y reservada exclusivamente para el personal de vuelos. Componían el área tres bloques de cuartos dispuestos en paralelo, y divididos por jardines bien cuidados en que abundaban las rosas. Estaba cada cuarto equipado con cuatro cómodas camas, cuatro clósets, un baño con ducha, un refrigerador y un aire acondicionado importado del Japón, artículos reservados únicamente para los pilotos.

-Estos muchachos están demasiado flacos, así que aliméntenlos bien -comentó el coronel Cortés cuando nos presentaba a las camareras del comedor. Y volviéndose hacia el cabo ocupado del cuidado de toda el área, y que nos había acompañado cuando ocupamos nuestras habitaciones:

-Nápoles, haz que no les falte alguna merienda en sus refrigeradores . . .

Era Nápoles un hombre de unos cincuenta años que no había ascendido en grado a pesar de haber luchado en las montañas junto a los líderes del país. Muchos de sus antiguos compañeros eran generales, pero Nápoles seguía allí, con la única responsabilidad de cuidar de los jardines que rodeaban los bloques de cuartos, y de cambiar la ropa de cama de los pilotos cada semana.

El Partido y el mando militar eran entonces celosos vigilantes del honor de sus miembros, y ambos solían dedicarse a la investigación de los más increíbles casos de adulterio. Y había sido Nápoles, castigado de aquella manera por su negativa a divorciarse de la esposa que le infiel.

El día que el Partido y la Contrainteligencia lo citaron para mostrarle las pruebas de que su esposa pasaba el tiempo en dulce compañía mientras él trabajaba, Nápoles marchó a casa, y en lugar de cumplir con la palabra empeñada poniendo fin al matrimonio, sacó al patio el colchón -silencioso y cómplice testigo del delito -y le prendió fuego ante la atónita mirada de sus vecinos.

La autoridad que el Partido y la Contrainteligencia tenían para inmiscuirse en nuestra vida privada quedó clara desde el primer momento con la advertencia realizada a mis compañeros solteros por el mayor Felipe, jefe del escuadrón a que fuimos designados:

-Cuando salgan con alguna muchacha deben informarlo inmediatamente a la Contrainteligencia. Y si piensan casarse, tendrán que esperar por el debido permiso después que ella sea investigada.

Explicaban entonces que la CIA intentaba obtener información militar secreta, utilizando hermosas jóvenes que seducían a los pilotos.

-Está prohibida la relación con muchachas que profesen creencias religiosas o que hayan tenido familiares detenidos por razones políticas.

Todas ellas eran consideradas de antemano como potenciales servidoras del enemigo.

Se encontraba la Base a unos diez kilómetros al norte de la ciudad de Santa Clara, con un grupo de edificios de apartamentos similares junto a su entrada, en los que residían con sus familias parte de los oficiales y trabajadores civiles. Se entraba a la Base por la Posta 1 o Punto de Control de Base, donde una rústica cadena con un trapo rojo atado en su centro servía de barrera, operada por un oficial y un soldado de guardia que controlaban el paso de personal y vehículos.

Pasada la Posta 1, se hallaba el área de los pilotos a la izquierda, y medio kilómetro después, el edificio de cuatro pisos en que se alojaba el Estado Mayor, precedido de un amplio césped en el que descansaban un viejo helicóptero Mi-4 y un MiG-17, como reliquias de museo.

Tras el Estado Mayor -el polígono de marcha, con su tribuna de concreto presidiendo la extensa área asfaltada en que solíamos hacer las formaciones y prácticas de instrucción de infantería.

El jefe de nuestro escuadrón nos advirtió en la primera de las formaciones que a diario hacíamos allí:

-Ustedes son pilotos, los primeros que rechazarán el golpe aéreo del enemigo. Dondequiera que vayan en el tiempo libre deberán informarlo para localizarlos en caso de alarma de combate. Los que viven en La Habana y otras ciudades, sólo irán a sus casas durante cuatro días cada mes, según lo estipula la orden del Ministro de las Fuerzas Armadas.

Y comenzó nuestra preparación como bisoños pilotos en una unidad de combate . . .

Con el primer despegue quedé aturdido por la belleza de la isla que habitábamos. Viajando como pájaro veloz salté de un extremo a otro de su paisaje, y acaricié con la mirada sus cayos que como vívidos lunares verdes de blanquísimos bordes, reposaban al norte sobre un fondo coralino de mil colores. Se alzaban al Sur las montañas, hacia la pálida bóveda del cielo con el imponente verdor de sus montes. Y aparecían al centro sus campos de tierno colorido, surcados por cientos de caminos plateados que morían en aquellos pueblos pequeños de mustias casas blancas. ¡Oh, romántico sentir del que vuela, enamorado dueño de su tierra! Y volaba así, en salto veloz de costa a costa, sintiéndome guardián de mi isla hermosa.

¡Pobre del que intente someterla! ¡Encontrará en mí, celoso defensor de sus cielos!

Apenas llevábamos unos días en la Base cuando fuimos despertados en la madrugada por la señal de alarma de combate. Nos vestimos en segundos y corrimos todos al ómnibus que ya esperaba con el motor en marcha. Corría éste lo más rápido que podía hacia los refugios en que esperaban los aviones, con su carga de pilotos de caza, muy excitados los más jóvenes, y calmados los viejos, que conversaban y bromeaban como la cosa más natural del mundo.

Con la respiración agitada y el pulso a más no poder, salté a la cabina del avión venciendo la oscuridad del refugio con la tenue luz de la linterna que me colgaba del cuello y la ayuda del técnico, que me tendía la mano diciéndome:

-La máquina 618, lista con doscientos cincuenta proyectiles, dos cohetes antiaéreos térmicos y dos radáricos.

Conecté los principales interruptores a la vez que me acomodaba en la silla de la catapulta, ajustando a mi cuerpo los cinturones del paracaídas que estaban fuera de regulación. El leve zumbido de la radio llegó a mis oídos en el momento que conectaba las luces de navegación:

-¡A todos los Halcones!, ¡a todos los Halcones: ¡informar estado de listos para el despegue!

Era el Puesto de Mando, requiriendo el reporte radial de los pilotos.

¡Diablos, esto es en serio! ¡Y yo nunca he entrenado de noche! ¿Dónde estarán ahora los aviones norteamericanos que vienen a atacar?

La proximidad del combate, en aquellas condiciones nuevas para mí, hacían que las piernas me temblaran ligeramente. Y pasaron treinta minutos . . . durante los cuales sólo se escuchó la voz de algún impaciente piloto llamando al Puesto de Mando, y la consabida respuesta:

-¡Mantenga posición!

Por lo visto los aviones de la USAF no habían despegado aún con su carga de bombas cuando nos llamaron. ¿Cómo habrían sabido nuestros jefes sobre la inminencia del ataque aéreo norteamericano? Seguro que gracias a nuestros abnegados agentes de la Seguridad del Estado, infiltrados en el mismo corazón del enemigo. Dura tarea la de ellos, luchando de manera encubierta, sin aspiraciones al merecido reconocimiento.

Desde mi cabina descubierta, batallando contra los insaciables mosquitos que querían llevarse toda mi sangre, vi los primeros destellos del alba tras el horizonte. Llevaba tres horas atado a la dura catapulta y todavía no habían llegado los aviones enemigos.

¿Se arrepintieron los yankis esta vez?

La razón del estado de guerra en que vivíamos había sido la iniciativa norteamericana de comenzar un ejercicio militar en las aguas del Caribe, con traslado de tropas a Puerto Rico, y la asignación de un portaaviones al sur de Cuba, próximo a Gran Caimán. Años después descubriría que el gobierno norteamericano suele anunciar con suficiente antelación sus ejercicios militares, pero la dirección cubana gustaba entonces de esconder tal información pública para presentar el movimiento de tropas estadounidenses como una acción sorpresiva del enemigo encaminada a una ''probable invasión'', y movilizar de esta manera al pueblo y a las Fuerzas Armadas en defensa de la Revolución.

Pasábamos el día bajo el ala de los aviones con los trajes antigravedades puestos. Allí almorzábamos y tomábamos las clases de preparación política junto con los últimos partes de inteligencia sobre el enemigo.

La constante tensión por el ataque norteamericano que se produciría en cualquier momento se prolongaba ya por un mes, y comenzamos a retirarnos por las noches a descansar al área de los pilotos, dejando una dotación reforzada de guardia junto a los aviones. Fue entonces que solía verse a capitanes, mayores y hasta tenientes coroneles, que vivían en las proximidades de la Base, escapar al amparo de la oscuridad deslizándose por algún hueco bajo la cerca, para pasar contadas horas con sus esposas e hijos.

Aquel mes lo pasé en casi total incomunicación con Vicky y mis padres, quienes conocieron por la prensa los momentos de alarma vividos ante el peligro de invasión norteamericana. Decían entonces los periódicos, que Ronald Reagan se había propuesto aplastar militarmente a la isla por su osadía en desafiar la arrogancia de los Estados Unidos. Pero allí estábamos nosotros, dispuestos a probarles que Cuba sería un bastión muy difícil de tomar.

En la Base no existía teléfono alguno que comunicara con la red civil, por lo que en las noches solía escaparme como otros, para pasar unos minutos hablando con Vicky, distante a casi trescientos kilómetros, desde la cabina de un centro telefónico de la ciudad.

Pensaba ella que estaba embarazada, y me necesitaba, pero el deber me impedía visitarla. Yo trataba inútilmente de hacerle llegar todo el amor por la línea del teléfono, el necesario ánimo, pero me desesperaba tanto como a ella la tensión de aquella guerra que no acababa de llegar y me impedía verla. Mil veces pensé en marcharme a La Habana por mi cuenta, pero la visión de los golpes aéreos enemigos en mi ausencia me aterrorizaba. Habría sido una irresponsabilidad imperdonable, y quién sabe cuántas víctimas caerían bajo la metralla de un avión que bien pudo haber sido interceptado por mí.

Terminó por fin la situación de alarma de combate. Esta vez los americanos no habían querido invadir, pero nos vimos impedidos de visitar nuestros hogares. Al levantar el estado de alerta máxima habían anunciado la próxima visita de una comisión del Estado Mayor General en misión de control, y tendríamos que pasar los días y noches en los predios de la Base, sumidos en la burocracia de actualizar miles de documentos atrasados, practicar en el polígono de marcha la ceremonia de recibimiento a la comisión, y dedicar interminables horas al cumplimiento de la última orden del Comandante en Jefe: la excavación manual de trincheras y refugios en preparación para la inminente guerra que el Presidente Reagan quería iniciar contra Cuba.

Una mañana que me encontraba solo en mi cuarto, preparándome para entrar al servicio de guardia, me visitó el capitán Yánez, jefe de la Contrainteligencia Militar de la Base, para una conversación "muy privada" que quería tener conmigo.

Aunque con una oficina en el recinto del Estado Mayor, los hombres que trabajaban para esta sección de las Fuerzas Armadas tenían una autonomía total. No se subordinaban al mando de la Fuerza Aérea, sino directamente al Ministro de las Fuerzas Armadas, y andaban siempre envueltos en un manto de misterio, entrando y saliendo de la Base raudos en sus motos, vestidos de civil y con la camisa colgando fuera de los pantalones para disimular la pistola que siempre llevaban a la cintura. Contraste notable entre sus reglas y las del resto de los oficiales, quienes debían vestir obligatoriamente sus uniformes en el recinto de la Base, y a los que se les permitía portar sus armas únicamente durante el servicio de guardia.

Yánez tomó asiento frente a mí, tras la pequeña mesa en el centro del cuarto, sacó una libreta de notas, y mirándome a los ojos me preguntó en tono confidencial:

-¿Qué piensas de los Órganos de la Seguridad del Estado?

-Que son necesarios.

-¿Así, no más?

-Creo que realizan una de las tareas más difíciles y delicadas.

¿Por qué me estará preguntando todo esto?

-¿Y de sus hombres?

Admiraba a los héroes anónimos, y había aprendido que en la lista de mártires de la Revolución existían muchos nombres, todavía secretos, de héroes que murieron a manos de la CIA sin siquiera recibir el reconocimiento de su pueblo, que aún los consideraba traidores.

-Son los más sacrificados . . . Ni siquiera al respeto y admiración de sus familiares y amigos pueden aspirar cuando tienen que infiltrarse dentro del enemigo.

Yánez sonrió, hizo unos círculos con la pluma sobre la hoja en blanco de su libreta, y:

-Hemos estudiado tu expediente, eres inteligente, serio . . . -y continuó con más halagos hasta decir -Queremos que trabajes con nosotros.

Aún no había terminado él la frase y ya me imaginaba yo en los Estados Unidos, infiltrado en las filas de la CIA, telegrafiando a Cuba las últimas informaciones obtenidas. Tal como hacían los héroes de la Seguridad del Estado que había visto en la televisión.

-Pero, cómo . . . ¿Trabajar con ustedes?

-Correcto.

-Pero, yo soy piloto, mi vida toda ha sido la de un revolucionario. No creo que pueda infiltrarme en lugar alguno.

-No se trata de eso. Queremos que colabores con nosotros en la protección de tus compañeros.

-¿En la protección de . . . ?

-Los pilotos son objetivo prioritario para la CIA, y los Estados Unidos darían cualquier cosa porque uno solo de ustedes desertara llevándose un MiG. Además, es imposible controlar a un piloto una vez que está en el aire. ¿Te imaginas lo que pagaría la CIA para que un piloto de combate arrojara unas bombas en el Comité Central?

-Claro . . . entiendo. Pero, ¿qué tengo que hacer?

-Nada, sólo mantenerte en contacto periódico con nosotros. Te instruiremos y velarás por la seguridad de tus compañeros. Te daremos un seudónimo.

-Pero yo no tengo que esconderme para ello.

-La discreción es importante. A veces la confianza que otros tienen en ti es lo que te permite enterarte de las cosas.

-Sigo sin comprender. Mis compañeros son de toda confianza, ¿No es así?

-Sí, pero nadie sabe lo que puede pasar mañana.

-Exacto, cualquiera puede traicionar. Pero no tengo que esconderme para combatirlo, sería yo el primero en actuar antes que llamarles a ustedes.

-Entonces, ¿no aceptas?

-No es que me niegue. Protegeré siempre a la Revolución pero de una manera abierta. Una cosa es infiltrarse en la CIA, y otra es vigilar a mis compañeros. Confío en ellos, pero si alguno traicionara alguna vez, pueden estar seguros de que seré el primero en actuar.

-Creo que no comprendes. El ochenta por ciento de los oficiales de las Fuerzas Armadas son colaboradores de la Contrainteligencia. Piénsalo, algún día volveremos a hablar.

Y se marchó Yánez tan silencioso como vino, pero durante muchos días, recordé cada detalle de la conversación con él, sintiéndome preocupado sin saber por qué.

Hacía mes y medio que no visitábamos nuestros hogares, y hablé con el jefe de mi Escuadrón pidiéndole la gracia de dos días, pero me fue denegada. Fue entonces, que decidí visitar a Vicky a toda costa. Sería difícil detectar mi ausencia pues no tenía guardias ni vuelos programados en las próximas veinticuatro horas, y contaba con la discreción de mis compañeros que me protegerían en lo posible. Esperé la oscuridad de la noche para correr y pasar a escondidas bajo la cerca, y devoré con paso furtivo el kilómetro que me separaba de la carretera en que pensaba abordar cualquier cosa con neumáticos que me llevara a la ciudad. Desde allí trataría de viajar a la capital que tan lejana se me había hecho en los últimos tiempos. ¡Qué sorpresa le daría a Vicky!

En la terminal de ómnibus supe que no habría asientos disponibles ni siquiera en los autobuses que saldrían el próximo día hacia La Habana.

Un delgado expedidor de piel oscura me habló desde su ventanilla, mostrando su blanquísima dentadura en una sonrisa de simpatía:

-Mire, Teniente, allá afuera se hace la cola para las máquinas de alquiler que dan viajes a La Habana.

Ya afuera, un hombre delgado y de aspecto desconfiado me miraba una y otra vez de arriba a abajo, como tratando de descubrirme bajo mi uniforme militar, cuando pregunté por el último en la cola de viajeros.

-¿Usted va para La Habana, compañero?

-Sí, y en lo primero que salga, si es posible.

Entonces, se me acercó tanto, que sentí su aliento:

-Hay un amigo mío que va para allá, cobra treinta pesos y está parqueado al doblar la esquina.

-Pues ya le estoy pagando.

-Discreto, hombre, que mi amigo es médico y no puede andar en estas cosas porque le quitan el carro.

-Oh, perdón, no sabía . . .

Llegamos junto al carro, un Fiat de los setenta próximo al cual esperaban otros dos clientes. Pagamos por adelantado y lo abordamos sin pronunciar palabra. Cuando salíamos de la ciudad, el chofer nos dijo:

-Soy médico y hago esto para compensar los gastos del viaje. Si algún policía nos detiene díganle que yo los llevo de gratis, si no, me veré en problemas.

-No se preocupe -aseguramos todos a una voz, convencidos de no traicionarle y ansiosos por llegar a nuestro destino.

Aquel hombre era uno de los profesionales a los que el gobierno había dado el derecho de comprar un automóvil, y si lo sorprendían transportando personas por dinero podían confiscárselo. Mas ello no nos importaba, estábamos contentos de que lo hiciera, pues hombres como aquel nos resolvían el problema cuando parecía imposible encontrar un medio de transporte. El viaje pareció una odisea interminable, con aquel chofer aterrorizado ante la posibilidad de encontrar a un policía. Nunca más he visto a alguien respetar tan al pie de la letra cuanta señal del tránsito encontramos en nuestro camino. Y por fin, ¡La Habana!

Fui directamente a casa de los padres de Vicky donde, como siempre, la puerta permanecía abierta de par en par hasta la hora de dormir. Allí estaba Vicky, sentada tras la mesa en que solíamos escribirnos pequeños mensajes cuando éramos novios, cabizbaja y pensativa, triste . . . Pasé a hurtadillas tras ella, deteniéndome junto al viejo piano para tocar con el índice las primeras notas de nuestra música preferida. Levantó ella la cabeza como si despertara de su meditación, crispó sus manos al borde de la mesa y, dando un grito de sorpresa, se levantó de un golpe girando en redondo. Me miró entonces con los ojos muy abiertos, y se me echó al cuello abrazándome con fuerza, temblando y sollozando mientras decía: ¡Papiitoo!

Permanecimos un rato abrazados sin decir palabra, sollozando ella, mientras acariciaba su cabellera y le decía:

-Ya, yaaa. Ya estoy aquí . . .

Poco a poco fue calmándose, hasta quedar quieta, reposando contra mí, respirando apenas . . . la separé lentamente, tomándola por la cintura, levanté su blusa para acariciar su abdomen y con cómplice mirada le pregunté:

-¿Crees que ya está ahí . . .?

Vicky bajó la cabeza con coqueto sonrojo.

-No sé . . . Yo creo que sí -y me incliné para besar su vientre.

Esa noche, las cazuelas de mi suegra se llenaron más de lo acostumbrado, y celebramos con deliciosa cena mi llegada, entre nombres que todos proponían para el futuro niño o niña de la casa.

Nos fuimos luego, a la cómplice intimidad del viejo apartamento en que vivíamos. En breve tendría que partir de regreso a mi Base.

¡Nos anhelábamos tanto el uno al otro! Y presa de la pasión compartimos ardientes caricias, perdidos en la tierna inocencia del amor. Quedé dormido junto a Vicky, exhausto por la tensión y las noches sin dormir.

—

Me encontraba ahora en un salón gris y sin ventanas, sentado y con las hombreras -en que antes habían estado mis charreteras de oficial -desgarradas. Frente a mí, Cortés y otros tres coroneles que no conocía. A su derecha, el mayor Felipe, y tras de mí, una veintena de jóvenes pilotos, mis compañeros.

-¡Póngase de pie! Por el delito de abandonar su puesto en el momento que la patria más lo necesitaba, han muerto decenas de víctimas inocentes. Niños, mujeres, todos caídos bajo la metralla del avión enemigo que usted estaba supuesto a interceptar.

Y continuó leyendo los nombres de aquellas víctimas a la vez que me mostraba sus fotos, casi todos niños sonrientes con sus pañueletas de pioneros al cuello, mientras yo me odiaba más y más a mí mismo.

-Su ausencia en el momento preciso es considerada una deserción en tiempos de guerra, una traición a la patria -y volviéndose al auditorio que me gritaba ¡Traidor, traidor!, sentenció:

-¡Este Tribunal le condena a la pena de muerte por fusilamiento!

Una escuadra de soldados armados que esperaba junto a la puerta, me escoltó al patio, donde me ordenaron ponerme de rodillas, de cara a la pared. Se situaron los soldados en formación frontal a unos metros de mí, apuntaron sus armas, y . . .

Mi hijo, la criatura que espero, ¿no me dejarán conocerla?

-¡Fuego!

Gritó el oficial que dirigía al pelotón. Pero no se produjo detonación alguna. Una voz de mujer los detuvo en el último instante llamándome por mi nombre. Y se miraban ellos sorprendidos, entre sí, como si temieran que ella descubriera lo que ocurría . . .

-¡Ore, Ore!

Allí estaba Vicky, parada junto a la cama, con una mano en el vientre. La camisa de mi uniforme sobre la tabla de planchar, tras ella.

Abrí los ojos irguiéndome ligeramente sobre la cama, y comprendí de momento: ¡Todo había sido un sueño!

-¿Qué haces? ¿Ya pasó la hora? Pero ¿por qué estás planchando esa ropa? -pregunté enredando las palabras aún medio dormido.

-Quería que te fueras con ella bien limpia.

Noté que lucía pálida y con el rostro contraído.

-¿Qué te pasa? ¿No te sientes bien?

-Tengo un dolor muy fuerte. No quería despertarte, pero es muy fuerte, y . . . estoy sangrando.

Me sentí presa del pánico:

-¡Vamos al hospital ahora mismo! -balbuceé mientras me vestía a toda carrera pensando en cómo encontrar lo antes posible un ginecólogo a aquellas horas previas al amanecer.

Vicky apenas se quejaba, pero en su rostro podía leer claramente el dolor físico y espiritual que la invadía por la posible pérdida de la criatura que tanto amábamos ya.

-No te preocupes, ya verás que todo saldrá bien -le decía, tratando de calmarla.

Tomamos un automóvil que pasaba y estuve todo el trayecto bromeando en un intento por animarla.

Llegamos en breve al hospital de maternidad, donde un especialista de impecable bata blanca y calmados modales la atendió de inmediato. Pasé unos treinta minutos de espera terrible, pensando en Vicky y en la criatura que podíamos perder, imaginándomela al nacer; su rostro, sus manos, sus ojitos semicerrados, sus primeras sonrisas. Y la vi crecer en un viaje por el tiempo, sin ropas ni sexo, simplemente humana, reclamando ser el centro y razón de nuestras vidas.

-Compañero.

-¿Sí?

La voz del médico, que había llegado en silencio hasta mí, me sacó de mis pensamientos.

-Su esposa está ciertamente embarazada. Ha presentado un principio de aborto, pero estará fuera de todo riesgo si hace reposo en las próximas semanas. En unos momentos regresará con usted.

Segundos después, salía Vicky de la consulta con el rostro transformado en una sonrisa.

-Estoy definitivamente embarazada -me dijo, mientras se acariciaba el vientre.

La besé alegre y nos marchamos a casa de sus padres, felices del desenlace, y tristes por la proximidad de mi regreso a la Base. No quería marcharme hasta que Vicky se sintiera definitivamente mejor, y permanecí el resto del día con ella. Ya en la noche, cuando tomaba el ómnibus, me asaltó la preocupación por la posibilidad de que hubieran descubierto mi escapada.

Llegué a la Base al amanecer, luego de treinta y seis horas de ausencia, pero mis compañeros me calmaron:

-No te preocupes. Hemos pasado el día de ayer como bobos, encerrados, y nadie preguntó por ti.

Suspiré aliviado y me dispuse a las tareas del día. Había logrado, al igual que otros, visitar mi hogar sin contratiempos, pero la situación de encierro en que nos encontrábamos se hacía insoportable y, convencidos de la culpabilidad de nuestros jefes inmediatos, decidimos hacer uso del reglamento militar, reclamando nuestros derechos.

Fue entonces que fuimos llamados al despacho del jefe de la Base, teniente coronel Eloy Fernández, hombre de profunda ética y poder persuasivo, recto, pero bondadoso en el trato con sus subordinados y, por tanto, muy respetado.

-Pueden pasar -nos dijo el sargento ayudante del Jefe mientras abría la puerta del despacho.

Pasamos en silencio los ocho reclamantes, y tomamos asiento. Eloy nos miraba sonriente desde su silla tras el buró que se disputaban varios teléfonos y un rudimentario intercomunicador, mientras que Cortés, quien en una de las prácticas no poco comunes en las Fuerzas Armadas Cubanas, ostentaba un grado militar superior al de su jefe, ocupaba una de las butacas junto a la amplia pared inundada de mapas y esquemas.

Eloy tomó la palabra:

-Así qué no están yendo a sus casas . . .

-Llevamos mes y medio encerrados aquí -replicó Julito.

-¿Y por que no hablaron conmigo?

Todos miramos a Cortés sin proponérnoslo, pues el reglamento nos había impedido hablarle directamente a los jefes superiores.

-Ellos hablaron conmigo, Jefe, pero teníamos que asegurar la preparación para la inspección . . .

La discusión parecía ir en otra dirección y no al meollo del asunto. Pedí entonces permiso para hablar:

-Vivimos muy lejos y necesitamos dos días como mínimo para visitar a nuestras familias. Pienso que es ridículo, a nuestra edad, estar saliendo a escondidas de la Base como he tenido que hacer para visitar a mi esposa. No quisiera tener que repetirlo con la sensación de que cometo un crimen.

Eloy escuchó la confesión sobre mis propias escapadas del servicio mirándome a los ojos, y yo me sentía mejor haciéndolo. Percibía que era él, uno de esos hombres que detesta la mentira y admira la honestidad. Sonrió luego de escucharme, y mirando brevemente a todos:

-Creo que ha habido una confusión, ustedes deben y pueden ir a sus casas, pero claro, no todos a la vez. Saldrán de dos en dos. Primero los casados.

Loco de alegría, corrí a empacar mis cosas y marcharme a La Habana, esta vez podría estar más tiempo con Vicky e incluso visitar a mis padres y hermanos.

Durante muchos años no habíamos coincidido los tres hermanos en el hogar de nuestros padres. Orlandito, que estaba entonces internado en una escuela vocacional, había llegado con su pase regular. Y Faure, que pasaba su servicio militar como soldado en una unidad de artillería antiaérea, había recibido también un permiso para visitar el hogar.

Un ambiente de festividad se respiraba en casa de mis padres por nuestra llegada, y habían ellos viajado al campo por un pequeño cerdo que les vendió un campesino. Un amigo que administraba un restaurante cercano les permitió comprar una caja de cervezas, completando con ella lo necesario para la celebración.

Gustábamos entonces de sentarnos todos en la sala y conversar entre cervezas y trozos de carne frita que traía mi madre de la cocina, disfrutando entre risas las más recientes aventuras de mi siempre travieso hermano, Faure.

Tenía que hablarle a mi padre en privado, y con un gesto lo invité a seguirme al balcón.

-Viejo, la Contrainteligencia Militar me pidió que trabajara con ellos . . . -comencé, contándole la historia de mi conversación con Yánez y mi negativa a aceptar su oferta.

-Creo que hiciste mal -comentó mi padre cuando hube concluido.

-Los pilotos son hombres de la mayor confianza . . . ¿Por qué he de vigilarlos de manera encubierta?

-Tienes razón en cuanto a tus compañeros. Pero tú no sabes lo que nos depara a todos el destino, ni si la Revolución te necesitará mañana en ese campo . . .

Y añadió:

-Tengo un amigo, viejo dirigente del Partido, que recibió hace poco un diploma de reconocimiento por sus veinte años de trabajo con la Seguridad del Estado. Y él es un conocido dirigente, no un agente encubierto. Quiero decirte que si te llamaron, es porque querían instruirte para el futuro.

Sabía que mi padre nunca había trabajado para la Seguridad del Estado, ni tenía preparación militar alguna. Mas me sorprendió su visión sobre el asunto.

-El caso es que me negué y ahora estoy preocupado.

-Es tonto preocuparse. Te están observando y hablarán de nuevo contigo, cuando menos lo esperes.

Regresamos adonde nuestros hermanos, que reían divertidamente, y me sumé a ellos también riendo, feliz de acompañarlos, olvidando los días de tensión vividos en la Base. Mas no sería la última vez que estaría en pie de guerra por la amenaza de la tan anunciada invasión.

—

Transcurría nuestra vida en una constante actividad de preparación para la guerra con los Estados Unidos. Y de bisoños pilotos, íbamos poco a poco madurando, acumulando experiencia en el arte del combate aéreo y del empleo del armamento contra objetivos aéreos y terrestres. Cada vez eran más complejos los entrenamientos y las condiciones en las que los realizábamos.

Un ambiente de entusiasmo profesional nos invadía a todos, y nos preparábamos para los vuelos meticulosamente, desarrollando ese sentido especial de competencia que suele existir entre los pilotos de combate, donde cada cual trata de hacer lo mejor: batir el blanco en el primer pase, esquivar el ataque del que fungía como enemigo, tomar la cola del contrincante y volar, en general, limpiamente.

Pasábamos como siempre la mayor parte del tiempo en los predios de la Base, pues aunque la situación volvió a su normalidad, una nueva orden de nuestro Jefe Militar Supremo establecía que un mínimo del treinta y tres porciento de los oficiales debía permanecer siempre dentro de sus unidades, listos para entrar en combate en cualquier momento.

Tenía así cada oficial, que dormir cada tercera noche en la Base. Pero como aún vivíamos los más jóvenes en otras ciudades, nos quedábamos en la Base cada día cubriendo el consabido Tercio para que marcharan a sus casas los que vivían en la región. Y esperábamos pacientemente la llegada de los cuatro días que mensualmente podíamos utilizar para visitar nuestros hogares.

Eran aquellos tiempos en que solíamos reunirnos en el club de los pilotos a mirar la televisión en las noches, los momentos en que relajábamos y bromeábamos como una gran familia. A veces, nos sentábamos en el pequeño parque frente al estacionamiento, y acompañados por la guitarra, cantábamos con Mario, nuestro alegre músico, las más conocidas canciones de la época, para acabar luego hablando de la aviación de combate. Cada cual relataba sus fascinantes experiencias durante los más complicados ejercicios realizados, y las maniobras que consideraba más apropiadas en el combate aéreo contra los F-4, F-15 y F-16 de la USAF.

Volábamos casi a diario, y nuevos planes para acelerar la preparación de los jóvenes pilotos se pusieron de moda.

Un día de mayo de 1981 comenzó el cielo a cubrirse de peligrosos cúmulos nimbos, pero continuamos volando en el afán de prepararnos para la inevitable guerra cuanto antes. Y era inminente la tormenta que ya predecían los truenos cuando ordenaron regresar a los que aún estaban en el aire.

Mario, el magnífico y alegre músico de nuestro grupo, volaba en un avión de entrenamiento acompañado de Espiñeiro, uno de los más experimentados pilotos, en un ejercicio de pilotaje por instrumentos bajo la capota que le impedía mirar hacia el exterior. Rápidamente fueron llegando los cazas uno tras otro, pero Mario quedó el último, cuando le indicaron alejarse para entrar a ciegas por el sistema de aproximación al aterrizaje, en aquellas condiciones que exigían un regreso inmediato.

Conscientes del peligro que se cernía sobre los compañeros, nos reunimos junto al altavoz situado en el cubículo del ingeniero de rampa, que nos permitía escuchar las comunicaciones radiales, y seguimos con agonía los informes transmitidos por Mario, que ciego y sin ser alertado por el instructor que tampoco podía ver más adelante, conducía su avión hacia una barrera de imponentes cúmulos nimbos:

-923 próximo al giro de cálculo -informaba Mario calmadamente, sin imaginar el peligro que le acechaba.

-Distancia 55. Comience el giro por la izquierda, banqueo 30 grados -ordenó el Navegante del sistema de Aproximación.

-923 enterado.

Fue el último parte que escuchamos de Mario. Ante el prolongado silencio de éste, el Controlador de Vuelos comenzó a llamarle repetidamente, mas no recibió respuesta. La pequeña y brillante marca del avión en las pantallas de los radares, que se veía anteriormente confusa entre los destellos de los cúmulos, había desaparecido totalmente. Y se dio la voz de alarma.

Corrió Cortés para despegar en su búsqueda a bordo de un caza; a pesar de que la tormenta arreciaba, despegaba también el helicóptero con el Grupo de Salvamento y Rescate, y corrían los bomberos, el carro de averías y la ambulancia a ocupar sus posiciones al extremo de la pista.

Los más jóvenes nos quedamos frente a la casita en que solíamos recibir las indicaciones previas a los vuelos con los ojos puestos en el cielo, sin aliento ante la evidencia que se nos echaba encima. No habíamos vivido la experiencia, pero comprendíamos perfectamente que era imposible hacer un aterrizaje forzoso de un caza de aquellas características fuera del aeródromo. Esperábamos lo peor . . .

Ojalá se hayan eyectado -pensábamos con esperanza.

Habían pasado dos horas de búsqueda, cuando la tripulación del helicóptero informó por radio que los había encontrado y se disponían a aterrizar.

-El avión se ha estrellado en . . . No vemos señales de vida.

Mario y Espiñeiro se habían proyectado a tierra con un ángulo de unos sesenta grados y una velocidad de mil cien kilómetros por hora. La muerte los había sorprendido a ciegas . . . y habían estallado con el avión, fragmentados en miles de partículas imposibles de encontrar.

En la ciudad, esperaban la esposa e hijos de Espiñeiro por su regreso. En La Habana, esperaba la madre de Mario por la visita de cuatro días al mes que su único hijo solía hacerle. Y en la Base se creaba una comisión integrada por el comisario político, el jefe del escuadrón, el médico y una enfermera, que cumpliría la penosa misión de llevarles la triste noticia, no sin antes esperar a encontrar las primeras evidencias aclaratorias del accidente. Consternados, vimos partir la comisión a su penosa tarea.

A la noche, llegaron los familiares de Espiñeiro a la Base. Un avión de transporte esperaba en la rampa por ellos, el grupo de pilotos que los acompañaríamos a los funerales en La Habana, y dos sarcófagos cubiertos con la bandera nacional y conteniendo algunos fragmentos ensangrentados del avión.

Al día siguiente, les seguimos en solemne caminata al desgarrador compás de la marcha fúnebre interpretada por la banda de ceremonias, hasta el cementerio de Colón. Llegamos ante el Panteón de las Fuerzas Armadas y ambos féretros fueron expuestos al sol para darles el último adiós.

-Han muerto en el cumplimiento de su deber, como defensores de la patria socialista. ¡Gloria eterna a nuestros mártires!

Terminaba con emoción el teniente coronel Eloy Fernández sus palabras de despedida, y retumbaron en el aire las salvas de fusilería y el toque de silencio del corneta, ahogando el llanto desesperado de una madre y una esposa.

Cuando nos marchábamos, varias coronas de flores cubrían sus tumbas.

Dos se destacaban por su tamaño y belleza. En una se leía: del Ministro de las Fuerzas Armadas, Raúl Castro: en la otra, del Comandante en Jefe, Fidel Castro.

Regresamos a la Base y me llamó el Político:

-Tú vives en La Habana, no lejos de la madre de Mario. Llévale estos cuatro meses de sueldo de su hijo.

Fue todo lo que dijo.

-¿No enviarán nada más?

-¿Qué más podemos hacer?

Sin otra cosa que el dinero, me fui a visitar a la madre de Mario. Subí las angostas escaleras del edificio de apartamentos situado en el Vedado, llamé a la puerta y una mujer de unos sesenta años, despeinada y con los ojos irritados, me abrió la puerta. Fijó su mirada por unos segundos en el ala de piloto prendida de mi camisa, y luego, como si despertara, me miró a los ojos exclamando:

-¡Ay, mi niño, aún no puedo creerlo! ¡Mi hijo no puede estar muerto!

Nunca antes había enfrentado una situación en la que me sintiera más desorientado. Quise decir algo, pero sólo un balbuceo incomprensible salió de mi boca. Y se arrojó ella sobre mi pecho gimiendo:

-El era todo lo que tenía. ¿Cómo viviré sin mi niño?

Respiraba agitadamente, lloraba, tosía, convulcionaba . . . ¡Y yo no encontraba la manera de consolarla! Había enmudecido y sólo atinaba a sostenerla con mis brazos, dándole suaves palmadas en la espalda.

-Nosotros perdimos con él a un hermano -le dije por fin con voz que me pareció más grave que la acostumbrada -él era nuestro hermano, y usted puede ver en nosotros a sus hijos.

La madre de Mario asentía con la cabeza mientras yo hablaba y, finalmente, tomándome de la mano me dijo en tono maternal:

-Entra mi niño, siéntate . . .

Sólo mi madre solía llamarme "mi niño" a pesar de mis veinticinco años y, la frase en su boca tuvo un efecto desgarrador en mí agudizando mi pena por aquella mujer que me llamaba tal vez como al hijo que había perdido.

Conversamos largamente sobre Mario, su alegría de vivir, su talento musical y sus cualidades de piloto. Ella quería saber las causas exactas del accidente, y repetí el dictamen de la comisión investigadora:

-Penetraron en un cúmulo nimbo de gran desarrollo que los proyectó contra la tierra.

-¿Y qué es un cúmulo nimbo?

Expliqué entonces, de la manera más simple posible, lo que había aprendido en las clases de meteorología sobre estas peligrosas nubes de desarrollo vertical. Pareció ella no comprender muy bien, pero se mostró convencida de que fue aquella la causa del accidente.

-He traído el salario de cuatro meses de Mario para usted.

-De eso quería hablarle, no sé si lo saben ustedes, pero él tenía una novia que estaba en estado.

Comprendí a quien se refería. Mario había estado saliendo últimamente con una muchacha de Santa Clara. La habíamos visto asistir al funeral, solitaria y silenciosa, como si no quisiera que notaran su presencia.

-Ella quiere interrumpir el embarazo ahora que Mario no existe, pero yo le he rogado que no lo haga. No hay cosa que desee más hoy que un hijo de mi hijo ausente.

-Comprendo lo que quiere decirme, hablaré con los jefes de la Base para que tramiten una pensión para el niño. ¿Estoy en lo correcto?

-No sé como agradecértelo mi niño. Ella es estudiante y no puede traer al mundo a una criatura sin padre . . .

-Cuente conmigo, volveré pronto con noticias-le dije en tono de despedida mientras besaba su mejilla. Cuando la puerta se cerró tras de mí sentí una profunda pena de aquella mujer que se quedaba tan desconsolada, casi desamparada, en la terrible soledad de su pequeño apartamento. Y sin quererlo, pensé en Vicky y la criatura que llevaba en sus entrañas. Nada nos preocupa más ante la propia muerte, que el destino de los seres que amamos.

Regresé a Santa Clara y me dirigí al Político de la Base con la petición de la madre de Mario.

-Esa muchacha que salía con Mario tiene reputación de haber salido con varios hombres.

-¿Y . . . ?

-Que nadie puede dar garantías de que ese niño sea realmente de Mario.

-¿Y cómo puede usted afirmar lo contrario?

-¿Por qué quieres defender a una mujer de la calle?

La pregunta me llegó cargada de crueldad. Detestaba el comportamiento machista de muchos de mis jefes y sólo atiné a preguntarle:

-¿Tiene usted hijas, compañero teniente coronel?

Mi jefe político se quedó perplejo, como si la pregunta le llegara de otro mundo. Enrojeció y procedió al ataque:

-Eso es una falta de respeto suya.

-Es sólo una pregunta. En sus manos está la suerte de una criatura que tiene el derecho de vivir quienquiera que sea su padre. Le ruego piense en la madre de Mario, resuelta a tener lo único que le dejó su hijo antes de morir.

-Bueno, veré qué podemos hacer. Pero no aseguro nada.

-¡Gracias, compañero teniente coronel!

Me marché a mi cuarto con los labios resecos, deseoso de beber un galón de agua, como siempre me ocurría luego de una conversación muy desagradable. Me tiré en la cama con las botas puestas, dejando mis pies colgar fuera de sus límites, pensando en qué le diría a la madre de Mario cuando la volviese a ver . . .

Fueron pasando las semanas y cada vez que visitaba a la madre de Mario tenía que decirle lo mismo:

-Están en espera de respuesta de la Sección de Cuadros del Estado Mayor General, pero estoy seguro de que concederán la pensión para el niño.

Una mañana, en que nos disponíamos a iniciar los vuelos, me dirigí de nuevo al Político, presente en la rampa. Me miró con aborrecimiento y dijo:

-El Estado Mayor no puede conceder una pensión para el niño, ni siquiera existe para la madre de Mario. Ya a ella se le pagó el sueldo íntegro de cuatro meses. Eso es lo que se hace generalmente en estos casos.

Quedé perplejo ante lo que escuchaba, no podía comprenderlo. ¿Cómo era posible? Habían mandado únicamente el dinero, ni una carta, ni un gesto de atención, nada. Allá quedaba aquella mujer adolorida para siempre, sola, sin nadie que le brindara un apoyo, aunque fuese moral. Así trabajaba la burocracia de los políticos y los funcionarios de Cuadros.

Burócratas, insensibles, incapaces . . . ¡Si Fidel y Raúl supieran estas cosas, bien diferente sería todo! Ellos se habían ocupado hasta de enviar coronas de flores al funeral. Pero claro, ¿quién se los va a contar?

Ese día no pude volar, durante el examen previo al vuelo el médico notó mi pulso acelerado y la presión ligeramente sobre lo normal.

-¿Descansaste bien?

-Sí -respondí al médico y amigo secamente.

-Es mejor que no vueles hoy. No te enfades conmigo, pero te pasa algo y debo suspenderte de vuelos.

-Haz lo que quieras.

Deseaba mucho volar, quería que la tensión del vuelo disipara por unos momentos los sentimientos de indignación e impotencia que se agolpaban en mí, pero no quise contradecir al amigo que se veía resuelto a impedirlo. Me fui a un banco junto a la cafetería de los pilotos, a observar los aviones que despegaban, aterrizaban o realizaban maniobras de fotobombardeo en picada contra un blanco pintado al borde de la pista.

Destellaba el fuselaje azul claro de un MiG-21 que giraba sobre el aeródromo, atacando el blanco. Lo veía entrar en la picada, desde unos mil quinientos metros, silencioso, casi invertido, buscando el ángulo apropiado para el ataque. Nivelaba luego las alas, y se desprendía del cielo dejando una estela de humo gris tras sí, aumentando sus dimensiones vertiginosamente con el descenso, como proyectil lanzado por la línea imaginaria que moría en el círculo con la cruz blanca en su centro, junto a la pista. Salía el MiG de su picada a unos doscientos metros de altura, y giraba, resuelto, para el nuevo ataque, mostrando orgulloso los números de su matrícula. Brillaba el fuego de la postcombustión en su cola, y un estruendo ensordecedor le seguía hasta volverse un punto en la distancia. Era Prado quien lo volaba, joven modesto en sus actos y diestro en el pilotaje.

Y disfrutaba yo viéndole maniobrar, con aquella estela blanca de aire condensado sobre sus alas cuando giraba bajo el efecto de las gravedades.

Volvió Prado a atacar, y le vi descender seguro, hermoso . . . volvió a salir de su picada resuelto, y comenzó a banquear para girar. Pero algo inexplicable ocurrió entonces: se invirtió el avión por completo y, realizando una maniobra increíble, descendió describiendo una parábola cerrada hasta chocar con la tierra, diseminando miles de partículas en dirección contraria a la que había atacado. Un humo denso se alzó entonces formando un hongo negro, y un sonido seco llegó hasta nosotros anunciando la explosión.

No había tenido Prado tiempo de nada, ni siquiera de pensar en eyectarse. Todo había ocurrido en menos de dos segundos desde que el avión se invirtió,

¡no podía creerlo! Era imposible que estuviera muerto. ¡Apenas hacía un minuto estaba vivo, lleno de vida!

Echamos a correr en dirección al avión accidentado pero el ingeniero de rampa nos detuvo:

-No hay nada que hacer allí. ¿No comprenden que ya no existe? Aún hay peligro de que se produzcan otras explosiones.

Nos quedamos agrupados en silencio, mirando a los bomberos sofocar las llamas que consumían la poca vegetación del lugar en que cayó el avión.

Un ómnibus nos llevó luego de regreso al área de los pilotos, y nadie pronunció palabra en el trayecto. Ese día en el comedor las camareras lloraban por segunda vez la pérdida de un amigo en corto tiempo, y casi nadie necesitó de sus servicios, habían preferido quedarse en sus cuartos en lugar de ir a almorzar.

Se nombró otra vez la comisión de las malas noticias, y partió ésta en su triste tarea. Otro funeral se realizó en La Habana, y otro joven descansaría para siempre en el Panteón de las Fuerzas Armadas. Junto a la tumba, cuando todos se marchaban, dos coronas de flores descollaban sobre las otras . . .

Aproveché el funeral para visitar a Vicky y a la madre de Mario. No sabía cómo darle la mala noticia de que no concederían una pensión para el nieto que esperaba. Una vez sentado frente a ella, me miró a los ojos con tristeza y me dijo antes de que yo hablara:

-No te preocupes más mi niño, ya no será necesaria la pensión. La muchacha ha perdido la criatura involuntariamente mientras estaba de visita en mi casa.

Permanecí en silencio unos segundos, mirándola a los ojos, queriendo consolarla, pero ni una palabra me venía a la boca. Y agregó:

-No te preocupes por mí, si algún día necesito algo, seguro te lo haré saber.

Me marché aturdido, angustiado por no poder remediar la soledad de aquella mujer.

¿Por qué la vida tiene que golpear tan duro a algunas personas? -me preguntaba a mí mismo mientras caminaba de regreso.

Si existiera un Dios, no existirían estas injusticias en el mundo. ¿Por qué quitarle lo único que tenía?

Llegué a casa triste. El recuerdo de la madre de Mario no me abandonaba y la veía sola, entre las paredes de su pequeño y oscuro apartamento, consumiéndose poco a poco en el dolor que no podía compartir con nadie.

-¿Pero qué puedes hacer tú? -me dijo Vicky apenada cuando le conté la razón de mis preocupaciones.

-Eso es lo peor, que no puedo hacer nada. ¿Cómo devolverle a su hijo?

Vicky me miró en silencio, y leí la compasión en sus ojos.

-Perdóname, no debía contarte estas cosas -agregué mientras tiraba de su brazo para acercarla a mí y acariciar su vientre que había crecido considerablemente.

-Ya en un mes nacerá -comentó, posando su mano sobre la mía, atrapándola contra su vientre.

-¿Brinca?

-Sí, mucho -sonreía.

-Déjame oír.

Pegué mi oreja a su abdomen y escuché largo rato, mientras sentía su mano hacer ovillos con mi cabello. De pronto, un movimiento como de algo que resbala se produjo en el interior de su abdomen. Levanté la cabeza asombrado y exclamé:

-¡Es verdad, se movió, se movió!

Vicky me miraba alegre, y ambos reímos juntos, felices . . .

Regresé a la Base y la primera noche sonó la alarma de combate. El Tercio de pilotos que estábamos allí corrimos a los aviones y esperamos en las cabinas hasta el amanecer. Otra vez se cernía sobre nosotros el peligro de la invasión norteamericana. Fueron pasando los días de tensión sin salir de los límites de la Base, apenas sin comunicación con Vicky, a quien lograba hablar sólo por teléfono cuando escapaba a la ciudad amparado en la oscuridad de la noche. Una tarde, vino un soldado a avisarme que una mujer embarazada me buscaba a la entrada de la Base, y sin imaginarme quien podía ser me dirigí al lugar. Cuando me aproximaba, distinguí la figura de Vicky, sosteniendo un paquete en las manos. Aceleré el paso hasta casi correr para llegar junto a ella:

-¿Pero qué haces aquí? ¿Qué ocurrió?

Apenas si faltaba una semana para que Vicky diera a luz, y su presencia allí me asustaba en extremo.

-Quería verte. Hace veinte días que estás encerrado en esta Base. Te traje batido de mamey y un flan que preparé esta mañana.

Lo que escuchaba me dejó estupefacto. El batido y el flan eran mis golosinas preferidas, pero no lo suficiente como para cargar con ellas desde La Habana, distante a casi trescientos kilómetros de distancia. Bajé la vista perplejo y vi las correas de sus débiles sandalias hundiéndose en la piel de sus pies extremadamente inflamados.

-Pero, ¿te has vuelto loca, Vicky? ¿Cómo se te ocurre hacer una cosa así en vísperas del parto? -le reprendí.

-Necesitaba verte . . .

La imaginé entonces marchar temprano hacia la terminal de ómnibus de La Habana, y esperar pacientemente que uno de éstos tuviese un asiento disponible. Luego, llegar a Santa Clara y pasar horas esperando de pie, bajo un sol abrasante, el impredecible ómnibus local que la traería hasta la Base.

-¡Mierda! ¡Mira como estás de inflamada! -estallé por fin en un exabrupto.

-No te pongas así, por favor.

-¿Pero crees que me satisface verte llegar con esas cosas en el estado en que estás?

-No discutamos, por favor -suplicó Vicky una vez más y sus ojos se llenaron de lágrimas, entonces sentí vergüenza de la rudeza con que le hablaba.

-Perdóname . . . -dije envolviéndola con mis brazos -Es que me aterroriza pensar en que pudo ocurrirte algo en ese viaje tan largo e inseguro.

Nos marchamos juntos a casa de una prima de Vicky que vivía en Santa Clara, y me insistió mucho ella en que tomara el batido de mamey y comiera el flan. Mientras lo hacía, me miraba risueña, con un brillo de satisfacción en los ojos.

-¿Está sabroso?

-Delicioso.

A la mañana siguiente encontramos un chofer de alquiler que me prometió llevarla hasta la misma casa.

-Nos vemos pronto -le dije antes de besarla. Y luego, cuando subía al automóvil:

-Por favor, ¡no se te ocurra hacerme otra visita!

Pasé el trayecto a la Base pensando en Vicky. Me sentía culpable de su viaje, por no poder ir a verla a causa de la amenaza de aquella guerra que nunca llegaba.

Tampoco esta vez los jefes notaron mi ausencia de la noche anterior, y no tuve que dar explicaciones a nadie. Pero algo sabían todos: mi esposa daría a luz de un momento a otro. El estado de alerta en que estábamos fue finalmente levantado, y pedí vacaciones para estar con Vicky en el momento del parto.

-Imposible en estos momentos, ya hay demasiados pilotos fuera de la Base -fue la respuesta de mi jefe.

Una noche, me llamaron al teléfono en línea con el Puesto de Mando. Habían recibido una comunicación del Estado Mayor de la Fuerza Aérea diciendo que alguien les había llamado informando que mi esposa había ingresado en el hospital de maternidad con los dolores de parto. Esa noche no pude dormir esperando la mañana siguiente para insistir ante el jefe de mi escuadrón. Formamos como siempre a las siete y treinta en el polígono tras el Estado Mayor, y desde mi puesto pedí permiso para dirigirme al jefe del escuadrón.

-Mi esposa está ingresada para dar a luz.

-¿Y qué? -preguntó el mayor Felipe ásperamente.

-Quiero estar con ella, eso es todo.

-Aquí nadie es partero, el niño nacerá sin problemas y ya lo verás cuando puedas salir.

La respuesta me llegó ácida, humillante, y por un momento me sentí avergonzado ante mis compañeros de ser tan débil como para reclamar repetidamente estar junto a mi esposa cuando diera a luz.

Esa noche del nueve de julio de 1981, me llamaban nuevamente del Puesto de Mando. Aurora, la hermana de Vicky, había informado al Estado Mayor en La Habana, que Vicky había dado a luz un varón de ocho libras. Ambos estaban en perfecto estado de salud.

Mis compañeros saltaron felicitándome y dándome palmadas en los hombros, asegurándome que pronto los vería.

Me marché a mi cuarto, y caí sobre la cama sin desvestirme, dejando los pies con las botas puestas extendidos fuera de ella, como hacía siempre que quería soltar las riendas de mis pensamientos. Y emprendí un viaje imaginario hacia ellos que se extendió hasta el amanecer.

Unos golpes suaves resonaron en la puerta.

-¡Adelante!

Se abrió ésta levemente y vi la figura de Eloy asomar tras ella. Me levanté presto y me dispuse a asumir la posición de atención, pero Eloy me lo impidió con un gesto de la mano.

-Supe que tu esposa dio a luz. Vine a felicitarte y a decirte que puedes tomarte dos semanas de vacaciones.

-¡Gracias, compañero teniente coronel! -dije dando un brinco de alegría. En contados minutos me encontraba camino de La Habana, imaginando el encuentro con el niño que había amado desde mucho antes de concebirlo: ¡Mi hijo!

Llegué a La Habana pasado el mediodía y busqué desesperadamente unas flores para Vicky. Mas vano empeño el mío. En el último de los establecimientos que visité me informaron que las flores que recibían de los jardines estaban destinadas únicamente para coronas mortuorias. Decepcionado, corrí entonces a las tiendas en busca de algún regalo, pero nada encontré que pudiera adquirir.

Por fin, cansado y triste, cuando caminaba la distancia que me separaba del hospital en que estaban Vicky y mi hijo, vi en el jardín mal cuidado de una casa una solitaria y descolorida rosa que brotaba de entre las hierbas. Salté la verja sin temor a ser sorprendido en el acto de robarla y lleno de alegría la tomé, continuando mi camino.

Estaba Vicky acompañada por nuestras madres, que permanecían junto a su cama de espaldas a la puerta de aquella habitación del hospital de maternidad, cuando asomé por la puerta. Fue ella la primera en verme, descubriéndome con una exclamación. Besé a nuestras madres y me acerqué a ella sosteniendo la flor entre las manos entrelazadas a mi espalda. Nos miramos en silencio, y luego de besarnos, le extendí la pálida rosa.

Vicky entrecerró ligeramente los ojos que brillaban agradecidos y movió la cabeza suavemente a un lado y otro mientras sostenía la rosa muy cerca de su pecho. Tomó mi mano apretándola con fuerza, y contrajo la frente en un gesto único en ella. Era su manera de decirme: ''Gracias''. Miró luego hacia la pequeña cuna metálica junto a la cama y dijo: ''Pobresito, le amputaron una pequeña protuberancia que tenía junto al dedo meñique''.

Dormía el niño plácidamente sobre la espalda, con las largas piernas extendidas y los brazos reposando sobre el pecho. Su mano derecha envolvía el dedo vendado de la izquierda protegiéndolo, en un gesto enternecedor.

-Debió dolerle mucho -comenté.

-Era muy pequeña . . . Se la extrangularon con un hilo. Lo escuché llorar cuando se lo llevaban. Dice el médico que está rebosante de salud, no le quedará marca alguna.

-¿Ya lo inscribiste?

-Ayer, después del parto.

-¿Qué nombre?

-Como acordamos: Reyniel.

-¿Puedo cargarlo?

-Claro, ya tengo que darle el pecho.

Como si comprendiera lo que hablábamos, el niño despertó llorando a todo pulmón, y lo tomé en mis brazos nerviosamente, arrullándolo torpemente para calmarlo mientras Vicky se preparaba para amamantarlo.

Nuestras madres reían y, cuando por fin el niño se prendió al seno de Vicky con apetito que me pareció voraz, ésta estalló en una risa mal contenida mirándome con ojos burlones.

-¿Qué pasa, de qué se ríen ustedes? -pregunté sin comprender.

-¡De la cara que pusiste cuando cargaste al niño llorando!

Y reímos todos sanamente mientras Reyniel chupaba desesperadamente con sus dedos crispados al seno de la madre.

-¡Este niño parece querer tomarse toda la leche del mundo! -exclamé contento de ser padre, y esposo de la madre más tierna que jamás vi.

Pasé la tarde sentado junto a Vicky, sosteniendo a Reyniel en mis brazos que dormía plácidamente.

Al próximo día acompañé a Vicky de regreso a casa. Una comitiva de vecinos que nos había querido desde los tiempos en que éramos novios nos esperó junto a la acera para darle la bienvenida al diminuto recién llegado. Y pasamos juntos unas vacaciones maravillosas, sin salir de la casa, viendo a Vicky amamantar cada tres horas exactas a aquel pequeño glotón que daba la estridente señal de tener hambre con la exactitud de un reloj. Y lloraba, mamaba, dormía, defecaba y orinaba Reyniel, en un ciclo interminable que compartíamos todos convirtiéndolo en el centro de cuanto se hacía en la casa.

Pasaron los meses y Reyniel crecía vigoroso, viéndolo yo sólo una o dos veces al mes, hasta que en mayo me llegó la gran noticia: me habían asignado uno de los nuevos apartamentos recién construidos, justo a la entrada de la Base.

Corrí a La Habana con la nueva, y después de entregar al gobierno el viejo apartamento en que vivíamos, cargamos una camioneta con nuestras pocas pertenencias: la ropa, una cuna vieja recién pintada, un colchón regalado por mis suegros y un reverbero; y nos marchamos los tres acompañados por la madre de Vicky, felices, a nuestro nuevo hogar.

Habitamos el pequeño apartamento prefabricado, durmiendo en el colchón que descansaba sobre el piso de losas de granito junto a la cuna de Reyniel. Vicky dedicaba largas horas a cocinar con el lánguido reverbero, y yo trataba de adquirir en la Base un cupón que nos permitiera comprar nuestra cama.

Era nuestra vida feliz, a pesar de ser casi primitiva, sin los más elementales muebles en nuestro hogar. Pero teníamos la primera oportunidad de compartir la mayoría de las noches, y de ver yo a mi hijo crecer. Logramos por fin una cama, y la pasábamos Vicky y yo jugando allí con Reyniel, colmándolo de besos y caricias a las que respondía él con risa que le brotaba como un manantial de alegría.

En las tardes, era mi mayor satisfacción tomar al pequeño en mis brazos arrullándolo para dormir, y le silbaba una tierna melodía de Racmáninov mientras él me miraba risueño, y gorgojeando, lo que a mí me parecía un intento de decir: papá. Luego, vencido por el sueño, comenzaban sus párpados a caer, cerrando los ojitos que se seguían mirándome, y lo acostaba yo en su cuna muy lentamente, para no despertarle, mientras Vicky me miraba feliz desde el umbral de la puerta.

Éramos tan felices en nuestro cálido apartamento, al que llamábamos nuestro nido, que no sentíamos la falta de un televisor ni nos atormentaba la ausencia de un refrigerador en el cual conservar los alimentos, ni los agotadores viajes que debía dar al pozo del campesino vecino cuando regresaba cansado en las tardes, para luego subir los cuatro pisos de escaleras con dos gigantescos baldes llenos del agua casi siempre ausente de los grifos.

Y comenzaba cada jornada con la misma romántica alegría con que llegaba en las noches de vuelta a casa, viendo a Vicky y a Reyniel despedirme y recibirme desde el balcón, agitando sus manos en la distancia.

Los pocos días francos que tenía, nos despertaba el ruido que hacía Reyniel sacudiendo con fuerza la baranda protectora de su cuna, para que lo lleváramos a nuestra cama. Y reía él satisfecho cuando estiraba mis brazos para tomarlo y sentarlo sobre mi pecho, mientras Vicky corría a prepararle el pomo de leche, pues no demoraba mucho en cambiar la risa por llanto, recordándonos que su humor dependía de la satisfacción de su estómago.

Un día que estaba de guardia, fue a verme el jefe de la Base. Entró Eloy al cuarto en que permanecíamos los dos pilotos con los trajes antigravedades puestos, listos para despegar a una señal del Puesto de Mando, y luego de pedirnos que nos sentáramos con un gesto, ocupó un lugar junto a nosotros.

Me preguntó Eloy por Vicky y el niño, por el resto de mi familia, por mi estado de salud. Y yo notaba que quería decirme algo, pero que no encontraba la forma de hacerlo.

Finalmente, me invitó a salir, y caminamos hasta situarnos a la sombra de un pino que crecía frente a la casa de guardia. Puso entonces una mano sobre mi hombro y me dijo con dificultad:

-La guerra en Angola está tomando un giro inesperado. La aviación sudafricana ha realizado varias incursiones sobre el territorio angolano y los pilotos con que contamos allí son insuficientes. Han pedido un refuerzo, nuestra Base tiene que enviar dos pilotos. Los más viejos están casi todos allá, y de los más jóvenes sólo Pastrana, Isidoro y tú están preparados para el combate real.

Hizo una pausa, y luego agregó:

-Acaban de ingresar a Isidoro en el hospital con hepatitis . . .

-¿Cuándo? -pregunté comprendiendo que me llegaba el momento de partir.

-Esta misma tarde vendrá un avión de transporte para llevarlos a La Habana. Mañana saldrán para Angola. En unos minutos debe llegar otro piloto a relevarte de la guardia. Tendrás unas horas para despedirte de tu esposa e hijo.

Vicky estalló en llanto cuando le di la noticia, y comenzó a caminar por la casa repitiendo en voz muy baja:

-Pero ¿por qué tú? ¿Por qué?

Marchamos juntos para La Habana esa tarde. En el Estado Mayor de la

Fuerza Aérea nos tomaron unas fotos para el pasaporte que harían de inmediato.

-Preséntense mañana a las diez, listos para partir -nos dijo el oficial de Cuadros que nos había recibido.

Vicky me acompañó el próximo día al lugar frente al Estado Mayor de la Fuerza Aérea en el que nos reunimos el grupo de pilotos que partiríamos para la guerra en África. Pastrana estuvo con nosotros todo el tiempo jugando con Reyniel y bromeando con Vicky, que hacía ingentes esfuerzos por contener el llanto.

A una señal, todos comenzaron a subir al ómnibus que nos llevaría al aeropuerto de partida. Reyniel se había dormido en mis brazos y se lo pasé a Vicky, dándole un último beso en su tierna mejilla. Nos abrazamos con el niño entre los dos, mientras le decía que todo saldría bien, que volvería pronto. Vicky temblaba.

Subí al autobús que ya partía, y desde la ventanilla la vi sosteniendo a Reyniel con un brazo, y agitando el otro en un último adiós, mientras dos lágrimas rodaban por sus mejillas. Se alejó el ómnibus lentamente, y lentamente fueron Vicky y Reyniel haciéndose pequeños en la distancia . . . de una guerra.

Capítulo 7

—

Angola

Las anécdotas casi místicas sobre aquel país en las selvas africanas fueron la comidilla de los escépticos guerreros tropicales que abarrotamos el avión durante las catorce horas de travesía hasta Luanda. La feroz onza capaz de descuartizar a dos hombres sin darles tiempo a sacar sus armas. La mortífera serpiente "Tres Pasos", pequeña y camuflada, al acecho para atacar provocando la muerte instantánea de la víctima antes de que pudiera dar tres pasos. Los parásitos en los ríos y lagos que provocaban una inflamación irreversible y descomunal en los genitales. La mosca que depositaba una larva en tu piel que luego se inundaba de gusanos. Todo era peligro, y la ignorancia creó el mito haciendo que llegáramos a aquellas tierras hermosas, temerosos hasta del aire que respirábamos.

Giró el avión sobre Luanda descubriendo a través de sus ventanillas el singular paisaje de aquella ciudad rodeada de una tierra descarnada y cobriza, tan árida y ruda como la costa que se erguía imponente ante el Atlántico. Y taxeamos luego por el aeropuerto internacional, entre aviones y helicópteros de combate que anunciaban la guerra, hacia la pequeña terminal destinada a la entrada y salida de las tropas cubanas.

Un grupo de cubanos, eufóricos por abordar el avión en dirección contraria, y vestidos de civil como nosotros, se amontonaban dentro del rústico salón de la llamada Misión Militar Cubana en Angola en que un capitán solicitó nuestros pasaportes.

-Suban a los camiones que están afuera para llevarlos al centro de recepción de Fotungo. Mañana partirán para las unidades de destino -nos decía el capitán mientras tomaba nuestros documentos y los depositaba en una caja de cartón en que serían guardados hasta el momento de regresar a Cuba. En lo adelante, las chapillas de aluminio colgadas a nuestros cuellos con una cifra grabada, serían nuestra identificación.

Emprendieron su ruta aquellos camiones cargados de soldados vestidos de turistas por las calles polvorientas de Luanda, infectadas de hombres en uniforme de camuflaje con fusiles Y-3 y AKM al hombro, caminando sombríos entre una multitud de niños que jugaban desnudos y sucios, con sus vientres inflamados por el parasitismo. Era Fotungo un campamento ciento por ciento cubano, similar a aquellos en los que estuve durante la Escuela al Campo: varias naves rectangulares con techo de fibrocemento en que se alojaban las ya conocidas literas con sacos de yute por bastidor y colchón.

Fatigado del viaje y la tensión por la perspectiva de una guerra, me dejé caer sobre el rústico lecho dispuesto a dormir. Un grupo de soldados que regresaba a Cuba al próximo día y compartía con nosotros el dormitorio, permanecía despierto ahogando en animada charla la ansiedad de dos años de espera por el día de la partida.

Y dormía yo sumido en el abismo de mi fatiga sin que las voces de mis compañeros me molestaran en lo más mínimo, cuando sentí deslizarse por mi espalda una serpiente tres pasos. Desperté con un grito y salté al suelo desde el segundo piso de la litera, desconcertando a los animados interlocutores que me miraban con asombro, mientras gritaba señalando hacia mi lecho:

-¡Una tres pasos, una tres pasos!

Irrumpieron ellos en risas, y vi entonces al que permanecía despierto en el piso inferior de mi litera repetir el gesto de rozar con un pequeño bastón de madera el yute en que yo descansaba, lo que había percibido yo como roce de una serpiente.

Temprano en la mañana abordamos un avión de transporte que nos conduciría a nuestro destino final: Lubango, ciudad de magnífico clima justo al borde este de la gigantesca meseta que se alza a más de dos mil metros sobre el nivel del mar y que la abarca como una herradura bordeada de abismos y abierta al este, hacia las infinitas selvas. Al sur de la meseta el desierto de Mosámede, y al oeste, luego de vencer su casi vertical caída, una hermosa llanura extendiéndose hasta la costa atlántica. En el límite sur de la ciudad, justo al borde del escarpado farallón rocoso, la estatua de El Cristo mirando hacia el naciente, en el corazón africano.

Era este espacio relativamente llano, abierto hacia el este, en que yacía la base aérea como un plato gigante de asfalto y concreto en cuyos límites se encontraban los Regimientos de Artillería Antiaérea y Aseguramiento Material. Tras El Cristo, en la misma cima del farallón, el Batallón Radiotécnico con sus instalaciones de radar, listas para detectar las incursiones aéreas sudafricanas. Un batallón de tanques emplazado unos quince kilómetros hacia el sur, y los nudos radiotécnicos de Virey y Chibemba, situados en pleno desierto, formaban, con el Estado Mayor ubicado en el límite este de la ciudad, el grueso de las tropas cubanas que defendían la región.

Cientos de maestros, enfermeras, médicos y constructores conformaban el contingente de cubanos ocupados de la ayuda civil a la población angoleña. Habitaban ellos modernos edificios de apartamentos, que junto a las asfaltadas calles de la ciudad daban la impresión de haber sido Lubango una de las más prósperas ciudades del país. Pero que la presencia ahora de cientos de soldados angoleños y cubanos portando sus fusiles automáticos, la hacían lucir desolada y triste, sin más colorido que la visita de alguna tribu, llegada con sus curiosos atuendos los fines de semana para vender sus cosechas.

Eran los jefes de mayor rango y los pilotos, los únicos militares que vivíamos en la ciudad, ocupando nosotros una hermosa casa de tres pisos en el barrio residencial del sureste, que perteneció tal vez en el pasado a algún acaudalado portugués.

Muy próximo a la casa pasaba el ferrocarril que comunicaba la ciudad con el puerto de Mosámede, y había junto a éste una fábrica de velas que hacía sonar su sirena todos los días laborables a las cinco de la tarde para anunciar el fin de la jornada.

Era tradición entonces que los recién llegados pagaran su novatada cuando sonaba la sirena de la fábrica y alguien gritaba a todo pulmón: "¡Ataque aéreo!" anunciando el bombardeo de la aviación sudafricana. Entonces corrían todos al sótano, y reíamos nosotros de ver en el rostro de los recién llegados, como en un espejo en que nos veíamos a sí mismos el día que arribamos, la expectación lindante con el miedo al bombardeo nunca antes vivido.

Pasaban los días y la guerra no resultaba ser la que imaginábamos. En lugar de combatir, pasábamos el tiempo a la espera del anunciado ataque enemigo, que como en Cuba, no acababa de producirse. Mas las aisladas incursiones de la aviación sudafricana en misión de reconocimiento, detectadas casi siempre cuando se retiraban, hacían que pasáramos varios días en estado total de alerta, durmiendo en el inhóspito refugio soterrado del aeródromo.

La tensión de la espera se acentuaba con la falta de prensa y televisión, mientras que algunos de nuestros jefes, distanciados en la tarea de llenar sus maletas de artículos ausentes en Cuba, sólo nos visitaban para inspeccionar nuestro orden interior y echarnos en cara una sarta de reprimendas por detalles intrascendentes, en lugar de establecer la comunicación simple y humana, tan necesaria en una guerra con los hombres bajo su mando.

Vivíamos nosotros, como ellos en la ciudad, y nos saltaba a la vista lo que la tropa asinada en condiciones de campaña no podía ver: sus lujosas residencias atendidas por personal angoleño de servicio para satisfacer sus necesidades particulares, sus fiestas derrochando los alimentos que la tropa no tenía así como las cuotas de bebidas alcohólicas destinadas a los soldados. Modo corrupto de vida, opuesto al de un revolucionario y jefe militar.

Era común entonces, escuchar a los pilotos llamar "burgueses" a sus jefes, expresando el sentimiento de rechazo que sentíamos por su conducta.

Un día, vino a despedirse un amigo constructor que terminaba su misión y se marchaba a Cuba. Como recuerdo, nos dejó unas revistas *Playboy* que había guardado durante largo tiempo, y que fueron pasando luego de mano en mano de los asombrados y curiosos pilotos que admiraban la gráfica desnudez de las modelos con la excitación de quien ve por primera vez algo prohibido. Y se convirtieron aquellas revistas en el material literario preferido de aquel grupo de hombres que las guardaban con discreción y celo bajo los colchones de sus camas. Un día, vino el oficial de la Contrainteligencia indagando por las revistas, pues un soplón le había informado que los pilotos tenían problemas ideológicos por leer publicaciones que difundían la inmoralidad imperialista.

Una investigación fue iniciada por los órganos políticos y de la contrainteligencia para determinar la procedencia de las publicaciones, y luego de muchas preguntas y autocríticas que debimos hacernos todos por caer en la inmoralidad de ver semejante material, confiscaron las revistas y nos amenazaron con sanciones severas si volvían a encontrar material obsceno en nuestro poder. El incidente nos dejó a todos una desagradable sensación de bochorno que no podíamos explicar únicamente por la existencia de las ya conocidas revistas *Playboy.*

Corría el mes de octubre y volábamos muy poco por el mal funcionamiento de los radares, lo que nos preocupaba por la falta de entrenamiento para los combates que podían comenzar en cualquier momento.

Uno de aquellos días ociosos, en los que pasábamos el tiempo de guardia jugando barajas, sonó la alarma y ordenaron el despegue de la pareja de turno: Marrero y Ortiz, dos de los pilotos más jóvenes, mientras Ley y yo ocupábamos nuestros puestos en las cabinas de dos MiG-21.

Apenas conectamos la radio escuchamos la voz del navegante de conducción en el Puesto de Mando dirigirlos al encuentro de cazas sudafricanos que venían desde el sur, y ordenarles que pasaran a otro canal de radio. Pasaban los minutos de espera lentamente en el mundo de nuestras cabinas castigadas por el sol, cuando la voz del controlador de vuelos sonó atronadora en los auriculares:

-326 y 27: ¡Arranque, taxeo y despegue inmediato!

Transcurría el ciclo de arranque de los motores mientras los fieles mecánicos, nerviosos siempre por el inminente combate del que podíamos no regresar, corrieron a quitar las cubiertas de los cohetes y los calzos de parqueo, para indicarnos luego con un enérgico ademán que podíamos taxear. Y partimos raudos por la calle de rodaje, levantando una nube de rojo polvo tras nosotros que nos acompañó hasta la pista, que enfilamos como bólidos para despegar sin detenernos a hacer un último chequeo de los instrumentos. Apenas nos separábamos de la tierra cuando el navegante de conducción ya nos gritaba girar en dirección sur a mil doscientos kilómetros por hora . . .

Se repite la historia -pensé, recordando los numerosos despegues realizados para interceptar los Mirages sudafricanos que nunca pudimos encontrar, mientras volábamos a muy baja altura hacia el corazón del desierto con los cánopies envueltos en una estela blanca de aire enrarecido por la alta velocidad.

Allí, nos ordenaron patrullar el área, y sin más acción que la de hablar por radio, regresamos a casa cuando el combustible apenas nos alcanzaba para ello. Aterrizamos sin percance, y cuando taxeábamos frente a los refugios en que estaban los aviones de Marrero y Ortiz, vimos que un enjambre de mecánicos y pilotos los rodeaban.

-Los han hecho un colador -me dijo el técnico cuando abría el cánopy de mi cabina.

-¿Cómo dices?

-Que Ortiz y Marrero se salvaron de milagro. Fueron acribillados a cañonazos por los Mirages sudafricanos. Aún no sé como pudieron . . .

No lo dejé terminar la frase, apartándolo con un gesto salté de la cabina y corrí en dirección a los MiGs averiados. Ley me seguía los pasos jadeante cuando llegamos al primero de los aviones. Marrero estaba parado junto a éste, hablando serenamente con un grupo de compañeros:

-¿Qué ocurrió? -preguntamos casi al unísono.

Marrero nos miró, sorprendido de que no supiéramos nada, y señalando luego el avión con un gesto de la cabeza dijo con voz ahogada:

-¡Miren . . . !

Allí estaba su MiG-21, como corcel herido y fiel, con sus láminas de aluminio brotando deformes de decenas de perforaciones, como trozos de piel, desgarrada por las explosiones de los proyectiles al impactar en el fuselaje. Caminamos alrededor de la máquina observando consternados sus heridas como si se tratara de un amigo agonizante, hasta llegar otra vez junto a Marrero, quien bajando la vista habló abochornado:

-Nos sorprendieron por la cola . . .

-Es una suerte que estés vivo, eso es lo importante -atiné sólo a decirle sacudiéndolo por el hombro.

-No te preocupes, tendrás el chance para el desquite -agregó Ley intentando levantar sus ánimos.

A partir de aquel instante, nuestra vida fue sacudida por una invasión de jefes que llegaron a investigar el incidente, pues se habían violado las normas.

Eran Marrero y Ortiz jóvenes pilotos sin experiencia suficiente para actuar solos en misiones reales, y habían sido designados como pareja de guardia para favorecer a pilotos más viejos que se quejaban de la frecuencia con que hacían la misma. El coronel Bilardel, Jefe de la base, fue degradado a teniente coronel y sustituido de su cargo, y nuevas órdenes fueron escritas para asegurar que los pilotos más jóvenes fueran acompañados de otros con más experiencia durante el servicio de guardia.

Daba pena entonces, ver a quien había sido nuestro arrogante jefe, deambular taciturno por la casa de los pilotos adonde tuvo que venir a vivir, sin palabras que decir a los que habían sido sus subordinados, con una expresión de preocupación constante reflejada en el rostro: había caído en desgracia.

Mientras, continuaba yo preguntándome sin comprender, por qué no fuimos alertados Ley y yo en nuestra frecuencia radial, del combate aéreo que enfrentaban nuestros compañeros. Tal vez la paranoia existente entonces por observar las normas de comunicación radial y no facilitar información a los radioescuchas enemigos hizo que los miembros de la dotación de guardia en el Puesto de Mando no nos informaran sobre un hecho importante que ya el enemigo conocía de sobra.

—

Vicky permaneció algún tiempo en Santa Clara, donde no había podido trabajar, pues no logró para Reyniel una plaza en los círculos infantiles de la región, a pesar de las innumerables gestiones que realizó y la supuesta atención preferente que debía recibir por encontrarse el cabeza de familia en la guerra de Angola. Por fin, decepcionada y triste por la falta de apoyo, fue a vivir a Matanzas con mis padres, quienes lograron ayudarla a encontrar un círculo infantil para Reyniel y un trabajo como dentista.

Nos escribíamos otra vez casi a diario, como en los tiempos que había pasado yo en la Unión Soviética. Y de nuevo, me rompía la cabeza componiendo ardientes poemas de amor que le enviaba para mantener viva la llama que nos unía, esforzándome en hacerle creer a ella y a mi madre que no corría yo peligro alguno.

No dejaba ella de pedirme que me cuidara en sus cartas, y me contaba que cuando mostraba mi fotografía a Reyniel, éste se excitaba mucho, abriendo los ojos y agitando las manos. Entonces, ella le decía: ''éste es papi'', y él repetía: ''papiii, papiii''.

Un día que abría sus cartas, saltó a mis ojos un papel con trazos imprecisos de colores hechos por una mano insegura... Mas abajo, una pequeña nota en la letra de Vicky:

''Papi, esta es mi primera tarea en el Círculo Infantil. Te quiero mucho, Reyniel''.

Un nudo insoportable se me alojó en la garganta, y un compañero que vio mis ojos humedecerse, preguntó preocupado:

-¿Malas noticias?

-No. Sólo que... Acabo de recibir la carta más importante de mi vida.

Iniciamos otra vez los vuelos, y esta vez se pusieron en práctica nuevos planes de entrenamiento para no repetir los errores que condujeron a la derrota de Marrero y Ortiz. En lo adelante los combates aéreos serían libres, sin que el supuesto enemigo informara previamente al contrincante el carácter de las maniobras que él haría.

Un día, fui designado para dirigir los aterrizajes desde una torre de control móvil emplazada al comienzo de la pista, y vi desde ella despegar a Merino y Pastrana a bordo de un avión de entrenamiento tras Bober, experimentado piloto al mando de un avión de combate. Marchaban a la ejecución de un combate aéreo libre.

-340, en la zona cinco, autorización para comenzar el trabajo -informó Bober pocos minutos después del despegue.

-Autorizado, 340.

Y continuaba la rutina de los MiGs despegando y aterrizando ante mí, cuando escuché en la radio la asustada voz de Bober.

-343, 340.

Silencio...

-343, responde, te llama el 340...

Una pausa más larga esta vez, y presentí algo desagradable.

-Corazón, 340 -llamó Bober a la Torre de Control.

-Adelante para Corazón, 340.

-El 43 ha tenido problemas . . . -la voz de Bober se escuchó entrecortada, terriblemente vacilante -La máquina del 43 se proyectó a tierra . . .

Una pausa interminable se hizo en la radio, y en ese tiempo mi mente viajó hasta Cuba y pensé en los jóvenes padres de Pastrana, en la esposa y las niñas de Merino. Otros pilotos estaban en el aire, pero no hablaron ellos, ni hablé yo, ni habló el controlador de vuelos. Parecía como si adivinásemos todos lo más terrible y no quisiésemos confrontarlo utilizando la radio.

-No veo signos de vida próximos a la explosión -volvió Bober a informar con trémula voz, mientras mi mente volvía a Cuba, al día que nos reunimos Pastrana y yo en el Estado Mayor de la Fuerza Aérea para partir, cómo jugó él con Reyniel, cómo nos despedimos juntos de nuestros familiares, cómo escuchamos asombrados los místicos cuentos que sobre este país hacían otros durante la travesía hacia acá.

Ya el helicóptero de salvamento y rescate despegaba en dirección al accidente, y los últimos aviones aterrizaban silenciosamente. Se había perdido la rutinaria animación que existía en la radio cuando volábamos, y cada informe de los pilotos que regresaban sonaba breve y frío, sin matices, triste.

Llegado el último de los cazas, nos reunimos en la rampa de vuelos rodeando a Bober, en espera del helicóptero. Éste contaba lo ocurrido imitando las maniobras de los aviones con gestos de sus manos:

-Yo estaba así . . . , haciendo un viraje pronunciado a baja altura, y los veía tras de mí simulando el ataque. Entonces roté el avión así, banqueando por debajo, para girar en dirección contraria. Los busqué otra vez y no los vi. Continué girando y observé la explosión. Pienso que cayeron en pérdida o perdieron la orientación en el espacio. No tuvieron tiempo de eyectarse.

Escuchábamos anonadados, observando la extrema palidez en el rostro de Bober y el inusual temblor de sus manos, cuando vimos el sonido del helicóptero que ya regresaba. El primero en descender fue el capitán Romero, jefe de nuestro escuadrón, quien con paso acelerado vino a nuestro encuentro:

-Ha sido terrible. Se estrellaron al pie de una muralla de rocas de cincuenta metros de alto cuando intentaban salir de una pérdida. Comprendieron que no tenían altura suficiente y se eyectaron, pero ya era tarde. Las catapultas funcionaron bien pero no había ya tiempo . . . La silla de Merino fue la primera en dispararse, y su cuerpo continuó la trayectoria del avión mientras el paracaídas comenzaba a desplegarse tras de sí. Su cuerpo se chocó contra la muralla de rocas a más de ochocientos kilómetros por horas, destrozándose como un huevo de gallina lanzado contra una pared. Pastrana cayó con el avión, su silla comenzaba a salir de la cabina cuando éste impactó la tierra.

Romero hablaba atolondradamente, detallando la dantesca escena que le permitió reconstruir los hechos, como queriendo aliviar el horror que ésta le produjo al compartirla con nosotros:

-Cuando aterrizamos, vimos una especie de perros salvajes que se llevaban parte de sus cuerpos destrozados . . . Hubo que espantarlos a tiro limpio.

Esa noche, velamos los restos de nuestros compañeros y amigos en el club de oficiales, una especie de casona próxima al hospital de las tropas cubanas del sur, y al día siguiente los acompañamos al avión de transporte que los llevaría a Luanda para ser sepultados en el cementerio de las tropas cubanas. Cuando subíamos los rústicos sarcófagos al avión, una escuadrilla de MiGs que regresaba de Menongue pasó rasante sobre éste en solemne despedida, y yo recordé a Pastrana vivo y alegre en los años que le conocí.

Era el sábado dieciocho de diciembre de 1982, y regresamos todos a la casa de los pilotos, a ahogar en el alcohol utilizado por el sistema de enfriamiento de los radares de los MiGs, la congoja que nos embargaba. Y bebí aquella mezcla de alcohol y agua, entre anécdotas que nos contábamos, anestesiando el dolor con cada trago. Alguien habló luego de irnos a una fiesta en el edificio de la "Cobras", como le llamaban a las maestras y enfermeras que allí vivían, y marchamos todos allá buscando otros aires menos nostálgicos.

Fue allí que conocí el mérito de ser padre o madre "internacionalista". Jefes y oficiales subalternos, en sus uniformes de campaña, se disputaban a la par el cariño de una mujer. Y un mundo diferente, totalmente desligado del que dejamos en Cuba, se plasmó ante mis ojos. Eran las parejas allí, como matrimonios que asistían de brazos a las actividades públicas, conviviendo como familias que a una hora de la tarde se sentaban a cada extremo de la mesa para escribir a sus verdaderas familias en Cuba. Cómplice y muda norma establecida, la de no reconocerse después del regreso.

Y recordé las imágenes vistas antes en la televisión cubana, sobre el mérito de la joven madre que deja a su niña recién nacida para marchar en ayuda de otros pueblos, al jefe militar hablar de la ética del padre en las reuniones del Partido, a la conocida doctora de Matanzas que gustaba de pasear por el parque con sus nietos. Allí estaban todos, sin la menor discreción, compartiendo públicamente el romance que justificaba una guerra.

Y recordé el día que fuimos amonestados por la inmoralidad de leer las revistas *Playboy,* los años vividos en la Unión Soviética, tratando de comprender si era importante lo que hacíamos o lo que decíamos, descubriendo una ética existente únicamente en la demagogia de las palabras, y no en la conducta. Regresamos ya de madrugada y, a pesar del alcohol, no podía dormir. Volvía a yacer mirando el techo, perdido en un mundo de verdades y mentiras mezcladas, sin encontrarme a mí mismo.

¿Por qué fingir lo que no somos?

. . . Si proclamamos una moral que violamos luego sin la menor discreción, es porque no creemos en ella.

¿Por qué despreciamos entonces a los que dicen francamente no creer en esa moral?

Y me atormentaban mis pensamientos más allá de la simple conducta sexual de los hombres y mujeres con familias que los añoraban en la distancia, y un pueblo rindiéndoles tributo como a sacrificados héroes. Era aquel mundo de mentiras y verdades confusas, en que restregábamos en el rostro de otros la inmoralidad que condenábamos en el discurso político, lo que me desorientaba al punto de perder el sueño.

Si al menos tratáramos de ocultar nuestros pecados . . .

No, no me dejaban dormir mis pensamientos aunque estaba extenuado. Me levanté, y me fui al pequeño salón en que se amontonaban los periódicos viejos. Tal vez la lectura me ayudara a conciliar el sueño . . .

Tomé una edición de "Granma", el diario más importante de Cuba y órgano oficial del Comité Central del Partido. No había en él ni una sola referencia a los acontecimientos en Angola. Parecía como si el país no estuviera envuelto en una guerra a miles de kilómetros de distancia.

Ya cerraba el periódico cuando un editorial atrajo mi atención: Armando Valladares, el peligroso terrorista encarcelado en Cuba, y al que la propaganda de la CIA había convertido en un infeliz e inválido poeta, iba a ser liberado a petición del gobierno francés.

> *La Revolución es magnánima y fuerte. Si el gobierno francés quiere limpiar nuestra cloaca, ¡que la limpie! Pueden llevarse al falso poeta. ¡Pero tendrá éste que caminar sobre sus propios pies hasta el avión!*

Concluía entonces el editorial, insinuando que la invalidez del terrorista era fingida.

—

Pasaban los meses, y a pesar de la relativa paz en que vivíamos, las vacaciones de los pilotos continuaban suspendidas, y algunos compañeros habían sobrepasado en varios meses la fecha en que debieron viajar a Cuba. El Primer Teniente Alba, entrañable y simpático amigo, era el más afectado, y varias veces le habían ordenado regresar con su equipaje estando ya al pie de la escalerilla del avión. Vivía así Alba en una ansiedad constante por ver a su esposa e hija, y le sentíamos desvelado en las noches, deambulando por toda la casa y murmurando una sarta de obscenidades sobre la mala suerte que creía tener.

Llegó por fin otra vez el tan añorado día en que Alba partía para Cuba, y otra vez le dábamos nuestras cartas para que llegaran más rápido a su destino, cuando llegó a la casa un joven médico de la ciudad en que Alba vivía pidiéndole un favor: llevar a sus familiares una gran maleta llena de ropa. Noble como siempre, aceptó Alba el encargo, pero se indignó cuando supo que la ropa provenía de los cargamentos de ayuda que enviaban las Naciones Unidas al pueblo angoleño.

-Son unos descarados -comentó cuando conocimos la acostumbrada práctica de muchos de nuestros heroicos internacionalistas de comerciar con los cigarros, el jabón, y hasta el vino de cocinar, vendiéndolo como whisky a los inocentes angolanos, en un intercambio desigual y engañoso para obtener artículos ausentes en Cuba.

Una noche llegó Alba con los ojos extremadamente abiertos del susto:

-¿Qué ocurre, Alba?

Pregunté sin muchas emociones a mi aparatoso amigo.

-He visto un crimen, un asesinato a sangre fría . . .

-¿Un qué?

-Un asesinato, chico, y a sangre fría. Fíjate que aún estoy temblando.

Hablaba atropelladamente mostrándome sus manos temblorosas, evidentemente bajo los efectos de una fuerte impresión. Y continuó:

-Fui al edificio de los soviéticos invitado por unos ingenieros . . . Todos en el apartamento estaban tomando alcohol . . . Entonces me invitaron al apartamento del frente, donde estaba el coronel jefe de los asesores soviéticos en el sur, bebiendo con un ingeniero civil angolano . . .

-¿Y . . .?

-Comenzaron a discutir sobre política pero no lucían acalorados, sólo con opiniones diferentes . . . De pronto el coronel sacó su pistola y disparó un balazo al angolano que lo alcanzó en la frente matándolo instantáneamente . . .

-Estás bromeando . . .

-¡Te lo juro! -recalcó Alba sus palabras golpeándose el pecho con los puños.

-¿Pero así, por nada?

-Yo salí de allí corriendo, y el hombre comenzó a disparar luego en todas direcciones hasta que se le acabaron los proyectiles, y otros oficiales soviéticos lo controlaron. Luego se lo llevaron para la base. Creo que lo están custodiando en el refugio soterrado donde hacemos nosotros la guardia.

-¿Por qué allí?

-Los soviéticos quieren que nadie se entere de lo ocurrido, y piensan sacarlo de aquí mañana temprano antes de que la policía angolana comience a investigar . . .

Esa madrugada iniciaba yo mi servicio de guardia. Al llegar al refugio noté que estaba tomado por corpulentos soldados soviéticos que custodiaban la entrada. Nos dejaron pasar sin comentarios, y vimos al coronel asesino durmiendo plácidamente en una de nuestras camas mientras dos hombres permanecían sentados tras la mesa en que solíamos jugar barajas.

A media mañana llegó desde Luanda un avión de transporte AN-12 soviético con avituallamiento para sus tropas, y cuando se disponía a partir de regreso, introdujeron los custodios al coronel en un carro llevándolo hasta la cabeza de la pista, donde ya la nave esperaba con la puerta de carga abierta. Minutos después se perdía el avión en el cielo, llevándose consigo la más importante prueba del asesinato que podía encontrar la incipiente policía angolana.

—

El tedio causado por la inactividad, y la tensión por los combates que nunca se producían fueron relajando poco a poco el sentido de precaución que nos embargaba al comienzo, y solíamos por ello, irnos a la selva a la caza de aventuras los fines de semana. Pero parecía que los famosos depradadores africanos habían abandonado aquellos predios, y regresábamos exhaustos en las tardes sin haber vivido la atrayente excitación que produce el peligro.

Ignoraba yo entonces que, en Cuba, Reyniel lloraba desconsoladamente todas las noches, y que Vicky y mis padres se consumían en la desesperación sin poder determinar su causa. Fue Amadita, vecina pediatra quien dijo a

Vicky que el niño lloraba por la ausencia del padre. Y mantuvieron ellos el secreto para no atormentarme en la distancia, pues sabían que no podía renunciar a la misión que me encomendó el gobierno.

Un día fuimos llamados para golpear posiciones de las tropas de la UNITA (Unión Nacional para la Independencia Total de Angola) que habían atacado varias caravanas cubanas de avituallamiento. Debíamos destruir un aeródromo que habían construido en el corazón de la selva, y por el que recibían suministros procedentes de Sudáfrica, así como las instalaciones del Estado Mayor y almacenes de sus tropas dislocadas en el área.

-Deben cuidarse las colas. La UNITA logró apoderarse de cohetes antiaéreos que tomó de las tropas angolanas en un asalto. Y cuentan además, según los informes de inteligencia, con artillería antiaérea suficiente para repeler el ataque -concluyó diciendo el jefe de la Brigada al plantear la misión.

Despegamos temprano en la mañana sin utilizar la radio para no alertar a los radioescuchas enemigos y, siguiendo al jefe de mi escuadrilla, nos dirigimos en vuelo casi rasante al objetivo. Una finísima capa de niebla cubría parte de la región cuando llegamos al blanco. Pero presionado por la posibilidad de haber sido detectados, nuestro jefe prefirió exagerar las malas condiciones de visibilidad y regresar con el armamento a cuestas sin intentar la búsqueda de los objetivos que debíamos atacar.

Había sido aquella la primera misión de combate para los más jóvenes, y regresábamos con el bochorno que sienten los pilotos de caza cuando traen su armamento de vuelta, defraudados de los que parecían buscar el menor pretexto para evadir la confrontación. Eran ellos nuestros más exigentes maestros, los más valientes guerreros de la palabra, y yo volvía a sentirme desorientado en ese mundo de verdades y mentiras, donde lo que decíamos difería de lo que hacíamos.

Transcurría otra tarde en que matábamos el tedio jugando a las cartas cuando alguien llamó pidiendo ayuda con medios de transporte para socorrer a las víctimas de un tren cargado de cubanos que se había despeñado por un barranco próximo a la ciudad. Salimos con toda urgencia para el lugar, y una escena dantesca se presentó ante nosotros llenándonos de horror: decenas de cuerpos yacían dispersos por la ladera de la pendiente, aplastados por los carros blindados que el tren transportaba, al despeñarse. Corríamos de un lado a otro buscando sobrevivientes heridos cuando escuché el quejido de un hombre bajo uno de los coches volcados. Me lancé bajo éste y vi a un joven atrapado por el coche que había caído comprimiéndole las extremidades y parte del abdomen. Un desnivel en el terreno había impedido que el descomunal peso lo cercenara en dos, pero era evidente que no sobreviviría. Le observé con estupor, y noté que sus manos habían arrancado las pocas hierbas a su alrededor en una histérica lucha contra el dolor y la muerte. Tomé una de sus manos que atrapó la mía apretándola con fuerza mientras me miraba con ojos muy enrojecidos, casi salidos de sus órbitas.

-Teniente, ayúdeme . . . -la voz le brotó ronca, como si naciera desde más abajo de la garganta.

-Claro hombre, para eso estoy aquí. No hables, todo saldrá bien.

-Tú no entiendes . . . -lo interrumpió una tos ahogada -Ayúdeme a morir . . .

-¡No seas pendejo, hombre! Ahora levantamos el coche o cavamos bajo tu cuerpo para sacarte -contesté con rudeza tratando de herir su orgullo y hacerle luchar por la vida.

Y comenzó aquel joven a sollozar apretando aún más mi brazo, luchando por controlar la tos que le ahogaba mientras su vista se perdía en algún punto impreciso. Sentí que se me iba el alma con él, quise levantar yo solo el coche, grité mil obscenidades pidiendo ayuda desesperadamente, pero nadie escuchó pues los otros buscaban en otros coches barranco abajo. Quise escarbar con mis manos bajo su cuerpo, pero sólo saqué sangre de mis dedos descarnados contra la empedrada tierra, y me sentí el hombre más impotente y desesperado del mundo.

-Mi niña . . . mi niña . . . -susurró el joven y me pareció que deliraba.

-Ya vienen, verás que te llevamos corriendo al hospital.

Tomó mi mano otra vez, pero esta vez no me miró.

-Mi niña . . . nunca más te veré . . . -dijo en un quejido, y yo no sabía si ahora tosía o lloraba.

Quise darle ánimos otra vez, pero ya no me escuchaba. Murió minutos después, cuando lo llevábamos al hospital. Tomé el número de la chapilla que le colgaba del cuello para saber quien era el soldado del que fui su último amigo. Quería conocer a su niña, llevarle un poco de cariño cuando fuera a Cuba, pero me fue imposible. Cuando llamé a la Sección de Cuadros de la misión militar, me respondieron que la información sobre los muertos era confidencial. Expliqué mis razones, y volvieron a contestarme:

-No se preocupe, los familiares de los mártires tendrán siempre la atención de la Revolución.

—

Transcurría el décimo mes y me atormentaba la idea de que Reyniel pudiera olvidarme, de que no me reconociera y me rechazara como a un extraño a mi regreso. Habían pasado cuatro meses desde la fecha en que debía ir a Cuba de vacaciones, y aunque se permitió por fin la salida de los pilotos, no podíamos descansar todos de una vez. Estaba por tanto, a la espera de que regresara Ley para poder partir yo.

Llegó éste por fin en el plazo justo, y le esperé con mi equipaje al hombro, listo para partir. Pero antes conversamos unos momentos.

-¿Visitaste a los padres de Pastrana? -pregunté a Ley.

-Sí, les llevé sus pertenencias -respondió, y cambiando luego el tono de su voz -¿Sabes? Fueron a darles la noticia de la muerte de Pastrana, pero no había nadie en la casa. Entonces, le dejaron el recado a los padres con el Presidente del Comité de Defensa de la Cuadra.

Enmudecí de asombro ante lo que Ley me contaba. Hizo una pausa, lanzó un suspiro mientras movía la cabeza de un lado a otro y estalló:

-¡Son una mierda!

-¡No puedo creerlo!

-¡Pues, créelo!

Subí al avión que me llevaba a Luanda, pensando indignado en los burócratas del Estado Mayor en La Habana. Un cosquilleo en la boca del estómago me acompañó durante los tres días que debí someterme al tratamiento preventivo contra el paludismo antes de partir hacia Cuba. Era el mismo cosquilleo que me asaltaba desde pequeño en las becas, cuando estaba próximo al encuentro con los seres queridos.

Llamé a Vicky desde la Unidad Militar en que nos concentraron después del arribo para hacernos la prueba del paludismo, y cuando llegué a casa, todo el vecindario estaba en la acera para darme la bienvenida. Vicky corrió primero, cruzando la calle para saltar a mi cuello llorando, y permanecimos unos minutos abrazados, sumándome yo al temblor que sacudía todo su cuerpo.

Ya mi suegra caminaba hacia nosotros llevando a Reyniel en los brazos, y éste se movía inquieto para que lo soltaran. Lo liberó María por fin, y corrió él, extendiendo sus pequeños brazos hacia mí, y repitiendo: ¡Papiii, papiii!

Tomé en su carrera a mi niño alzándolo hasta apretarlo contra mi pecho, y sentí sus manitas golpearme la espalda mientras repetía a mi oído: ¡Paapiii!

Algunos vecinos comenzaban a enjugarse los ojos, y yo corrí hacia la casa escondiendo el rostro tras su cuerpecito, avergonzado por las lágrimas que no quería exhibir. Allí lloré, abrazado a los míos, como no hacía desde niño y Reyniel me miraba compadecido, besándome y enjugando mis lágrimas con sus diminutas manos, diciendo: "ya, ya . . . yo te quiero mucho, papi.

Nos fuimos aquellas vacaciones, a nuestro lugar de descanso preferido, y salimos Vicky y yo la primera noche a un cabaret. Tanto bebí que sufrí mi única borrachera. Y tan avergonzado estaba a la mañana siguiente, que interrogaba a Vicky queriendo saber cuanto hice la noche anterior.

-Nunca te había visto tomar así. Pero, no te preocupes, te portaste muy bien. Pasaste todo el tiempo hablando de buscar a la niña de un soldado . . . , pero no sabías sus nombres. ¿Quiénes son?

-No sé . . . -respondí esquivo, recordando al soldado que agonizó junto a mí -Seguramente recordaba que Alba me pidió que visitara a su esposa e hija.

Y pasaron veloces aquellos días en la playa, enseñando a Reyniel a contener la respiración bajo el agua, alegrando el niño nuestras vidas con la risa que sólo él sabía darnos.

Regresé a Angola al cabo del mes, y sufrí la inocencia de Reyniel cuando me despidió con un beso y una sonrisa, moviendo su mano en la distancia. Vicky me miró triste a los ojos y sólo me dijo: "regresa".

—

Al llegar, las cosas habían cambiado, un regimiento de tropas angolanas había sido cercado por fuerzas de la UNITA en la región de Cuito Carnavalle. Tenían muchos heridos y una necesidad imperiosa de alimentos y medicinas. Fue entonces que fuimos llamados ocho pilotos a Menongue. Allí nos esperaba el coronel Martínez Puente, quien nos planteó la misión ya tarde en la noche.

-Golpearán las posiciones de la UNITA que rodean al regimiento para mantenerlas fuera de acción por el tiempo que necesitan los aviones de transporte para aterrizar en la pequeña pista aledaña, descargar los refuerzos y sacar a los heridos.

Y continuó, señalando el extenso mapa que colgaba de la pared:

-Como ven, las posiciones que atacaremos se encuentran al sur de la línea de defensa de las tropas cubanas. Este golpe ha sido autorizado como una excepción por el Comandante en Jefe, ante una petición personal del Presidente Dos Santos.

Nos reunimos temprano en la mañana junto a los aviones, y discutíamos los últimos detalles del golpe cuando alguien trajo la noticia de que varios pilotos angoleños que debían participar en la misión con sus MiG-17 y helicópteros, habían enfermado repentinamente.

-¡Pendejos! -murmuró alguien, y nos encaminamos a nuestros MiGs.

Volaba yo ese día, como número del teniente coronel Zayas Bazán, y cuando entramos a la pista me preguntó varias veces si estaba todo normal tras su avión. El tiempo pasaba, y continuábamos en la pista impidiendo la entrada de otros a la misma, hasta que con voz temblorosa mi jefe informó que comenzaba el despegue. Volé tras él sin quitar la vista de su avión, convencido de que había despegado con algún desperfecto que no quiso reportar, hasta llegar al punto en que mi jefe informó haber localizado el blanco. Me ordenó prepararme para el ataque en pareja, y picaba yo junto a él cuando vi a través del transparente cristal de la mira, el limpio espacio de un claro en el bosque sin más huellas que el verdor de la hierba que lo cubría. Unos kilómetros más al sur se encontraban las posiciones enemigas, y comprendí entonces la razón que demoró a mi jefe en despegar.

Regresamos a Lubango aquella tarde y volvimos a sumirnos en la paz del lugar. De vez en cuando, pedían dos o cuatro MiGs para mantener el apoyo a las tropas angolanas desde los aeródromos de Menongue y Huambo, mientras nosotros permanecíamos casi inactivos, con la única misión de dar cobertura aérea esporádica a las caravanas de avituallamiento que se movían por carretera entre Huambo y Matala.

Teníamos entonces varios niños angoleños bajo nuestra tutela espontánea, desde que comenzaron a visitarnos en las tardes brindándonos su amistad a cambio de alimentos. Y conversábamos con ellos, sorprendidos por su talento para aprender nuestra lengua con rapidez. Pero eran sus cuerpos muy pequeños para su edad, castigados por la eterna desnutrición, y pensábamos con rabia en los colonizadores que llegaron del Viejo Continente sin dejarles otra herencia que la miseria. Algunos, al comienzo, nos decían "señor" bajando la cabeza, y nosotros les echábamos el brazo familiarmente sobre los hombros, diciéndoles que éramos iguales aunque tuviéramos la piel de diferente color.

-No más señores, somos hombres y mujeres como ustedes -les repetíamos una y otra vez, conminándolos a tratarnos de igual a igual.

Eran los sudafricanos entonces, los principales aliados de la UNITA, y sentíamos nosotros repugnancia de que ésta traicionara a su pueblo uniéndose a los creadores del Apartheid.

Corría el mes de julio y nos preparábamos para celebrar una de las festividades cubanas más importantes: el asalto al cuartel Moncada llevado a cabo por un grupo de jóvenes dirigidos por Fidel Castro, el 26 de julio de 1953.

Se había organizado un festival aéreo por este motivo, y desde temprano la población de la ciudad comenzó a concentrarse en el estadio, sobre el que se realizarían los saltos en paracaídas y los vuelos de exhibición de los MiGs.

Fue Roberto Hernández el piloto designado para realizar las acrobacias a baja altura sobre aquel escenario rodeado de montañas, y le acompañamos Ley y yo al aeródromo para asegurar su vuelo desde la torre de control. Por el camino, nos comentaba Roberto lo poco que le quedaba para terminar su misión y regresar a Cuba. Su esposa e hijas le esperaban ansiosas en Camagüey y quería llevarlas a la playa un par de semanas.

Ya en la torre, le vimos despegar y girar limpiamente en vuelo rasante hacia el estadio. Hizo uno, dos pases, y comenzó a desarrollar la secuencia de figuras verticales que había planeado: loop, chandelle, reversión . . . y vi el punto del avión en el cielo descendiendo raudo, casi rozando las montañas como otras veces.

Creo que va a chocar con las montañas . . . No, no . . . Es una ilusión por la distancia . . . No, ¡NOOO!

Había golpeado el farallón de la meseta, casi en su base estallando en el instante. Una nube de humo gris se irguió en forma del ya conocido hongo. Sabíamos que no tuvo tiempo de eyectarse, seguro pensó hasta el último momento que podría salir . . . Nos miramos Ley y yo durante unos segundos sin pronunciar palabra, luego, tiró el micrófono que sostenía en las manos sobre la pizarra de control, y abandonamos la torre en silencio. En el aire, ya no había piloto alguno al que hablarle.

Al regreso, encontré una tarjeta postal enviada por Vicky, y me enteré por ella que hacía dos semanas había yo cumplido los veintisiete años.

—

Comenzó agosto, y un grupo de pilotos fue enviado de urgencia a Menongue. Un batallón de tropas cubanas había sido cercado por miles de efectivos de la UNITA en Cangamba, y aunque los nuestros combatían heroicamente desde las fortificaciones soterradas en que se encontraban, la superioridad numérica del enemigo se imponía amenazando con exterminarlos a todos. Era imprescindible el apoyo de la aviación desde el cercano Menongue, hasta que llegara el batallón de tanques que había partido en su ayuda. Quedé con el grueso de los pilotos en Lubango, siguiendo paso a paso los sangrientos combates en Cangamba. Y la batalla que al comienzo se pensó duraría sólo un día, se iba extendiendo interminablemente . . .

El batallón de tanques se retrasaba en su llegada por los cientos de dificultades encontradas en el camino a través de la selva, y los hombres de Cangamba caían a diario bajo la metralla enemiga a pesar de decisivo apoyo de la aviación, que castigaba constantemente a las tropas que los rodeaban. Y yo sentía la necesidad de estar con los míos en el combate. Aquella era la razón por la que estaba allí, y no para vivir como un parásito en Lubango mientras otros morían. Me desvelaba y me consumía de impaciencia en las noches, recordando los informes recibidos sobre los pilotos de helicóptero derribados, cuyos cuerpos mutilados encontraron luego nuestras tropas. La UNITA los había capturado vivos, y los mataron después, extrayéndoles el corazón y el hígado para comerlos.

Hicieron nuestros hombres un derroche de heroísmo en Cangamba, y fueron conocidas después de la batalla que increíblemente ganaron, las hazañas de sus muertos, como el médico que desapareció con el impacto directo de un obús de mortero cuando salió del refugio en busca del último de los heridos que quedaba afuera.

—

Transcurría octubre de 1983 cuando llegó mi relevo: el primer teniente Morales, quien había dejado a su esposa embarazada cuando partió. Corrí al aeropuerto a darle la bienvenida, y cuando le pregunté por los suyos sólo me dijo con tristeza en los ojos:

-Hubiera querido estar junto a ella el día que nazca la criatura.

Fui llamado a la Sección de Cuadros del Regimiento, donde me entregaron la medalla de Combatiente Internacionalista de Primera Clase. "*. . . en reconocimiento a las más de cuarenta misiones combativas en que participó . . .*", rezaba la carta de felicitación.

Tomé la diminuta caja plástica con la medalla dorada, la dejé caer en un bolsillo y marché a preparar mi pequeño equipaje para el regreso definitivo.

Había cumplido mi misión con firme entrega, y sentía que la horrible experiencia de la guerra me había hecho madurar como hombre. Pero, aún años después, despertaría en las noches presa de una pesadilla: me veía nuevamente en Angola.

Capítulo 8

—

Puro patriotismo

Los últimos meses de mi estancia en Angola habían sido especialmente duros para mi madre, pues trabajaba en las oficinas del Gobierno Provincial, donde se recibían las comunicaciones secretas que hablaban de encarnizados combates y las bajas de nuestras tropas. Ahora se consumía ella en la angustia, mientras observaba aquel enigmático sobre encima del escritorio, conteniendo los nombres de los últimos matanceros muertos en Angola.

Luego de donar gustosos nuestra gota de sangre para la prueba del paludismo en la unidad de recepción de la Habana, abordamos los ómnibus que nos trasladarían a nuestras respectivas provincias. Pero, con tan mala suerte, que dos de éstos se averiaron, y tuvimos que arreglárnosla con lo que encontráramos. Los teléfonos allí estaban también rotos, y no había podido avisar a los míos de mi llegada, por lo que ahora viajaba en aquel automóvil que recogía pasajeros ilegalmente por una tarifa mayor, desde La Habana a Matanzas, pensando en la agradable sorpresa que daría a los míos.

Pedí al chofer se detuviera frente al viejo edificio en que trabajaban mis padres, y corrí escaleras arriba en su búsqueda, tropezando con mi padre, que caminaba por uno de los pasillos. Me abrazó en silencio, con fuerza, me miró luego a los ojos con tristeza y me dijo:

-El niño está ingresado pero no es nada grave. Vamos primero a ver a tu madre. Lo necesita.

Caminamos juntos hasta su oficina, y allí la vimos, observando petrificada aquel sobre que temía abrir . . .

Había cambiado mucho en los últimos meses. De extrovertida y alegre como solía ser, se veía triste y pensativa, sumida en preocupaciones que no quería compartir con nadie. Y lucía ahora, tras el escritorio, sin el colorido de la sonrisa que antes le acompañaba, desaliñada y triste. Apenas se había maquillado para venir al trabajo, y parecía no preocuparle la blancura que aparecía en la base de su cabello, tantas veces teñido antes con esmero. Una cinta de tela blanca, torpemente anudada tras el cuello, le colgaba sosteniendo a la altura del pecho el brazo entablillado desde el hombro hasta el comienzo de los dedos, tristemente inertes.

Hacía apenas unos días, caminaba sumida en sus preocupaciones con Reyniel en los brazos, cuando el grito de una transeúnte la trajo a la realidad con un sobresalto. Estaba en medio de la calle y un motociclista daba un giro desesperado para esquivarla. No tuvo tiempo de nada, abrazó el niño con todas sus fuerzas y sintió el impacto a sedal que la proyectaba al suelo. Desde allí, vio al infeliz conductor caer y rodar varios metros atrapado bajo su vehículo, mientras varios transeúntes corrían en ayuda de ella.

-¡El niño, el niño . . .! -gritaba sin soltarlo de sus brazos; y éste, intacto, pero desconcertado y pálido, se aferraba aún más al cuello de su abuela yaciente.

El noble motociclista fue llevado al hospital de inmediato, y ella se negó a seguirlo alegando que estaba bien. ¡Tanto era el horror de que pudiera ocurrirle algo al niño! Lo revisó una y mil veces, y una y mil veces pensó en el padre que tan lejos estaba, su hijo. Sólo horas después notó que un dolor punzante le invadía el brazo, y el médico diagnosticó la fractura.

El niño había salido ileso de aquel accidente, pero recientemente su ansiedad nocturna se había transformado en ataques de tos y dificultad para respirar. Los médicos descubrieron una neumonía, y lo habían ingresado hacía dos días. Desde entonces, Vicky no había querido salir del hospital, pasaba todo el tiempo junto a la cama del niño y se negaba a aceptar relevo alguno.

Habían querido ellas no añadir preocupaciones a las que ya tenía yo con la guerra en aquellas tierras extrañas, y todas las cartas que me enviaban eran autocensuradas por la familia en un esfuerzo por ocultarme las malas noticias.

Y se sumía ella en sus tristes pensamientos, con la mirada clavada en aquel sobre, ignorando que estaba ya yo en camino de su encuentro.

-Mami . . . -la llamé en voz baja desde la puerta sintiendo la presión de la mano de mi padre sobre el hombro.

Volvió la mirada hacia nosotros, y llevándose la mano sana al rostro, estalló en una serie de exclamaciones que brotaban atropelladamente de sus labios:

-¡Ay, mi hijito! ¡Ay, no lo puedo creer! -y se lanzó a mi encuentro anegada en llanto.

La apreté muy fuerte contra mi pecho y besé su frente y sus ojos humedecidos.

-¡Mi viejita linda! -también mi voz se quebraba con el llanto.

-Pero, ¿por qué no avisaste? ¡Mira que me has hecho sufrir! -y volviéndose hacia sus compañeras que ya se acercaban -¡Llegó mi niño! ¡Miren, llegó mi niño!

Ansiosos por ver a Vicky y Reyniel, nos fuimos todos al hospital. Subimos silenciosamente al cuarto del niño y desde la puerta vi la desgarrante escena: Reyniel dormía en su cuna, respirando agitadamente, con esfuerzo y Vicky permanecía sentada a su lado, de espaldas a nosotros. Tenía los codos apoyados sobre los muslos y el rostro entre las manos. Su espalda, encorvada, se contraía irregularmente al ritmo de un sollozo lastimero, íntimo. Sentí a mis padres retroceder con discreción, y la contemplé en silencio por unos minutos. ¡Cuánto la quería! ¡Cuánto sufrimiento le había ocasionado!

-Mi amor . . .

El cuerpo de Vicky pareció petrificarse, como su espalda, que dejó de contraerse al ritmo de los sollozos. Bajó las manos del rostro y se volvió lentamente, con los ojos muy abiertos, inflamados igual que sus labios. En el rostro: una expresión de extravío y sorpresa. Fue irguiéndose despacio mientras balbuceaba enloquecida:

-No . . . , no es verdad, no es verdad . . .

Algo se me volcó en el pecho y brotó afuera en forma de un estertor que no me dejaba hablar con claridad:

-Ya . . . a esto . . . y a . . . quí.

Devoramos los pasos que nos separaban y nos abrazamos mezclando las lágrimas con besos desesperados.

-Es cierto, y he vuelto para siempre -le repetía una y otra vez mientras la acariciaba.

Pasamos varios minutos abrazados sin decirnos una palabra. Al cabo, se fueron calmando sus sollozos, hasta quedar extenuada, muy quieta, recogida contra mi pecho.

-Mira . . . -murmuró volviéndose hacia el niño que seguía durmiendo -hace sólo unos minutos se durmió. Anoche me vio llorar y me enjugaba las lágrimas diciéndome: "mami, no llores, no llores".

Permanecimos junto a Reyniel, velando su sueño hasta que despertó. Y lo tomé en mis brazos resuelto a sacarlo del desagradable ambiente de aquel hospital en reconstrucción con residuos de cemento y pintura diseminados por todas partes. Hablamos con el joven médico que lo atendía, y estuvo de acuerdo en que Reyniel necesitaba aire puro. Ese día nos fuimos a casa de mis padres, y el próximo a la playa de Varadero, donde el sol y la brisa y la alegría curaron al niño en pocos días.

Yacíamos Vicky y yo sobre la arena, olvidando la pesadilla vivida, felices de contemplar a Reyniel sano y alegre, cavando con su pequeña pala y depositando la fina arena en el recipiente plástico que mantenía entre las piernas, mientras construía no sé que fantásticos castillos.

Reía el niño de nuevo cuando lo alzaba sobre mi cabeza y lo bajaba luego, restregándole mi nariz en su tórax. Y corría despavorido, entre carcajadas por la playa, cuando lo perseguía a gatas imitando a un perro que quería morder sus pies desnudos, por la travesura de escapar con la pelota que se negaba a devolverme.

Era nuestra felicidad allí infinita, pero no eterna. Apenas habíamos descansado unos pocos días, cuando me llamaron de la Base con urgencia.

Tropas norteamericanas habían desembarcado en la isla de Granada, y un peligro crucial de guerra se cernía sobre el país. Por primera vez, las tropas cubanas, representadas por un grupo de oficiales y soldados en el aeropuerto de Granada, hacían frente a las tropas norteamericanas.

Vicky me había reservado una sorpresa para mi llegada. Con los ahorros que había hecho durante mi permanencia en Angola, pudo comprar un refrigerador, una rústica mesa y cuatro sillas fabricadas con las cabillas utilizadas en la construcción. Había sido aquel el obsequio de dos colegas de mi madre que recibieron los cupones entregados por el sindicato para comprar dichos artículos, y como no tenían ellos dinero suficiente, decidieron cederle los cupones a Vicky.

Y cargábamos ahora nuestros preciados utensilios en el camión de un conocido de mi padre, respondiendo solícitos al reclamo de mi Base. Tal parecía que la constante amenaza estadounidense nos negaba el derecho a la felicidad. Y Vicky quedó otra vez en casa con Reyniel, mientras yo permanecía con mis compañeros bajo el ala de los aviones, mirando hacia el norte, buscando en el horizonte los aviones enemigos, en espera de la invasión norteamericana.

Al llegar al apartamento deshabitado por más de un año, nos esperaba otra sorpresa. Nuestro vecino, el Capitán Allende, piloto del Primer Escuadrón, había sido expulsado deshonrosamente de las Fuerzas Armadas y se había mudado con sus padres a la provincia de Camagüey. La contrainteligencia militar había descubierto que se carteaba con una tía que se había ido del país hacía muchos años y vivía en Miami. ". . . Por mantener relaciones con el enemigo . . .", rezaba la orden por la que fue expulsado.

Esta vez, el clima de la guerra con los Estados Unidos llegó a su nivel más alto. Desde nuestros refugios, escuchábamos anonadados los partes que daba la radio sobre los acontecimientos en Granada. Y uno a uno los fuimos escuchando sin comprender por qué no socorríamos a nuestros hermanos, que valerosamente y de manera tan desigual, se batían con las tropas de la Ochenta y Dos División Aerotransportada de los Estados Unidos.

-Atención, atención . . . -sonó emocionada la voz del locutor en la radio -El último de los cubanos en Granada acaba de inmolarse frente a las tropas invasoras norteamericanas, envuelto en la bandera cubana . . .

Había sido aquél el último de los partes leídos dramáticamente por el locutor de la radio, y yo me preguntaba por qué se inmolaban ellos mientras nosotros permanecíamos aquí sin combatir, esperando . . .

Pasaron dos, tres semanas, y la invasión no llegó. Y comenzaron a conocerse los detalles de los "cruentos combates" sostenidos por nuestras tropas en Granada. La aplastante mayoría habían sido hecho prisioneros por las tropas enemigas, y el legendario jefe de las tropas cubanas, el coronel Tortoló, había corrido buscando refugio en la embajada de la Unión Soviética.

Nuestro máximo líder organizó el recibimiento a los prisioneros. Uno a uno fueron llegando los aviones con su carga de hombres derrotados, y uno a uno fueron estrechando la mano del máximo líder al pie de la escalerilla de cada avión. Luego vendrían la investigación y las conclusiones de ésta, acusando de cobardes a todos aquellos oficiales y soldados que no murieron combatiendo a las tropas norteamericanas. Como había anunciado el locutor oficial por la radio.

-Merecen la pena de muerte por traición a la patria -comentó el Ministro de las Fuerzas Armadas cuando analizaba los hechos -Pero la Revolución es generosa, y sólo serán licenciados deshonrosamente. Se les permitirá incluso lavar su honor combatiendo en Angola.

Nunca pude comprender por qué debieron ellos inmolarse ante una fuerza tan superior mientras nosotros permanecíamos seguros en casa.

O peleamos todos o se les respeta a ellos la decisión que tomaron en el combate. No tiene moral para exigirles el suicidio quien no estuvo con ellos a la hora de pelear -me decía a mí mismo cada vez que buscaba una explicación a la humillación que sufrieron aquellos hombres después del regreso. Aquella fue la primera vez que dudé de mis líderes.

—

El jefe de mi escuadrón fue enviado a cursar estudios superiores de Ciencias Militares en la Unión Soviética y yo pasé a ocupar su lugar. Comenzaba para mí una nueva experiencia: la de jefe militar. Estaba al mando de la Base entonces, el teniente coronel Tarragó, hombre inseguro de sí mismo que ocultaba su debilidad imponiendo su voluntad de manera despótica. Eran los tiempos en que la guerra con los Estados Unidos dejó de ser una amenaza para convertirse en una paranoia que apenas nos dejaba dormir.

Unos "walkie-talkie" japoneses fueron enviados por el Estado Mayor de la Fuerza Aérea para que los portaran los jefes de escuadrón, y estuvieran así, localizables las veinticuatro horas del día. Se convertirían aquellas miniaturas de radio, para nosotros, en la más insoportable de las invenciones electrónicas. Vivíamos esclavizados de aquellas frecuencias radiales que nos alcanzaban en todas partes, trayéndonos la aguda voz de Tarragó que reclamaba a gritos nuestra presencia a cualquier hora del día o la noche para discutir los más fútiles problemas.

Tenía nuestro escuadrón, con su nómina de instructores, la responsabilidad de entrenar a los más jóvenes pilotos graduados en la Unión Soviética y Cuba. Y volábamos con frecuencia inusitada en el afán de preparar a los bisoños aviadores, cuanto antes, para la guerra.

Eran los hombres destinados a los trabajos en tierra, oficiales técnicos e ingenieros, más los soldados que fungían como mecánicos, el personal más abnegado de nuestra tropa. Comenzaban su día laboral a las cuatro y treinta de la madrugada, cuando marchaban en plena oscuridad a remolcar los MiGs hacia la rampa de vuelos y prepararlos para el inicio de los mismos. Cuando, pasado el mediodía, se marchaban los pilotos a descansar o planificar las misiones de la próxima jornada, quedaban ellos en la rampa, esperando los tractores que nunca aparecían a tiempo para remolcar los aviones de regreso a sus refugios, o reparando los continuos defectos que éstos presentaban cada día de vuelos.

Solía yo entonces, regresar a la rampa y compartir con el personal de tierra los últimos esfuerzos en la reparación de aquellos MiG-21 que daban defecto tras otro con cada despegue que realizaban. Por fin, ya exhaustos, cuando marchaban a su descanso, encontraban muchas veces que no tenían agua para tomar un baño, o que había cerrado el comedor y tenían que irse a la cama hambrientos. Y me debatía yo en una frenética lucha con mis jefes por lograr lo que parecía imposible de resolver: agua y alimentos suficientes para la tropa.

Había sido construida la parte habitable de la Base unos diez años atrás, y al ser ocupada por la tropa, resultó que bajo el piso y las paredes de los aparentemente confortables edificios, no existían tuberías para el suministro de agua, ni alcantarillado alguno. Todo había resultado una comedia desde la inauguración de aquellos edificios por el Jefe del Estado Mayor General, quien recordó en sus palabras la constante preocupación de la Revolución por las condiciones de vida de sus combatientes.

Desde entonces, la jefatura de la Base se había sumido en una batalla tan agotadora como interminable en búsqueda del presupuesto necesario para construir el alcantarillado y la red de suministro de agua. Pero la instancia superior inmediata no contaba con recursos para ello, y el Estado Mayor General parecía no preocuparse mucho por los informes sobre el estado higiénico de la Base. Y fueron pasando los años, día tras día de trabajo en que se veía a los oficiales caminar en las tardes con un periódico bajo el brazo en dirección al bosque de pinos cercano para realizar sus necesidades fisiológicas allí y luego bañarse en un arroyuelo de turbias aguas que corría por el lugar. Poco a poco, movidos por la desesperación y la indiferencia de sus jefes máximos, los más de mil hombres que habitaban aquella Base comenzaron a reducir el trecho que caminaban para desahogar sus necesidades fisiológicas, y poco a poco, comenzaron a aparecer excrementos en los más insólitos lugares: tras el anfiteatro, en los refugios personales, en el polígono de marcha, en el centro de la carretera que atravesaba la Base, justo a las puertas del Estado Mayor. Había comenzado en la Base aérea de Santa Clara, su histórico ''Período de la mierda''.

No dejaba nuestro jefe de llamarnos por los ''walkie-talkie'' cada vez que descubría con escalofriante estupor que se reducía la distancia entre su oficina y las muestras de excremento que aparecían por las mañanas, dejadas en protesta al amparo de la noche por los decepcionados combatientes.

Así, corríamos solícitos los jefes de escuadrón al encuentro con Tarragó, para sumirnos junto a él y el Político en las más absurdas discusiones para poner fin a aquella anarquía de la porquería que sólo podía eliminarse con mayor respeto hacia la tropa, dándole lo que debía tener.

Y surgió, como ocurre muchas veces ante la impotencia que no nos atrevemos a denunciar, el recurso de la demagogia, expresado en las diarias e inútiles reuniones abiertas para discutir con la tropa el modo de resolver los problemas. La alimentación, el vestuario, la disciplina . . . Hablaban los combatientes con la vehemencia y conciencia de lo que eran: hombres ejemplares en todos los términos -militantes del Partido y la Juventud Comunistas en más de un ochenta y cinco porciento de la tropa-, reclamando la disciplina y el decoro de los revolucionarios. Y escuchaba yo aquellos fervientes discursos, preguntándome si era posible que sólo el otro quince porciento de combatientes aún no considerados ejemplo de conducta y sacrificio, dejara tanta porquería en todas partes.

Fue mi experiencia como jefe de escuadrón en aquel mundo de absurda psicosis de guerra, la mejor de las escuelas en el trato con los hombres obligados a vivir bajo condiciones extremas. Eran los soldados, jóvenes de diecisiete a veinte años, forzados por la ley a servir durante tres años, con un salario mensual que apenas les alcanzaba para comprar dos cajetillas de cigarros.

Separados obligatoriamente de sus hogares y obligados a vivir en condiciones humillantes, expresaban su rebeldía ausentándose de la Unidad y robando de la Base cuanto podía para sus necesidades personales.

Y vivíamos los jefes, junto a la contrainteligencia militar, más ocupados en cazar desertores y ladrones, que en estudiar el acechante enemigo. Cada día comenzaba con la desagradable noticia de la pérdida de algún bien material, ya fuera el alcohol que extraían de los tanques del sistema de enfriamiento de los radares de los MiGs o los cables de comunicación telefónica que unían a los escuadrones y el Puesto de Mando, la comida de los almacenes, la ropa y calzado de los soldados, la gasolina y piezas de los vehículos, los acondicionadores de aire de algunas dependencias, los materiales de construcción, los lavados, tazas, llaves de agua . . . ¡Hasta los propios carros cisternas para rellenar los aviones! En fin, todo. Y teníamos los jefes directos de la tropa que salvaguardar aquellos bienes, responsabilidad imposible de cumplir en condiciones en que los hombres no se sentían considerados como tales.

Aumentaban a diario las deserciones de los soldados, que simplemente escapaban de aquel pequeño infierno de uniforme para regresar al calor de su hogar, y recibíamos nosotros las más fuertes reprimendas de los generales, quienes desde el Estado Mayor General, culpaban de tal desorden a los jefes inferiores.

Nuestro ministro, el general de ejército Raúl Castro, segundo en el país después del máximo líder, había desatado una guerra contra los soldados desertores, y había que informar a diario al Estado Mayor General los nombres de los ausentes sin permiso de la unidad. Por ello, los soldados eran obligados, como prisioneros, a formar en tres ocasiones todos los días para que algún oficial designado pasara lista. Luego, se movilizaban los jefes en sus jeeps, con fuerzas de la policía militar subordinada a la contrainteligencia, para recorrer poblados a la caza de desertores que poco a poco fueron llenando las cárceles militares.

Llegó la situación a tal punto que el Ministro decidió abrir las prisiones ante el incontenible flujo de desertores y recurrir a los métodos persuasivos de la educación patriótica para mantener a los soldados en sus puestos. Y comprendieron los jefes que no era importante la existencia de desertores, sino el reconocer que existían, por lo que comenzaron a fluir los partes hacia el Estado Mayor General sin informes sobre desertores. Era la mentira, encontrada por fin, que complacía tanto a los jefes de arriba como a los de abajo.

La aspiración de los oficiales a obtener algún bien material y la política de entregarlos como estímulo al trabajo, fue el descubrimiento definitivo del alto mando para lograr que éstos se esforzaran en el cumplimiento del deber. La ropa, el calzado, perfumes, artículos eléctricos, muebles para el hogar y hasta automóviles, engrosaron la lista de artículos deficitarios cuyo derecho a comprar se le daría a los más destacados en el servicio.

Era Ley entonces uno de los instructores en nuestro escuadrón, y un día que compartíamos la mesa mientras almorzábamos junto a Vidal y Lombides, comentó que le gustaría regresar a Angola para su tercera misión internacionalista, pues tal vez así podría recibir el derecho a comprar uno de aquellos pequeñísimos automóviles polacos que vendían a los oficiales más destacados. Todos habíamos pasado ya la experiencia de Angola, y por lo terrible de su recuerdo nos pareció increíble la obsesión de Ley por tener un automóvil, al punto de sacrificar dos años más de su vida en una guerra librada a miles de kilómetros de allí, en aquellas tierras inhóspitas y llenas de peligros.

Fue entonces, que ideamos hacerle una broma a Ley, diciendo que el Ministro había asignado siete automóviles para ser distribuidos entre los pilotos de la Base. Corrió el rumor hasta llegar a Ley, y hablamos con el segundo jefe de la Base para hacer una distribución arbitraria de los mismos, entregándolos a pilotos más jóvenes que nunca habían estado en una guerra.

Cada cual hacía sus cálculos sobre quiénes serían los afortunados que recibirían el derecho a comprar aquellos vehículos, y en todas las listas aparecía Ley como uno de los candidatos más fuertes por su antigüedad como piloto y sus dos misiones internacionalistas por largos períodos de tiempo en Angola. Cada día que pasaba se veía a Ley más exaltado, haciendo planes sobre los viajes que daría en su automóvil, buscando ya piezas de repuesto para el mismo . . . "Por si acaso se rompe", decía.

Una tarde, en que nos preparábamos para los vuelos, llegó el teniente coronel Carmenate con un listado bajo el brazo. Luego de ordenar sentarse a todos los pilotos en el salón que ocupábamos dijo:

-Acaba de reunirse la Comisión de Cuadros para asignar los siete automóviles que el Ministro asignó para los pilotos. Espero que esto ponga fin a las especulaciones que existen al respecto. Y comenzó a leer los nombres de los afortunados. Con cada nombre, se producía un aplauso cerrado de aquel colectivo en que el único que no sabía que se trataba de una comedia era el pobre Ley.

Terminó Carmenate de leer el último de los nombres, que resultó ser el mío, y Ley, que no había sido nombrado, permanecía perplejo en su asiento, como si no creyese lo acababa de ocurrir: ¡no le habían asignado su automóvil!

Conteniendo la risa, pedí la palabra para renunciar al mío:

-Creo que hay otros compañeros que lo merecen más.

-¿No me diga? ¿Quién por ejemplo? -preguntó Carmenate con ironía.

-El capitán Ley. Ya ha cumplido dos misiones en Angola.

-¡De ninguna manera! ¡Las decisiones de la Comisión de Cuadros no se discuten! -ripostó Carmenate, como si los sacrificios de Ley no tuviesen valor alguno. Y agregó:

-¿Quiere o no quiere usted su automóvil?

-En ese caso, no.

Se volvió entonces hacia uno de los pilotos más jóvenes diciéndole:

-¡Teniente Mengana, tiene usted asignado el automóvil en discusión! ¿Lo acepta o no?

-¡Claro que sí! -exclamó Mengana, y vimos a Ley salir disparado del aula dando un resoplido.

Conociéndolo bien, habíamos planificado los vuelos para el próximo día de manera que él se quedara en tierra, pues sabíamos que esa noche no dormiría. A la mañana siguiente, desayunábamos y preguntábamos en voz baja si alguien lo había visto, cuando entró Ley al comedor como una tromba. Sus ojos lucían irritados y su rostro muy demacrado.

-¡Miren! -rugió, parándose en el centro del comedor mientras se apuntaba al rostro con el índice de la mano derecha -¡Miren como tengo los ojos! No he dormido en toda la noche. Esto es una injusticia. ¡Voy a reclamar al jefe de la División. Y si no me responde, no pararé hasta llegar al mismo Ministro!

Giró con la misma sobre sus talones y salió del comedor dando un tirón a la puerta. Todos quedamos mudos unos segundos, y alguien rompió luego en una carcajada, mientras otros comenzamos a preocuparnos por Ley, pues sufría más de lo esperado.

Habíamos querido solamente darle una lección sobre las cosas verdaderamente importantes en la vida, pues no nos cabía en la cabeza que quisiera irse dos años a una guerra por aspirar a un automóvil, y nos alarmaba ahora que sufriera de aquella manera incomprensible y exagerada.

Más tarde en la mañana, lo vimos asediar al jefe de la Base, quien por fin le dijo la verdad, y todos rodearon a Ley riendo, mientras éste refunfuñaba algo incomprensible.

La broma, de la que fui instigador, me dejó luego una desagradable sensación de atropello en la conciencia. No tenía derecho a mortificar al querido amigo de aquella manera, pero más triste me resultó verlo sufrir tan apasionadamente por un objeto, al punto de estar dispuesto a marcharse a una guerra, dejando a su familia sumida en el sufrimiento, por obtenerlo. ¡Cuánto habíamos degenerado bajo el uniforme!

—

La vida de constante tensión y promiscuidad nos llevaba al exceso de confianza en las relaciones humanas, y las tragedias personales de unos eran tomadas en tono de burla por otros. La guerra dejaba sus secuelas como todas las guerras, y muchos jóvenes que marchaban a Angola sufrían por la desilusión de sus esposas, que los abandonaban o buscaban compañero para combatir la soledad. Entonces, los órganos de la contrainteligencia informaban al mando y éste lo hacía a sus hombres cuando regresaban, dándoles la noticia sobre la infidelidad de la esposa.

Gustaba el bromista Osmany, cuando subíamos al ómnibus en la intimidad del grupo de pilotos, de gritarle a más de un compañero en tan desagradable trance:

-¡Tarrú, tarrú! -y reía de manera desfachatada mientras el otro hacía un esfuerzo por ignorarlo y demostrar que actuaba como un hombre de granito sin que el reciente divorcio le afectara en lo más mínimo. También Osmany iría después a la guerra de Angola, y no pudo su esposa soportar la soledad, por lo que también buscó compañero. Nadie le gritó "Cornudo" a su regreso, pero, avergonzado de sí mismo, pidió traslado para otra Base para iniciar una nueva vida lejos de aquéllos a los que tanto ofendió.

Un día, durante el almuerzo, trajeron la noticia de la muerte de dos compañeros en Angola: Valle y Morales, el hombre que había arribado para ocupar mi lugar. Recordé el día que lo vi llegar, pensativo y triste por la esposa que dejaba embarazada. Y sentí otra vez que se me cerraba la garganta impidiéndome tragar. No había podido estar junto a su esposa el día del parto, como soñó . . .

Valle sin embargo, había marchado contento a aquella guerra como el último recurso para rehacer su vida. Dos años atrás había sido separado de los vuelos y le habían prohibido acercarse a los aviones. La contrainteligencia militar había observado que Valle usaba un nuevo par de zapatos de manufactura extranjera, cuyo origen levantó dudas sobre el círculo de sus relaciones. Y se abrió una investigación para determinar la procedencia de los dichosos zapatos de Valle, que resultaron ser un regalo de su suegro, quien los había recibido a su vez de un pariente exilado en los Estados Unidos. Y aquello era imperdonable: los zapatos venían de la mano bondadosa de un enemigo.

Valle fue suspendido de vuelos deshonrosamente por haber aceptado aquellos cómodos zapatos sin preguntar a su suegro de dónde provenían. Y se le vio en lo adelante caminar taciturno y avergonzado, convertido en un paria que otros esquivaban como si estuviera contaminado con la peste. Había caído en desgracia.

Pero la suerte estuvo a su favor, y la tremenda necesidad de pilotos en la guerra de Angola hizo cambiar de parecer a los jefes más altos, quienes le permitieron "lavar su honor de revolucionario" marchando a la guerra de Angola. El día que le comunicaron a Valle la oportunidad que le concedían, se le vio saltar de alegría y decir que jamás cometería otro error. Volvió a ser aceptado por todos, y marchó a la guerra contento de ya no ser un paria para siempre.

A mi regreso de Angola, me habían concedido la militancia en el Partido luego de las investigaciones de rigor, que en mi caso, por ser piloto de combate cuya vida había sido investigada al detalle, constituía una rutina. Llamé a mi padre apenas recibí el carnet del Partido, para darle la noticia.

-Bienvenido a la familia de los comunistas -me dijo orgulloso. Y no lo ocultaba, su hijo, ahora piloto, capitán y jefe de un escuadrón de combate, era el mayor de sus orgullos.

Una tarde que me encontraba en casa descansando para los vuelos nocturnos, me visitó sorpresivamente el primer teniente Cepero, oficial de la contrainteligencia a cargo del Escuadrón.

-Eres jefe de escuadrón y sabemos que vives agobiado por el trabajo . . . -comenzó diciendo -No tendrás mucho tiempo para nosotros pero queremos ratificarte el interés porque integres nuestras filas.

Habían pasado varios años desde que me ofrecieran lo mismo y me negara. Recordé la conversación con mi padre, y aunque sabía que mi trabajo como jefe de escuadrón absorbía todo mi tiempo, comencé a escucharlo con atención.

-Pensamos que no comprendes bien lo que te pedimos. No se trata de vigilar a tus compañeros, sino de que establezcas un vínculo de trabajo con nosotros. Nadie sabe lo que puede ocurrir en el futuro, ni la trinchera desde la que tengas que luchar mañana. Creemos que reúnes las condiciones para estar con nosotros, y sólo queremos instruirte por si llega el momento.

-Creo que es poco lo que pueda hacer. Apenas si el trabajo me da tiempo para atender a la familia -advertí, convencido de que mis obligaciones de jefe absorbían todo mi tiempo.

-El tiempo lo haremos de alguna manera. No vamos a sacrificar tu trabajo ni tu familia.

-Entonces . . . ¡Adelante!

-Primero, debes escoger un seudónimo, pues no trabajamos con nombres reales.

Pensé en Fidel Castro, el máximo líder y recordé su nombre de guerra.

-Alejandro.

Luego, extrajo un modelo de juramento y lealtad a la contrainteligencia para que lo firmara. Cuando lo hube hecho añadió:

-A partir de este momento, tu seudónimo y tus vínculos con nosotros son estrictamente secretos. Nadie, ni tu propia esposa, deberá conocer de los mismos. Pronto te citaremos para la primera entrevista en una de nuestras casas secretas.

Aquello estaba resultando verdaderamente interesante, parecido a lo que antes había visto solamente en el cine y la televisión. Ya de madrugada, cuando retorné de los vuelos y encontré a Vicky como de costumbre, esperando soñolienta en el viejo sillón, susurré a su oído lo que había ocurrido aquella tarde. Me miró preocupada cuando le dije que me habían pedido estricto secreto, incluso para con ella.

-No te preocupes, para ti nunca tendré secretos -le dije para calmarla, mas no pudo ella disimular su desagrado por aquella nueva actividad que se sumaba a mi vida.

Un sábado que recorría las áreas de refugios en que permanecían los aviones del escuadrón, fui interceptado por Cepero en su moto.

-¿Qué haces esta noche?

-Pensaba quedarme en casa.

-Quisiéramos tener la primera entrevista contigo en una de las casas secretas.

Aquello me parecía tan ridículo que casi rompo a reír. Es que Cepero y yo teníamos un vínculo de trabajo establecido, en el que él como oficial de la contrainteligencia que atendía el escuadrón, y yo, como jefe de éste, hablábamos abiertamente con regularidad. Y ahora todo aquel misterio, con casas secretas . . . ¡Ni que estuviéramos conspirando en contra del gobierno!

Me indicó la dirección de la casa, y cuando estuvo seguro de que llegaría sin tropiezos, añadió:

-Observa la ventana de cristal en su frente. Si está abierta, significa que puedes entrar sin llamar. Si está cerrada, continúa tu camino y nos veremos otro día.

-Entendido -aseguré, intrigado por tantas medidas de seguridad.

-El teniente coronel Tomasito estará presente en la entrevista. Quiere felicitarte personalmente.

Se refería al jefe de la contrainteligencia de la División, y comprendí que el interés por mí venía de más arriba. Dije a Vicky lo que ocurría, y me despidió con una mirada que expresaba cuanto le desagrada mi nueva relación.

Ya en la misteriosa "casa secreta", que resultó ser la de una familia común, fui conducido por el cabeza de la misma a una reducida habitación situada al fondo. Allí, tras una pequeña mesa sobre la que descansaban dos vasos de agua y dos tazas de café recién usadas, me esperaban Tomasito y Cepero.

Ambos se levantaron para saludarme con un fuerte apretón de manos, como si hiciera mucho que no nos veíamos. Sonrientes, me invitaron a tomar asiento y bromearon ligeramente antes de entrar al tema de la entrevista.

-Queremos felicitarte personalmente, y en nombre del Ministro, a quien que sabes nos subordinamos directamente -comentó Tomasito.

Y luego de agradecer mi toma de conciencia y recalcar la importancia de mi disposición a colaborar con ellos, comenzaron a instruirme:

-¿Sabes lo que es un "sonsaque"?

-Bueno . . .

-Es la manera de obtener información provocando a la Fuente con algún comentario.

Estuvieron instruyéndome por un rato sobre cosas que me parecieron más propias del sentido común que de una preparación especial, sin que los "grandes misterios" de la contrainteligencia que esperaba conocer se descubrieran.

Cuando creí que acabábamos la reunión que me pareció aburrida, el teniente coronel Tomasito se tornó más serio y confidente. Inclinándose sobre la mesa en dirección a mí, y hablando tan bajo que apenas podía oírle, comenzó a decir mirándome fijamente a los ojos:

-Necesitamos tu ayuda . . . Eres la única persona que puedes ayudarnos en este caso.

Su rostro se había cubierto de un manto de preocupación mezclado con una expresión de súplica. Y me dispuse a escuchar algo muy importante.

-Tú eres joven, inteligente, bien parecido . . .

Continuó, y noté, como otras veces, que los halagos vacíos me producían una antipatía natural que no podía evitar hacia quienes los decían. Algo vio en mi rostro que le hizo hacer una pausa, para luego agregar:

-En nuestro trabajo tenemos a veces que utilizar las virtudes con que nacemos. Es parte del sacrificio de los combatientes de la contrainteligencia, por modestos que sean . . .

-¿En qué los tengo que ayudar?

-Eres vecino del teniente coronel Cordero . . .

Se refería a mi amigo y antiguo jefe de escuadrón, que se encontraba ahora en la Unión Soviética haciendo sus estudios superiores de mando.

-Correcto.

-Pensamos que su esposa mantiene relaciones con elementos desafectos a la Revolución . . .

-¿Sí?

-Pensamos . . .

Hizo una pausa larga, como midiendo sus palabras. Observé entonces a Cepero, sentado junto a él, ligeramente reclinado hacia atrás y con las piernas entrecruzadas. Sus ojos se habían cerrado levemente y una sonrisa aprobatoria florecía en sus labios, revelándome que su jefe llegaba por fin al punto central de la reunión.

-Pensamos . . . que quizás tú podrías cortejar a la esposa de Cordero.

Lo que escuchaba me dejó atónito, al punto que no pude pronunciar palabra alguna. Aquello me parecía increíble. Marlen, la esposa de mi exjefe, era en efecto nuestra vecina, y tratábamos Vicky y yo de ayudarla en todo lo posible dada la ausencia del marido y la relación de afecto y respeto que nos unía. Marlen amaba a su esposo y vivía consagrada a la educación de sus hijos y la estabilidad de su hogar. ¿Qué les movía a hacerme semejante proposición?

-Estamos seguros de que puedes convertirte en íntimo de ella. Sabes, en la cama las mujeres suelen decirlo todo.

Una sensación de asco comenzó a retorcerme el estómago.

-Marlen es una mujer respetable que ama a su esposo -comencé a decir, aún aturdido, tratando de defender la dignidad de aquellos amigos.

-Es sólo una mujer y su esposo está muy lejos. En nuestro trabajo es un sacrificio vencer los escrúpulos. Y es eso lo que te pedimos, tu sacrificio.

Sabía que Tomasito tenía esposa e hijas, y tuve deseos de preguntarle si pensaba del mismo modo de las mujeres que decía amar. Hice un esfuerzo por no estallar, y tragando la repugnancia que me producía todo lo que acababa de escuchar, hablé muy bajo, lentamente:

-Lo siento. No podré ayudarlos. En lo que me piden los escrúpulos rebasan mi sentido del sacrificio.

Tomasito me escuchó con una expresión de pesar en el rostro.

-No te preocupes, esas cosas pasan. Estás sólo comenzando y es normal que sientas de esa manera. Piénsalo de todos modos, y recuerda que Marlen es ahora uno de nuestros objetivos principales.

Concluía la reunión en un ambiente de frialdad que disimulamos todos lo mejor que pudimos. Hice el camino de regreso a casa consternado por el shock que me produjo la misma. ¡Aquel era el misterio de los órganos de la contrainteligencia! ¡Qué digno estilo el suyo! ¡Qué sacrificios los de sus miembros!

Llegué a casa y conté a Vicky lo ocurrido. Ella no salía de su estupor mientras escuchaba, y yo nunca pudría reponerme del asco que me produjo aquella reunión con mis instructores de la contrainteligencia. En lo adelante, encontraría siempre una razón de trabajo para no asistir a otras reuniones en las misteriosas ‘‘casas secretas’’.

—

Volábamos una tarde de diciembre de 1984, practicando los ejercicios en formación de combate con los bisoños pilotos, cuando cundió la alarma en el aeródromo. Alberto, mi amigo y vecino, con el que me unía algún parecido físico, acababa de estrellarse junto a Rabelo, el joven piloto que instruía, justo antes de pasar sobre la pista para girar al aterrizaje.

Una estela de humo negro se levantaba en la distancia, y tomé un jeep junto al jefe de Estado Mayor con la esperanza de encontrar sobrevivientes. Habían caído inexplicablemente, sin que les diera tiempo a eyectarse. El avión había estallado al impactar la blanda tierra de un campo sembrado de tubérculos, abriendo un cráter en el que yacían los restos humeantes de la máquina. Fragmentos de huesos, con jirones de piel y cabellos ensangrentados aparecían dispersos alrededor de éste en un cuadro terrible.

En el policlínico dental de Santa Clara, estaba Vicky atendiendo a la esposa de Alberto cuando llegó la noticia del accidente aéreo en la Base. Ambas se alarmaron, y Vicky llamó por teléfono con la angustia que sienten las esposas en estos casos. Del otro lado le informaron que yo estaba bien, era Alberto quien había perecido. Vicky sintió que se le iban las fuerzas y estuvo a punto de caer. Hizo lo indecible por controlarse y pedir ayuda pues su esposa estaba con ella.

-Cálmate lo mejor que puedas, y dile solamente que vaya a su casa -le pidieron finalmente.

Vicky fingió no recibir respuesta, y la esposa de Alberto decidió regresar de inmediato. Al llegar, le esperaba junto a la puerta una comisión formada por el Político, el médico y una enfermera.

Pasaron unos días de tristeza compartida por todos, y comenzaron nuevamente los vuelos. La vida no se detenía.

Un día que regresaba cansado, caminando lentamente mientras observaba a Vicky y a Reyniel agitar sus manos en un saludo desde el balcón, vi que un niño de unos tres años corría a mi encuentro con los brazos extendidos, gritando: ¡Papiii, papiii!

El niño frenó en su carrera a unos pasos de mí, y vi su carita antes alegre cubrirse de súbito con una expresión de desencanto. Bajó la cabeza, y volvió lentamente sobre sus pasos, dejándome quedo, atrapado en su gesto como si el tiempo hubiera detenido su marcha. Era el niño de Alberto.

—

Sin darnos cuenta, sumidos en la constante actividad del trabajo que nos consumía todo el tiempo, fueron pasando los meses sin que visitáramos a nuestros padres ni los gustados cines y teatros, como habíamos hecho en otro tiempo. Trabajaba yo día y noche sin el menor descanso, y se desgastaba Vicky lentamente en un esfuerzo diario por llegar a su trabajo con Reyniel en sus brazos, y regresar luego a casa.

Su odisea comenzaba muy temprano en la mañana cuando despertaba al niño, y luego de darle su toma de leche lo vestía a la carrera y se lanzaba a la caza del único ómnibus que conectaba la Base con la ciudad. Allí, confundida con una multitud de desesperados viajeros, Vicky combatía a empellones como todos, mientras sostenía a Reyniel en sus brazos, para lograr un espacio en aquel ómnibus que siempre venía atestado. Y viajaba ella haciendo mil piruetas de equilibrio entre frenazos y baches, sosteniendo a Reyniel a la altura del pecho con uno de los brazos, y aguantándose con el otro del tubo sobre su cabeza para no caer.

Corría Vicky siempre en contra del reloj hasta el círculo infantil en que dejaba al niño, y luego a su trabajo hasta las cinco y treinta de la tarde. Durante el regreso, la lucha por subir al ómnibus se hacía aún más encarnizada en la desesperación de todos por llegar temprano a sus hogares. Y llegaba, finalmente, a casa, totalmente extenuada, para encontrar las pilas de agua secas. Entonces, bajaba al patio del buen vecino donde llenaba dos baldes de agua que subía lentamente escaleras arriba, acopiando fuerzas para vencer la barrera que representaba cada escalón que ascendía. Y no podía ella esperar por mi ayuda, pues llegaba yo a casa pasadas las once de la noche, y me marchaba sobre las cinco de la mañana a aquella actividad de jefe que exigía todo mi esfuerzo.

Muchas veces, cuando soñaba Vicky que podía irse a la cama temprano y dar descanso a su fatiga, tocaban a la puerta recordándole que ya comenzaba la reunión del Comité de Defensa de la Revolución o de la Federación de Mujeres Cubanas. Y bajaba ella las escaleras a paso lento, con Reyniel soñoliento entre los brazos, para escuchar las últimas discusiones sobre la lucha por el perfeccionamiento de la Sociedad Socialista o realizar el estudio del último de los discursos del Máximo Líder, tal como ocurría en las reuniones de la Juventud Comunista y el Sindicato que se realizaban en su policlínico, después de concluida la jornada laboral. Así se consumía ella lentamente y en silencio. Sabía que una dentista y esposa de un piloto de combate, tenía la obligación de entregarse a la Revolución.

—

Poco a poco, iba Reyniel creciendo, y cada vez era menos el tiempo que pasábamos juntos. Llegaba yo a casa cuando él ya dormía, y me marchaba cuando aún no había despertado. Sábados y domingos eran lo mismo que lunes y martes en nuestra agotadora labor. Y muchas veces, cuando nos visitaban nuestros padres algún fin de semana, tenían que lograr un permiso especial para entrar a la Base y verme en el lugar en que hacía mi guardia de veinticuatro horas, casi con la frecuencia de un día sí y otro no. También tenía

Vicky que hacer sus guardias algunos domingos en el policlínico, con Reyniel tirando de su falda, mientras yo permanecía en la Base.

—

Transcurrían los últimos días de 1985 cuando me llamó el jefe de la Base:

-Has sido seleccionado para cursar estudios superiores de mando en la Unión Soviética durante cuatro años -me dijo, dándome una leve palmada en el hombro.

Aunque guardaba los peores recuerdos de la Unión Soviética y dejaría de volar con la frecuencia habitual, recibí la noticia con alegría. Podríamos, por fin, escapar de aquella agobiante vida de continuos sacrificios durante cuatro años.

Vicky había quedado recientemente embarazada de nuestro segundo hijo, y la perspectiva de que yo estuviera estudiando para el momento de su nacimiento me alegró doblemente. Y corrí a darle la noticia, que sabía, la haría feliz:

-Tendré que pasar cinco meses antes en La Habana, repasando el idioma ruso y la matemática antes de partir. ¿Me acompañas?

Vicky dio un salto de alegría y avisó de inmediato a sus padres, quienes, eufóricos por la noticia, prepararon una habitación para nuestro próximo arribo.

Marchamos a La Habana en los primeros días de febrero, y comencé mi preparación en el Instituto Técnico Militar, mientras Vicky y Reyniel disfrutaban de las constantes atenciones de mis suegros, felices de tenerlos allí. Cada día, podía yo dormir en casa, y cada tarde solíamos irnos los tres al Malecón. Allí, sentados junto al mar, sobre el muro en que enamorábamos en nuestros tiempos de novios, jugábamos Vicky y yo a adivinar el sexo de la próxima criatura, mientras Reyniel corría alegremente y hacía intentos de pescar con un viejo avío regalado por su abuelo.

Aunque vivíamos en un pequeño cuarto de la casa de mis suegros, en que apenas cabían nuestra cama y la cuna del niño, éramos felices de tener ese tiempo tan querido para la familia. Siempre antes de dormir, le hablábamos Reyniel y yo a la criatura por nacer, al tiempo que pasábamos suavemente nuestras manos por el vientre de Vicky.

Una mañana que buscaba mis zapatos bajo la cama observé un vaso con agua que descansaba allí.

-¿Y este vaso por qué está aquí? -pregunté intrigado a Vicky.

-Lo puse yo misma por si me daba sed en la noche no tener que levantarme -me respondió algo turbada.

-No tienes que hacer eso. Sabes que me levantaría gustoso para traerte agua -y le di un beso que ella recibió pensativa.

Pasados algunos días, volví a encontrar el vaso con agua bajo la cama, y pregunté a Vicky otra vez:

-Y este vaso . . . ¿Por qué está aquí?

-Es para no molestarte -replicó esquiva.

-¿Segura que ésa es la razón?

Vicky bajó la cabeza avergonzada, y comprendí que no decía la verdad.

-Es que . . .

Recordé haber escuchado alguna vez sobre una creencia religiosa que establecía la tradición de dejar un vaso de agua bajo la cama para evitar las desgracias, y en un instante comprendí lo que ocurría.

-¿Quién lo puso ahí?

-Fue mami, pero no le digas nada, por favor. Sólo lo hace para que la criatura nazca fuerte y sana.

-Claro que le diré, es estúpido resignarse a la influencia de un vaso con agua. En su lugar debías tomar las vitaminas y hacer más ejercicios preparatorios para el parto.

Fui adonde mi suegra en la cocina, a quien quería y trataba con la confianza que a mi propia madre.

-María, ¿es usted quien pone el vaso de agua bajo nuestra cama?

María pareció sorprendida, como el niño que es atrapado en una travesura.

-Ay, mi hijo, no te enfades conmigo por eso, que yo lo hago por el bien de tu esposa y la criatura. ¿A ti qué más te da?

-Mucho . . . Va en contra de mis principios. Si Dios existiera no habría tantas injusticias en el mundo. Y si los hombres vieran la solución de sus males en el uso de sus propias fuerzas y no en una voluntad divina, lucharían mejor resolviendo éstos.

Pareció convencida María por mis razones, y me marché a clases pensando en la trágica ignorancia de tantos infelices en el mundo que confiaban la solución de sus problemas a la transparencia de un vaso de agua.

A la mañana siguiente busqué bajo la cama convencido de que no encontraría el vaso de agua, pero, ¡gran sorpresa la mía!: Allí estaba, persistente, en su sitio . . . ¡el vaso de agua! Sentí entonces que me subían los colores a la cara.

Qué más da, no tengo derecho de privar a mi suegra de una esperanza. -pensé y me volví a Vicky diciéndole:

-Me rindo . . . pero pongan sólo un vaso por favor. No quiero encontrarme mañana toda la vajilla llena de agua bajo la cama.

Vicky saltó de alegría, me besó y corrió a la cocina donde mi suegra preparaba el café. Regresó al rato con una taza de éste entre las manos, que sin saber por qué, me supo especialmente exquisito aquella mañana.

Una madrugada de mayo, sintió Vicky los dolores del parto y la acompañé al hospital de maternidad, entre comentarios efusivos de Reyniel, que no dejaba de repetir: ¡Ya viene mi hermanito. Ya viene mi hermanito, para jugar a la pelota conmigo!

Vicky había pasado unos meses maravillosos en La Habana, sin contratiempos en su embarazo, atendida, como todas las madres, gratuitamente una vez al mes por el magnífico colectivo de enfermeras y doctores de la red de policlínicos de la ciudad. Nuestro sistema de atención a las mujeres en el embarazo era realmente muy bueno, y hasta la dieta le habían reforzado con vitaminas suministradas gratuitamente por el Ministerio de Salud.

Temprano en la mañana no había Vicky dado a luz aún, y corrí en busca de las flores que no pude llevarle cuando nació Reyniel. Esta vez tuve más suerte, y conseguí un magnífico ramo que le obsequié, cuando me permitieron visitarla después del parto.

Acababa de llegar mi madre, y acompañaba a Vicky junto con mi suegra en la habitación que me pareció la misma que ocupó cuando nació Reyniel. Habían pasado apenas tres horas del parto y el niño, también un varón de poco más de siete libras, había quedado en la sala esterilizada durante unas horas, en espera de que se marcharan los primeros visitantes.

Vicky se sentía fuerte y decidió acompañarme al piso inferior para ver el niño que llamamos Alejandro a través de la pared de cristal que nos separaba de la habitación llena de cunas con criaturas recién nacidas. Un médico, viejo amigo de la familia, nos acompañó en el trayecto que hizo Vicky apoyándose en mi brazo. Acostado boca abajo, con el rostro sumergido en las sábanas de la pequeña cuna, yacía un niño precioso y enérgico que se resistía a ladear la cabeza cuando, asustados de que se ahogara, llamamos a la enfermera para que lo acomodara.

Ese día no dejaron pasar a Reyniel para conocer a su hermanito, y regresó a casa refunfuñando contra los médicos que prohibían a los niños entrar a los hospitales. Al próximo día, logramos que entrara gracias a la ayuda de una enfermera, y pasó más de dos horas contemplando a su hermano con una ternura que nos conmovió a todos. Sería él en el futuro, ejemplo de hermano mayor, al proteger a Alejandro con tanto celo como sus propios padres.

Llegó el día de mi partida para la Unión Soviética, donde hacía pocos meses se había iniciado un proceso de cambios cuyo nombre: ''Perestroika'', se escuchaba cada vez con mayor frecuencia. Esta vez nos habían prometido que, pasado el primer año de estudios, nos asignarían apartamentos para que nos acompañaran nuestras familias los tres años restantes. Y con la esperanza de volver pronto por ellos, partí a finales de agosto de 1986 en unión de ocho compañeros, en aquel viaje que cambiaría radicalmente nuestras vidas.

Capítulo 9

—

Perestroika

Los nueve hombres que nos dirigíamos a la Unión Soviética habíamos sido seleccionados entre los jefes de batallón más jóvenes de la Fuerza Aérea, las Tropas Radiotécnicas y las Tropas Coheteriles Antiaéreas del país, para realizar los estudios superiores de mando que nos permitirían dirigir grandes unidades en el futuro. Y aunque apenas nos conocíamos anteriormente, los últimos meses de estudios realizados en La Habana nos habían permitido intimar unos con otros, estableciendo una magnífica relación de camaradería. Viajábamos ahora, conversando animadamente sobre el rudo clima de la región, en aquel tren de la ruta Moscú-Leningrado en que nos había embarcado el oficial de la Décima Dirección que nos había recibido en el aeropuerto.

-Tengan cuidado de no pasar su estación en la ciudad de Kalinin. Allí los estarán esperando -nos había advertido.

Una multitud de viajeros impacientes se amontonaban en el andén cuando descendimos del tren que abordaron con premura, para dejarnos solos cuando éste partió. Fue entonces que un hombre vestido de civil se dirigió a nosotros afablemente:

-Soy el coronel Kustiukov, jefe de vuestro curso. Afuera nos espera un ómnibus para llevarlos al hotel.

El hotel resultó un viejo pero bien conservado edificio de cuatro pisos junto a la rivera del río Volga, que atraviesa la ciudad por su centro. La "abuela" de guardia nos dio la bienvenida calurosamente, y tomando luego, cuatro de las llaves que colgaban de un tablero en la pared, nos las tendió señalando los números grabados en las chapillas atadas a éstas.

-Estas son sus habitaciones en el tercer piso. Las duchas se encuentran en el primero, pero no tendremos agua caliente hasta la semana próxima -explicó con una tímida sonrisa.

Subimos acompañados del coronel Kustiukov por la amplia escalera de granito que nos condujo a un oscuro pasillo con piso de madera pulida, a cuyos lados se distribuían unas veinte habitaciones.

Abrió Kustiukov una de ellas, y un torrente de luz que penetraba por la amplia ventana de cristal, al fondo del cuarto, nos sacó de la angustiosa penumbra. Ante nosotros, una pieza de paredes blancas perfectamente cuadrada, ordenada y limpia, con una mesa forrada de formica verde ocupando el centro. Sobre ésta, una jarra de cristal llena de agua, y cuatro vasos cuidadosamente invertidos sobre un plato. Cuatro frágiles sillas rodeando la mesa, y dos rústicos armarios de pino tenuemente barnizados y colocados frente a ésta contra la pared, componían el conjunto de muebles, completado por las camas de hierro situadas en cada ángulo de la habitación.

-Esta habitación deberán ocuparla tres, las otras son de a dos. Distribúyanse como mejor les parezca y reunámonos aquí todos dentro de cinco minutos -dijo el Coronel dejando caer la llave sobre la mesa.

Tres parejas formadas espontáneamente partieron a dejar los equipajes en sus habitaciones, mientras López-Cuba, Serguera y yo, seleccionábamos nuestras camas con indiferencia.

-A partir de ahora, son ustedes alumnos de la Academia de Mando ''Mariscal Gregory Konstantinovich Zhukov'', una de nuestras más prestigiosas instituciones militares -comenzó diciendo el coronel Kustiukov cuando todos hubieron regresado.

-Habrán notado que viven en el centro de la ciudad, fuera de los límites de la Academia, distante unos dos kilómetros de aquí. Recibirán un estipendio para que sufraguen sus gastos de transporte y comida. Les recomiendo que horren el dinero, pues da justo para ello. Se prohibe terminantemente dormir fuera del hotel, y deberán estar de regreso en sus habitaciones a las once de la noche. La ''abuela'' de guardia tiene la responsabilidad de notificar inmediatamente a la dirección de la Academia sobre la ausencia de cualquiera de ustedes.

Hablaba Kustiukov y recordaba yo las indicaciones que nueve años atrás nos había dado el Mayor Argatov cuando llegamos a la escuela de pilotos. No había cambiado el estilo en el trato hacia los estudiantes extranjeros, aunque fueran éstos oficiales de experiencia. Un cambio en el tono con que hablaba el coronel atrajo de nuevo mi atención:

-Las cosas han cambiado desde que estamos en *Perestroika.* Antes se vendía cerveza en la cafetería del primer piso. Ahora, se prohibe consumir bebidas alcohólicas en todas las dependencias de las Fuerzas Armadas -y una expresión de pesar se dibujó en su rostro.

—

Se componía el colegio de un conjunto de viejos edificios en el límite norte de la parte más antigua de la ciudad, y habían servido sus dependencias desde tiempos inmemoriales para la formación académica de los jefes militares, que en aquellos tiempos, utilizaban caballos en lugar de blindados para sus fuerzas de choque. Los sólidos establos que antes albergaron a la caballería habían sido remodelados impecablemente, y en ellos se encontraban ahora confortables instalaciones de aulas y laboratorios que integraban la magnífica base material de estudios de la institución.

Estudiaban los futuros jefes de grandes unidades en ocho facultades diferentes, cuyas siete primeras, estaban reservadas exclusivamente para los oficiales soviéticos que se preparaban en especialidades como Sistemas de Dirección Automatizada de las Tropas Antiaéreas, Aviación, Mando y Estados Mayores, así como el misterioso Sistema de Defensa Antimísil, versión soviética del programa Guerra de las Galaxias, concebido años atrás en el más estricto secreto. La octava facultad, destinada a los estudiantes extranjeros, se encontraba en el extremo norte de la institución, junto al gimnasio y a la magnífica piscina que escondía un edificio aledaño. Un complicado sistema de pase, controlado por hombres de avanzada edad pertenecientes a la reserva, y ubicados en diferentes puntos del colegio, permitía o denegaba el acceso de los alumnos a las diferentes áreas del colegio.

Recibíamos las clases los estudiantes extranjeros en grupos separados por nacionalidades, desde las nueve de la mañana hasta las dos y treinta de la tarde. Recesábamos entonces una hora para almorzar, y regresábamos a las aulas y laboratorios para continuar el estudio individual obligatorio hasta las siete y treinta de la noche. Un nutrido grupo de coroneles y generales, con diferentes grados científicos y rica experiencia en el mando de las tropas, componía la plantilla de profesores que daban una excelente instrucción en la red de laboratorios, puestos de mando y sistemas automatizados de dirección instalados en la academia, más los diversos armamentos emplazados en un amplio campo de estudios a las afueras de la ciudad.

Eran todas las asignaturas técnicas, como la electrónica, modelaje matemático y sistemas de armamento; hasta las netamente militares como el arte operativo: secretas. Y teníamos los alumnos unas inmensas maletas en que debíamos guardar los mapas, textos y libretas de notas con sus hojas foliadas al final de cada día de estudios. Entonces había que cerrarlas e imprimir el sello personal en un aro rebosante de plastilina por el que pasaba un hilo que atravesaba la unión de sus tapas. Luego, las entregábamos en una habitación con puerta y ventanas de hierro llamada ''biblioteca secreta'', hasta el próximo día de estudio.

Protegían los soviéticos de esta manera el secreto militar y la compartimentación entre los propios alumnos, pues eran diferentes los programas que estudiábamos, teniendo los cubanos y miembros del Tratado de Varsovia, acceso a información sobre los modelos de armamento más recientes, mientras que vietnamitas y mongoles estudiaban versiones más anticuadas.

Estudiábamos con el mayor ahínco, descansando de la agobiante vida de trabajo continuo y desgastador que habíamos llevado en Cuba. Y otra vez, después de varios años, teníamos la oportunidad de practicar deportes con regularidad, por lo que no tardamos Serguera y yo en incorporarnos al equipo de natación del colegio y entrenarnos muy temprano en las mañanas antes del comienzo de las clases.

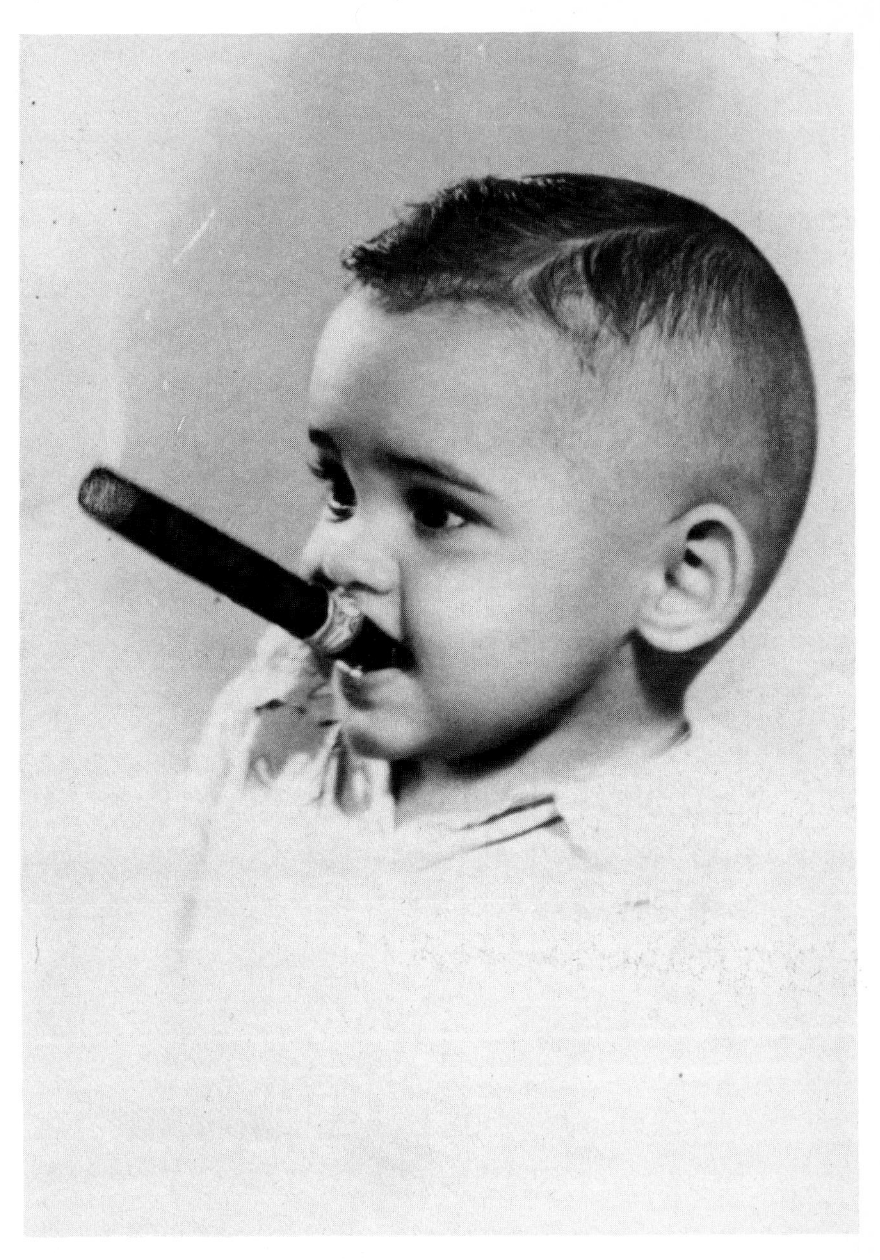

The author at fourteen months.

Above: *The author and his inseparable brother Faure, in their years of boarding school and mischievousness.* Right: *The author's family celebrates, in 1966, the first birthday of the youngest brother, Orlando.*

Vicky at fifteen.

Sweethearts stroll along the Havana Malecón in 1976.

Above: *The USSR, 1979. The author with his classmates and the instructor, at the Air Force Academy.* Below: *The USSR, 1980. The author during a training flight at the Air Force Academy.*

Left: *At the Angola War, 1983, a pilot friend and the author.* Below: *Angola, 1983. Whiling the long hours of guard duty at the cockpit of the MiG.*

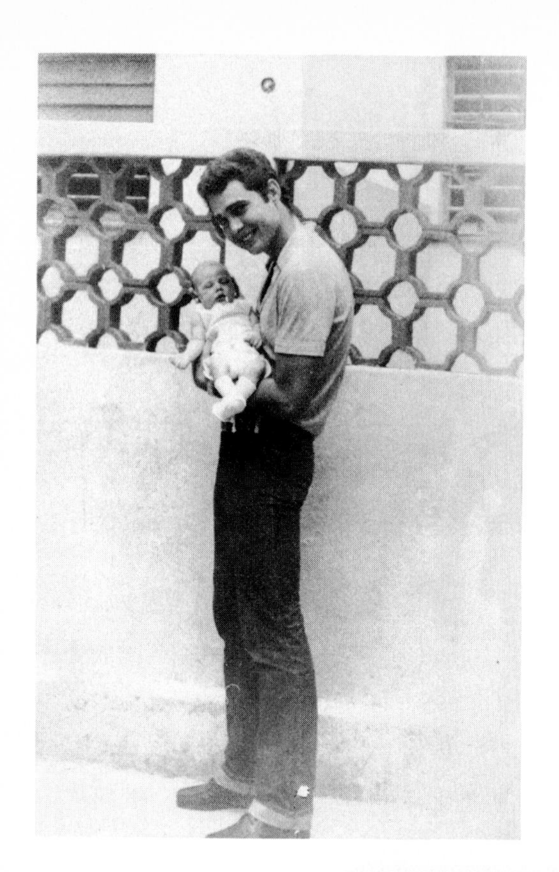

Havana, 1981. Reyniel, the firstborn, being held by the author.

Vicky and the author; Santa Clara, 1984.

Reyniel, Vicky, and Alejandro in 1986. This picture came with the author on his first flight to the United States.

The USSR, 1987. At the Marshall Gregory Zhukov War College.

The Lorenzo family at Kalinin, the USSR, 1988.

The group of international graduates from the Marshall Gregory Zhukov War College, the USSR, 1990, together with their instructors.

New York, January 25, 1992. The author rallies for the liberation of his family during a street demonstration.

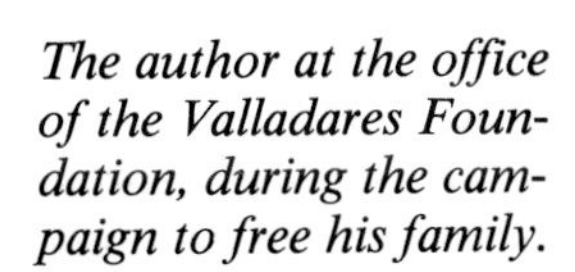
The author at the office of the Valladares Foundation, during the campaign to free his family.

Above: *May 1992. From left to right: Armando Valladares, Elena Diaz-Verson Amos, Mr. Ronald Quincy, the author, and Mrs. Coretta Scott King.*
Right: *July 1992. First day of the hunger strike in Madrid.*

Above: *View of the road where the rescue took place.* Below: *The rock and the transit post that were not in the landing plans.*

October 7, 1992. Virginia and Azul, on their first trip to Cuba, meet Vicky and the boys.

Above: *December 19, 1992. Picture taken by Kristina of the author, in Marathon, minutes before the rescue flight.* Below: *Picture taken by the author: Vicky, Reyniel, and Alejandro, sixteen minutes after the rescue, during the flight to freedom.*

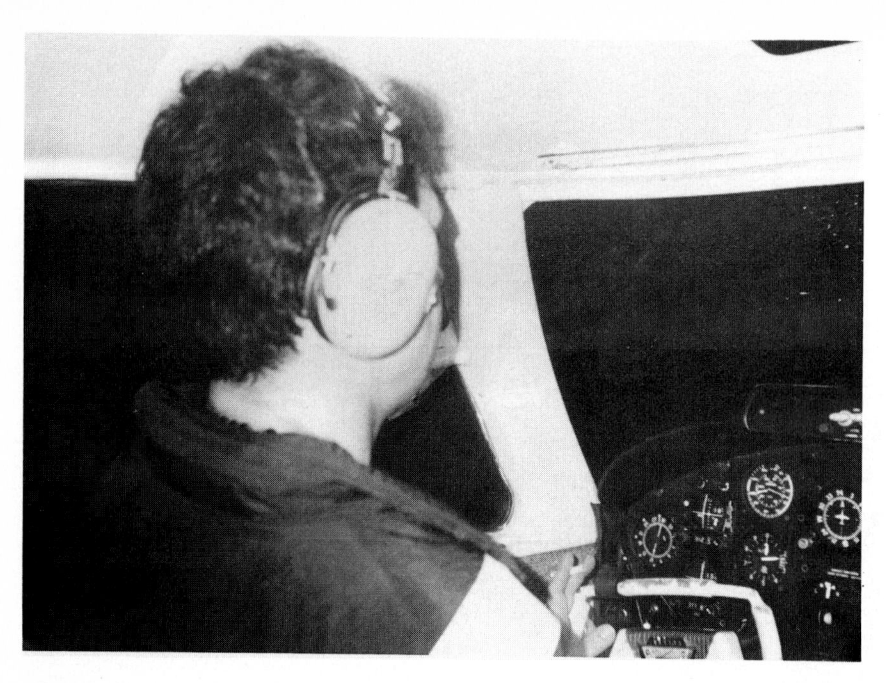

Above: *Photo of the author taken by Vicky shortly before landing in the United States.* Below: *Vicky is the first one to land in Marathon; here she embraces Kristina.*

At a hotel in Miami, the first day of freedom, together with Elena and Kristina.

*February 19, 1993.
The maid of honor
and the best man
accompany Orestes
and Vicky at their
wedding before God.*

Un día que faltaba el agua nuevamente, alguien propuso ir a una de las saunas públicas conocidas como *"banhia"*, y allá nos encaminamos un pequeño grupo de cubanos deseosos de tomar un baño. Pagamos la módica tarifa que cobraban al entrar y pasamos, quedando boquiabiertos ante la escena abierta a nuestros ojos:

Una decena de bancos de madera con altos espaldares de los que colgaban las ropas de los usuarios, cubrían en fila el amplio salón en que parecían descansar una veintena de hombres sudorosos y completamente desnudos. Dos ancianas iban de uno a otro lado del salón barriendo de entre las piernas de sus clientes las hojas de abedul dispersas por el suelo, sin prestar atención a la desnudez reinante.

Avanzamos hasta el fondo, apenados, pero resueltos a pasar la prueba, y comenzamos a colgar nuestras ropas hasta quedar tan desnudos como el resto. Entonces, una de las ancianas escuchó que hablábamos una lengua diferente, y se acercó curiosa por saber de dónde veníamos.

-Somos cubanos, abuela -le respondimos llamándola del modo cariñoso con que allí se estila nombrar a las tantas ancianas que trabajan en los diferentes servicios de aquel país.

-¡Ah, ustedes son los hijos de Fidel Castro! Buenos muchachos.

Al instante fuimos rodeados por una decena de curiosos que nos daban la bienvenida, estableciendo una charla que, avergonzados de nuestra desnudez, interrumpimos en breve para escapar a la sauna.

Era impresionante la candidez con que asumían los rusos la promiscuidad, y a pesar de que quisimos pasar inadvertidos, cualquiera hubiera notado que no estábamos del todo ambientados. El pequeño grupo de cubanos permaneció casi todo el tiempo, aunque en cueros como todos, con las espaldas pegadas a la pared.

Con los años, terminamos por descubrir el encanto de la sauna rusa, y aunque nunca pudimos asimilar el promiscuo estilo de los soviéticos, llegamos a visitarla con regularidad, y hasta a disfrutar del sano y reconfortable azote con la rama de abedul.

Había llegado por fin el temido invierno, y en la torre del museo de la ciudad parecía haberse congelado el indicador electrónico con sus cuarenta y cinco grados centígrados bajo cero. Corríamos entonces a las clases y regresábamos a nuestro hotel abrigados con cuanta ropa teníamos, aunque para el simpático y enjuto Leyva no existía modo posible de combatir aquel frío horrible que amenazaba, según él, con congelarle a cada momento.

Nos carteábamos Vicky y yo casi a diario, y otra vez le escribía apasionados poemas en el reverso de postales con flores, en las que alababa su belleza y sus virtudes como madre, esposa y dentista. Y otra vez encontraba yo en los más insospechados lugares del equipaje y los libros, cuando hurgaba en ellos, pequeños trozos de papel escondidos por Vicky antes de mi partida, con dos palabras: *"Te quiero"*. Esta vez, había quedado ella en La Habana con sus padres, y ya trabajaba en un policlínico dental cercano, mientras su madre cuidaba a Alejandro y a Reyniel, quien recién comenzaba la escuela, y ya escribía su nombre con letras confusas. Vicky me contaba hasta los menores detalles de los niños, y disfrutaba yo la lectura viéndoles protagonizar las anécdotas que leía.

La *Perestroika* atraía toda nuestra atención con el torrente de nuevas ideas que se discutían públicamente para construir lo que llamaban un socialismo democrático basado en una sociedad de derecho. Nuevos y cada vez más críticos programas aparecían a diario en la televisión, luchando contra la censura por mantenerse. Y comenzábamos nosotros a descubrir una sociedad plagada de vicios que los burócratas del aparato se empeñaban en ocultar.

Una generación de talentos antes desconocidos apareció en el campo de la cultura; demostrando que siempre existieron, pero que no trascendieron porque su arte no estaba comprometida con el sistema. Y recibíamos aquellas reformas con alegría, pues veíamos transformarse poco a poco aquella sociedad, en una más abierta y valiente, donde los vicios y la corrupción que yo había visto nueve años atrás, eran ahora señalados públicamente para remediarlos.

Estudiaba mi hermano menor, Orlando, en la ciudad de Odessa, a orillas del mar Negro, y me dispuse a visitarlo una semana de febrero, aprovechando las vacaciones de invierno. Fue en el largo trayecto en tren, compartido con dos economistas de Odessa que charlaban entre tragos de vodka, que escuché por primera vez hablar de los crímenes de Stalin.

-¿Si es cierto lo que dicen ustedes sobre los millones de asesinados, por qué no se conoce nada al respecto? -pregunté con franca desconfianza a mis compañeros de viaje, mientras recordaba unas revistas de *comics* infantiles que me mostró una vez un viejo amigo de mi padre. Habían sido publicadas para los niños en algún país latinoamericano, y pintaban a los comunistas como monstruos sanguinarios. ¡De qué ruines mentiras estaba lleno el mundo!

-No lo conocerás tú como otros muchos, pero la verdad se impondrá tarde o temprano, y llegará el día en que se hablará de ello públicamente -respondió el mayor de los hombres con seguridad y cierta pena en la mirada.

-No estoy ciego. Me baso sólo en el sentido común y me resisto a creer que se pueda ocultar el asesinato de millones de personas durante tantos años -volví a insistir.

El hombre me miró con cierta ironía en la sonrisa, y señalándome con el dedo habló recalcando sus palabras:

-Claro que no es posible ocultar tales crímenes. Más de medio mundo los conoce. Menos los que como tú sólo han leído las versiones oficiales de la historia. Supongamos, sólo supongamos, que sea cierto lo que digo. ¿Lo aceptarían los partidos comunistas actuales como una mancha en su historia?

-¿Y por qué no? Stalin era un hombre, no el partido. Cometió el error de aceptar el culto a su personalidad, pero de ahí a los crímenes que usted le imputa hay un trecho . . .

-Está bien hijo. Ojalá que el líder que aún los dirige no resulte un Stalin que descubran ustedes después de su muerte, como nosotros.

-¡Fidel no es un Stalin! Es un líder popular y sencillo. ¡El único del mundo que espera a sus deportistas en el aeropuerto cuando regresan a Cuba, y cambia el uniforme por unos "shorts" para jugar al "basketball" con los estudiantes secundarios! Nadie como él está tan cerca de su pueblo.

-¡Basta! -interrumpió el más joven poniéndose de pie al notar que la discusión tomaba un tono acalorado. Y, con una mano sobre mi hombro continuó:

-Querido cubano: amamos y respetamos a tu pueblo. Perdona a mi amigo. Si algo vale la pena es la amistad entre los hombres sencillos.

Tomó entonces la botella de vodka, llenó tres vasos casi hasta el tope y, luego de darle uno al viejo economista y otro a mí, levantó el suyo diciendo:

-¡Brindemos!

Bebí de mala gana lo que sólo era posible tragar de un tirón, y vi que mi contrincante en la discusión sonría mientras regresaba su vaso a la mesa. Entonces, dijo:

-¿Sabes? Me recuerdas a mí en la juventud. Yo era fiel e impetuoso como tú . . . hasta que la vida me obligó a buscar respuestas en otras partes. Fue entonces que comencé a escuchar Radio Europa Libre . . .

Pasé la semana junto a mi hermano más joven en la cálida Odessa, y sentí profunda pena por los estudiantes extranjeros que estaban obligados a vivir en aquel edificio de veinte pisos sin ascensor ni agua caliente, con excusados medievales en lugar de inodoros, escasa calefacción y peor higiene. Cuando me marchaba, comprendí que si mi hermano había resistido aquellas condiciones casi infrahumanas en su empeño por hacerse ingeniero hidráulico, se había graduado ya de hombre.

Aunque no me habían agradado mis compañeros de viaje en el tren a Odessa, sentía aún martillearme en el cerebro las palabras del viejo economista. Ya en Kalinin, cuando observaba el viejo radio sobre la mesa, sentía deseos de buscar en el dial aquella emisora que transmitía desde el extranjero, para escuchar sus mentiras. Mas la presencia de mis compañeros, y la posibilidad de que me interpretaran mal y me delataran, me hicieron desistir de ello. Entre las prohibiciones conocidas como "Ordenos del Comandante en Jefe" para los militares cubanos, se encontraba la de escuchar emisoras de radio extranjeras. Hacerlo podía costarme la expulsión deshonrosa de las Fuerzas Armadas, y una mancha indecorosa en mi expediente para el resto de mis días.

Un día de primavera que decidimos andar el camino de regreso al hotel, vimos una multitud de hombres eufóricos que batallaban a empellones a la puerta de una tienda de cosméticos. Preguntamos a uno que observaba qué vendían de especial, y nos respondió que una colonia para hombres.

-¿Y por una colonia tanto ajetreo? -preguntamos perplejos.

Nos miró entonces con asombro, y levantando los brazos para dejarlos caer con furia a sus costados, estalló:

-Pues claro pu . . . s, si no hay vodka, ¡algo hay que tomar!

Y continuamos nuestro camino, cuestionando la eficacia de las medidas emprendidas por Gorbachov para combatir el alcoholismo. Durante el crudo invierno que acababa de pasar, habíamos visto con frecuencia a hombres yaciendo en la calle completamente ebrios en medio de un charco de vómito, en peligro de morir congelados en pocas horas, ante la indiferencia de los transeúntes que pasaban por su lado.

Una noche de mayo de 1987, mientras miraba el noticiero estelar de la televisión rusa, el locutor anunció que el general de brigada de la Fuerza Aérea Cubana, Rafael Del Pino, había desertado a los Estados Unidos en compañía de su familia en un pequeño avión.

La noticia me dejó estupefacto, sencillamente, no podía creerlo. Conocía al general Del Pino desde mis tiempos de cadete. Su hijo, Ramsés, que también había escapado con él, había sido mi compañero en la escuela de aviación de Krasnodar. Ambos eran individuos sencillos y entregados en cuerpo y alma a la Revolución. Me devanaba los sesos buscando una razón para la deserción de Del Pino, y sólo podía explicármelo pensando que éste estuviera trabajando para la CIA desde hacía mucho tiempo, y que su conducta diaria no hubiera sido más que una comedia para engañarnos a todos.

—

Llegó por fin el ansiado mes de julio, en el que nos entregaron los apartamentos que habitaríamos con nuestras familias al regreso. Y con las llaves en el bolsillo, marchamos a Cuba contentos de saber que no regresaríamos solos esta vez.

Vicky y Reyniel me esperaban en el aeropuerto ya tarde en la noche, mezclados como siempre, con la multitud escandalosa y alegre que daba la bienvenida a familiares y amigos.

Quedé impresionado por el estirón que había dado Reyniel en los once meses que estuve ausente. Con él en mis brazos y, ansioso de ver al perezoso Alejandro, marché con ellos a casa.

Dormía plácidamente el más pequeño de mis hijos en el cuarto de mis suegros, cuando llegamos en la madrugada y lo llevamos al nuestro sin que se inmutara. Ya en la mañana, cuando aún conversábamos Vicky y yo tendidos en la cama sin haber dormido, se levantó Alejandro en su cuna sosteniéndose de la barra protectora y miró con curiosidad.

-¿Viste, Ale? ¡Ya papi está aquí! -le dijo Vicky como quien da una sorpresa. Y sonrió el niño dando pequeños saltos sobre la cuna mientras repetía:

-¡Papií, papií, papií!

Lo tomé en mis brazos acomodándolo junto a mí en la cama, y fue su primera caricia arrancarme de un tirón un puñado de pelos del pecho desnudo, haciéndome saltar de dolor.

-¡Sinvergüenza! Así no se trata a papi.

Alejandro reía a carcajadas y volvía a emprenderla contra mi cabello. Desde entonces fue muy difícil separarme del pequeñín, que me perseguía a todas partes y exigía que yo lo arrullara a la hora de dormir, yaciendo acostado sobre mi estómago. Tenía Alejandro cuatro meses y medio cuando había partido yo para la Unión Soviética, y la confianza con que me trataba, al igual que Reyniel, era el resultado de la perseverancia de Vicky en hablarles diariamente a los niños de su "papi", mientras les mostraba una fotografía mía.

Todo el vuelo a Moscú lo pasaron Reyniel y Alejandro, durmiendo profundamente, sin imaginar el cambio tan grande que les esperaba: el frío, el idioma, la cultura... y los miré con pena por su inocencia. ¡Cuán duros serían para ellos aquellos años!

—

Corrían los últimos días de agosto de 1987 cuando llegamos exhaustos a Kalinin. Viviríamos en un edificio rectangular de diez pisos que albergaba unos doscientos apartamentos, pequeñísimos e idénticos entre sí, distribuidos a cada lado del largo y angosto pasillos que lo atravesaba de extremo a extremo en cada nivel. Conviviríamos allí, con las familias de los oficiales soviéticos que lo ocupaban en casi su totalidad.

Los apartamentos destinados a nosotros habían sido pintados recientemente, y al llegar encontramos lo que serían nuestros muebles: un sofá-cama, dos pequeños armarios de madera prensada y una cama para los niños, dispuestos por piezas en sus cajas, para ser ensamblados. Pasamos la noche armando aquellos muebles mientras los niños dormían en el piso sobre unas mantas. Y ya para el mediodía habíamos compuesto lo que sería nuestro hogar durante tres años: algo más de treinta metros cuadrados de superficie ocupados por una reducida habitación, el baño y la diminuta cocina.

Toda mi vida anterior en la Unión Soviética, la había pasado bajo la tutela de las instituciones en que había estudiado, y descubría ahora con sorpresa, que desconocía a fondo aquella sociedad en que debíamos desempeñarnos como una familia más. Y nos lanzamos a la calle como ciegos, buscando a tientas cómo resolver los problemas del hogar en un mundo dominado por la burocracia y las restricciones.

Queríamos Vicky y yo que nuestros hijos no se sintieran aislados del resto de los niños por la barrera del idioma, y comenzamos de inmediato las gestiones para que Reyniel ingresara en la escuela vecina y Alejandro en un círculo infantil cercano. Debían ellos pasar los exámenes médicos previos al ingreso, y fue así que concurrimos por primera vez a la consulta de un policlínico local, ubicado en un edificio de gruesas y enmohecidas paredes, construido a comienzos de siglo en la calle principal de la ciudad. Una joven y áspera enfermera llenó los formularios de rigor, indicándonos con un gesto autoritario esperar en uno de los bancos de madera situados a lo largo del pasillo en que aguardaban decenas de otros pacientes. Llegó por fin nuestro turno, y entramos a la consulta. Una enfermera permanecía de espaldas, manipulando unas muestras de sangre contenidas en pequeños tubos de cristal que iba depositando en una caja de madera. A su derecha, ocupando el ángulo de la pared, un descolorido escritorio tras el que esperaba un hombre de edad lindante en los cincuenta. Un oscuro manto ensombrecía sus mejillas sin rasurar, y unos arcos macilentos cubrían la base de sus párpados. Sus ojos, enrojecidos, parecían perderse en la pluma que sostenía entre los dedos temblorosos que, al moverse, descubrían la negra curva bajo las uñas. Echada sobre los hombros tenía la bata descosida que alguna vez fue blanca, y le colgaba del cuello un viejo estetoscopio, moviéndose como un péndulo a la altura del pecho: era el médico. Levantó la cabeza y observándonos con mirada imprecisa ordenó:

-Siéntense.

Vi entonces su extensa dentadura enchapada en oro, y un fuerte olor etílico me llegó con su aliento. Tuve deseos de volver sobre nuestros pasos, pero . . . ¿Adónde ir? Por suerte era sólo un examen de rutina, y los niños necesitaban de la escuela. Ocupé la silla frente a él sosteniendo a Alejandro sobre mis piernas.

-Nuestros niños comenzarán pronto en la escuela y necesitan tomar el examen médico.

-Ya veo, ya veo . . . -balbuceó mientras revisaba los formularios que había completado la enfermera. Y, sin levantar la vista, preguntó:

-¿Son ustedes cubanos?

-Correcto.

-O sea, que vienen de un país del tercer mundo. Sabemos que los planes de salud allí no son los mejores, por cuanto tenemos que hacer un examen más profundo a sus niños.

Lo que escuchaba de boca de aquel médico resultaba increíble. Tenían ellos un atraso de casi un siglo con relación a la medicina al estilo occidental que se aplicaba en Cuba, y a pesar de las verdades que estaba sacando a la luz la *Perestroika*, ¡muchos pensaban aún que eran la vanguardia del progreso científico de la humanidad! Tuve deseos de disertar sobre la salud en mi país, mas comprendí que no tenía sentido y preferí callar.

-Hay que hacer un exudado anal a los niños, una simple muestra que se les toma para ponerla en cultivo durante una semana y ver qué parásitos traen.

Y volviéndose hacia la enfermera, quien permanecía ocupada en extraer sangre a una niña que había pasado a la consulta con su madre, pidió las láminas de cristal para depositar las muestras, dirigiéndose a nosotros después:

-Yo mismo las tomaré. Desnude al primero de los niños.

Vicky y Reyniel permanecían sentados en otra silla tras de mí, observando como yo el continuo entrar y salir de pacientes que eran atendidos por la enfermera, y cuando les traduje lo dicho por el médico, sintieron una vergüenza atroz por lo que se avecinaba.

Ayudábamos al primero de los niños a quitarse sus ropas con frases cariñosas para tranquilizarlo, cuando vimos al médico extraer una caja de fósforos de su bolsillo. Tomó uno de éstos por la cabeza, y se dispuso a raspar en el ano del pequeño con el extremo de madera.

-Pero, ¿qué hace usted? -pregunté, alarmado, al doctor.

-Tomar la muestra, hombre.

-¿No tienen ustedes un hisopo, algodón?

-Pues no. Nuestro presupuesto es pobre . . .

Quise otra vez abandonar la consulta, renunciar a los exámenes médicos. Pero . . . ¿y la escuela? Sin los resultados de la consulta los niños no podrían ingresar en ella. Y las reglas establecían que no podíamos recurrir a otro médico. Aquél era el asignado a la región en que vivíamos. Sostuvimos a los niños lo mejor que pudimos, hablándoles para calmarlos, mientras su llanto, que no sabíamos si venía del dolor o la humillación, nos desgarraba el alma.

Luego vinieron los análisis de sangre que tomaron con unas jeringuillas muy grandes de dudosa esterilización, y marchamos a casa con los papeles en regla, pero con una desagradable sensación de atropello en el pecho.

Meses antes, había leído en la prensa sobre la tragedia ocurrida en un hospital de la ciudad de Gorky, donde varios niños habían sido contaminados con SIDA al ser inyectados con agujas sin esterilizar que estaban infectadas con el virus. Ahora, la reciente experiencia del policlínico nos movilizó para pedir a nuestros padres en Cuba que nos enviasen jeringuillas que era imposible obtener en Rusia. Si algún niño enfermaba o necesitaba nuevos análisis, sería inyectado, sólo con nuestras jeringuillas.

Comenzaron las clases, y regresaba yo todas las noches a casa como a las ocho para cenar con Vicky y los niños en la reducida cocina en que apenas cabíamos. Luego, íbamos a la única habitación del apartamento, y la pasábamos los cuatro tendidos un rato en el piso, jugando con los niños hasta la hora de dormir. Entonces, se iba Reyniel a su cama despidiéndose con un beso, y me sentaba yo a ver las noticias en el televisor mientras Alejandro se agazapaba sobre mi pecho hasta quedar también dormido.

La televisión había dejado de ser un entretenimiento para los niños, pues las discusiones políticas y los programas educacionales para adultos, seguían cubriendo casi toda la programación. Por el contrario, solían ellos irritarse cuando corrían entusiasmados a mirar los únicos cartones que exhibían durante quince minutos por la mañana bien temprano antes de partir para la escuela o en la tarde cuando llegaban de ésta, y veían que los interrumpían súbitamente con un anuncio de "CONTINUARÁ MAÑANA", para dar paso a las noticias.

Yo, en cambio, me sentía cada vez más prisionero de la televisión, y permanecía sentado frente a ésta hasta pasada la media noche, descubriendo más y mejores talentos de la cultura que habían permanecido ocultos hasta entonces.

Una noche, cuando suponía que hacía rato Reyniel dormía, lo sentí sollozar calladamente. Fui a verlo, y lo encontré acostado boca abajo, con la almohada cubriéndole la cabeza. Tenía los brazos ocultos bajo el pecho, y su respiración irregular y brusca me indicó que lloraba. Me arrodillé junto a su cama y lo llamé en voz muy baja.

-¿Qué ocurre hijo mío? ¿Por qué lloras?

-Extraño mucho a Cuba papi -me respondió desde su refugio bajo la almohada.

-Mírame. No tengas pena de llorar. Todos lloramos, niños y hombres, cuando sufrimos por algo.

Entonces, se volvió descubriéndose el rostro lentamente, me miró con ojos muy tristes y me tendió los brazos alrededor del cuello para irrumpir en un llanto desconsolador. Vicky permanecía parada al pie de la cama, y vi que también unas lágrimas rodaban por sus mejillas.

-Papi, ¡es que no entiendo nada de lo que me dicen en la escuela! ¡los niños se ríen de mí!

Acaricié su cabellera en silencio, y cuando se hubo calmado un poco, comencé a hablarle:

-Comprendo cuanto sufres. Es natural que te sientas así. Yo también quisiera marcharme a Cuba mañana mismo, pero tengo que estudiar. Al menos, aquí puedo estar con ustedes todos los días, allá apenas si te veía durante la semana.

Reyniel me miró pensativo mientras yo hablaba, y apoyó otra vez su cabeza contra mi pecho cuando hice una pausa.

-Se sufre mucho cuando no se le encuentra solución a las cosas, pero ésta la tiene -continué diciendo mientras lo apretaba levemente por los hombros.

-Si quieres, puedes dejar de ir a la escuela, pero no aprenderías el idioma y te verías aislado en la casa, avergonzado de no poder hablar con el resto de los niños. Sin embargo, los que se burlan de ti en la escuela lo hacen sin pensar que tampoco ellos hablan tu lengua, lo que les hace lucir un poco tontos. ¿Tú no crees?

Reyniel sonrió, complacido con la vana comparación.

-Tú, en cambio, tienes la oportunidad de aprender la de ellos aunque te cueste soportar sus burlas durante un tiempo.

-¡Es que me molesta tanto cuando se ríen de mí! -estalló Reyniel quejumbroso.

-Pues claro que sí. Muy distintas serían las cosas si pudieras ponerlos en su sitio en su propio idioma. En fin, algunas soluciones a los problemas son buenas, otras malas. Tú tienes un problema ahora, y te apoyaremos en la decisión que tomes, cualquiera que sea.

-¿Aunque decida no ir más a la escuela? -preguntó Reyniel sorprendido.

-Aunque decidas no ir mas a la escuela -respondí con firmeza.

-Está bien, déjenme pensarlo. Mañana por la mañana les digo lo que decidí -y dándonos un beso, se envolvió en la manta disponiéndose a dormir.

-¿Y si mañana dice que no va más a la escuela? -me preguntó Vicky al oído cuando nos fuimos a la cama.

-No sabría explicarlo, pero estoy seguro de que irá.

-Tú estás loco.

A la mañana siguiente, Reyniel se levantó dispuesto y alegre.

-Mami, ¡dame pronto el desayuno que no quiero llegar tarde a la escuela!

Dijo con entusiasmo mientras buscaba sus zapatos bajo la cama. En la cocina, Vicky me brindaba una taza de delicioso café al estilo cubano y dejaba escapar un suspiro, diciendo:

-¡Me has hecho dormir en un susto toda la noche! -y golpeó mi pecho suavemente con los puños cerrados en un gesto de fingido reproche.

Para nuestra alegría, en pocos meses los niños comenzaron a hablar ruso con fluidez y sin acento, lo que les hacía pasar como nativos ante los que no los conocían.

Pasábamos los niños y yo el día, ocupados en las tareas de nuestras escuelas, mientras Vicky se consumía en la soledad de aquel apartamento. Queríamos que ella también se incorporara al mundo exterior, y como el salario que me pagaba la escuela apenas nos alcanzaba para vivir, decidió Vicky aceptar uno de los empleos que la cercana fábrica de gaseosas ofrecía a las esposas de los estudiantes cubanos.

Había llegado el rudo invierno, y se marchaba ella muy temprano a su trabajo mientras vestía yo a Alejandro con cuanta ropa era posible para protegerlo del frío. Después, hacía con los niños un recorrido que comenzaba en la escuela de Reyniel y continuaba hacia el círculo infantil distante unas cinco cuadras, tirando del trineo en que viajaba Alejandro, entre canciones indescifrables que componíamos sobre la marcha. Y cantábamos a plena voz alegrando nuestras mañanas, no así la de algunos transeúntes agriados que nos pedían silencio . . . ¡justo en medio de la calle!

Pero, ¡éramos tan felices! Por primera vez tenía yo la oportunidad de ayudar a vestir a mis niños, de servirles el desayuno y acompañarlos a la escuela. ¡Razones de sobra para que cantáramos de alegría cada mañana!

Un día, recibimos la visita de una representación del alto mando cubano. Traían la encomienda de explicarnos el ''proceso de rectificación de errores y tendencias negativas'' que se estaba llevando a cabo en nuestro país lidereado por el Comandante en Jefe. Una especie de *Perestroika* a la cubana cuya consigna, que había llenado centenares de pancartas a lo largo de la isla, rezaba: ¡AHORA SÍ QUE VAMOS A CONSTRUIR EL SOCIALISMO!

Muchos que habían convertido sus vidas en un sacrificio constante por la Revolución, comenzaron a preguntarse estupefactos qué habían estado construyendo por muchos años.

Durante la visita, nos hablaron del Documento de Santa Fe, y de las ''vanas esperanzas norteamericanas de un cambio en Cuba, lidereado por los oficiales más jóvenes de las Fuerzas Armadas''. De la *Perestroika* soviética, transmitieron la evaluación que hacían de ella nuestros máximos líderes: ''Es un gigante que no sabemos hacia donde irá''. Llamaban de esa manera a la voluntad del pueblo, que sin proponérselo Gorbachov en los comienzos del proceso de cambios, se iba imponiendo cada vez más.

La apertura informativa había provocado una especie de apetito incontenible de la gente por conocer la verdad sobre su historia, y cada día nuevos y más documentos reveladores de los crímenes de Stalin y la corrupción reinante en los tiempos de Brezhniev aparecían en publicaciones como ''Literaturnaia Gazeta'', ''Vzgliad'', ''Novedades de moscú'' y ''Sputnik''.

Por entonces, el controvertido Secretario del Partido en la región de Moscú, Boris Yeltsin, había criticado rudamente a Gorbachov por la lentitud en la marcha de las reformas, y fue destituido al estilo de los tiempos de Brezhniev. La medida fue tomada con recelo por el pueblo y por los oficiales más jóvenes de las Fuerzas Armadas con quienes yo estudiaba, y el liderazgo y popularidad indiscutibles hasta entonces de Gorbachov, comenzaron a decaer.

Fue en aquel ambiente de archivos secretos destapados al conocimiento público, que pude leer algunas de las actas del juicio a Veria, el temido jefe de la Cheká en los tiempos de Stalin. Corrupción, crimen, abuso sexual, casas de tortura y experimentación de nuevos venenos con los supuestos enemigos políticos. Todo constituía un descubrimiento que me llenaba de horror. ¡Tal era la "heroica historia" del socialismo soviético!

Trabajaba Vicky al control de una de las máquinas de la fábrica, y recibía un salario de ciento veinte rublos al mes. Se quejaban ella y sus compañeras cubanas de que nos les permitían hablar español en el recinto de la fábrica, y muchas veces no comprendían los comentarios jocosos que sobre ellas hacían en su presencia.

-Tengo la impresión de que nos tratan como a seres inferiores -me había comentado Vicky en una ocasión.

Cada mes, teníamos las reuniones del Partido en las que se analizaba el rendimiento académico de cada uno de nosotros, y Ramírez, quien tenía dificultades con el idioma, obtenía siempre calificaciones que sólo llegaban a satisfactorias. Entonces, se vertía sobre él la crítica que era recogida en el acta de la reunión. Y yo sufría viendo a Ramírez explicar una y otra vez, avergonzado, que no podía más allá de sus fuerzas.

También, las relaciones humanas entre las familias eran punto de análisis en la reunión del Partido. Si alguien prefería dedicar el tiempo libre a su familia en la privacidad del hogar, podía ser considerado como un síntoma de conflicto con otros.

"¿Por qué no visitas a tus compañeros? ¿Por qué no se reúnen las familias en el tiempo libre?" Y las relaciones afectuosas entre nuestras familias comenzaron también a convertirse en una especie de tarea partidista.

En las reuniones del Partido todos debían hablar, cada cual debía criticar o autocriticarse, expresar su opinión sobre alguien o algo. Quien no lo hiciera era señalado como débil y se marcaba en la evaluación escrita que se le hacía.

Así nos evaluaba el Partido, en todos los aspectos de nuestras vidas, hasta en el familiar. Y no había cosa que nos atormentara más que el ojo del Partido, presente en cada uno de los militantes, observando nuestros actos, al acecho, para someter al juicio público lo que no se ajustara a las normas establecidas. Nada producía más pánico en todos que la posibilidad de encontrarnos en la humillante situación de ver al colectivo señalarnos con el dedo para juzgar y opinar hasta cómo debíamos hacer las cosas en casa.

Habíamos traído de Cuba un pequeño cocodrilo disecado, como exótico presente para algún amigo ruso, pero un estudiante húngaro lo vio casualmente un día que estuvo en casa unos minutos, y quedó obsesionado con la idea de obtenerlo. Desde entonces nos asedió con diferentes ofertas para adquirirlo, una de las cuales consistía en trocarlo por una pequeña radio-grabadora japonesa que, ni en sueños, habríamos podido obtener jamás en Cuba. Ahora nos entusiasmaba la idea de alegrar el hogar con aquel objeto que nos permitía escuchar la música más gustada y los programas de radio prohibidos que entraban por la onda corta. Aceptamos así el cambio, e instalamos gustosos nuestra radio-grabadora en el único lugar posible: sobre el televisor.

Habíamos incurrido en un delito punible para los cubanos, pues se nos prohibía intercambiar cosas, aunque fuesen nuestras. Todo objeto de procedencia capitalista era motivo de las mayores sospechas, y sólo lo que algún familiar traía cuando viajaba en misión oficial a algún país occidental era considerado lícito.

Un día, recibimos la visita de uno de los oficiales de la contrainteligencia radicados en la embajada cubana para velar por los estudiantes militares en la región. Entre otras cosas, nos advirtió alarmado sobre un grupo de estudiantes cubanos que habían sido enviados deshonrosamente de vuelta a Cuba por comprar objetos capitalistas a estudiantes de otros países. Y concluyó la reunión haciendo una advertencia para aquellos de nuestro grupo que pudieran incurrir en el mismo error.

Ese día, regresé a casa con la sensación de haber cometido un crimen. En lugar de jugar con los niños como de costumbre, me senté frente al televisor ahogado en mis preocupaciones. Recordé a Valle cuando fue separado de vuelos y convertido en un paria, y recordé a mi padre el día que llegó asustado del lugar en que reparaba el automóvil con la ayuda de un mecánico que trabajaba por cuenta propia.

Había por fin comprendido al cabo de los años, ¡la razón del miedo de mi padre!

Y con los ojos fijos en la pared, fui viendo como en un filme de horror, la reunión en que se discutiría mi caso: me acusaban mis compañeros como al canalla que había manchado el honor del colectivo, y uno a uno fueron pidiendo mi expulsión deshonrosa del Partido, de la escuela, de las Fuerzas Armadas . . . ¡Había caído en desgracia!

Conté a Vicky lo que ocurría y estuve a punto de lanzar al río Volga la acusante radio-grabadora.

-¡Tú no has cometido ningún delito para sentirte así! -me comentaba ella una y otra vez, y comencé a comprender que tenía razón.

¡Cuánto había degenerado durante estos años en las Fuerzas Armadas! Era honrado, lo había sido siempre, y esta vez no me dejaría agobiar por lo absurdo.

Había sido aquella ética inculcada por nuestros líderes, que nos hacían ver como un egoísmo abominable la más simple aspiración material, la razón de mi reciente angustia. Era mezquino que un revolucionario deseara un objeto cuando millones de sus compatriotas no lo tenían, y era casi una traición obtener por cuenta propia un producto capitalista. Hasta las propias leyes imponían esta ética, obligando a los ciudadanos cubanos a entregar al gobierno, para el bien común, los dólares y otras divisas que pudieran recibir de algún extranjero. Cientos de ciudadanos estaban ahora en las cárceles por haber querido ''lucrarse'' con los pocos dólares que les regaló o cambió algún turista occidental. Era la misma moralidad que nos hacía degradar sin darnos cuenta, convirtiéndonos en gendarmes de todos con el deber de vigilar y el derecho de saber qué bien tenía cada cual para juzgarlo por ello. Éramos al mismo tiempo, las víctimas y los cómplices de un mundo igualitario como absurdo.

Capítulo 10

—

¡O Dios . . . perdón!

Concluían las clases de aquel año, y tenía yo que marcharme a Cuba por un mes para mis prácticas anuales de vuelo. Vicky y los niños no podrían acompañarme, no tenían derecho de viajar a Cuba hasta pasados dos años.

-Por favor, regresa cuanto antes -me había pedido Vicky con lágrimas en los ojos antes de partir. Sabía que quedaban ellos presa de la ansiedad en medio de aquel ambiente que no les era afín. Cumplí mi plan de entrenamientos lo más rápido que pude, y regresé de inmediato adonde los míos.

Desde la ventana de la cocina vio Vicky el taxi en que llegaba muy temprano en la mañana, y con Alejandro en brazos y seguida de Reyniel, corrió escaleras abajo echándose en mis brazos.

-Pensé que nunca llegarías. ¡Hemos sufrido mucho estos días sin ti! -exclamó, apretándome con fuerza.

Alejandro se había prendido de mi cuello, y Reyniel me abrazaba por la cintura. Estuvimos así unos minutos, abrazados en silencio a la entrada del edificio. Nos disponíamos a subir a nuestro hogar cuando noté que Vicky tenía la mano derecha vendada.

-¿Qué te ocurrió? -pregunté mirando su venda.

-Ayer tuve un accidente en la fábrica. Fui a sacar una botella que se había trabado en la máquina, y una compañera la conectó por error . . .

-Pero, ¿cómo pudo hacer eso? Pudo destrozarte el brazo.

-No te preocupes. Por suerte fue sólo una pequeña herida. Luego, en el hospital, me dieron dos puntos.

Dejé escapar un suspiro de alivio y subimos los cuatro, alegres de estar juntos otra vez. Nos quedaban aún unos días antes del comienzo de las clases, y los aprovechamos para irnos al bosque cada mañana. Llevábamos una pelota para jugar con los niños y cocinábamos alguna cosa en una hoguera improvisada, mientras Reyniel y Alejandro corrían alegremente entre los árboles. Era nuestra manera preferida de descansar en Kalinin.

El primer día de clases se despertó Vicky antes de la hora señalada. Sentada en el borde de la cama, la vi revisarse los brazos con preocupación. Una expresión de malestar le entristecía la mirada.

-¿Qué te ocurre? ¿No te sientes bien? -pregunté acariciando su mejilla.

-No he dormido bien. Creo que estoy intoxicada . . .

Vi entonces que una mancha rojiza cubría la piel de su brazo. Quise revisarla con más atención, y descubrí que la misma irritación aparecía más intensa en su abdomen y espalda.

Recordé entonces que el día anterior habíamos cenado unos hongos silvestres que compramos a una anciana en el mercado de la ciudad. Solían recogerlos del bosque, y la idea de que Vicky hubiera comido alguno tóxico, recogido accidentalmente, me horrorizó. Por suerte los niños no habían querido comerlos.

-Vamos al hospital de la academia -dije, convencido de que sería el mejor lugar para atenderla.

En el trayecto Vicky se fue sintiendo peor. Las ronchas le aparecían ahora por todo el cuerpo y sus labios habían comenzado a inflamarse.

-Siento que se me van las fuerzas . . . Me está bajando mucho la presión -me dijo casi desfallecida cuando entrábamos al pequeño hospital.

Sosteniéndola del brazo avanzamos hasta la consulta del médico de turno, una atenta mujer que se levantó solícita invitándonos a pasar. Apenas vio el estado de Vicky, se dispuso a tomar su presión arterial. Una sombra de preocupación asomó a su rostro cuando escuchaba atentamente el pulso de Vicky, y observé con alarma que ésta se desvanecía en su asiento.

Tomé a Vicky en mis brazos acostándola en la camilla vecina, mientras la doctora corría en busca de algún medicamento. Regresó al instante con una jeringuilla entre las manos, y me pidió sostener el brazo de Vicky mientras buscaba la vena tentando con los dedos.

-Tiene la presión muy baja . . . ¡sesenta con cuarenta!

Había yo enmudecido. En apenas unas horas, Vicky había perdido la fragancia y la vitalidad de siempre. La veía marchitar como flor que se muere, y me sentí de repente el hombre más desolado del mundo . . . No quería, no podía aceptar que desfalleciera entre mis brazos . . . Y me sentí perdido, desorientado, tragado por un universo de dolor.

-Es sólo un estimulante que le estoy poniendo -me pareció escuchar la doctora hablándome desde muy lejos. Se había reducido mi mundo increíblemente: Sólo Vicky, desfallecida en aquella camilla, y yo, prendido angustiado de su brazo.

-Se recuperará en unos minutos, pero debe llevarla al hospital regional cuanto antes. Debe examinarla uno de los especialistas en alergias que allí trabajan. Daré instrucciones para que los lleve nuestra ambulancia -decidió finalmente la doctora.

Se recuperó Vicky por la acción del estimulante, y partimos en la ambulancia que resultó ser una especie de camioneta cerrada, pintada de verde olivo y con dos camillas de lona que colgaban una sobre otra del techo. La ayudé a acomodarse en la inferior, y tomé asiento junto a ella sosteniendo sus manos entre las mías. Continuaban apareciéndole más y mayores manchas rojizas por todo el cuerpo. Y yo gritaba suplicando al soldado que conducía que acelerara la marcha de aquel artefacto que parecía correr no más de cincuenta kilómetros por hora.

Estaba el hospital de la región, un moderno edificio de siete pisos, en las afueras de la ciudad. Mientras esperábamos en la sala de urgencias por la asistencia de un alergista Vicky me comentó mostrándome la mano accidentada escasos días atrás:

-Este es el lugar en que me hicieron la sutura de la herida. No me gusta la manera en que atienden a los pacientes.

Los conocimientos de medicina de Vicky la hacían observar con sentido crítico cuanto estaba a su alrededor en aquel hospital y, algo había visto ella cuando vino la vez anterior, que le inspiraba temor.

Llegó por fin el alergista: una doctora parca y calmada que interrogó a Vicky sobre lo que había comido en los últimos días, determinando que se había intoxicado con hongos. Seguidamente la inyectó y le recomendó ingresar para quedar bajo observación médica.

-¡Aquí no me quedo! -exclamó Vicky contrariada.

Quise convencerla de que debía ingresar, pero todo fue inútil.

-Pídele los medicamentos, y si hay que inyectarme tú mismo me lo haces en casa -y con una expresión de conmovedora súplica en sus ojos agregó: -Por favor comprende, tengo miedo de quedarme aquí. No me inspira confianza este lugar.

Parecía ella asustada, y aseguraba sentirse mejor después del antihistamínico que le habían inyectado. Aunque dudaba de la sensatez de su decisión, preferí no contrariarla y, dando las gracias, nos marchamos a casa. Pero allí las cosas marcharían aún peor . . .

Vencida por el miedo que le inspiraba aquel hospital, Vicky había mentido cuando me dijo sentirse mejor. Y continuó inflamándose más y más. Ya para la media noche, su aspecto era monstruoso, y yo me sentía enloquecer, atrapado en la impotencia y desesperación de no tener otra cosa que hacer, sino regresar con ella a aquel hospital que tanto temía . . .

-Tienes que ir al hospital aunque no te guste. ¿Adónde más podemos ir? -le imploré desesperado.

Vicky aceptó resignada, y como los niños dormían, fui al apartamento de uno de mis compañeros pidiéndole que viniera al nuestro para quedarse con ellos.

-Pueden irse tranquilos. Cuidaré de ellos el tiempo que sea necesario -me dijo amablemente Jiménez mientras abotonaba su camisa con premura para salir tras mis pasos.

Eran cerca de las dos de la mañana cuando llegamos nuevamente al hospital, pero esta vez no encontramos médico de guardia que pudiera atenderla, lo que nos sorprendió mucho, pues estábamos acostumbrados a encontrar especialistas en los hospitales cubanos las veinticuatro horas del día.

Una enfermera veterana llenó los formularios de rigor, y luego de mucho rogarle, me permitió acompañar a Vicky hasta la habitación que ocuparía. Estaba en el séptimo piso, en la llamada sala de alergia. Caminamos en silencio hasta detenernos junto a la puerta del cuarto situado justo frente al escritorio en que cabeceaba la enfermera de guardia.

-Este es el cuarto. Su cama, la última de la izquierda -dijo secamente la que nos acompañaba, y dio media vuelta marchándose con premura.

Ocho camas se disponían en dos hileras paralelas a ambos lados de la habitación, y seis pacientes yacían durmiendo en ellas. Vicky se sostenía penosamente entre mis brazos, y la súbita presión de sus manos me comunicó el temor que la embargaba.

Apoyándose en mí con dificultad, avanzamos hasta la última de las camas bajo una amplia ventana de cristal. Preparé sus sábanas en segundos, y tomando a Vicky en mis brazos la acomodé con suavidad sobre ésta.

Su estado había empeorado rápidamente en las últimas horas. Ahora, su piel era toda una roncha gigante, una especie de grueso manto carmesí que le cubría todo el cuerpo. Su rostro, antes casi infantil, se había transformado por la exagerada inflamación de los labios, párpados y orejas, que con sus ojos inundados de angustia, la hacían parecer terriblemente desfigurada.

-Creo que se me están inflamando también los bronquios -comentó Vicky en voz baja y triste. Y exclamó en un sollozo:

-¡Yo no me quiero morir!

Y fue como si un mundo de cristal estallase en mil pedazos dentro de mi cabeza.

-¿Pero qué dices? Todo saldrá bien -y comprendí que mentía, como comprendí que se llevaría mi alma con ella . . .

¡Ay, mi alma! ¡Qué fuerza la tuya, que aunque respire, sin ti me siento que muero! ¡No me dejes Vicky, porque contigo se me va la vida!

Clamaba yo desde lo más profundo de mi corazón mientras besaba sus manos. Vicky sollozaba.

-Los niños . . . Mis niños . . . Pobrecitos . . .

-Todo saldrá bien . . . Mañana te verá el médico y verás qué rápido te repones -repetía yo una y otra vez. Y ya no sabía si daba aliento a Vicky o me lo daba a mí mismo.

Todo había ocurrido en menos de veinticuatro horas. El destino se había ensañado en ella con crueldad, y yo no conocía la manera de luchar contra ello. Algo invisible, pero devastador, se la llevaba de entre mis brazos. Y me sentí vencido, sin saber qué hacer. Permanecí aún varias horas arrodillado en silencio junto a su cama, y le hablé luego muy bajo al oído, tratando de no molestar a las otras pacientes, mientras le enjugaba las lágrimas que rodaban por sus mejillas:

-Cálmate, recupera la confianza. ¡No te dejes vencer!

-Los niños, acuérdate de los niños.

Vicky no olvidaba que Jiménez tenía que marcharse a la academia temprano.

¡Ay, la familia! ¡Cuánto necesitábamos ahora, la presencia de nuestros padres!

-Ya me marcho . . . Acompañaré a los niños a la escuela y regresaré enseguida -me despedí, besando sus manos con fuerza y salí de la habitación.

Detrás quedaba Vicky, y con ella, mi alma. En casa, el servicial Jiménez dormitaba en el sofá, velando el sueño de aquellas criaturas que dormían sumidas en la tranquilidad de su inocencia. Di las gracias a mi amigo, y lo dejé marchar dando una palmada sobre sus hombros. Necesitaba estar solo . . .

La habitación permanecía tenuemente iluminada por la luz de la cocina reflejada en la puerta ligeramente abierta. Abrigué a los niños y besé sus frentes.

¡Cuán inocentes se hallaban de lo que estaba ocurriendo!

Sentado en el borde de la cama de Reyniel me sentí extenuado, derrotado. Miraba al suelo, y recordé el día en que conocí a Vicky, el primer beso, los primeros sueños concebidos juntos . . .

¿Cómo podía explicar que fuese ella ahora dueña de mi vida como lo eran mis niños? ¿Qué significaba mi vida sin ellos? ¿Qué doctrina materialista, qué filosofía marxista podía ilustrar ese sentimiento que implicaba la existencia misma? ¿Dónde estaba el concepto materialista que explicaba por qué me sentía ahora morir en vida? ¿Dónde podía verlo, tocarlo . . . ese otro yo que se me iba con ella? ¿El amor?

Me levanté lentamente, con los brazos colgándome exánimes. Andé pesadamente, como si arrastrase una carga inmensa, hasta nuestro lecho. Y caí de rodillas desfallecido, mirando al cielo a través de la ventana.

Se unieron mis manos con fuerza junto a mi pecho, y clamé con palabras que me ahogaba el llanto:

-¡O Señor . . . PERDÓN!

¿Cómo he podido ignorarte toda mi vida?

¿Cómo he podido negarte cuando has existido siempre dentro de mí?

Por favor . . . ¡Dale fuerzas para vivir!

Y quedé abatido, con el rostro en las rodillas, llorando desahogadamente, como si con cada lágrima me limpiara el alma de tanta mentira inculcada durante toda mi vida . . . Hasta que los primeros rayos del sol me indicaron que era hora de llamar a los niños.

Me lavé el rostro, borrando de él mis penas lo mejor que pude antes de despertarlos.

-¿Dónde está mami? -fue la primera, y la más esperada pregunta que hicieron. Pero no había encontrado aún una respuesta llegado el momento.

-Tuvo que irse hoy más temprano a trabajar -tartamudeé turbado, y les conminé a apurarse.

Tenía que dejarles en la escuela y el círculo, y no quería agregar una preocupación a sus cabecitas contándoles la enfermedad de su madre. ¡Quién sabe qué cosas podrían imaginarse durante las horas que allí estuvieran!

Luego, cuando caminábamos tomados del brazo hacia el círculo infantil, me preguntó Alejandro volteando su carita hacia arriba, desde su estatura poco más alta que mis rodillas:

-Papi, ¿y por qué no cantamos hoy?

-Ah . . . Me duele un poco la garganta . . .

-Entonces, silba tú y canto yo.

Y comenzó a cantar una de sus improvisadas e incomprensibles canciones, mientras yo me esforzaba por silbar. Mas sólo un sonido impreciso salía de mis labios resecos.

-¡Papi, hoy tú no sabes ni silbar! -se quejó Alejandro, y yo me incliné tomándolo en brazos.

-Cierto, sin embargo te llevaré sentado sobre mis hombros.

-¡Qué ricooo!

Dejé a Alejandro en el círculo, protestando porque no habían llegado a esa hora suficientes niños con quienes jugar, y salí disparado rumbo al hospital.

Aún no eran las ocho cuando pasé al cuarto de Vicky ignorando las protestas de la enfermera junto al buró. Ya algunas pacientes se arreglaban el cabello y maquillaban sus rostros observando su obra en los pequeños espejos que sostenían en las manos. Pedí perdón ruborizado y, sin detenerme, avancé hasta la cama de Vicky. Permanecía acostada de espaldas a la puerta. La luz del sol matutino le daba directamente en el rostro, y vi con horror que un oscuro hematoma le cubría parte de la frente, encima del ojo izquierdo . . .

-¿Y ese golpe . . . qué ocurrió?

-Tuve necesidad de ir al baño después que te marchaste. Cuando pasaba frente a la enfermera de guardia, perdí el conocimiento y caí al suelo. No sé el tiempo que estuve allí. El golpe me lo di al caer. La enfermera estaba dormida sobre el buró. Ni sabe lo que ocurrió.

Mientras Vicky hablaba tuve deseos de gritar, de ir en busca de la enfermera para mostrarle las consecuencias de su irresponsabilidad, de decirles cuan porquería era su tan sonado hospital.

Vicky leyó en mis ojos lo que sentía, y tomándome la mano dijo:

-No vale la pena enfadarse. Necesitarán mucho tiempo aún para comprenderlo.

Adiviné que se refería al tiempo necesario para sanear siete décadas de demagogia. Cada una de las preocupaciones políticas que me habían embargado en los últimos meses, las había compartido con Vicky, y aunque aún no opinábamos del mismo modo sobre nuestro país, comprendíamos que los setenta y un años de socialismo soviético habían enfermado a su sociedad.

-¿Ha venido algún médico ya?

-Nadie ha venido.

La desesperación me consumía. Vicky continuaba de mal en peor, y hablaba haciendo un gran esfuerzo por respirar. Tomé una de sus manos horriblemente inflamadas. ¡Tan tiernas que eran antes esas manos!, y cuando la besaba no pude contener el llanto:

-No, no, por favor. ¡No llores! -Y estalló ella también en sollozos.

Así pasamos el tiempo, hasta la hora que suponíamos que debieran llegar los médicos.

-El médico por favor. ¿Dónde está el médico? Mi esposa está muy mal -pregunté a la enfermera que me miraba con ojos gruñones.

-Están en la reunión matutina. Cuando terminen vendrán a verla.

Corrí junto a Vicky de nuevo.

-Casi no puedo respirar. Tengo los bronquios muy inflamados . . .

Hice un gesto para salir en busca del médico, pero la presión de su mano me contuvo. Quería decirme algo importante:

-No sé si podré hablar dentro de unos minutos . . .

Su voz era tan baja que apenas podía escucharla.

-Lo que tengo no es envenenamiento por comer hongos. Creo que tengo un shok anafiláctico . . . por la vacuna antitenánica que me pusieron en este mismo hospital cuando el accidente de la mano, hace una semana.

Hizo una pausa para respirar, y continuó:

-Antes de ponerme la vacuna me hicieron una prueba y había que esperar mi reacción a ella . . . Pero el médico estaba apurado y no aguardó lo suficiente. Luego noté que se me había irritado la piel donde habían hecho la prueba. Perdóname. He estado tan asustada que no lo había recordado.

-¡Bestias! -exclamé horrorizado.

-Me está doliendo el brazo izquierdo . . . Temo por el corazón . . .

Y esta vez ya no pudo contenerme. Salí de la habitación como un bólido ante la sorprendida mirada de las otras pacientes.

-¿Dónde están los médicos? -pregunté a la enfermera de guardia, que estaba ahora tras el escritorio arreglándose las uñas.

-Ya le dije que en la reunión matutina.

-Le pregunto que dónde están reunidos. ¡Es urgente, diablos! ¿No comprende?

-En la penúltima puerta a la izquierda -respondió señalando hacia el final del pasillo.

-¡Adelante! -resonó una voz dentro de la habitación cuando llamé con insistencia.

Unos cinco médicos estaban sentados alrededor de una mesa rectangular sobre la que yacían varios expedientes dispersos.

-Por favor, necesitamos un médico urgentemente. ¡Mi esposa está muy mal!

El hombre de cabellera blanca y frente amplia, sentado de espaldas a la ventana, respondió contrariado:

-Camarada, estamos en la reunión matutina. Dígale a su esposa que espere.

Parecía el médico principal.

-¿Cómo qué espere? -pregunté cerrando la puerta tras de mí y avanzando hacia el inconmovible doctor mientras continuaba hablándole:

-¿No entiende que está MUY MAL, que puede morir?

El mundo había vuelto a reducirse en mi mente a su expresión más simple: Vicky moribunda en su cuarto, yo, y aquel doctor negándose a socorrerla.

No sé qué leyó en mi rostro, pero, parándose, dijo a uno de los médicos:

-¡Vamos! -y dirigiéndose a mí —¿En que cuarto está?

Sentado junto a la cama de Vicky, el médico principal comenzó a interrogarla mientras el más joven escribía en el expediente clínico.

-Doctor . . . -le interrumpí.

-¿ . . .?

-. . . mi esposa apenas puede hablar. Ella es dentista y piensa que tiene un shok anafiláctico a causa de la vacuna antitenánica que le pusieron hace una semana . . .

El rostro del doctor se iluminó instantáneamente, y volviéndose hacia su compañero exclamó:

-¡Esa es la clave!

Y le ordenó correr en busca de un suero intravenoso para ponerle a Vicky cuanto antes. Luego, volviéndose a mí:

-Le haremos un electrocardiograma de inmediato.

Permanecí junto a Vicky hasta la hora de buscar a los niños. Si sorprendente había sido la rapidez con que se agravó su estado, también lo era su recuperación. Había desaparecido la inflamación casi completamente, y se veía animada y calmada.

-Está fuera de peligro. Pero debe quedarse algunos días para vigilar su corazón -me había dicho el doctor después del mediodía.

Cuando trajeron el almuerzo a los pacientes, vimos Vicky y yo con estupor, que servían una pasta de aspecto repulsivo en platos de aluminio, que al igual que los cubiertos, estaban plagados de viejas y grasientas manchas.

Vicky no quiso almorzar, y no la recriminé por ello. En lo adelante, traería para ella la comida que prepararía yo mismo en casa.

Regresé por los niños lleno de alegría por la sorprendente mejoría de Vicky. Ya en la noche, les expliqué que mamá estaba enferma en el hospital y que iríamos pronto a verla . . . ''Tal vez pasado mañana''.

-Ella les manda estos besos -les dije besándolos antes de dormir.

En las madrugadas, lavaba sus ropas en la bañadera y planchaba la que usarían por la mañana. Luego, preparaba el desayuno para ellos y Vicky. Y pasaba el día en un constante ir y venir entre la casa, el hospital, la escuela y el círculo.

Al cuarto día de ingreso Vicky lucía repuesta del todo, pero el médico no la dejaba marchar. El primer electrocardiograma que le hicieron la mañana de mayor gravedad había mostrado una anomalía preocupante en el corazón, y ahora, el doctor quería asegurarse de que también el corazón se había restablecido.

Gustábamos ella y yo de escapar a escondidas de la sala, y pasar el día sentados al débil sol de comienzos de septiembre, tomados de las manos en un banco del parquesito del hospital. Una mañana, descubrimos que el médico principal nos miraba desde una ventana. Nos esperó junto al elevador cuando subimos, y dirigiéndose a mí, dijo en tono de regaño cariñoso:

-¡Malcría usted demasiado a su esposa!

Y echamos a reír los tres. Ya para entonces, médicos y enfermeras nos trataban de una manera especialmente afectuosa.

-Se aman ustedes mucho . . . -solían decir.

Y ya nadie nos reprendía, cuando Reyniel y Alejandro me acompañaban para cenar los cuatro sentados en los bancos del parquecito.

-Mami . . . -interrumpió Reyniel un día mientras comíamos -¡Papi cocina más sabroso que tú!

Y reímos Vicky y yo de pensar que eran aquellas mis primeras incursiones culinarias serias.

Una tarde me llamó el médico principal a su oficina. Tomó el expediente de Vicky y me explicó la manera en que se había desarrollado la enfermedad. La vacuna antitetánica que le habían puesto a Vicky se había obtenido de plasma animal.

-Aún nuestro sistema no obtiene suficiente plasma humano para preparar las vacunas -comentó el doctor concluyendo su explicación. Y agregó mientras cerraba el expediente.

-Sinceramente, lo siento. Mañana le haremos un último electrocardiograma por pura formalidad. Después, ya puede marcharse a casa.

Como éramos extranjeros, y temía alguna secuela dejada en el corazón por la enfermedad, pedí al médico una copia del expediente clínico.

-Generalmente no se entrega en estos casos. Pero hablaré con el director del hospital, y podrán ustedes pasar por la Dirección a recogerla antes de marcharse.

Esa noche la pasé limpiando y dando brillo a cuanto objeto había en el apartamento. Y me sentí orgulloso de cómo había quedado de reluciente la vieja cocina. Con la llegada del día, recordé que tenía que comprar flores antes de ir al hospital y comencé a vestirme antes de despertar a los niños. Noté entonces que la ropa me quedaba mucho más holgada. Apenas si había dormido durante la enfermedad de Vicky, y había perdido diez kilogramos de peso.

Queríamos regalarle algo al médico, dejarle un recuerdo en agradecimiento, y tomé antes de partir el único presente que nos quedaba: un bello caracol salido del cristalino mar que rodea a Cuba.

Nos despedimos con un fuerte apretón de manos del bondadoso doctor, y pasamos por la Dirección del hospital para recoger la copia del expediente médico de Vicky. Allí estaban los resultados de varios electrocardiogramas y el tratamiento aplicado. Una cosa nos llamó la atención: en el diagnóstico se leía ''Intoxicación por la ingestión de hongos''. Comprendimos que la Dirección del hospital no quería que en otros países supieran de los errores cometidos por ellos.

Llegamos a casa y, como en los filmes de historias románticas, pedí a Vicky que cerrara los ojos y la tomé en brazos para pasar la puerta. Allí nos abrazamos en silencio largo rato, felices de estar juntos en el hogar.

Pasaba yo mi mano por su cabellera, cuando, sin proponérmelo dije:

-Gracias a Dios que todo ha pasado.

Vicky se separó levemente al escucharme, y mirándome con cierto asombro comentó:

-Nunca te había escuchado mencionar a Dios . . .

-Y tú . . . ¿crees en Dios? -le pregunté a mi vez.

-Siempre he creído -respondió muy bajo, como si temiera que la escucharan.

-Nunca me lo dijiste.

-Nunca me lo preguntaste . . . ¿Y tú?

Guardé silencio. Me volví entonces y caminé hasta la ventana. El cielo lucía especialmente azul ese día.

Gracias, Señor, por darme la vida -pensé sin pronunciar palabra. Y sentí los brazos de Vicky rodeándome el pecho y apretarme contra su cuerpo a mis espaldas . . .

-Perdónalo, Señor -murmuró ella.

Capítulo 11

—

La historia es como es

Vicky permaneció aún varios días en la casa reponiéndose, y yo volví a entregarme a los estudios y al afán de encontrar la verdad a las interrogantes políticas que me acosaban. Una especie de pasión por la lectura de los diarios y revistas que reproducían hechos históricos ocultos hasta entonces, se apoderó de mí, y pasaba largas horas en la noche leyendo y comentando éstos con Vicky.

Uno de aquellos artículos relataba la manera en que fueron asesinados el Zar y su familia, y yo me transportaba en el tiempo, convirtiéndome en testigo de un crimen que me llenó de espanto:

En una reunión del más alto órgano de poder de los Soviets, los líderes de la Revolución de Octubre habían tomado la decisión de ''ajusticiar'' a la Familia Real en pleno para desalentar de una vez y para siempre a los defensores de la monarquía que aún luchaban contra la joven dictadura del proletariado.

Había pasado la medianoche cuando los guardias encargados de custodiar al Zar y su familia, recibieron la orden de ejecutarlos. Marcharon entonces, con pasos resueltos que rompieron el silencio de la noche, hasta los aposentos del matrimonio real y sus niños, ordenándoles levantarse.

Descendían ahora los niños por aquellas escaleras, aún soñolientos y enjugándose las lágrimas, sin comprender por qué los guardias los habían despertado y los empujaban hacia el sótano entre las protestas de su padre.

Una habitación sin ventanas y apenas con luz marcó el final del camino, y sintieron bajo sus pies descalzos el piso rudo y frío del rincón al que les habían lanzaron con sus padres. Vieron entonces a aquellos hombres que no habían pronunciado palabra alguna en el trayecto, desenfundar sus pistolas . . . , y sintieron un trueno estallar en sus cabecitas aún adormecidas.

Primero cayó el padre fulminado y luego la madre anegada en sangre. Y ya no escuchaban sus propios gritos de terror cuando las pistolas se volvieron hacia ellos . . .

Leía, y me parecía ver los rostros llenos de espanto de aquellos niños asesinados hacía casi setenta años.

¡En nombre de la justicia social! ¿Qué causa podía justificar el asesinato de un niño?

¡Aquella era la historia del comunismo!

Lenin, el ídolo que aún permanecía tendido en la Plaza Roja, el genio del siglo, el que amó tanto a los niños, era el jefe máximo del gobierno, era . . . un asesino. Él había sido mi héroe, el modelo de sacrificio, de sencillez y modestia, el hombre que siempre se inspiró en el amor . . . ahora lo veía como al máximo responsable del crimen de aquellos niños.

Pero no estaba solo Lenin. Los héroes del Gran Octubre que me enseñaron a amar, también aprobaron el crimen. ¿Y cuántos más?

¿Y no era un crimen que mis héroes de hoy me hubieran ocultado la historia? ¿Por qué lo hacían? ¿Con qué derecho?

Me la habían ocultado y distorsionado, presentado a Stalin como el más incansable luchador contra el fascismo y el artífice de su derrota. Hoy descubría que las tan sonadas Repúblicas Socialistas del Báltico no eran tales por la voluntad de sus pueblos, sino el resultado de un pacto secreto entre Hitler y Stalin que le permitió a éste último anexarlas al estado soviético.

‘‘El gran líder que dirigió la epopeya del pueblo soviético contra el fascismo . . .’’ como acababa de llamar Raúl Castro a Stalin en el último de sus discursos. El mismo Stalin que felicitó a Hitler cuando las tropas alemanas entraron a Varsovia. El mismo que asesinó en Ucrania a miles de oficiales del ejército polaco. El mismo Stalin que hoy era acusado del asesinato de casi cuarenta millones de soviéticos. ¡El doble de los que perdió el país durante la Segunda Guerra Mundial!

¿Y Zhukov, el insigne mariscal cuatro veces héroe de la Unión Soviética cuyo nombre llevaba mi academia? ¿Acaso no supo Zhukov, el más importante jefe militar soviético de la época del asesinato de los oficiales polacos? ¿No lo supieron Rokosovsky, Budionny, Borosshilov y todos los generales rusos cuyas hazañas estudiábamos ahora en las clases de Arte Operativo?

Primero fueron los crímenes de Stalin, de Beria, el tenebroso jefe de la Cheka. Ahora, los cometidos por otros funcionarios en los tiempos más recientes de Brezhniev . . . ¡El gigantesco estado soviético, vanguardia de la civilización, se había edificado sobre los cadáveres de millones de víctimas!

Y nunca una palabra, un libro, nada que llegara a mis manos para formular mis propios juicios. Cada revista o periódico, cada discusión de los parlamentarios soviéticos trasmitida por la televisión constituía para mí un acto revelador de la maldad de un mundo en el que había creído hasta el punto de haber estado dispuesto a morir por él.

Leía, y con el dolor crecía la indignación contra esa especie de esclavitud de conciencia que me habían impuesto desde mi niñez, basada en la ignorancia y la mentira.

Y no podía dejar de pensar en los jóvenes que enfrentaron la muerte en Angola considerándose héroes que defendían la justicia universal. ¡Habían muerto con la convicción de que hacían lo justo, como modernos Quijotes que sembraban justicia a su paso, cuando en realidad estaban defendiendo la legitimidad de un crimen del que también ellos eran víctimas!

Mas los culpables seguían siendo los hombres, los que se cegaron por el poder. En teoría, el comunismo seguía representando la mejor opción para una sociedad justa. Entonces, ¿por qué no había funcionado?

Y comencé a cuestionar la teoría creada por Marx, Engels y Lenin con los razonamientos más simples:

El comunismo supone la solución a las injusticias que agobian a la humanidad porque distribuye la riqueza entre todos de manera equitativa. ¿Y el origen de la riqueza? Veamos: Tomemos toda la riqueza y tecnología que ha acumulado el capitalismo y entreguémosla a un país sumido en la miseria: Angola. ¿Se resolverían los problemas de ese pueblo? Definitivamente, no. Lo más probable es que pasado algún tiempo hayan consumido la riqueza, y la tecnología permanezca sin utilizar. Entonces, es riqueza la que se crea, no la que se consume. ¿Por qué pueblos como el alemán y el japonés pudieron reponerse de los efectos de la Segunda Guerra Mundial y estaban ahora entre las mayores potencias económicas del planeta mientras la tan rica en recursos naturales Unión Soviética permanece sumida en la pobreza? Parece que la riqueza es, ante todo, el resultado de la combinación de una cultura del trabajo y del ahorro, cultivada durante siglos por algunos pueblos, y del sistema que estimula el desarrollo económico dando libertades a sus ciudadanos. Entonces, los pueblos serán ricos en la medida en que sean libres y forjen su propia cultura del trabajo.

Pasaba los días atormentado, buscando respuestas a las cada vez más angustiosas interrogantes que surgían en mi conciencia, poseído de una especie de obsesión por conocer la verdad.

Una noche, en que Vicky observaba con preocupación mi desvelo, me comentó persuasivamente:

-Te vas a volver loco si continúas así. ¿Qué puedes hacer?

-No sé . . . Siento como si no hubiera vivido mi propia vida.

-¡Pero tienes que resignarte a ella!

Vicky quería rescatarme de aquel mundo de sufrimiento interno en que me había sumido lentamente desde que comencé a conocer sobre los crímenes cometidos en nombre del comunismo.

-¡Es que no puedo aceptar las cosas como son!

-¡Pero tú no puedes cambiar la historia!

No comprendía ella que comenzaba yo a sentirme traicionado, usado para los peores propósitos.

-Cierto, pero me niego a convivir con la mentira. Me niego a aceptar la idea de que en Cuba esté ocurriendo lo mismo en estos precisos momentos.

-Tal vez en Cuba las cosas no sean así . . .

-Tal vez, pero no lo sé. No sé la opinión que tienen los llamados contrarrevolucionarios, nunca he podido escucharlos. ¡Cómo no supe antes lo que ocurrió aquí! ¡No quiero enterarme, de aquí a quien sabe cuantos años, de que en Cuba se cometieron los mismos crímenes!

Vicky pasó su mano por mi cabello.

-No quiero verte atormentado . . .

Pero ya no la escuchaba. Me martilleaba la mente la entrevista con Armando Valladares publicada recientemente. Aquel "terrorista peligroso" liberado en 1982 a petición del gobierno francés y que ahora se desempeñaba como embajador del gobierno de los Estados Unidos ante la Comisión de Derechos Humanos de las Naciones Unidas. Veintidós años de prisión, diez de ellos desnudo en una pequeñísima celda de castigo, once huelgas de hambre en protesta por los malos tratos, torturas . . . Tales eran las memorias de aquel hombre en Cuba. ¡No podía creerlo!

Me eché junto a Vicky pretendiendo dormir, pero una pregunta me martilleaba el cerebro:

¿Será cierto lo que cuenta Armando Valladares?

Sentí el cuerpo de Vicky buscar abrigo junto al mío, y correspondí abrazándola . . .

Nada será igual en lo adelante . . .

Pensé preocupado.

—

Una tarde que llegué a casa, me esperaba Vicky con evidente malestar en el rostro.

-La jefa de personal de la fábrica se enfermó y la señora que vino a sustituirla nos ha pagado un salario mayor.

-¿Y . . . ?

-Pensamos que era un error, pero no . . . nos han estado robando a las cubanas todo el tiempo . . . Lo peor es que ahora no tenemos a quien reclamar. ¿Quién va a defender nuestros derechos?

Las estaban discriminando . . .

-Podemos vivir con lo que yo gano -le sugerí para poner fin a las humillaciones de que era víctima. Y fue aquel el último día que Vicky trabajó en la fábrica.

Había llegado el invierno y volvía Alejandro a viajar al círculo infantil en su trineo tirado por mí, entre las mismas afónicas canciones y las protestas de los agriados transeúntes. Reyniel disfrutaba aquel invierno inexistente en Cuba, en las tardes cuando llegaba de la escuela. Entonces se sumaba a la turba de muchachos que patinaban y jugaban al hockey en el pequeño campo construido por los vecinos del edificio.

Una mañana, cuando despertábamos a los niños para ir a la escuela, notamos unas pintas rojas que cubrían la piel de Alejandro. Lo llevamos al médico y éste confirmó lo que sospechábamos: varicela. Vicky quedó en casa con el niño y yo marché a mis clases convencido de que pasaría la enfermedad en una semana, como la pasaría Reyniel a causa del contagio, pues no había padecido aún la enfermedad.

En pocos días, Reyniel también enfermó, pero a diferencia de Alejandro, sus síntomas fueron más agudos. Las pintas rojas en su piel eran mayores y más numerosas, y el escozor que sentía se le hacía insoportable tornándolo irritable. Aumentaba nuestra alarma y sufrimiento viéndolo empeorar a diario, y creímos enloquecer cuando las pintas aparecieron también en su garganta. Corrimos otra vez al médico, y éste nos explicó que la enfermedad, generalmente pasajera, podía tornarse mortal si invadía las vías digestivas. Y escribió seguidamente una remisión para ingresar al niño en el hospital de enfermedades contagiosas.

Caía la tarde cuando descendimos del tranvía y caminamos con Reyniel en mis brazos, a lo largo de la calle en que nos indicaron estaba el hospital.

-Es aquí.

Dijo Vicky deteniéndose frente a la entrada abierta en el descascarado y enmohecido muro de concreto que rodeaba toda la cuadra, elevándose unos tres metros sobre el pavimento. Una placa de bronce incrustada junto a ésta rezaba: Hospital Epidemiológico Regional, indicando el sendero que se adentraba en el bosque de empinados abetos.

Avanzamos bordeando lo que en alguna época había sido la verja de entrada: dos armazones de hierros retorcidos y oxidados tiradas a cada lado del sendero entre los arbustos, ahora secos por el crudo invierno. Escombros, herrumbrosas latas de conserva y desechos de cartón se mezclaban con la nieve a uno y otro lado del camino haciéndonos pensar que estábamos en lugar equivocado, cuando divisamos tras el follaje de los árboles un viejo y amarillento edificio. Vencimos el recodo del camino, y se abrió ante nosotros el claro del bosque en que se alzaba el hospital: una carcomida casona de aspecto ruinoso y triste, ahogada por la vegetación del bosque que ya invadía sus paredes. Dos cuervos hurgaban en la nieve entre las ruinas de un antiguo camión abandonado en el patio, y sentí a Vicky aferrarse horrorizada a mi brazo cuando éstos levantaron el vuelo ruidosamente.

-¿Es aquí? -preguntó con el miedo en los ojos mientras contemplaba aquel cuadro desolador.

-Creo que sí, desgraciadamente . . .

Avanzamos hasta el pórtico y subimos por los escasos escalones de madera podrida, esquivando los huecos que amenazaban con tragarse una de nuestras piernas. Llamamos a la puerta . . .

-¡Adelante! -retumbó rezongona una voz, y dimos una vuelta al picaporte empujando aquella puerta que rechinó al abrirse. Una anciana con las altas botas de invierno aún puestas y un pañuelo gris cubriéndole el cabello avanzó a nuestro encuentro, preguntando ásperamente:

-¿Qué necesitan ustedes?

-Nuestro niño está enfermo . . . Traemos una remisión del médico.

La anciana arrebató de mis manos el papel que le mostraba, y lo leyó con una expresión de duda en el rostro, como si revisara algo falso. Avanzó luego hacia una puerta sin levantar la vista del papel, y desapareció tras ésta diciendo: -Siéntense y esperen. Llamaré al doctor.

Ocupamos el único asiento en el pequeño salón: un viejo y desgastado banco de madera. Y allí esperamos la llegada del doctor, sumidos en triste silencio mientras Vicky volvía a tomarle la temperatura a Reyniel con un termómetro que había traído de casa. Unos pasos enérgicos sonaron tras la puerta por la que había desaparecido la anciana . . .

Un hombre joven, de recortada barba y cabellos rojizos, apareció en el umbral vistiendo una bata blanca cuidadosamente abotonada. Llevaba en la mano izquierda el estetoscopio recogido con apuro, y ante los ojos azules, unas gafas de gruesos cristales remendadas con una presilla de papel en el lugar que ocupó el tornillo de una de sus patas. Era el doctor.

-¡Buenas tardes! -exclamó con voz juvenil y alegre.

-Buenas tardes -respondimos casi a coro mientras nos poníamos de pie. Reyniel permanecía aún en mis brazos, y desde que cruzamos el tétrico muro del hospital, se había aferrado a mi cuello con obstinación.

-Son ustedes cubanos . . . ¿No es así? -preguntó, con cierto tono de alegría en la voz.

-Así es, doctor.

-Yo estuve en Cuba por dos años . . .

Y sentí un alivio tremendo de que aquel hombre conociera otros horizontes:

Al menos sabe que estas ruinas no son el mejor hospital del mundo.

-¿Saben? Me encantó el país de ustedes. Y la medicina está muy avanzada allí . . .

Reyniel se volvió entonces sacando el rostro de su escondite entre mi cuello y mi hombro, diciendo en tono de desenfado: -¡En Cuba todo es mejor!

Sentimos que los colores nos subían a la cara. Pero el médico agregó sonriendo.

-Tienes razón hombre. ¡En Cuba todo es mejor!

Y tornándose sombrío:

-Como ven, aquí las condiciones son terribles y los métodos arcaicos. En este mismo hospital viven aislados del resto del mundo, como excremento abandonado, los enfermos de lepra, así como los de sífilis, blenorragia y otras enfermedades venéreas . . .

Un escalofrío me recorrió la espina dorsal.

-Nuestro niño sólo padece una varicela muy mala . . . -comencé diciendo, pero el médico me interrumpió con un ademán.

-No se preocupen. Aquí todos los enfermos están aislados unos de otros. La varicela es una enfermedad contagiosa, y el único hospital donde se tratan los casos más graves es aquí.

-Pero es un niño . . . Usted sabe las condiciones de higiene que existen aquí . . .

-Le dije que no se preocuparan, él no tendrá contacto con otros enfermos.

Y agregó dirigiéndose a Reyniel en tono amistoso: -¡Veamos hombre, qué le duele!

Revisó al niño cuidadosamente, y concluyó:

-Debe quedarse en el hospital . . . Les acompañaré yo mismo a uno de los cuartos para niños.

Luego, volviéndose al escritorio, tomó de una gaveta una linterna y una llave gigantesca, agregando: -¡Síganme!

Había caído la noche cuando salimos tras el doctor por un estrecho sendero que bordeaba el hospital, hasta llegar al patio trasero.

-Tengan cuidado al subir . . . ¡Aquí todas las escaleras están podridas! -advirtió, alumbrando con la linterna los peldaños que conducían a una puerta protegida por un herrumbroso y descomunal candado.

Subió él primero con cuidado, y escuchamos al candado ceder con un desgarrador chirrido.

-Pasen, por favor.

Indicó el médico desde arriba después que hubo prendido la luz que se reflejó en el rostro espantado de Reyniel.

-Papi, no me gusta este lugar -murmuró con recelo junto a mi oído.

-A mí tampoco . . . pero veamos primero la habitación. Tienes que curarte.

Subimos esquivando los huecos que también allí amenazaban tragar nuestras piernas a través de los quebrados peldaños, y pasamos el umbral descubriendo una pequeña habitación ocupada por una cama de hierro, una silla y una mesita.

-Aquí el niño tendrá total privacidad -comentó el doctor mientras extendía sus brazos en un gesto que parecía abarcar todo el cuarto.

-¿Quiere usted decir que el niño debe quedarse solo? -pregunté, preocupado por la referencia en singular que había hecho.

-Cierto, no se permiten acompañantes en nuestro hospital. Existe aquí un buen servicio de enfermeras de guardia que se ocupan de todo.

-¡Pero no vamos a dejar al niño solo aquí! Usted debe comprender . . .

No había podido evitar insinuarle al médico el tétrico aspecto del lugar en que estábamos.

-Bueno, haremos una excepción con ustedes por ser cubanos . . . Puede quedarse uno de los dos con el niño la primera noche.

Y señalando un botón sobre la cama, del que salían dos cables que se extendían por la pared hasta el techo, agrego: -Si necesitan algo en la noche, sólo tienen que oprimir aquí y la enfermera de guardia vendrá enseguida. Mañana volveré a ver cómo sigue el niño. ¡Buenas noches!

Y giró sobre sus talones desapareciendo en la oscuridad del patio.

Habíamos quedado solos, y no sabía cómo discutir con Vicky mis impresiones, en presencia de Reyniel, y la decisión que quería tomar. Solamente le hice un gesto insinuándole marcharnos, y recibí una mirada de reproche por respuesta.

Sabía lo que Vicky quería decirme. En el hospital, a pesar de su aspecto ruinoso y desolador, debían existir los medicamentos y equipos necesarios en caso de urgencia. ¿Qué podíamos hacer en casa si Reyniel se agravaba de momento? ¿Adónde más podíamos ir? Siempre íbamos a ser inexorablemente remitidos a este hospital.

Calmó Vicky a Reyniel lo mejor que pudo, y lo acostó cubriéndolo con la manta. Luego se sentó en la pequeña silla de hierro junto a la cama y me dijo:

-Me quedaré junto a él, no te preocupes . . . Ve ahora por Alejandro.

Había quedado Alejandro en el círculo infantil, y apenas quedaba media hora para recogerlo antes de que éste cerrara. Habíamos pensado en avisar a la esposa de algún compañero para que lo hiciera por nosotros. Pero, ¿cómo? Donde vivíamos había unos doscientos apartamentos, y no existía ni un solo teléfono. En su lugar, llamamos al círculo, alertando que pasaríamos a buscarlo a última hora.

Alejandro me recibió con un regaño:

-¡Papi, no me gusta que vengas tan tarde a buscarme!

El camino a casa lo hice, escuchando una sarta de protestas y reproches que me dedicaba el amado tiranonzuelo.

Esa noche, durmió Alejandro hecho un ovillo junto a mí, mientras yo contaba las horas que faltaban para correr de regreso al tétrico lugar en el que habían quedado Vicky y Reyniel.

-¡Hoy me vienes a buscar temprano! ¿Entendiste? -me ordenó Alejandro cuando le dejaba en el círculo.

-Hoy te vengo a buscar temprano . . . Palabra de papi.

Al llegar al hospital, vi que el candado colgaba otra vez de la puerta del cuarto en que habían quedado Vicky y Reyniel, y sentí que el corazón me daba un vuelco. Salté los peldaños de una zancada, y buscaba alguna nota en la puerta, cuando escuché a Vicky:

-¿Eres tú Ore? -la voz le temblaba.

-Sí. ¿Por qué están encerrados?

-No sé, alguien lo hizo mientras dormía . . . -y estalló en llanto.

-¡Papi . . .! -también Reyniel lloraba -¡Papi, yo no quiero estar aquí!

Sentí que mi visión se nublaba y mis pulmones necesitaban más aire.

Vicky volvió a hablarme:

-Anoche le subió mucho la fiebre al niño, y por más que oprimí el botón que indicó el médico, nadie vino. ¡Y para colmo nos dejaron encerrados!

-¡Apártense de la puerta!

Vicky comprendió lo que quería decir.

-Estamos apartados.

Y continuó diciendo en tono persuasivo:

-Tal vez la enfermera que tiene la llave esté ya despierta . . .

Pero ya era tarde. Los clavos que sostenían la oxidada cerradura de la que colgaba el candado habían saltado, y la puerta se abría de par en par dejando entrar la luz de la mañana a la húmeda habitación. Nos abrazamos los tres, y permanecimos unos minutos en silencio apretados unos contra otros . . .

-Ni una aspirina he podido darle al niño . . . -comenzó Vicky a contarme con los ojos inflamados del llanto -ni una aspirina . . . He tenido que bajarle la fiebre con paños mojados en agua fría. Por suerte ahora la tiene algo más baja.

-Vámonos -respondí por todo comentario.

-¿Pero, así no más . . .?

-Así no más. Creo que podemos hacerlo mejor en casa.

Abrigamos lo mejor que pudimos a Reyniel, que comenzaba a reír a pesar del malestar, contento de abandonar aquel infierno. Se paró sobre la cama abriendo los brazos para que lo cargara, y cuando lo hacía, besó mi mejilla diciendo:

-Te quiero mucho, papi.

Caminábamos por el sendero cuando encontramos un grupo de pacientes que paseaba por el claro del bosque envueltos en largas batas de color marrón. Habían perdido casi todo el cabello, y varias llagas supurantes aparecían en sus rostros y brazos.

Pasamos en silencio a escasos pies de ellos, y en silencio también nos contemplaron con curiosidad y asombro, levantando los brazos y moviéndolos de un lado a otro en un adiós definitivo y triste.

Al llegar al recodo del camino, nos detuvimos para mirar hacia atrás. Allí estaban ellos aún, con sus tristes ojos clavados en nosotros. Dimos un último adiós con un ademán de las manos, y respondieron ellos con una triste sonrisa en los labios.

Por suerte Reyniel sanó en pocos días bajo nuestro cuidado, y tuvimos luego la fortuna de no visitar nunca más un hospital soviético.

—

Transcurría la primavera de 1989, y veíamos ansiosos que se acercaba la fecha de partir de vacaciones a Cuba con nuestras familias.

La *Perestroika* nos había dotado de una independencia de pensamiento que nos hacía cuestionar los estereotipos inculcados hasta deshacerlos. Las clases de filosofía marxista-leninista y materialismo dialéctico, se habían convertido ahora en reuniones de discusión en las que los profesores se veían cada vez más desarmados ante los argumentos que exponían sus alumnos. Era nuestró profesor de técnica coheteril un veterano condecorado durante la Segunda Guerra Mundial. Fundador de las Tropas Coheteriles Soviéticas, era el coronel Telux querido y respetado por los alumnos, a pesar de considerarlo como un hombre devoto a la personalidad de Stalin.

Un día que comentábamos en clase la decisión del Congreso de Diputados de construir un monumento a las víctimas de la represión stalinista, preguntamos al querido profesor su opinión al respecto.

-Sé que piensan que soy un admirador de Stalin porque no suelo comentar los cambios que hoy estremecen al país . . . -comenzó diciendo el coronel Telux en voz apenas audible mientras pasaba la mirada sobre nuestras cabezas -Ya tengo más de setenta años. Toda mi vida la he dedicado a luchar honradamente por mi país, por el Partido . . . En la guerra, cuando salía de mi trinchera al asalto de las posiciones alemanas, lo hacía gritando: ¡Por la patria y por Stalin! Hoy no puedo menos que asquearme de ello, sabiendo de los millones de víctimas de su dictadura. Pero sólo hoy he podido conocerlo . . .

Es como comprender de súbito que toda mi vida, de la que he estado orgulloso, se consumió realmente en un mundo sin sentido.

El coronel hizo una larga pausa notando que le observábamos hipnotizados. Tragó en seco, y agregó entonces con la voz quebrada:

-Quisiera vivir de nuevo . . . Pero ya ven ustedes . . . , no existen dos vidas, y de ésta, creo que me queda muy poco. No deseo pasar lo que me resta, ¡revolviendo el estiércol!

Un silencio total se hizo cuando el profesor hubo concluido. Parecía que habíamos quedado momificados en nuestros asientos.

¡Cuánta pena me daba mi profesor!

No, yo no aceptaré jamás verme en su situación. Si nadie me cuenta la verdad sobre mi país, ¡la buscaré yo mismo!

Una nueva ola informativa sobre el "Misterioso Occidente" nos invadía ahora también, y observábamos con marcado interés los primeros reportajes trasmitidos por la televisión soviética desde los Estados Unidos, Alemania Occidental y Reino Unido. Comenzamos así a comprender el funcionamiento de los sistemas democráticos de esos países y el rol que jugaban sus estructuras de poder.

Congreso, Senado, Cámara eran palabras que cobraban sentido por primera vez en nosotros. Y hechos que antes hubieran pasado inadvertidos en nuestros esquemas, ahora atraían toda nuestra atención.

Fue así como el rechazo del Congreso de Estados Unidos a la propuesta del nuevo Presidente George Bush de que el señor Tower ocupara la Secretaría de Defensa, fue el mejor testimonio que tuvimos entonces de la manera en que se limita el poder de los gobernantes en las democracias.

Aquel ejemplo bastó para preguntarme si el sistema más democrático del mundo, como le llamaban nuestros líderes al cubano, sería capaz de rechazar alguna de las designaciones que hacía nuestro Máximo Líder.

La respuesta fue totalmente desfavorable a Fidel Castro, quien elaboraba las listas de candidatos a miembros del Comité Central, Secretariado, Buró Político, Consejo de Estado, Consejo de Ministro, diputados, embajadores, secretarios del Partido y presidentes del Poder Popular en las provincias, rectores de universidades, y hasta directores de algunos hospitales para ser aprobadas unánimemente. Evidentemente, el "todopoderoso Presidente de Estados Unidos", como llamaba nuestro líder a quien ocupara la Casa Blanca, no tenía los poderes que él ejercía. En nuestro país eran nombrados y destituidos los Ministros sin explicaciones a nadie. Se enviaba un ejército a Angola en el mayor secreto, hasta para los propios diputados que nunca escucharon una explicación de lo que ocurría en aquella guerra. Y se invertían las divisas y recursos del país al libre albedrío de nuestros líderes.

Siempre había creído en la honestidad de mis líderes, y culpado de nuestros males a los funcionarios intermedios que tildaba de oportunistas.

La *Perestroika* repercutió en el inicio del Proceso de Rectificación de Errores anunciado en Cuba por Fidel en 1986 y muchos lo interpretamos entonces como el paso definitivo que éste daría en la lucha contra la burocracia, la corrupción y el oportunismo.

¡Qué tontos éramos entonces!

Ahora, por el contrario, nuestro líder derogaba de un plumazo las leyes aprobadas pocos años atrás que permitían a los campesinos vender libremente parte de sus cosechas, y a los obreros y artesanos trabajar por cuenta propia. Anunciaba, además, la prohibición de las publicaciones soviéticas que antes se vendían en Cuba y declaraba una férrea censura sobre cuanto material arribaba a la isla procedente de la Unión Soviética.

-No necesitamos para nada tanta porquería -había él dicho recientemente en uno de aquellos videos que reproducían con clasificación de ''Secreto'', sus intervenciones en las reuniones del más alto nivel, y que nos enviaban ahora a través del ataché militar en Moscú para ''limpiarnos las mentes'' de las malas influencias de la *Perestroika*.

Fue en aquellos videos que vimos al Máximo Líder tildar de traidor a Gorbachov, y dedicar las más injuriosas palabras contra figuras como Yeltsin y humanistas tan respetados como Zajarov. Y me decía yo entonces:

La historia es como es, y no como alguien quiere que sea. ¡Sencillamente temen a la verdad!

Capítulo 12

—

Los enemigos del pueblo

Un día recibimos una noticia que nos alarmó a todos: Arnaldo Ochoa, el más brillante de los generales cubanos, había sido arrestado bajo sospechas de participar en el tráfico de drogas hacia Estados Unidos.

Hacía algún tiempo, el Máximo Líder dicho en varias intervenciones públicas que el gobierno norteamericano estaba acusando a Cuba de complicidad en el tráfico de drogas como parte de una campaña de mentiras lanzada por la CIA para desacreditar a la Revolución.

Entonces, nosotros, acostumbrados a ver nuestro país con sus fronteras férreamente controladas y libre de drogas, creímos en nuestros dirigentes. Sumidos como estábamos en las inquietudes políticas generadas por la *Perestroika*, habíamos olvidado ya el asunto de las acusaciones norteamericanas contra el gobierno cubano cuando llegó la noticia del arresto del General Ochoa.

A partir de aquel momento, los periódicos que recibíamos de Cuba con cinco o siete días de retraso se convirtieron en el centro de nuestra atención. Con cada nueva edición se producían nuevas revelaciones que implicaban a un grupo de altos oficiales del Ministerio del Interior, que junto a Ochoa, habían colaborado con el Cartel colombiano facilitando el tráfico de la cocaína a través de Cuba hacia Estados Unidos. Había comenzado el más grande escándalo de corrupción y decadencia de la Revolución Cubana.

Se inició finalmente el proceso, que lejos de aceptarlo en su versión pública, lo cuestionaría yo con los argumentos que me daban la historia y el sentido común. Justo antes del comienzo del mismo, el general Leopoldo Cintra Fría, quien fuera subordinado de Ochoa durante la guerra de Angola, y ahora jefe de las tropas que allí quedaban después de firmarse la paz, insinuaba en carta publicada en los principales diarios que la traición de Ochoa podía pagarse sólo con la muerte.

Y llamaron mi atención las palabras traición y muerte, comprendiendo que Ochoa sería ejecutado por un delito que el código penal vigente castigaba con una pena máxima de quince años de prisión. La validez de las acusaciones en su contra eran, sencillamente, dudosas.

Los acusados recibieron abogados designados, y siguiendo el desarrollo del juicio por la prensa oficial, me parecía leer una reproducción exacta de los procesos contra Bujarin y otros prominentes líderes soviéticos asesinados por Stalin. Era imposible diferenciar los alegatos del fiscal y la defensa. El mismo lenguaje, las mismas acusaciones de traición . . . ¿Qué otra cosa podía esperarse que no fuera la muerte?

Para colmo, Ochoa había sido juzgado primero por un llamado tribunal de honor compuesto por generales, entre los que se hallaba Efigenio Amejeira, rehabilitado recientemente luego de ser castigado por consumo de drogas y comportamiento inmoral.

Era Ochoa uno de los generales cubanos más jóvenes, y considerado un jefe de prestigio y liderazgo dentro de las Fuerzas Armadas. Conocido por los militares que habían estado bajo sus órdenes durante la guerra como un hombre bondadoso, de fuerte personalidad y pensamiento independiente; no eran un secreto para nadie los reiterados elogios que le había dedicado a la *Perestroika*, y sus agudas críticas al deterioro en que se sumía Cuba. Su pensamiento era conocido y compartido por muchos de los hombres que regresaban ahora de Angola, y el Máximo Líder, previsor siempre, comprendió cuan peligrosos podían tornarse estos hombres con el tiempo. La osadía de pensar por sí mismo y divulgar sus ideas le costaban la vida al insigne general. Y nuestro líder, dispuesto a evitar que surgiesen otros jefes militares con pensamiento independiente, no dudó en crear un tribunal fuera de la Constitución e incluir en él a casi todos los altos jefes militares para comprometerlos en el crimen político que se gestaba. De esta manera, lejos de conspirar en el futuro, se convertirían ellos en cabeza de lanza, pues cualquier cambio en el país significaría para ellos responder ante los nuevos tribunales por su complicidad en el crimen.

Observé el desarrollo del proceso prediciendo su desenlace y cada día de sesión confirmaba mi tesis de la intriga política. Y comprendí que mi vida no seguiría de modo alguno por los derroteros que me trazaban los líderes de aquella revolución traicionada.

Todo lo que tenía en mis manos para confirmar su traición eran la historia y mi sentido común. Ni un testimonio vivo, ni una prueba fehaciente de la represión que instuía reinaba en mi país. Pero, ¿no era una prueba mi propia ignorancia, el hecho de que se nos prohibiera buscar información, leer publicaciones extranjeras, tener contacto con nuestros familiares en Estados Unidos?

En el fondo, algo estaba bien claro: había dado lo mejor de mí a la causa que me impusieron mis líderes manipulando la realidad, había creído en ella sinceramente, y en lo adelante me resultaría imposible fingir lealtad por lo que ya no respetaba, seguir a quienes ya no creía.

Cada noche me desvelaba pensando atormentado en el futuro. ¿Qué hacer? ¿Aceptar las cosas como son? ¿Dejar pasar el tiempo y buscar mi salida de las Fuerzas Armadas por otras vías? ¿Y mi dignidad, el honor que creía tener y que me permitía mirar siempre de frente? ¿Cómo explicaría mi silencio a mis hijos al cabo de los años? ¿Cómo podría aceptar que los adoctrinaran de la misma manera en que yo lo había sido? Crecerían ellos también sumidos en la lucha contra el imperialismo, sin Dios, sin derecho a fantasías infantiles, sin Navidades . . . y les vería quizás marchar dentro de algunos años a otra guerra injusta. No, aquello sería un crimen imperdonable.

¿Y si digo la verdad? ¿Si condeno cuanto veo y le hablo a mis hijos de Dios, las Navidades y Los Reyes Magos? ¿Si les enseño a buscar la verdad por dura que sea y a forjarse sus propios juicios? Seguramente no podría completar mi obra. Sería acusado de agente de la siempre envuelta CIA y encarcelado o ejecutado . . . como Ochoa. Se verían mis niños entonces convertidos en parias de los que todos huyen como si portaran un mal contagioso, y recibirían una atención especial de mi gobierno para "limpiar de sus cabezas el veneno inculcado por el padre traidor". ¿Conspirar, cambiar las cosas? Es que el intento de poner fin a la ignominia sería legítimo. ¿Pero cómo? No se conspira para morir, sino para triunfar. Mis compañeros en Cuba pensaban de manera muy diferente o fingían hacerlo. No era el momento, no existían las condiciones . . .

Comprendí entonces el sentido de la palabra *totalitarismo*: en Cuba era imposible organizar células clandestinas, realizar reuniones ocultas, viajar anónimamente, imprimir folletos para informar a la gente . . . Todas las entidades del país pertenecían al gobierno, y estaban por tanto controladas y politizadas por éste, comprometidas con su defensa. ¿Imprimir información verídica? Imposible obtener una imprenta, y su sola tenencia era ilegal. ¿Otra opinión en la prensa? Sólo las versiones oficiales. ¿Pernoctar en un hotel? Disponibles sólo para extranjeros con divisas. Los cubanos podía recibir ese derecho sólo como un estímulo concedido por los sindicatos gubernamentales. ¿Pasar a la clandestinidad? Imposible. Para comer en uno de los muy escasos restaurantes habría que pasar todo el tiempo en las interminables colas sin que quedase un minuto para conspirar. Y la tarjeta de racionamiento obligaba a cada uno a comprar los alimentos en la tienda específica de su barrio. ¿Esconderse en casa de amigos? No tendrían con qué alimentarme . . . Y el Comité de Cuadra informaría a la Seguridad del Estado sobre la presencia del "extraño". Tal parecía que el sistema podría desplomarse únicamente por una reyerta palaciega o un levantamiento popular espontáneo. Al menos, por el momento.

Y comprendí la razón del apoyo que mostraba el pueblo a la Revolución. Cada ciudadano del país se veía atrapado de una manera u otra en las filas de las innumerables organizaciones cuya tarea principal era la "salvaguarda de las conquistas socialistas'' y la ''lucha contra los enemigos de la Revolución''. A los seis años de edad se era Pionero, a los catorce miembro de los Comités de Defensa de la Revolución y de la Federación de Mujeres Cubanas las jóvenes, o de la selectiva Unión de Jóvenes Comunistas. Con la matrícula en la secundaria se militaba en la Federación Estudiantil de la Enseñanza Media y en la universitaria si llegabas a estudios superiores. En la vida laboral te atrapaban inevitablemente los sindicatos gubernamentales y las Milicias de Tropas Territoriales.

Quien se negara a integrar tales organizaciones sería considerado como enemigo de la Revolución y jamás estudiaría en la Universidad, reservada únicamente para los revolucionarios, heredaría los peores y menos remunerados empleos. Sería rechazado por el resto de la sociedad, empeñada en demostrar fidelidad a la Revolución, y no obtendría jamás ni uno de los artículos de primera necesidad que eran entregados como estímulos por los sindicatos a los más destacados.

Ni siquiera nuestras esposas, quienes habían venido a la Unión Soviética únicamente en calidad de acompañantes, escapaban de tal acoso. Todos los meses tenían que asistir obligatoriamente a las reuniones de instrucción política de la Unión de Jóvenes Comunistas y la Federación de Mujeres Cubanas.

¿Y el culto a la personalidad del Máximo Líder?

Comenzaba éste a inducirse desde la infancia, y no pasaba ya inadvertido para mi nueva visión de las cosas:

Habíamos traído de Cuba los libros de lectura de primer grado con la idea de enseñar a Reyniel a leer y escribir en español. Y comenzaba Vicky a repasar con el niño las lecciones del libro, cuando les escuché repetir: ''F de Fidel . . . , R de Revolución . . . S de sonrisa . . .'' Y venían luego las oraciones: ''¡Mira qué sonriente está Fidel en la Plaza de la Revolución!''

Empeñada en que el niño aprendiera el abecedario en español, Vicky no reparaba ya en el contenido de lo que el libro decía. Por la noche revisamos el resto del mismo, y acordamos utilizar otras palabras en las lecciones. Sencillamente, ¡no podíamos soportarlo!

Posiblemente la sociedad en pleno odiaba al sistema que la obligaba vivir de aquella manera, pero sería muy difícil señalar quiénes. Fingir lealtad a la Revolución era la única manera posible de sobrevivir.

¡Qué ciego estuve antes! Podía conspirar sólo para mi tranquilidad de conciencia y podrirme en presidio o caer fulminado por las balas disparadas por el pelotón de fusilamiento, llevándome el tesoro de mi dignidad. Pero, ¿y mi familia, mis niños? ¿A qué males se enfrentarían ellos? ¿Hasta cuándo los sacrificaría en nombre de la patria?

-*¡Basta de tanta demagogia que sólo ha traído tragedia a nuestro pueblo! La patria son los intereses sumados de todas las familias, y yo tengo que comenzar por defender la mía!* -me dije por fin concibiendo por primera vez en mi mente la posibilidad de la deserción. Y decidí hablar con Vicky.

Una tarde, le pedí que me acompañara a la rivera del río Volga, a un kilómetro de nuestro apartamento. La existencia de algún sistema de escucha oculto en nuestro hogar habría traído nefastas consecuencias por las cosas que le diría. Nos sentamos en la arena de la playa y observábamos a Reyniel y Alejandro jugar en el pequeño parque frente a nosotros. Tomé la mano de Vicky y limpiándole la arena que se le había adherido, pregunté:

-¿Comprendes lo que está pasando?

-¿Te refieres a ti?

Asentí con la cabeza.

-Claro . . . ¡Si apenas duermes!

-No puedo dormir ahora y no podría vivir mañana si tengo que aceptar en silencio tanta mentira.

-Estoy asustada . . . A veces creo que vas a hacer una locura. Por favor, piensa en los niños.

-En ellos y en ti es que pienso ante todo . . .

-¡Mi amor!

Y me abrazó apretándome con fuerza.

-Es que cuando te conocí, decías que primero la Revolución y después la familia . . . ¡Qué feliz me haces ahora!

-Bueno, bueno. De hecho siempre han sido ustedes lo más importante para mí. Antes pensaba que vivirían tan orgullosos como yo de los sacrificios que hacíamos.

-Sí, pero no te lo había escuchado decir.

-He pensado en desertar . . .

-¿Cooómo?

-Quedarnos en el Canadá cuando el avión haga la escala técnica . . .

Vicky me miró asombrada, con los ojos muy abiertos. Luego, dibujó una sonrisa cómplice en sus labios y murmuró moviendo la cabeza de un lado a otro:

-Te has vuelto loco de remate.

-¿Ahora la esperanza se llama locura?

Sonrió otra vez, y:

-¿Cómo vamos a hacerlo, a quién te dirigirás en el aeropuerto? -y agregó en tono de advertencia -Tú no hablas inglés . . .

-Nos haremos entender de alguna manera.

Vicky volvió a recostar la cabeza sobre mi hombro murmurando:

-Canadá . . .

-Sé que será muy duro en los comienzos, pero si el sistema allí es como pienso, vale la pena . . . ¿Te imaginas? Iríamos juntos a las clases de inglés mientras los niños van a la escuela. Somos emprendedores y sé que nos abriremos camino aunque comencemos en el peor de los trabajos.

Vicky me escuchaba absorta en sus propios pensamientos. Me miró luego a los ojos y, para mi sorpresa lució más convencida de lo que yo esperaba.

-Está bien, pero quedémonos al regreso, después de las vacaciones.

No pude evitar la sonrisa de alegría que me invadió.

-No me has comprendido bien. Te estoy hablando de hacerlo el año que viene, cuando yo termine mis estudios.

-¿Y por qué no este año?

-Es una decisión extrema. Aunque no tengo esperanza alguna, puede ocurrir algún cambio en Cuba en el tiempo que me queda por terminar los estudios. Además, quisiera concluir los trabajos de investigación que estoy haciendo. Los conocimientos que adquiera pudieran sernos útiles para encontrar un empleo en el futuro.

-¿En lo militar?

Esta vez, la expresión de su rostro mostraba decepción y comprendí que también anhelaba que yo pusiera fin a mi vida militar.

-No, claro que no. ¿Quién lo necesitaría? Pero quizás en alguna universidad . . .

-Ojalá las cosas cambien y no tengamos que hacerlo -murmuró mientras bajaba la mirada, y comprendí que tendríamos que pensar aún mucho en ello. La perspectiva de comenzar una nueva vida en un país en el que no conocíamos a nadie encerraba incógnitas para las que no teníamos respuestas.

Se acercaban Reyniel y Alejandro discutiendo entre ellos, y era evidente que traían alguna queja de uno contra otro. Servimos como siempre de jueces para que hicieran las paces, y nos marchamos a casa tomados de las manos, al compás de una de las improvisadas canciones de Alejandro y de las quejas que por su terrible afinasión daba Reyniel.

—

Llegaba el mes de agosto, cuando marchamos a Cuba de vacaciones envueltos en una euforia de alegría por el inminente encuentro con los seres queridos.

Mi padre fue con mi madre y hermanos a La Habana apenas supo que habíamos llegado, y luego de abrazarnos con emoción me pidió acompañarle a la calle para mostrarme algo.

-Mira, ya tiene placa amarilla -me dijo señalando el automóvil soviético que había utilizado por varios años en su trabajo, y que exhibía ahora una de las placas de color amarillo destinadas únicamente a los autos privados. Lo había heredado ya de uso, y lo había mantenido lo mejor que pudo con la esperanza de que algún día le permitieran comprarlo y entonces, poder usarlo libremente.

En años anteriores, cuando vivíamos en Santa Clara y él nos visitaba, solía mirar con pena las condiciones en que vivíamos y, las terribles dificultades que a diario pasaba Vicky para llegar a su trabajo. Yo comprendía que, al menos, hubiera querido ayudarnos con aquel automóvil oficial que utilizaba en su trabajo. Pero, a diferencia de otros, mi padre no concebía en su honradez la idea de que sus hijos utilizaran para fines particulares lo que era propiedad del Estado. Ahora, me lo mostraba con su nueva placa amarilla, y dándome una palmada en el hombro agregó con evidente satisfacción:

-Es tuyo, puedes utilizarlo en lo que quieras.

Conocía la honradez de mi padre y la dedicación con que se había entregado a la llamada obra de la Revolución. Había vivido toda su vida en la mayor austeridad, rechazando las oportunidades de lucro y los privilegios que le brindaban las posiciones que había ocupado. Había sido su vida la de un romántico idealista, y hoy me llenaba de pena pensar lo duro que sería para él el momento de enfrentar la verdad.

Durante las vacaciones, hice algunos intentos por compartir con mi padre la indignación que yo sentía por lo que consideraba una traición a mí, a él, a todo el pueblo de Cuba. Pero encontré en su pensamiento esquemas difíciles de romper en una simple conversación. Necesitaba él de la experiencia, de la implacable verdad de los hechos que yo no podía probarle con meras palabras. Su actitud me trajo a la memoria al querido coronel Telux y decidí respetar su paz . . .

Durante el mes que permanecimos en Cuba, otros altos funcionarios fueron arrestados y condenados a largas penas de prisión. Entre ellos, los poderosímos Ministro del Interior y el Jefe de la Seguridad del Estado. Se les acusaba de uso y distribución indebidos de bienes del estado, y de "deformaciones capitalistas". Todos los delitos que les imputaron en el juicio, eran cometidos también a diario por el Máximo Líder, quien administraba los bienes del país a su antojo.

—

De regreso a Moscú, hicimos escala técnica en el Canadá y mientras esperábamos en el salón porque nos llamaran de regreso al avión, observé la mirada insinuadora de Vicky que se perdía tras los cristales . . . hacia la calle.

-En la próxima . . . -le comenté en un susurro.

Comenzó el último año de nuestros estudios, y continuamos observando con expectativa lo que ocurría en Cuba. El caso del General Ochoa y el encarcelamiento de los principales jefes del Ministerio del Interior, fue seguido de un proceso de depuración que alcanzó los niveles más bajos. Miles de estudiantes que se encontraban en la Unión Soviética fueron llamados a Cuba, y los convenios de educación fueron cancelados unilateralmente por el gobierno cubano. Comenzaron a llamar con el nombre de "perestroikos" a los jóvenes que se habían contagiado en la Unión Soviética con el virus de la verdad, y recibimos una cinta de video donde el Máximo Líder los tildaba de autosuficientes y traidores, lo que disipó definitivamente las remotas esperanzas que tenía de cambios en Cuba.

Transcurría el otoño cuando la ola de cambios estremeció a toda Europa Oriental, tomando al mundo por sorpresa; y compartimos ya sin reservas, el júbilo con nuestros amigos alemanes por la caída del muro de Berlín. Se había creado una situación ridícula, pues hasta poco tiempo atrás iniciábamos la presentación de las decisiones que tomábamos en los ejercicios tácticos como jefes de Divisiones y Ejércitos en el teatro de operaciones europeo con el conocido estribillo: "A causa de la amenaza que representa el bloque de la OTAN para los países socialistas . . ." Y resultaba que ahora, los Oficiales alemanes que exponían sus decisiones en tales ejercicios ¡eran parte de la OTAN!

-Ustedes son el enemigo amenazante -solíamos decir a los alemanes entre risas cuando compartíamos los recesos de clases.

Apenas habían transcurrido unas semanas del Congreso de los Comunistas rumanos, cuyas imágenes transmitidas por la televisión mostraban una multitud delirante gritando vivas a Ceaucesku, cuando éste fue depuesto por un levantamiento popular. Y observaba yo los acontecimientos en Rumania, comprendiendo a la vez, que aquella era la única manera posible de realizar un cambio en Cuba. Pero el Máximo Líder, siempre previsor, se había adelantado a los acontecimientos eliminando a los hombres y los factores que podían hacerlo estallar.

Marcharon los alemanes a sus vacaciones de invierno en febrero de 1990, con la ansiedad de cruzar la barrera que antes marcaba el Muro de Berlín y ver con sus propios ojos lo que había del otro lado. Había sido Alemania Oriental el país socialista de más alto stándar de vida, y yo esperaba ansioso por el regreso de mis amigos alemanes para que me contaran lo que habían visto del otro lado, suponiendo que aún era posible que me trajeran noticias desalentadoras sobre el capitalismo, que a todas luces, parecía ahora la mejor opción para la civilización.

Llegaron por fin mis amigos, y un día que coincidía con ellos en la cafetería, pregunté a Matías:

-¿Qué impresión tienes del otro lado?

Matías me miró de arriba a abajo como si hubiera llegado yo de otro mundo.

-¿Cómo que qué impresión? Sencillamente, sentí rabia . . .

-¿Rabia . . .? ¿No te agradó Occidente?

-No chico. ¡Rabia de comprender que pudieron engañarme durante tantos años!

—

Comenzaba la primavera cuando me entregué de lleno a la terminación de mi tesis de grado. El general Boris Ivánovich Popov, jefe de la Cátedra de Táctica de Aviación, sería mi dirigente en el proceso de preparación de la defensa.

A medida que trabajábamos juntos, fui conociendo a aquel hombre que antes parecía impenetrable y ahora se mostraba comunicativo y gentil, colaborando a gusto en mi proyecto. Poco a poco, establecimos una relación cordial y sincera entre nosotros, que nos permitió discutir los más enconados asuntos políticos con franqueza.

Un día, que discutíamos sobre la situación de Cuba, me dijo:

-Muchacho, Fidel los ha traicionado a ustedes como lo hizo Stalin con nosotros. ¡No permitas que mancillen tu vida!

-Tenga por seguro que no lo permitiré -le respondí, y nunca más volvimos a hablar de Cuba ni del modo en que yo evitaría que mancillaran mi vida.

Una tarde el general me presentó a su ayudante, un hombre de baja estatura, complexión fuerte y típicos rasgos rusos:

-Suboficial Alexander Nicolaiévich -dijo éste, saludando militarmente, y dando luego unos pasos hacia mí con la mano extendida.

Nos saludamos, y habló otra vez el general:

-Alexander Nicolaiévich es un magnífico dibujante y quisiera ayudarte en la ejecución de los esquemas que necesitas para la defensa de tu tesis.

Sasha, como le llamaban todos a Alexander, comenzó desde entonces a trabajar conmigo en los complicados esquemas que yo había concebido en hojas sueltas de papel y que ahora él plasmaba con talento admirable en los grandísimos pliegos de cartulina que utilizaría yo durante la presentación. Trabajábamos y conversábamos sobre diferentes tópicos, y fui descubriendo a un individuo humilde y bondadoso, consagrado por entero a su familia y ferviente cristiano, obligado a ocultar su fe religiosa durante muchos años.

Un día le conté a Vicky sobre mi nuevo amigo, y el deseo de invitarlo a cenar en casa junto con su esposa y su hijo. Quería que nuestras familias se conocieran y agradecerle de algún modo la desinteresada ayuda que me brindaba.

Llegó Sasha la tarde fijada acompañado de su esposa e hijo, y con la tradicional botella de vodka bajo el brazo. Cenamos los acostumbrados platos cubanos que les fascinaron y, observábamos a los niños jugar alegremente cuando notamos que sobre la mesa había quedado la botella de vodka casi intacta. Luego me comentaría Sasha con los colores subidos a la cara:

-Traje el vodka porque es lo acostumbrado . . . Yo tampoco bebo exageradamente.

También nosotros fuimos invitados a su hogar: una especie de apartamento en un edificio con aspecto de fortaleza, construido siglos atrás junto al río. Allí compartían el baño y la cocina con sus vecinos, encontrando la privacidad sólo en sus dormitorios.

Resultaron Sasha y Svieta, su esposa, ser personas muy hospitalarias que me hicieron recordar a los campesinos presentes en las obras de la mejor literatura rusa. Al llegar a su casa, todo se convertía en una constante manifestación de alegría y agasajo. Cocinaba Svieta exquisitamente, y descubrimos gracias a ella una deliciosa cocina rusa hasta entonces desconocida por nosotros. La elogiábamos, y comentaban que habían heredado las recetas de sus abuelos, y que sólo consumían los alimentos elaborados por ellos mismos con los productos que traían de la finca en que vivían sus parientes. Entonces solía Sasha ponerse de pie y quitar la alfombra que cubría el centro de la habitación para levantar una especie de portezuela que conducía a un reducido sótano. Y a pesar de nuestros ruegos porque no lo hiciera, comenzaba a sacar embutidos y otros productos cuidadosamente conservados, que irremediablemente nos obligaba a probar.

Reíamos nosotros mientras Sasha exclamaba:

-Díganme ahora . . . ¿Qué les parece la verdadera cocina rusa?

Y sentía yo respeto y admiración por mi amigo, orgulloso de su familia, de sus creencias y de su cultura.

Fue ese un tiempo que nos llenó de esperanzas en el futuro de aquel país. Pudimos conocer mejor al ya retirado jefe de curso, coronel Kustiukov y a algunos vecinos que se consagraban a sus familias con seriedad y devoción en una sociedad que parecía cada vez más decadente. Mas recordaré siempre al amigo Sasha como al ruso más genuino de todos los que conocí.

Había pasado el invierno, que por suerte no fue rudo ese año, y habíamos concluido con anticipación las clases y todo lo necesario para defender nuestros trabajos de tesis, por lo que aquella tarde de mayo de 1990, en que se celebraba el día de la victoria en la Segunda Guerra Mundial, decidimos marcharnos más temprano de lo acostumbrado. Caminábamos ahora el grupo de oficiales cubanos por la calle que se extendía a lo largo del río, disfrutando los primeros rayos de sol en varios meses, cuando vimos un grupo de personas que se agolpaba a la entrada de un establecimiento de bebidas alcohólicas. Comprendíamos que venderían éstas por la celebración, y nos dispusimos gustosos a comprar algunas cervezas para celebrar la terminación de las clases.

Faltaba aún algo más de una hora para que la pequeña tienda abriera, y nos sumamos a la cola de impacientes consumidores. Eran la mayoría de éstos, ancianos y ancianas que lucían hoy orgullosos sus medallas ganadas en la guerra, y les observaba yo con profundo respeto, descifrando aquellas condecoraciones e imaginando sus hazañas en las batallas por la gloria de su país. Las iba contando colgadas de sus ropas raídas:

Medalla al valor, . . . al Mérito en Combate, . . . Herido en Combate . . .

Y un sentimiento de vergüenza me invadió por la inevitable comparación que cruzó mi mente: jóvenes y pulcros nosotros, con impecable uniforme militar; y ellos allí: tan pobres, tan olvidados . . .

Se acercaba la hora para la venta, y nuevos consumidores fueron llegando. Ya cuando apenas faltaban unos minutos, apareció una multitud de jóvenes robustos dispuestos a comprar primero, y arremetieron contra el grupo de veteranos, abriendo a fuerza de empellones una brecha hasta la puerta.

Protestaban los ancianos ante el atropello de los insolentes jóvenes, y reían éstos contestándoles que debieron quedarse en casa. Ya algunos habían llegado a la puerta y otros gateaban en dirección a ésta sobre las cabezas de los aterrorizados ancianos, en un espectáculo circense y atroz. También nosotros sufríamos los empellones de aquel mar de gente que oprimía desde todas direcciones, en olas que iban y venían según forzaban o cedían en algún lado.

Un veterano pidió respeto por sus medallas y recibió un golpe en la cabeza por respuesta. Fue aquél el detonante que nos sacó del papel de simples observadores. La indignación me brotó en un grito:

-¡Basta! ¡Respeto por los veteranos!

Y arremetimos seguidamente contra la puerta, empleando todas nuestras fuerzas y golpeando sin contemplación a los más jóvenes en nuestro camino, hasta abrir una brecha por la que pedimos a los veteranos que pasaran.

Aplaudían los ancianos la acción que sorprendió a todos, mientras los vigorosos y apurados jóvenes nos observaban estupefactos. No sabíamos si había sido nuestro acento o nuestros uniformes la razón que les hizo respetarnos, pero ciertamente nos alegramos de que lo hicieran, porque tenían corpulencia y número suficiente para aplastarnos las cabezas como a moscas. Ya nos marchábamos, cuando al pasar junto a ellos, vimos que varios bajaban la vista.

—

Había llegado recientemente el oficial de la Contrainteligencia Militar radicado en Moscú y, cosa inusitada, visitó todos y cada uno de nuestros apartamentos con algún pretexto. Pretendía con ello explorar la manera en que vivíamos, y detectar objetos que delataran alguna relación especial con los oficiales alemanes, húngaros y polacos para determinar el nivel de contagio que teníamos con los cantos libertarios que estremecían a Europa Oriental. También, aprovecharía la ocasión para preguntarle a otros, como a mí, las opiniones de cada uno sobre la situación política.

Comprendí entonces que éramos objeto de la sospecha y el temor de nuestros líderes.

Había yo criticado abiertamente el proceso contra el general Ochoa y la política de censura aplicada en Cuba. Y aunque confiaba en la discreción de mis compañeros, no podía garantizar que alguno no pusiera mis opiniones en conocimiento de la contrainteligencia. Esta habría sido suficiente razón para que me enviaran con mi familia a Cuba en un vuelo donde no permitirían descender a los pasajeros durante la escala técnica, y una vez allá, sería depurado de alguna manera.

En los últimos meses, había notado que se habían extraviado varias de las cartas que enviaba a mis padres, y comprendí con la visita del oficial de la contrainteligencia que, sencillamente, también estaban chequeando nuestra correspondencia. Era evidente que nuestros líderes temían a sus hombres, y decidí entonces, escribir una carta a mis padres, pero dirigida en realidad a los analistas de la contrainteligencia. Desarrollé el viejo y repugnante tema del antiimperialismo para que me consideraran libre de malas influencias, y encontré la excusa ideal para ello: el revuelo levantado por la prensa cubana a causa de unas maniobras militares de Estados Unidos en los alrededores de Cuba a finales de mayo. Entonces, escribí:

"¡Que se cuide bien el imperialismo de agredir a mi patria, porque aunque no esté allí ahora para defenderla, lucharé contra ellos dondequiera que me encuentre!"

—

Quedaba sólo realizar los exámenes finales, la ceremonia de graduación, y dar el salto a lo desconocido que le había propuesto a Vicky el año anterior. Habíamos esperado el año acordado y llegaba el momento de prepararse para afrontar la decisión más difícil de nuestras vidas. Tomé de la biblioteca de la academia un diccionario ruso-inglés, y memoricé las palabras que tendría que decir a los policías canadienses en el aeropuerto de Gander: "Somos cubanos y no queremos continuar viaje. Necesitamos protección".

Comencé a hablarle a Vicky en nuestros viajes a la playita del río sobre la manera en que debíamos hacerlo, pero en cada ocasión ella se tornaba muy seria y se sumía en un hermetismo total. Comprendí entonces que algo no andaba bien . . .

-¿Qué ocurre? ¿Por qué no comentas nada? -le preguntaba una y otra vez, preocupado. Y respondía ella con ojos suplicantes:

-Por favor . . . No quiero hablar de eso ahora.

Yo callaba, dejando pasar los días, observándola pensativa, vacilante.

Una noche le hablé al oído, recordándole que debíamos estar preparados. Entonces, estalló en llanto:

-¡Por favor, no me hables más de eso, me voy a volver loca!

Vicky pasaba por uno de los peores momentos de su vida. Comprendí que la inevitable cercanía de los acontecimientos la habían hecho meditar profundamente. ¡Y había cambiado de parecer!

La abracé, apretándola fuertemente contra mi pecho, mientras le suplicaba al oído que se calmara.

-Vamos al río, tenemos que hablar.

Sentados en un banco del parque en el que los niños gustaban de jugar, toqué una de las mejillas de Vicky para volver hacia mí su mirada, que parecía haberse extraviado en el infinito.

-¿Por qué has cambiado de parecer?

-Mis padres . . . Ellos estarán en el aeropuerto esperándonos . . . ¿Te imaginas lo que va a ocurrir?

Comprendí que el año transcurrido sin vera sus padres había determinado sus sentimientos. La última vez que nos vieron partir tenían lágrimas en los ojos mientras exclamaban:

-¡Menos mal que esta vez es sólo por un año!

Vicky no estaba preparada para un adiós que podía ser definitivo.

-Tus compañeros saldrán del aeropuerto gritándoles: ¡Escoria, Gusanos! ¡Sus hijos son unos traidores! . . . Y seguro que la multitud allí siempre reunida les hará un acto de repudio.

Se refería a las turbas que se reunían frente a las casas de las familias que querían abandonar el país para cometer los peores abusos amparados en la impunidad de su número y la aprobación de las autoridades. Era el terror de las multitudes alentadas por el gobierno que, desde hacía mucho, estremecía a todas las ciudades del país, actuando de la misma manera que habían hecho mis compañeros de estudio en la escuela Camilo Cienfuegos contra Gustavo, el día que decidió abandonarla.

-No creo que lo hagan. Los actos de repudio no son espontáneos, sino organizados por el gobierno -dije, pero ella no me escuchaba.

-¿Te imaginas a mis padres en esa situación? A mi madre le daría un infarto. Se moriría . . . -e irrumpió en llanto nuevamente -Perdóname . . . ¡No puedo soportarlo! ¡No estoy lista todavía!

-No se trata de esperar más tiempo. Ésta es la única oportunidad que tendremos. Sabes que nunca más podremos viajar los cuatro al exterior.

Realmente, en Cuba muy poca gente viajaba con toda su familia al extranjero, ni siquiera la mayoría de los diplomáticos, ya que tenían que dejar alguno de sus hijos en el país. Nosotros habíamos sido una excepción y la oportunidad no se repetiría jamás.

Sentí pena por Vicky, y sentí pena por mí y por los niños. ¡Qué pobres criaturas éramos! ¡Rehenes del sistema por el amor a la familia!

-¿Has pensado en los niños, en su futuro? ¿No nos sentiríamos culpables de verlos crecer en la mentira, partir mañana a una guerra injusta de la que podrían no regresar?

-No sé, no sé . . . ¿Y has pensado tú si el día de mañana nos vemos en Canadá tirados en la calle y sin un centavo con que comprar leche para los niños?

La pregunta me reveló el hecho en toda su crudeza y sentí de súbito espanto de que Vicky tuviera razón. Sabía que podría convencerla de dar el salto, pero era un salto a lo desconocido . . . ¿Y si tenía razón? ¿Si una vez en el Canadá nadie nos ayudaba, y comenzaban nuestros niños a sufrir el hambre sin que pudiéramos obtener alimentos?

-Eso no te lo podría contestar. Todo lo que tengo es fe, nada más -respondí, vencido, angustiado de no poderle probar que no veía las cosas tan malas. ¡Seríamos libres! ¿Para qué más?

-Sólo sé que en lo adelante no viviré, que me iré muriendo poco a poco . . .

-¡No digas eso, por favor!

-No puedo mentirte. La libertad se lleva en el corazón y yo he encontrado la mía. Si no puedo ejercerla, será como irme muriendo . . . sin dignidad, sin honor . . . Avergonzado de mí mismo.

-Pero piensa en tus padres, en tus hermanos . . .

-Pienso en ellos, pero sobre todo pienso en los niños. Serán víctimas de un crimen del que no les podré alertar y proteger.

-Estás aquí y ahora piensas así. Pero, cuando llegues y veas a tus padres y hermanos verás que todo cambiará.

Pobre Vicky. ¡Qué inocente era! Sufría yo de antemano porque sabía lo que nos deparaba el futuro en Cuba, percibía la tragedia que inevitablemente se cerniría sobre la familia. ¡Y ella no lo veía!

-Está bien . . . -dije, abatido por los sueños que se esfumaban -No hablaremos más del asunto. ¡Regresaremos!

Vicky mejoró su humor a partir de aquel momento, y yo oculté lo mejor que pude el insoportable deterioro moral que me acompañó aún largo tiempo.

—

Llegó el día de la graduación y nos vestimos de gala para el acto solemne que tendría lugar en el patio de la academia.

Cuando estábamos formados en bloques, escuchando en posición de atención la elocución del jefe de la academia, salió Reyniel del lugar en que esperaban los familiares, disparado a toda carrera por el centro de la explanada, gritando:

-¡Canallas, qué hacen! ¡Pero qué hacen, canallas!

Los más de mil rostros allí congregados se volvieron para ver a Reyniel enredarse en una pelea con otros chicos que intentaban tomar los pichones de un nido, que curiosamente habían hecho los pájaros en el entrepaño de una de las piezas de artillería conservadas allí como museo.

-¡Qué vergüenza! ¿Has visto lo que ha hecho tu hijo? -me dijo alguien desde atrás, tocándome ligeramente la espalda.

-Claro. Es lo que más orgulloso me ha hecho sentir hoy.

Concluía la ceremonia y nos dispusimos a pasar frente a la tribuna en marcha de revista. En un par de días partiríamos para Cuba y comenzaría otra vez mi vida de jefe militar.

Marchábamos al compás de la banda de música y, yo meditaba en que era la primera vez que retrocedía en mi marcha, adonde no cabía las esperanzas.

Capítulo 13

—

Una puerta en el infierno

¡Firmes!

La voz del jefe de Estado Mayor, teniente coronel Teddy Rodríguez, salió de las bocinas de amplificación frente a las tropas y rebotó con un eco sordo en los edificios de dormitorios al otro lado del polígono de marcha. Desde mi lugar en la tribuna, podía distinguir a las unidades que participaban en la formación matutina de aquel lunes de agosto de 1990: los cuatro escuadrones de caza, los batallones de Aseguramiento Aerotécnico, Comunicaciones, de Seguridad . . . Todos dispuestos en bloques perfectamente alineados.

Giró Teddy sobre sus talones y llevándose la mano a la visera de la gorra en saludo militar, comenzó a rendir el parte al jefe de la Base, parado junto a mí.

-Compañero teniente coronel, las unidades que participan . . .

Escuchó Cordero el parte y, manteniendo también su mano derecha en saludo, se dirigió a la tropa:

-¡Buenos días, compañeros oficiales, suboficiales, sargentos y soldados!

-¡Buenos días, compañero teniente coronel! -retumbaron las voces de los hombres en el polígono, como un coro disonante mil veces ensayado con aburrimiento.

Entonces, habló el teniente coronel Médez, Político de la Base, poniendo a la tropa al corriente de las últimas ''maniobras del imperialismo yanqui contra Cuba,'' y regresó Cordero al micrófono para presentarme ante las unidades formadas como el nuevo segundo jefe de la Base. La noticia de mi nombramiento para el cargo me había llegado apenas arribamos a Cuba y la había recibido sin especial emoción. Ya no existía responsabilidad alguna en que pudiera desempeñarme a gusto. Hubiera renunciado de buena gana a continuar en la Fuerza Aérea, a servir de cualquier modo a aquel gobierno erigido en la mentira. Pero, ¿cómo? También ello habría sido interpretado como una traición al Partido, a las Fuerzas Armadas, al Comandante en Jefe . . . Cordero, mi amigo de muchos años, sería mi nuevo jefe inmediato. Había él terminado sus estudios de mando en la Unión Soviética dos años atrás, y se había desempeñado como segundo de la Base hasta su reciente ascenso a Jefe de la misma. Ahora lo escuchaba presentarme como el hombre que lo sustituiría al mando de aquella tropa, entre la que distinguía muchos rostros conocidos, y otros tantos sin conocer incorporados en mis cuatro años y medio de ausencia.

Días atrás, mientras viajaba con Cordero en su automóvil, me había comentado que los enemigos de la Revolución, envalentonados por los acontecimientos en Europa Oriental, estaban criticando su obra:

-Muchos falsos revolucionarios están sacando las uñas. Y la Revolución tiene que aplastarlos sin miramientos.

-¿Crees que no hay vicio y corrupción en nuestra sociedad? -le pregunté mientras le observaba conducir. Guardó silencio, y continué:

-Si existieran funcionarios que traicionan al pueblo, su mejor manera de protegerse sería acusar de enemigos de la Revolución a todo el que les critica. ¿Tú no crees?

Cordero continuó conduciendo el automóvil en silencio y comprendí que él prefería la vanagloria de su cargo antes que la paz de su conciencia. ¡Qué deseos sentí de contarle que aquellos a quienes él tanto defendía me habían propuesto una vez galantear a su esposa! Pero, preferí callar . . . Sabía que no me creería.

Comenzaba mi primer día de trabajo, y ya me agobiaban los más simples problemas hogareños para los que no tenía una solución adecuada. Por los efectos del tiempo que estuvimos ausentes, las ventanas de madera de la cocina y los cuartos se habían podrido completamente, amenazando con desprenderse y caer al exterior desde el cuarto piso. Habría sido lo correcto quitarlas para evitar un accidente, pero, ¿cómo sustituirlas?

Aunque el apartamento pertenecía a la base, no existía nadie encargado de su mantenimiento y reparación, no había modo de comprar madera para reemplazar las ventanas. La poquísima que existía estaba destinada "a las obras de la Revolución".

Sólo una alternativa me quedaba: tomar madera de la que había en los almacenes de la Brigada o en los de la compañía constructora vecina y pedirle al carpintero de la Base que hiciera el trabajo en su tiempo libre. La idea me la había sugerido el propio Cordero cuando vio el estado en que estaba mi apartamento. Él había tenido que hacer lo mismo hacía apenas unos meses. Y era aquel el problema tan simple, en apariencia, que me agobiaba: Yo no quería hacerlo, no quería pedir la madera en la compañía constructora vecina, ni tomarla de los almacenes de la Base, ni solicitar los servicios privados de un carpintero que estaba en la nómina de mis subordinados. Pero, ¿dónde comprarla?

Cuando regresaba a casa Vicky volvía a alertarme del peligro que representaban para los transeúntes las ventanas a punto de caer.

-No puedo resolverlo -le respondía con amargura. Y ella insistía:

-¿Cómo vamos a vivir sin ventanas? No tendremos privacidad ¿Cómo dormirán los niños a merced de la lluvia?

-Resolveremos como hace la gente humilde y honrada.

-Pero, ¿cómo crees que resuelve la gente sus problemas? ¿Acaso estás ciego? El gobierno no te vende lo más elemental y todo el mundo toma de las empresas en que trabaja lo que necesita para sobrevivir.

Vicky tenía una razón aplastante en lo que decía, y yo me veía en una encrucijada: la de aceptar irremediablemente aquel modo de corrupción sutil que me imponía el sistema, hablando en la empresa constructora vecina para que me regalaran ''alguna madera en desuso'' y pidiendo al carpintero de la Base que me hiciera el favor de reconstruir mis ventanas en su tiempo libre; o vivir con los grandes boquetes dejados en las paredes por las ventanas ausentes. Tuve que optar por la primera. La jefa del contingente de constructores, a quien el Máximo Líder había felicitado personalmente hacía poco por su excelente trabajo, vino en mi ayuda entregándome unos listones que ya estaban ''desechables''. Hablé también con el carpintero y gustoso instaló las nuevas ventanas. Pero, un desagradable sentimiento de vergüenza ante mí mismo me acompañó en lo adelante.

Si he tenido que hacer esto para solucionar un problema tan simple, ¿qué no harán los más altos funcionarios del gobierno para resolver sus necesidades?

Solía preguntarme y, una sensación de asco me invadía entonces. Nuestros líderes se la habían ingeniado para construir una sociedad plagada de consignas revolucionarias, pero corrupta hasta sus cimientos. Era aquella manera de corrupción forzada, impuesta por el propio sistema, una forma más de desmoralizar y debilitar a los hombres que le servían, obligándolos a vivir con un sentimiento de culpabilidad eterna en sus conciencias, que podrían pagar sólo con más y más sacrificios.

En mis cuatro años y medio de ausencia se habían producido algunos cambios en la Base. De Regimiento de Aviación de Combate, pasó a convertirse en Brigada con la nueva subordinación a su mando de los batallones de Seguridad, Comunicaciones y Aseguramiento Aerotécnico. Se había terminado la construcción de los magníficos refugios para aviones del último de los escuadrones, se esperaba ahora el pronto arribo de los MiG-23 BN que abandonaban La Habana y ya se concluía la construcción de más de una decena de refugios destinados a la protección del personal en caso de ataque aéreo norteamericano. No habían cambiado, sin embargo, las condiciones de vida de la tropa, continuaban los mismos eternos problemas de antes. Cada día, luego del fin de la jornada laboral, se podía ver a oficiales y soldados caminar en dirección al bosque cercano con un periódico bajo el brazo . . .

Un día, que inspeccionaba los refugios personales recién terminados con el jefe de la empresa que los había construido, fuimos repelidos a la entrada de cada uno por el hedor de los excrementos con que los había inundado la tropa.

-Ojalá nunca tengan que meterse aquí a la carrera por un bombardeo -comentó el funcionario en tono jocoso, refiriéndose al personal de la Brigada.

-Ojalá no tenga usted que vivir alguna vez en las condiciones en que ellos viven -respondí sin más comentarios.

Aquellos hombres, agobiados por los mismos viejos problemas, se veían en situación aún peor por el fin del subsidio soviético, conocido en Cuba como "intercambio comercial justo y mutuamente ventajoso". La carne, los huevos, la leche y otros productos habían desaparecido de su dieta y tenían que trabajar a deshora en huertos improvisados para asegurarse un mínimo de alimentos. Un país de excepcional clima para la agricultura como el nuestro, en que era posible realizar dos y hasta tres cosechas al año, se veía ahora avanzar irremediablemente hacia la hambruna general. Bien que habría podido el gobierno resolver la escasez de alimentos con sólo permitirle a los campesinos que trabajaran la tierra por su cuenta y vender libremente su cosecha. Pero, ello habría traído la inevitable independencia económica de éstos, de miles de obreros que habrían marchado a los campos en busca de mejores salarios, y de otros miles de pequeños comerciantes e intermediarios que surgirían para comerciar los productos del campo en las ciudades. Pero, de ser así, el nivel de vida de los hombres se determinaría por su dedicación al trabajo y no por su lealtad incondicional al gobierno. ¿Quiénes asistirían entonces a las manifestaciones de fervor revolucionario, a los trabajos voluntarios de los fines de semana, a los entrenamientos de las Milicias de Tropas Territoriales, y los actos de masas en la Plaza de la Revolución para adorar al líder? ¿Dónde estarían las masas demostrando su apoyo a la Revolución con su participación en tales actividades? Probablemente, ocupadas en los nuevos trabajos que les ofrecerían verdaderos incentivos económicos.

Habría sido imposible para el gobierno controlar como un rebaño a aquellos hombres y mujeres independientes económicamente y convertidos en un peligro, por cuanto el bienestar de sus familias dependería de sus esfuerzos y no de la infinita caridad del Estado. Aquellos hombres y mujeres se habrían permitido expresar sus propias ideas en el terreno político . . . Y todo ello lo habían comprendido nuestros líderes, con el agudo sentido previsor que les asistía como un instinto de conservación. Por eso habían preferido hablar a toda hora de las privaciones que se avecinaban a causa de la traición de la Unión Soviética y del embargo comercial de Estados Unidos.

Nuevas y confusas definiciones como "Período Especial de Guerra en Tiempos de Paz" comenzaron a repetirse entonces a toda hora por la maquinaria de propaganda gubernamental. Más de doscientas directivas firmadas de puño y letra por el Máximo Líder salieron de su despacho estableciendo las privaciones a que debía someterse la población para enfrentar "este difícil período ante las amenazas del imperialismo norteamericano". Cada hombre y mujer del país se vio acosado por la idea difundida en todas las organizaciones en que militaban de que Estados Unidos pretendía rendirlos por hambre, y una nueva consigna se repetía entonces por doquier: "RESISTIR, RESISTIR Y RESISTIR". Una vez más, se recurría al orgullo de una nación joven, exaltándolo con la mentira para someterla, y ya muy pocos eran capaces en aquella fiebre de odio hacia Estados Unidos, de comprender que ningún embargo comercial podía ser culpable de la ausencia de productos agrícolas que el país podía producir por sí mismo en abundancia.

Todos los medios de comunicación estaban en función de la campaña. Me sorprendía la ceguera que en tales casos suele asistir a los pueblos y de la que también había sido yo víctima en el pasado. Pero había regresado de la Unión Soviética con el virus de la verdad en mi cerebro y lo cuestionaba todo, descubriendo con horror que el trágico holocausto, ya repetido en la historia de otros pueblos, se vislumbraba ahora en el futuro de Cuba.

—

Poco a poco, volvía nuestra vida a tomar el ritmo que tuvo cinco años atrás. Comenzó Vicky a trabajar en el mismo policlínico dental de Santa Clara, a pasar las mismas vicisitudes en los viajes diarios a su trabajo. Un nuevo Círculo Infantil, construido próximo a nuestro hogar, la había librado de viajar con Alejandro en sus brazos en aquel ómnibus siempre atestado.

Mientras tanto, había yo comenzado a volar de nuevo, y a instruir a los pilotos más jóvenes. Mis guardias no las realizaba ahora al pie de los aviones, sino al frente de la dotación de turno del Puesto de Mando Conjunto, nuestro y de la Brigada Coheteril Antiaérea, con una frecuencia de dos o tres veces por semana. Allí, tras las pantallas de los radares y las planchetas de la situación aérea, solía meditar con tristeza en mi familia y en el terrible futuro que se cernía sobre el país.

Habíamos heredado un teléfono, en calidad de préstamo, de un compañero que se había marchado para sus estudios superiores, y solía Alejandro esperar en el cuarto a que yo llamara, sentado sobre la cómoda junto al teléfono. Se había acostumbrado el niño a mi diaria compañía durante los años de estudio en la Unión Soviética, y ahora se negaba a comer si antes no hablaba conmigo.

-Mami, ¿por qué papi tiene que hacer tantas guardias? -se quejaba enfadado.

Un día que pasaba junto a su círculo infantil, escuché una sirena y vi a los niños correr al refugio soterrado construido en el patio del mismo. Estaban entrenándose para el día en que bombardearan los norteamericanos. Esa noche, cuando llegué a casa, escuché a Alejandro mencionar la inevitable guerra con los malos americanos y la manera en que él les iba a ganar . . . Miré a Vicky a los ojos mientras me brotaban las palabras:

-No puedo soportarlo.

Vicky bajó entonces la cabeza y se marchó a nuestra habitación mientras yo me quedaba jugando con los niños.

—

Corría diciembre de 1990, y la inminencia de una guerra en el Golfo Pérsico era tema de discusión diaria entre mis compañeros de la Base, que seguían los pormenores de la misma por las informaciones del periódico Granma. Una euforia de simpatía manifiesta hacia Saddám Hussein existía en los medios de prensa cubanos que resaltaban la alta preparación combativa de las tropas iraquíes para enfrentar con éxito a las norteamericanas. Solían mis compañeros, elogiar las líneas de defensa iraquíes calculando las decenas de miles de muertos que tendrían las fuerzas norteamericanas en el primer día de contienda. Y yo me asombraba de la ceguera con que, aquellos hombres, de preparación militar superior, veían el probable desarrollo de la guerra en el golfo. Fue entonces que discutí en varias ocasiones con mis compañeros de mesa en el comedor: Cordero, Méndez y Teddy, exponiendo con sinceridad mis opiniones netamente profesionales como militar de carrera.

Era evidente que la concentración de medios y fuerzas de Estados Unidos y sus aliados les permitiría actuar de manera independiente y prolongada contra Irak. Los meses de espera y presión internacional sobre el régimen de Bagdad habían permitido además llevar a cabo una minuciosa exploración con todos los medios visuales y radioelectrónicos posibles, descubriendo la posición exacta de las tropas y el armamento iraquí.

No era difícil imaginar que la notable supremacía en aviación y armamento inteligente de largo alcance permitiría a las tropas aliadas golpear impunemente las posiciones iraquíes al amparo de potentes interferencias radioelectrónicas, hasta desarticular sus sistemas de defensa y abastecimientos, y destruir el grueso de su armamento. Para el momento del asalto por tierra, las tropas iraquíes ya estarían desmoralizadas, y el avance por tierra de las tropas aliadas sería incontenible.

Aquellas opiniones llamaron la atención de los oficiales de la contrainteligencia, quienes comenzaron a asediarme disimuladamente con preguntas sobre los acontecimientos en el Golfo Pérsico, buscando alguna expresión personal de simpatía hacia las tropas norteamericanas.

Durante sus diálogos conmigo pusieron en práctica más de un "sonsaque" de los que me hablaron años atrás, y les respondía en términos de apreciación profesional sin particulares emociones. Partían ellos a presentar sus informes a los analistas superiores, y yo me decía a mí mismo que tendría que tener mayor cuidado en expresar mis opiniones o pagaría caro por ello.

Los lunes en la mañana se marchaba Cordero para el Estado Mayor de la División, y tenía yo que ocupar su lugar frente a la formación matutina de la Brigada. Entonces, recibía el parte y observaba los rostros entristecidos y cansados de aquellos jóvenes que tenían que soportar la descarga de turno sobre las últimas "amenazas del imperialismo norteamericano contra Cuba" y, las "traiciones de los antiguos países socialistas de Europa". Les observaba entonces, tristes, aburridos de escuchar lo mismo todos los días . . . Y me sentía asfixiar por el asco que me producían aquellos discursos políticos destinados a mantenerlos en la ignorancia.

Cada día que pasaba sentía la realidad de la predicción que le había hecho a Vicky antes de regresar: me estaba muriendo. Había perdido las esperanzas y me asfixiaba el cúmulo de mentiras que me rodeaban. Cuando escuchaba a los niños hablar de la "guerra contra los yankis", sentía culpa y vergüenza por no poder decirles que no existiría tal guerra si el Máximo Líder no la provocaba.

Llegaba a casa y me sumergía en mis pensamientos mientras miraba el televisor, cuyo derecho a comprar me habían dado en la Base al regresar de la Unión Soviética. Y permanecía allí sentado, demolido por la angustia que me mataba. Ya no jugaba con los niños y apenas si hablaba con Vicky. Sólo algo martilleaba en mi cabeza con una persistencia atroz:

¿Mi honor, dónde está mi honor? ¿Dónde mi dignidad como hombre de bien? ¿Donde mi honradez en decir lo que pienso? Soy un cobarde . . . Estallaré aunque me cueste la vida. Es preferible . . .

Vicky me observaba desde el umbral de la cocina, y me preguntaba cada vez:

-¿Qué te pasa?

Y cada vez contestaba yo:

-Nada.

Transcurrían los días, y yo continuaba sumergido en mi mutismo, sintiéndome arder por la desdicha de estar cada día más cerca de la muerte y la tragedia de la familia.

¡O decía lo que pensaba a los cuatro vientos o me volaría la cabeza para proteger a Vicky y los niños con mi silencio!

Una noche hizo Vicky una pregunta diferente:

-Dime: ¿Hay otra mujer en tu vida?

-¿Eres realmente estúpida? ¿No sabes lo que me pasa? -le espeté sin reparar que era la primera vez que la llamaba de ese modo.

Vicky estalló entonces en llanto, haciendo un esfuerzo porque los niños, que recién habían marchado a dormir, no la escucharan.

-Ya sé, ya sé . . . ¡Yo tengo la culpa de lo que está pasando! No debí . . .

Me levanté y la abracé conmovido. Me dolía tanto la manera en que le había hablado. No la consideraba culpable de lo que ocurría. Nada estaría pasando si no fuéramos víctimas de una tiranía. Besé sus mejillas humedecidas por las lágrimas y le hablé muy bajo al oído, por si existían micrófonos ocultos en nuestro apartamento:

-No eres culpable de nada, no te culpo en lo absoluto. Pero no aguanto más. Prefiero morir que continuar callado, soportando que adoctrinen a los niños, que los hagan vivir negando a Dios, que les enseñen que la fidelidad a los líderes es más importante que todo . . .

-¡Vete entonces, vete! -murmuró, apretando con fuerza sus mandíbulas y crispando las manos a mi cuerpo.

-¿Cómo que me vaya?

-Sí, en tu avión . . . Lo prefiero antes de que hagas una locura . . .

-Primero muero antes que abandonarlos.

-Pero te queremos vivo . . .

-Olvídalo.

Y la consolé como pude aquella noche, pero la idea que me había sugerido comenzó a martillarme la mente con frecuencia cada vez mayor.

Corrían los últimos días de diciembre cuando me comunicaron que la dentista de la Base había pedido su traslado para otra unidad más cercana al lugar en que vivía. Surgía así la posibilidad de que Vicky pudiera trabajar allí y evitarse los agobiantes viajes diarios a la ciudad. Recibió la noticia con júbilo y presentó de inmediato su candidatura a la Dirección de Servicios Médicos del Ejército. En pocos días, comenzaría a trabajar en el Puesto Médico de la Base. Aquella razón de efímera alegría nos hizo olvidar por un momento la tragedia que vivíamos.

Era el último día del año y me encontraba yo de guardia en el Puesto de Mando cuando llegaron Vicky y los niños a eso de las ocho de la noche. Habían venido a esperar el nuevo año junto a mí, haciédome momentáneamente feliz con la sorpresa de tenerles conmigo. Vicky había llevado una pequeña fuente de cristal envuelta en papel:

-Es un flan que hice . . . para celebrar la llegada del nuevo año los cuatro juntos -dijo con la humildad que le era habitual, y yo comprendí que fue todo lo que pudo hacer. De todos modos no prefería manjar más divino para la celebración que aquel humilde flan. Esperamos el primer día de 1991 en el pequeño cuarto de descanso del Puesto de Mando, con los niños dormidos en nuestros brazos, y yo no podía menos que mirarlos con dolor. Ni un juguete, ni un arbolito, ni una ilusión . . . Nada propio de su edad que darles. Lo que le enseñaban a celebrar en la escuela era el triunfo de la Revolución, ocurrido un primero de enero treinta y dos años atrás.

Transcurrían las primeras semanas del año 1991 cuando llegó a la Base una comisión de inspección del Estado Mayor General para controlar el cumplimiento de las Directivas del Comandante en Jefe durante el Período Especial de Guerra en Tiempos de Paz. Querían ver cómo se cultivaban los huertos en la base, cómo se cocinaba con leña para la tropa . . . En fin, querían ver cómo sobrevivían los soldados y oficiales en las casi infrahumanas condiciones en que ya se encontraban, consumiendo alimentos tan exóticos como repugnantes, incluidos ahora en sus dietas para resistir el embargo norteamericano. Tal era el caso del famoso e indigerible ''steak de cáscara de toronja''.

-Esta noche será la cena de bienvenida a la Comisión en el Club de Oficiales. No dejes de asistir con Vicky -me había pedido Cordero apenas llegaron los inspectores.

Concurrimos a la cena, y tomamos asiento tras una mesa con algunos de los visitantes. Cordero, el jefe Político y el jefe de Estado Mayor hacían lo mismo en otras mesas, y me llegaban con claridad los comentarios que hacían los inspectores sobre los magníficos resultados que estaba obteniendo nuestra brigada en la aplicación de las directivas.

Comenzaron los camareros a traer las cervezas, y luego los platos de carne de cerdo asada, acompañada de yuca y arroz con frijoles negros -el tradicional plato cubano, ausente desde hacía mucho tiempo de millones de hogares.

Pensé en lo que estarían comiendo en esos instantes nuestros soldados y al mirar la comida sentí que no podía tragarla, un nudo alojado en mi garganta me lo impedía. Vicky me miró en silencio y pareció sentir lo mismo, pues no tocaba tampoco su plato. Entonces, uno de los inspectores se dirigió a mi con la voz ahogada por los alimentos atragantados en su boca:

-Mayor, mejor coma usted . . . ¡Esta oportunidad no se da todos los días!

Tuve deseos de vomitar, y debió reflejarse el malestar en mi rostro, pues todos me creyeron cuando me excusé diciendo que saldría a tomar aire fresco porque no me sentía bien.

Vicky salió tras mis pasos siguiéndome en silencio hasta los frondosos árboles que crecían en el patio del club.

-No puedes resistirlo . . . ¿verdad? -preguntó tomándome por el antebrazo con ambas manos.

-Está más allá de mis fuerzas . . . Puedo soportar la carencia que tenemos de todo: de agua, de alimentos, de transporte, hasta de fósforos y simples velas para alumbrarnos cuando no hay electricidad. Pero esta vida de tragar y tragar mentiras . . . ¡No puedo resistirla! -estallé, golpeando con ira un árbol con el puño cerrado.

-Me da miedo cuando te pones así . . . Un día harás una locura y te perderemos. ¡Tienes que irte!

Bajé la cabeza recordando la conversación que habíamos tenido y las veces que me había martilleado la idea desde entonces.

-Lo he estado pensando desde que hablamos de ello la última vez . . .

-¿Cuándo? -el asombro ocupaba sus ojos.

-No sé . . . He estado pensando en cómo hacerlo con ustedes. He intentado incluso aprender a pilotar los helicópteros bajo mi mando, pero las restricciones por la escasez de combustible me lo impiden . . .

Vicky apoyó su cabeza en mi pecho y comenzó a sollozar repitiendo:

-¡O Dios mío, yo tengo la culpa! Presiento que algo te va a pasar.

-No hables así . . . ¡Serénate por favor! -le pedí sacudiéndola levemente por los hombros, y con la voz más baja y tranquila posible -Estamos en una situación que yo no puedo soportar. Ya no duermo, apenas como, no juego con los niños. He cambiado tanto que hasta ellos lo notan y se quejan de que no jugamos como antes. Me siento morir porque me siento sin honor, conviviendo con toda esta porquería.

Vicky me escuchaba, sollozando, con los ojos muy abiertos, clavados en los míos.

-¡Cálmate, por favor! Sólo estoy tratando de razonar contigo.

-Está bien, está bien . . . -murmuró asintiendo con la cabeza.

-Como están las cosas . . . o digo públicamente todo lo que pienso o cometo la locura de intentar hacer justicia por mi mano. Así tendría la paz de salvar mi honor aunque me costara la vida, pero tú y los niños arrastrarían las consecuencias de mis actos para toda la vida.

-¡O no, por favor . . . ! -comenzó a suplicar, presa del horror.

-Te dije que sólo estoy razonando las alternativas contigo. Tranquilízate, jamás haré una cosa así . . .

Pareció calmarse de nuevo y continué:

-Lo otro que puedo hacer para buscar mi paz es meterme un disparo en la cabeza. Así nadie los molestaría jamás.

Vicky abrió aún más los ojos llenos de terror.

-Pero, ¿y los niños? ¿Y yo? ¡Nos moriríamos de tristeza sin ti!

-¡Te ruego que te calmes! ¡Escúchame primero! Yo no los podría abandonar jamás en modo alguno. Solo queda escapar, pero será imposible hacerlo juntos. No conozco la manera de obtener un barco, una lancha, cualquier cosa capaz de cruzar el estrecho de la Florida. Además, la vigilancia a que estamos sometidos los pilotos nos impediría tomar una embarcación juntos. Podría hacerlo en el MiG con relativa facilidad, pero ustedes quedarían detrás . . . ¡Y es eso lo que no quiero aceptar!

-Pero es preferible. Sé que estallarás en cualquier momento y será la peor de las desgracias para todos. ¡Hazlo!

-No sé, tal vez tengas razón . . . Pero, déjame pensarlo más . . . ¡Es que sin ustedes no podría vivir de todos modos!

Vicky se me abrazó de nuevo sollozando. Y le comenté en tono de broma:

-Eres la mujer más llorona del mundo. Si sale alguien pensará que estamos peleando.

Ella sonrió y me apretó con fuerza diciendo:

-¡Te quiero tanto!

-¡Y yo a ti! No hablemos más de este asunto, y menos aún en la casa. Yo seguiré pensando, y te hablaré cuando llegue el momento.

A partir de aquel instante, la idea de escapar de Cuba con ellos me acompañó en todo momento, devorando mis neuronas en la búsqueda de una manera posible de hacerlo.

Habíamos hallado una puerta en el infierno, y ahora sólo quedaba encontrar la manera de abrirla.

Capítulo 14

—

¡Nunca los abandonaré!

Un día, la Base se vio estremecida por un escándalo: el capitán jefe de Servicios Químicos y los navegantes de conducción más experimentados habían sido detenidos por la contrainteligencia, acusados de matar ganado y vender su carne. Desde los primeros años de la Revolución se había aprobado una ley que prohibía el sacrificio de ganado vacuno con el fin de aumentar el número de reses en el país. Pero éstos habían disminuido ostensiblemente a pesar de las décadas pasadas y también el tamaño y frecuencia de las raciones de carne que podía adquirir la población con las tarjetas de racionamiento. Ahora, desesperados por la carencia de alimentos, varios oficiales habian sacrificado por las madruga das algunas reses en los potreros en que éstas pastaban, repartiendo la carne entre ellos, y vendiendo luego el excedente.

Se desató entonces una cacería de brujas sin precedentes en la Unidad. Los oficiales de la contrainteligencia se llevaban detenidos a los sospechosos y los mantenían aislados por varios días bajo constantes interrogatorios, para conocer los nombres de todos los implicados, incluyendo a los que compraron alguna carne.

Cada día aumentaba el número de detenidos, entre los que ya estaban las esposas de los oficiales, y no se hablaba ya de otro asunto en la comunidad de vecinos, donde todos permanecían a la expectativa para ver quien era el próximo en partir acompañado de los oficiales de la contrainteligencia.

Cuando llamaron a Osiris para interrogarla por haber comprado dos libras de aquella carne el escándalo llegó a su clímax, pues implicaba al primer piloto, lo que ponía muy nerviosos a los oficiales de la contrainteligencia.

Osiris era la esposa del mayor Roberto Tompson, jefe de uno de los escuadrones de caza, héroe de la guerra de Angola y uno de mis más entrañables amigos. A partir de aquel momento, caería sobre ellos toda la presión de la contrainteligencia por arrancarles una confesión que probara que Tompson había tenido conocimiento de la compra de carne que hizo su esposa, y de esta manera poder castigarlo ejemplarmente.

El nuevo jefe de la contrainteligencia en la División, teniente coronel Ernesto Cordero, había dado instrucciones inmediatas para que no se le permitiera volar a Tompson mientras duraran las investigaciones:

-No sea que haga una locura -solían decir, insinuando la posibilidad de una deserción por tales motivos hacia Estados Unidos.

¡Ni que valieran tan poco nuestros hombres que abandonaran su país por temor a un castigo! -me decía a mí mismo mientras les veía actuar, recordando las razones por las que la deserción ya había pasado por mi mente.

Una tarde, pedí a Vicky que me acompañara a casa de Tompson y Osiris. Estaban ellos pasando por uno de los peores momentos y necesitaban apoyo.

-Cualesquiera que sean las circunstancias, queremos que sepan que somos los mismos amigos de siempre -les dijimos, y observé la mirada agradecida de Tompson en el fondo de la preocupación que lo embargaba: había caído en desgracia.

Osiris nos contó que había comprado la carne que alguien le ofreció varios meses atrás porque la niña estaba enferma, con fiebre alta y ella no tenía alimento que darle. Tompson estaba entonces de guardia en la Base y pasó tan ocupado el resto de la semana que venía muy tarde a dormir. Ella nunca le comentó lo ocurrido por considerarlo intrascendente y se sentía ahora asfixiada por el sentimiento de culpabilidad que le producía la prohibición de volar que pendía sobre Tompson.

Aquella familia amiga enfrentaba ahora las trágicas consecuencias de un hecho intrascendente, convertido en crimen por un sistema absurdo. Y sufríamos de ver en los rostros de nuestros amigos aquella expresión de desamparo e inseguridad, como queriendo decir: ''Y ahora, ¿qué va a ser de nosotros?''

Un día, a comienzos de marzo, vinieron a verme al Puesto de Mando el teniente coronel Ernesto y el teniente Valdés, de la contrainteligencia. Habían recordado dos elementos importantes para su investigación: que yo era un colaborador de la contrainteligencia a pesar de estar prácticamente inactivo, y que me unía una entrañable amistad a Tompson y su familia.

Comenzaron la conversación interesándose por el bienestar de mi familia con preguntas fútiles y entraron luego al tema que los traía:

-Sabemos que estás más ocupado que antes. Pero necesitamos tu ayuda para resolver un caso de extrema importancia -comenzó diciendo Ernesto mientras Valdés permanecía a su lado sonriente con el mismo brillo en los ojos que tuvo Cepero durante aquella reunión años atrás en que me pidieron galantear a la esposa de Cordero, ahora mi jefe.

-Se trata de Tompson. Queremos protegerlo, cuidar su prestigio. Pero para eso necesitamos saber con certeza si él conocía que su esposa había comprado la carne.

¡Aquella era la tarea más importante que tenía aquel órgano concebido para la lucha contra la tenebrosa CIA! Me parecía estar viviendo los tiempos de las purgas de Stalin. ¡Qué similares intrigas no se tejerían en las altas esferas contra los que dejaban de agradar al Máximo Líder!

-¿Qué quieren de mí? -pregunté, haciendo un esfuerzo por contener una mueca de asco.

-Tompson es tu amigo . . . Sabemos que su esposa y él confían en ti y en Vicky . . .

Valdés se excitaba a la medida que su jefe hablaba . . . Como la primera vez, ya llegábamos al meollo del asunto:

-Queremos que visites a Tompson en su casa y observes algún objeto de la sala que se pueda sustituir.

-No comprendo.

-Necesitamos situar un equipo de escucha en su casa para saber lo que hablan su esposa y él. Pensamos que podrías ayudarnos tomando algún adorno pequeño de la sala que ellos no noten su ausencia temporal, y nos lo traigas para prepararlo. O que nos describas otro que podamos sustituir.

Dos veces me habían pedido ayuda para resolver casos difíciles . . . ¡Dos veces me habían pedido que traicionara a mis amigos! ¡Tal era la lealtad a la Revolución, erigida sobre la traición a los seres queridos! ¡Canallas!

-Veré lo que puedo hacer, pero saben que parto en dos días hacia La Habana y Varadero . . . -respondí convencido de que jamás cumpliría su encargo.

Se marcharon, y quedé de nuevo saturado de la repugnancia que me producía todo aquello. ¿Cuánto más podría soportar?

Regresé temprano a la base, pues Cordero estaba de vacaciones y debía yo inspeccionar la formación general de aquel lunes. Justo antes de subir a la tribuna el Jefe de Inteligencia me trajo el último de los partes sobre el enemigo para que yo lo analizara ante la formación. Decía el parte que la Ciento Una División Aerotransportada de los Estados Unidos, estaba regresando del Golfo Pérsico en estado de completa disposición combativa, y que unos catorce mil efectivos estaban saltando en paracaídas a suelo norteamericano desde los aviones que los traían de regreso, envueltos en una euforia triunfalista.

"En el mundo unipolar surgido con la desaparición de la Unión Soviética, nada impedirá a los Estados Unidos actuar contra Cuba sin merecida respuesta. Ello nos hace pensar que el enemigo se prepara para asestar un golpe sorpresivo contra Cuba con las fuerzas y medios que están regresando del Golfo Pérsico".

Concluía el parte.

Lo revisé, sabiendo que no podría repetirlo ante los hombres que esperaban formados frente a la tribuna y, lo devolví al jefe de Inteligencia pidiéndole que lo leyera él. Una expresión de sorpresa y duda se reflejó entonces en los ojos de Méndez, el Político . . . Era lo usual que el jefe transmitiera aquella clase de información a la tropa. Había soportado las más repugnantes mentiras, pero repetirlas ante aquellos agobiados hombres, era algo que rebazaba mis fuerzas. No, ya no podía más.

No había dejado de pensar ni un instante en la manera de huir con Vicky y los niños desde que había hablado con ella la última vez sobre el asunto, mas resultaba totalmente imposible realizarlo con ellos.

¿Y si escapaba solo en el MiG durante los vuelos de entrenamiento? Vicky podría fingir que no sabía nada . . . De esa manera no podrían causarle problemas.

Otros, como el general Del Pino, habían escapado con parte de su familia. Entonces, al resto de los seres queridos que habían quedado atrás, como la madre, les habían inducido a declarar en su contra por los medios de prensa cubanos. A llamarlo traidor a la patria, al pueblo y a la familia, a considerarlo peor que muerto.

Era aquella la manera en que funcionaba el sistema represivo, explotando la psicología de las masas para convertir los reveses en victorias. Un individuo considerado traidor por su propia familia podía servir para aglutinar al pueblo alrededor de los líderes de la Revolución. El método era simple: llegaban los líderes precedidos por la mayor publicidad, generosos y fieles, en ayuda de los familiares abandonados. Y el pueblo, magnánimo siempre con los que sufren, se volcaba en apoyo de los parientes que padecían el bochorno de la traición de uno de sus miembros. Los medios de prensa harían el resto: ¡Aquella era la verdadera familia! ¡La que formaban el pueblo y el Máximo Líder! El revés se convertía en victoria.

Aquellos familiares, forzados por las circunstancias y el temor a declarar en contra "del traidor", caían entonces en la trampa tendida por la publicidad, y aterrorizados de que las multitudes que ahora les expresaban su cariño los pudieran considerar también traidores, se sentían moralmente desarmados para pedir la salida del país y reunirse con el ser amado.

Fidel y Raúl Castro habían dedicado sus vidas a moldearse una imagen noble a través de la prensa, y repetían una y otra vez en sus intervenciones públicas que nadie era retenido en el país en contra de su voluntad:

"Los que se quieran ir . . . ¡Que se vayan!" Había dicho el Ministro de las Fuerzas Armadas en su último discurso frente a los principales jefes militares.

El Comandante en Jefe, por su parte, decía a un periodista extranjero en entrevista divulgada por la televisión nacional: ". . . Los que no se pueden ir no es por culpa nuestra sino de Estados Unidos que no han querido concederles las visas. Nosotros, por el contrario, les dejamos las puertas abiertas . . ."

Todo lo que Vicky tendría que hacer era fingir sorpresa por mi partida, abstenerse de declarar ante la prensa en mi contra, escudada en el dolor y el trauma que le había producido mi deserción, y negarse luego, a aceptar los privilegios que le ofrecerían los dirigentes de la Revolución. Ello le permitiría tener la fortaleza necesaria para pedir su salida del país una vez que yo lograse las visas norteamericanas. Poco a poco se iba modelando un nuevo y desesperado plan en mi cabeza, lleno de riesgos, pero el único posible.

¿Y si se niegan a permitir la salida de Vicky y los niños aunque yo haya logrado las visas? Entonces vería a periodistas extranjeros y lo mismo podría hacer Vicky con los corresponsales de otros países acreditados en La Habana. El descrédito sería tan grande para ellos que los dejarían salir de inmediato.

Cuando llegué a casa, invité a Vicky a pasear con los niños por un arroyuelo cercano. Tomamos dos pelotas que habíamos traído de la Unión Soviética y, con el pretexto de ir a jugar, nos fuimos allá casi al caer la tarde. Al día siguiente tendría que partir para La Habana por una semana para recibir las clases elementales de los MiGs-23 BN recién llegados a la Base. De regreso pasaría por Varadero para entregar la casa que había servido para el descanso de los pilotos a una de las nuevas empresas de turismo internacional formada con militares retirados. Jugaban los niños animadamente con los pies sumergidos en el arroyuelo, lanzando las pelotas contra el agua para salpicarse uno al otro entre sonoras risas, mientras los contemplábamos Vicky y yo desde la roca en que estábamos sentados.

-Parece que la única manera posible . . . es que escape yo primero en el MiG -le dije, mientras apartaba un raro insecto que intentaba subir por mi pierna.

-¿Cuándo?

-En la primera oportunidad cuando regrese de La Habana. Luego, nos uniremos de algún modo . . .

Vicky me miró con curiosidad diciendo:

-¿Cómo haremos?

Y le expliqué mi plan para enfrentarse al acoso que se le vendría encima después de mi partida.

-¿Crees que puedas hacerlo, soportarlo . . .?

-Creo que sí . . .

-No puedes dar la mínima señal de que sabías mis intenciones de escapar, o caerá sobre ti todo el peso de la venganza.

-Lo haré lo mejor que pueda. Ni matándome me arrancarán una confesión.

-No creo que te torturen físicamente. El sistema no funciona de esa manera.

-¿Cómo le explico a los niños . . .?

-Habrá que sacarlos cuanto antes del medio en que vivimos para que otros niños no puedan echarles en cara la traición del padre. Deben irse a vivir con tus padres en La Habana, que estarán felices de tenerlos allí. Di a los niños que me fui temporalmente a otra base, a la Unión Soviética, lo que se te ocurra. Pero tómate el tiempo necesario para contarles la verdad cuando haya cesado el acoso inicial a que estarán sometidos.

-Va a ser muy duro.

-Lo sé. Por eso quiero estar seguro de que puedes resistirlo.

-Claro que podré.

-Otra cosa, hay que dar por sentado que escucharán todo lo que digas en casa. En la primera oportunidad que estés sola después que te den la noticia no dejes de pensar en voz alta quejándote en mi contra por lo que hice. Eso ayudaría a hacerles creer que no sabías nada.

-Comprendo.

-Si todo sale bien, te llamaré por teléfono desde allá pidiéndote perdón por no haberte dicho nunca nada. Después, ve a la Oficina de Intereses de los Estados Unidos y gestiona las visas para ti y los niños. Yo estaré haciendo lo mismo por ustedes allá.

-¿Y si Estados Unidos nos niega la visa?

-Regresaré a enfrentar las consecuencias . . .

Vicky me miró horrorizada.

-Si no existe un refugio de libertad para nosotros en este mundo, no creo entonces que merezca la pena vivir. Es un riesgo que tenemos que correr.

Bajó la cabeza en silencio, sabía que no teníamos alternativas y yo agregué:

-Hay que tener fe. Si hacemos bien las cosas, ganaremos el tiempo necesario para gestionar las visas. Una vez que las tengamos en las manos ya no podrán retenerlos en el país. Sería un escándalo internacional que los tomaran de rehenes mientras se proclaman humanistas. No creo que lo hagan.

-Yo tampoco.

Ambos quedamos en silencio por unos segundos, observando a los niños en su retozo y el sol que se ponía tras ellos.

-Pienso que te dejarán salir con los niños en el mayor silencio para evitarse el bochorno.

Vicky sonrió con un brillo de esperanza en los ojos que no había visto en muchos meses, luego concluyó:

-No les quedará más remedio. ¿Cuánto crees que durará la separación?

-No sé, depende del tiempo que demore en obtener las visas. Si no los dejan salir del país entonces, ¡ya verán el escándalo que armaré por ustedes!

¡Qué inocentes éramos entonces! ¡Qué equivocados estábamos en cuanto a la sensibilidad de la prensa internacional y la reacción del gobierno cubano!

Partí al día siguiente hacia La Habana, no sin antes pasar por casa de mis padres, que me dieron gustosos su automóvil para mis gestiones.

Recibí las clases en la Escuela Técnica de la Fuerza Aérea y noté en mis movimientos por la ciudad que el mismo automóvil permanecía siempre tras de mí.

Lo que antes no habría llamado mi atención, recababa ahora todo mi interés debido a la tensión que me embargaba por mi inminente deserción. Una tarde que regresaba a casa de mis suegros con el dichoso automóvil siguiéndome los pasos, decidí continuar camino hacia la concurrida área de La Rampa, quería saber si realmente me seguían. Aparqué en un espacio dejado por un auto que se retiraba y vi por el retrovisor que un hombre en camisa de cuadros descendía del automóvil para seguirme a pie mientras el otro buscaba aparcamiento. Caminé hasta el grupo de personas que esperaban en cola por un helado, y observé como el chofer y el otro individuo se juntaban al final de la misma minutos después. Sí, me seguían, y noté que también ellos sufrían las consecuencias de la crisis económica, pues utilizaban sólo un automóvil para el trabajo, y ni siquiera lo habían cambiado de un día para otro.

¿Por qué me siguen? ¿Habría informado Cordero sobre mis dudas contra los que no quieren aceptar las críticas del pueblo? ¿Lo haría Méndez sobre mi manera de pensar con relación a la guerra del Golfo Pérsico?

Desde mi lugar en la cola observé disimuladamente a mis seguidores, mientras recordaba el incidente del parte, y las opiniones que había dado sobre la guerra del golfo mientras comíamos.

Tal vez ha sido Méndez quien les ha informado actitudes sospechosas en mí. Tal vez Cordero... No sé, pero tendré que cuidar mis acciones o no podré poner nuestros planes en práctica -pensé, agobiado de tener que resistir la larga espera para tomarme el forzoso helado.

Regresé a casa de mis suegros y marché el día siguiente a Varadero sin notar que me siguieran, al menos tan descaradamente.

Era Varadero uno de los lugares que más amaba, más que por su belleza, por los años de mi infancia pasados allí, corriendo por la playa mientras estaba en la escuela de natación, acechando en las noches las kawamas que salían a poner sus huevos en la arena.

Había cambiado mucho desde entonces el magnífico balneario que estaba ahora atestado casi únicamente de turistas extranjeros. Sabía por mis amigos que, con el crecimiento del turismo internacional y la situación de pobreza imperante en el país, cientos de jóvenes se habían prostituido cambiando sus cuerpos por los más simples productos de consumo, ante la mirada cómplice de las autoridades, que no querían molestar al turista que dejaba en Cuba sus dólares. Quise ver con mis ojos ese mundo que me negaba a creer existiera en Cuba, y me fui esa noche a recorrer las calles del querido Varadero. Nuevos restaurantes aparecían por doquier, anunciando sus servicios únicamente para extranjeros. Entré a uno de ellos para pedir un vaso de agua y sentí en el rostro la mirada de desprecio del camarero cuando decía:
-Le daré el agua, pero sepa que este lugar es sólo para extranjeros.

-Perdón, no sabía que . . . -respondí dando la vuelta para marcharme.

-Oiga compañero, su vaso de agua . . . -le escuché decir a mis espaldas.

-No gracias, creo que he perdido la sed -respondí sin volverme, y salí apresuradamente. Por primera vez me sentía un forastero en mi propia tierra.

¡Hasta la patria me han quitado! -pensé adolorido mientras caminaba a paso rápido por la calle, descubriendo un mundo nuevo en mi país, creado por la Revolución que alguna vez llamaron de los humildes y para los humildes.

Un grupo de personas y automóviles aglomeradas a lo lejos llamó mi atención, y me encaminé curioso hacia ellos.

Un letrero desbordante de luces y colores anunciaba: Discoteca EL CASTILLITO, adornando la entrada de aquel edificio construido a imitación de un castillo medieval. Y una veintena de muchachas se agolpaban a la entrada, luciendo los contornos de sus cuerpos, ahora resaltados bajo las ajustadas y cortas faldas. Hablaban en voz muy alta y gesticulando, hasta que llegaba algún turista extranjero en uno de los automóviles de placa azul que sólo ellos podían alquilar. Entonces, se lanzaban sobre éste, asediándolo todas a la vez para que invitara a alguna a pasar a la discoteca. Miraba el turista a sus agresivas admiradoras con una mezcla de susto y agradable asombro en el rostro, y tomaba luego del brazo a una de ellas para entrar presuroso a ese mundo de diversión al que sólo él las podía conducir.

Varios policías observaban la escena junto al carro de patrulla desde el otro lado de la calle.

"Para asegurar que se mantenga el orden" -según me dijeron.

Regresé sobre mis pasos a la casa de descanso de los pilotos, sintiendo que la amargura invadía mi alma. Había pasado varios años de mi vida becado en las escuelas de aquel Varadero que no reconocía. El romanticismo de la Revolución había sido reemplazado por una ausencia total de escrúpulos en el afán por obtener divisas.

Si todas las propiedades de los cubanos habían sido confiscadas antes so pretexto de la igualdad social, ahora se vendían los hoteles a inversionistas extranjeros que no admitían turistas cubanos y expulsaban de sus trabajos a los empleados de la raza negra, en una especie de Apartheid contra los cubanos.

¡Tal prostituido destino le había deparado la Revolución a mi pueblo!

Una de las cosas que más había repetido nuestro Máximo Líder durante los años que llevaba en el poder, era que Cuba necesitaba una revolución como aquella para poner fin a la prostitución.

"Antes del triunfo de la Revolución Cuba era el antro de la prostitución en el continente" -había dicho él en varias ocasiones.

Aunque no había yo vivido aquella época, tampoco albergaba duda sobre la existencia de una fuerte prostitución en el país entonces. Pero ahora nuestras prostitutas eran ingenieras, licenciadas, profesionales que hacían su labor desesperadas por la miseria que les rodeaba a cambio de una invitación a cenar, a bailar en una discoteca, de un jabón, un perfume, una prenda de vestir . . . ¡Nuestras prostitutas de hoy eran las más baratas y las más cultas del mundo!

Entregué la casa en la mañana siguiente a los representantes de la empresa turística, y marché de regreso a Santa Clara con la impresión de ser un hombre sin patria.

Sólo por el momento, porque buscaré una para mi familia. Donde tengan derechos y se sientan propietarios, ¡al menos de sí mismos!

Me dije convencido de que el próximo vuelo que hiciera solo, sería hacia los Estados Unidos.

Vicky y los niños corrieron escaleras abajo a mi encuentro cuando, desde el balcón en que esperaban ansiosos, me vieron descender del ómnibus. Habíamos pasado toda una semana sin vernos, y ahora Reyniel y Alejandro se interrumpían mutuamente para darme las mutuas quejas y contarme los pormenores de aquellos días en la escuela y el círculo infantil. Pasamos el resto de la tarde jugando los cuatro en el piso de la sala, y ya cuando nos disponíamos a dormir, murmuré al oído de Vicky: -En el primer vuelo que haga . . .

Me abrazó ella poniendo su cabeza sobre mi pecho y durmió así toda la noche.

A la mañana siguiente me excusé con Reyniel y Alejandro que me acusaban de trabajar todos los domingos y marché temprano hacia el Puesto de Mando para hacer aquella guardia que parecía ser la última de mi vida.

Por la tarde me visitaron Vicky y los niños sorpresivamente. Habían salido de la casa unas cuatro horas antes, con tiempo suficiente para esperar el ómnibus y hacer la cola por unas pizzas en el club de oficiales. Llegaron con su precioso cargamento de pizzas tiesas y una dosis infinita de alegría que expresaban los niños por estar de nuevo en mi trabajo conmigo. Vicky en cambio, no podía borrar de su rostro la preocupación.

-¿Ya sabes cuándo vuelan la próxima vez? -preguntó como si temiera escuchar la respuesta.

-El miércoles -balbuceé, recordando la conversación telefónica con Cordero sobre la planificación de los próximos vuelos.

-Por suerte esta semana tampoco trabajaré. Así que estaré en casa con los niños . . .

Vicky se alegraba de estar al menos junto a los niños cuando llegara el momento. Durante las últimas semanas había vuelto a faltar el agua en la Base y la comunidad de apartamentos, por lo que el círculo infantil de Alejandro permanecía cerrado y las madres con niños pequeños eran liberadas de sus trabajos.

Cenamos aquellas pizzas que nos parecieron deliciosas y llegado el momento de partir Alejandro comenzó a llorar.

-¡Quiero quedarme a dormir con papi! -se quejaba cuando Vicky lo tomaba del brazo para regresar a casa.

Quise explicarle que los niños no podían dormir allí, pero la voz me brotó quebrada y tuve que excusarme para salir y que no vieran mi estado. Vicky tragó en seco y se llenó del valor que me faltaba para insistir en que había que marcharse, hasta convencer a los niños, que la acompañaron más calmados.

Al próximo día fui directamente para la Base y me encerré en mi oficina. Desplegué el mapa e hice los cálculos de navegación para la travesía que haría hasta el aeródromo de Boca Chica en Cayo Hueso, desde dos puntos diferentes de la región en que solíamos volar. Memoricé los datos sin dejar huella alguna en aquel mapa que, a diferencia de los utilizados regularmente por los pilotos, abarcaba hasta el sur de Estados Unidos, tomé los documentos secretos en mi escritorio y fui a devolverlos a la oficina destinada a su custodia.

Quiero ser libre. Si me aceptan, habrán de hacerlo sin condiciones -pensé consciente de que si tomaba algunos de aquellos documentos podría ser mejor recibido, lo que me pareció un trueque indigno por la libertad a la que tenía derecho. Ya salía del Estado Mayor cuando me interceptaron Cordero y Valdés junto a la puerta.

-Vamos a mi cuarto. Queremos que veas una videocinta que mandaron para todos los jefes desde la oficina del Ministro -me dijo Cordero con el semblante grave mientras Valdés permanecía a su lado sonriente.

En el cuarto esperaban el jefe de Estado Mayor y el navegante principal de la Base, curiosos de lo que veríamos:

Comenzaba la cinta con una explicación de las últimas actividades de la

CIA contra Cuba y mostraba las imágenes ya expuestas por la televisión nacional, de diplomáticos de la Oficina de Intereses estadounidense en La Habana depositando mensajes en lugares ocultos. Luego hablaba de "algunos oficiales de las Fuerzas Armadas que se habían prestado a colaborar con la CIA".

La voz de la locutora se tornó vibrante cuando presentaban a tales traidores: Imágenes tomadas por una cámara oculta, mostraban a un grupo de periodistas de la revista "Verde Olivo" de las Fuerzas Armadas, sentados en un despacho contándose chistes que ridiculizaban la personalidad del Máximo Líder.

Más adelante, el caso del coronel jefe de comunicaciones de la Marina de Guerra que "había realizado críticas al Comandante en Jefe". Tal era también el delito del capitán Jardinero, jefe del cuerpo de guardia del hospital militar de Santiago de Cuba. El último de los traidores era de un capitán profesor del Instituto Técnico Militar de La Habana que había escrito a la Dirección del Partido y del Instituto, reconociendo que creía en Dios y pidiendo que le permitieran seguir en su puesto pues no veía antagonismo entre sus creencias religiosas y su disposición a defender la patria como militar. Su confianza en los líderes lo había llevado a tomarse en serio la reciente campaña desatada por el gobierno, invitando a hombres y mujeres con creencias religiosas, a incorporarse al Partido. No comprendió que era una jugada más para crear en el pueblo una impresión de cambios.

Mientras la cinta corría, noté que Valdés me observaba con atención cuando hablaban de "aquellos que habían caído en las trampas que les tendió la CIA".

Y me volví diciéndole: -Está claro el mensaje del Ministro.

-Me alegro que lo comprendas . . . -respondió como quien hace una advertencia.

En cuarenta y ocho horas estaré tan lejos que dejarás de verme como a una de tus probables víctimas -repliqué con el pensamiento y, pidiendo permiso a Cordero para retirarme, salí de la habitación.

Cuando regresé a casa, aunque no hablamos del asunto, Vicky no pudo borrar de su rostro la inquietud que la invadía. La mañana siguiente nos sorprendió despiertos, apenas si habíamos dormido en toda la noche. Aquel sería nuestro último día juntos.

-No hay café, pero puedo preparar un té -me dijo Vicky con tristeza.

-No gracias . . . No creo que pueda tomarlo.

Y dándole un beso me marché a la Base.

Pasé la mañana recorriendo las áreas de los escuadrones y visitando a la tropa, que sin saber por qué, quería despedir anónimamente. Sentía un profundo aprecio y respeto por aquellos hombres y me atormentaba el pensamiento de que al día siguiente pensaran que los había traicionado.

¡Algún día la historia pondrá en su lugar a los verdaderos traidores! -me consolaba a mí mismo mientras los veía preparar los aviones para los vuelos del próximo día. Visité cada rincón de la Base en aquella despedida silenciosa, y me fui luego adonde el resto de los pilotos que se preparaban

para las misiones del día siguiente. Quería ultimar los detalles de los vuelos que haríamos juntos Chirino y yo, mi compañero desde los tiempos de cadete. Había venido desde La Habana para darnos la instrucción en los nuevos MiG-23, por lo que volaría con él en el avión de entrenamiento antes de realizar mi ''soleo'' . . . a la libertad o a la muerte.

Vicky me esperaba ansiosa para nuestra última cena y marché temprano, devorando con paso acelerado la distancia hasta mi hogar. Al llegar a la carretera la distinguí, esperando con los niños en el balcón. Corrieron los pilluelos escaleras abajo a mi encuentro, y como siempre, subí con ellos en cada uno de mis brazos.

Vicky comenzó a servir la mesa de inmediato recordándole a los niños que debían ir temprano a la cama. Teníamos tanto que hablar . . .

-Es todo lo que tenemos, pero lo he hecho con amor . . . -dijo, mientras servía con manos temblorosas la cena compuesta de arroz, papas rellenas y frijoles negros.

-Todo lo que has hecho a mi lado ha sido con amor . . . -respondí, y marchó ella a la cocina ocultando el rostro a los niños. Al cabo de unos minutos, regresó en silencio.

-¿Mami, por qué no comen ustedes hoy? -preguntó Reyniel al ver los platos de Vicky y mío intactos ante nosotros, que permanecíamos extraviados en nuestras propias miradas de complicidad hacia los niños, la casa, nosotros mismos, todo . . .

-Sólo queremos acompañarles antes de que se vayan a la cama. Comeremos un poco más tarde -respondió Vicky haciendo un esfuerzo por no llorar.

En silencio recogimos la mesa cuando los niños se durmieron, y en silencio fuimos al cuarto en busca de las fotografías familiares. Una a una las revisamos hasta seleccionar dos. Comparamos la mayor con el bolsillo que tenía mi traje de vuelos a la altura del pecho, y entre lágrimas que derramaba Vicky en su mutismo, la recortó con unas tijeras a las dimensiones de éste. La otra foto cabría en mi billetera, y serían las únicas cosas, que junto a mis documentos de identificación, me acompañarían en el vuelo. Era, tal vez, nuestra última noche juntos y quisimos entregarnos el uno al otro con toda la pasión de nuestras vidas.

-Rezaré mucho porque llegues sano y salvo -me decía Vicky al oído en medio de nuestro desvelo.

-Vete de inmediato para La Habana con tus padres. No permanezcan ni un segundo más del necesario en este medio. Y ten fe, el amor habrá de triunfar sobre la mentira.

Conversábamos, cuando el reloj indicó que era hora de partir para los vuelos.

Aún tuve tiempo de escribir una pequeña nota para Reyniel y Alejandro:

''Hay decisiones que al tomarlas pueden pagarse con la vida . . . Lo que es un error fatal . . . Pero a veces los hombres no hacen lo que dictan sus conciencias por temor a errar . . . Y eso es cobardía, que es peor que equivocarse. Sepan que nunca les abandoné ni fui un traidor . . . lucho por el derecho de ustedes a ser libres, que es lo mismo que luchar por mi propio honor.

Sólo les pido que defiendan el de ustedes cuando sean hombres, con la decisión que he defendido el mío . . ."

-Escóndela donde no puedan encontrarla. Es para los niños cuando crezcan si no llego a mi destino -dije extendiendo a Vicky el pequeño pedazo de papel.

-¡Ojalá nunca tengan que leerla!

-Será muy duro también para mi padre cuando lo sepa. Dile solamente que no soy un traidor.

Besé a los niños que dormían en la plenitud de su inocencia, y no me sostuvieron las piernas, desplomándome al piso junto a la cama que compartían, vencido por el llanto. Vicky se aferraba a mis hombros con fuerza y terminó también por caer de rodillas junto a mí. Nos calmamos en un esfuerzo final y avanzamos hasta la puerta. Allí volvimos a abrazarnos, anegados en lágrimas que trataba de controlar tragando todo el aire que podía. Nos separamos por fin para abrir la puerta, y mirándola con la fuerza que nos daba la razón de lo que hacíamos, murmuré:

-No sé que tiempo nos tomará reunirnos, pero no los abandonaré nunca. Si no los dejan salir, volveré por ustedes. Tampoco sé cómo y en qué lo haré: en barco, helicóptero, avión, globo o a nado. Pero volveré. Es esta una lucha de la verdad contra la mentira, del amor contra la maldad. No dudes de que el amor triunfará.

Y corrí escaleras abajo, pidiendo a Dios que me diera fuerzas para emprender aquel vuelo a un nuevo destino donde mis niños pudieran crecer libres. Cuando abandonaba la carretera pude observar por última vez nuestro apartamento. Vicky movía su mano desde el balcón en un adiós. Y respondí con un gesto vago de la mía, mientras repetía en voz baja:

-¡Nunca los abandonaré!

Capítulo 15

—

El primer día

Abstraída, contemplaba a Alejandro desde el umbral de la cocina: sentado en el piso de la sala, moviendo de un lado a otro aquellos pequeños cazas en sus manos, volando quien sabe por qué fantásticos parajes.

Pobrecito . . . -pensó -*¡Qué inocente está de lo que ocurre!*

-Prrrr. . . .

Continuaba Alejandro imitando el sonido de aquellos avioncitos tallados por mí en madera para Reyniel, antes de él nacer.

Era él . . . -se dijo, recordando el último MiG que emprendió vuelo aquella mañana cuando caminaba con Alejandro de la mano hacia el mercado, en busca de la ración de pan y leche.

¿Lo habrá logrado? ¿Habrá llegado sano y salvo a su destino? ¿Y por qué tanto silencio . . . ? ¿Y si lo derribaron? ¡Oh Dios, cuánto durará esta angustia!

Unos toques en la puerta la sobresaltaron.

Dios mío. ¿Serán ellos? Tengo miedo . . .

Se acercó a la puerta conteniendo la respiración y notó que la mano le temblaba cuando la extendió hacia el picaporte.

-¿Quién es? -preguntó con voz quebrada por el temor.

-Soy yo, mami.

Dejando escapar un suspiro, abrió la puerta de un tirón. Había olvidado que era la hora en que Reyniel solía venir de la escuela para almorzar.

-¿Qué te ocurre, mami?

-Nada . . .

-Estás pálida . . .

-Me asustaste cuando llamaste a la puerta.

-¿Sí?

Y una expresión de picardía apareció en el rostro del niño.

-. . . ¡Juuuuuuuu!

Había puesto sus manos como queriendo atraparla y se abalanzó sobre la madre jugando a asustarla.

-No juegues ahora, que tienes poco tiempo para almorzar -dijo Vicky al niño y se retiró a la cocina.

Al rato volvió con dos platos de arroz adornados con un huevo frito cada uno:

-Alejandro, deja ahora los aviones y ven a almorzar con tu hermano -ordenó, mientras disponía los cubiertos y un vaso de agua junto a cada plato.

Los niños corrieron a ocupar sus asientos, y ella lo hizo en silencio frente a ellos.

Tengo que controlarme. Si llegan a ser ellos hubieran notado mi nerviosismo . . . ¿Por qué me tienen que temblar las manos? -continuaba pensando mientras les veía comer.

-¿Y tú, mami, no vas a almorzar? -preguntó de súbito Reyniel.

-Yo almorcé hace un ratico. Tenía mucha hambre . . .

Mentía, y ambos la miraron extrañados porque sabían que gustaba de compartir la mesa con todos. Pero no dijeron nada . . .

Han suspendido los vuelos, ¡pero nadie viene a decirme nada! Tengo que controlarme, o se darán cuenta cuando lleguen de que yo lo sabía!

Volvió a mirar el reloj:

Me dijo que no le tomaría más de veinte minutos llegar allá. ¿Lo habrá logrado?

Lejos de allí, en el extremo sur de Estados Unidos, un grupo de personas comenzaba a crecer alrededor del MiG-23 de la Fuerza Aérea Cubana recién llegado . . .

—

-Dice que es Lienee Johnson, oficial del Buró Federal de Investigaciones -tradujo el sargento las palabras de la mujer que acababa de llegar.

Habían pasado apenas unos minutos después que salté desde la cabina para pedir ayuda a aquel afable coronel que me tendió la mano en bienvenida, y que ahora se movía de un lado a otro dando instrucciones a sus hombres. Entonces, su gesto había disipado los últimos temores que me embargaban sobre aquel país que me habían enseñado a temer como al antro de la injusticia, el racismo y la opresión.

Miré a la recién llegada y le sonreí tímidamente asintiendo con la cabeza.

-Pregunta que si trae usted algún arma o droga -continuó el sargento traduciendo nuestro diálogo.

-Todo lo que traigo es esto.

Y comencé a extraer de mis bolsillos la billetera con mi licencia de conducir y el carnet de mayor de la Fuerza Aérea, los cigarrillos, el encendedor y la foto de Vicky y los niños . . . que miré de nuevo antes de dársela. El recuerdo de Vicky recortando aquella foto con unas tijeras la noche anterior, y mis niños durmiendo cuando les despedía con un beso, ocuparon mi mente por unos segundos.

-¿Es su familia? -preguntó, mirando las fotos, mientras yo sentía un insoportable nudo crisparse a mi garganta.

-Mi esposa y mis niños . . .

-Tiene usted una hermosa familia -comentó, extendiéndome la foto y el resto de las cosas al tiempo que levantaba la mirada . . . Fue entonces que no hizo falta traducción: vio ella en mis ojos la incertidumbre por mis seres queridos, y yo, una infinita compasión en los de ella, que agradeceré siempre.

-¿Nos acompaña, mayor?

Esta vez habló el coronel señalando hacia el automóvil.

-Desde luego -respondí, y aún me volví un instante para explicar algo a los especialistas de armamento que trataban de desactivar el cañón de veintitrés milímetros del Mig, extrayendo la cinta de proyectiles que guardaba a un costado del fuselaje. Tomé mi equipo de vuelos y abordé el auto que condujo el coronel hasta el edificio de la torre de control.

Un salón con varios teléfonos sobre una especie de mostrador junto a una de las paredes, y una mesa pequeña en su centro rodeada de dos cómodas butacas y un amplio sofá; nos sirvió allí de refugio contra el implacable calor que habíamos experimentado afuera.

-Siéntese por favor -me pidió el coronel, indicándome una de las butacas apenas entramos.

-¿Desea una Coca-Cola, una hamburguesa?

-No . . .

-¿Prefiere un sandwich?

-Gracias, pero no deseo comer.

-¿Un café entonces?

Era lo único que hubiera podido tomar. Mi estómago parecía haberse paralizado bajo el cúmulo de emociones que me embargaban.

-Sí, por favor.

Y pidió el coronel a alguien que trajera café para todos, mientras la oficial de FBI tomaba asiento frente a mí con una pequeña libreta en las manos.

-¿Tiene usted familia en Estados Unidos? -preguntó con voz muy suave y aquella mirada de compasión en sus ojos . . . ¡Debía yo lucir muy mal!

-Sí, tengo varios tíos y primos.

-¿Sabe dónde viven? ¿Conoce sus teléfonos?

-Sólo sé de una tía que vive en Miami, pero no conozco su dirección ni teléfono.

-¿Ningún otro dato que nos pueda ayudar a encontrarlos?

-No . . . Creo que su hijo Charles es oficial de la Fuerza Aérea.

-¿Cómo dijo que se llama su primo?

-Charles . . . Charles Armenteros.

Anotó algo en su libreta y se fue en busca de un teléfono.

-Su café, mayor . . . -era el sargento que me había servido de traductor todo el tiempo, que me pasaba la taza de café.

-¡Oh, muchas gracias!

Y me sentí conmovido por la amabilidad de aquellos hombres y mujeres que había aprendido a ver como enemigos terribles. Una mujer de cabellos claros y grandes ojos verdes había entrado a la habitación y se dirigía a mí después de hablar brevemente con el coronel.

-Soy Linda Harrison, del Servicio de Inmigración de los Estados Unidos -me dijo en perfecto español mientras extendía la mano -¿Puedo tomarle una foto?

-Seguro -y me paré dispuesto a posar junto a la pared.

-¿Mayor? -ahora me llamaba la oficial del FBI desde su lugar junto al teléfono -Tiene a su primo Charles en la línea.

Lo que acababa de escuchar me llenó de asombro. ¡Había encontrado a Charles, apenas sin datos, en un par de minutos!

-¿Charles?

-Sí . . . ¿Dices que eres mi primo? ¿Cómo se llama mi padre?

Quería estar seguro de que yo era realmente su primo.

Conversé por unos minutos cargados de emoción, en que tuve que rogarle calma. Quería él venir de inmediato desde su base de la Fuerza Aérea en Texas, quería verme, abrazarme, ayudarme . . .

-Espera, estoy rodeado de buenas personas que ya dirán qué hacer.

Comprendió por último y devolví el teléfono a la oficial del FBI, que continuó hablando en inglés con mi primo.

Observé entonces el salón en que algunos permanecían presa de los teléfonos, otros escribían, y los últimos entraban y salían en lo que me pareció un ambiente de arduo trabajo.

¿Seré yo la causa de todo este ajetreo? -pensé turbado, notando que aquel era el primer instante en que alguien no me hablaba. Sentí entonces, unos deseos desesperados de fumar y me dirigí al sargento que hablaba español: -Sargento, por favor, ¿dónde podría fumar un cigarrillo?

-Hay un salón contiguo para fumar, sígame.

Un sargento y un soldado de la rasa negra que estaban allí, sentados ante una mesa, se pusieron de pie dándome la bienvenida.

-Lo dejo en buena compañía, mayor. Espero que se entiendan -me dijo el sargento y se retiró dejándome por primera vez sin la ayuda de su traducción.

-¿Wife, children . . .? -me preguntó el soldado.

-No comprendo . . .

-¿Family?

-¡Ah, familia . . .! Sí, esposa y "two" niños . . . -respondí, tratando de hacerme entender con gestos.

Entonces, extrajo su billetera mostrándome la foto de su esposa e hija. Lo mismo hicimos el sargento y yo con las de nuestros seres queridos, entablando un curioso diálogo en que logramos entendernos aunque hablaran ellos en inglés, y yo en español.

-Don't worry. Everything will be O.K. -dijo el soldado.

-¿Cómo?

-Wife, children, you . . . -hablaba, señalando mi familia en la foto y a mí, y entrelazando luego los dedos de sus manos con fuerza -All together, soon . . .

Intercambiamos el sargento y yo nuestros encendedores como recuerdo y me brindó el soldado una lata de Coca-Cola que acababa de traer.

No tenía deseos de beber, pero la tomé agradecido, sintiendo que enrojecía de vergüenza mientras intentaba comprender el mecanismo para abrirla.

Ya nos despedíamos cuando el soldado sacó del bolsillo un emblema de su escuadrón y me lo extendió como recuerdo de nuestro encuentro. Quise dejarle algo mío, pero descubrí avergonzado que sólo tenía lo que llevaba puesto. Comprendió él, y mirándome con sincera simpatía, señaló el reverso del emblema, repitiendo lo que había escrito allí sobre su firma: -Welcome to freedom.

Tomé su mano estrechándola con fuerza y con un nudo en la garganta que me ahogaba la voz le dije despidiéndonos: -Gracias amigo. ¡No te imaginas el valor que tienen tus palabras para mí!

Acababa de vivir lo que me pareció el momento más hermoso de ese día.

-Mayor, permítame presentarle a dos oficiales de inteligencia de la Fuerza Aérea que acaban de llegar . . . -era el sargento que regresaba acompañado de dos hombres.

-Capitán Sánchez -dijo el más joven avanzando con la mano extendida.

-Rodríguez . . . Bienvenido -se presentó el otro.

-Veo que hablan ustedes español . . .

-Somos puertorriqueños . . . -contestó el capitán en tono amigable -¿Cree que podamos conversar por un momento, mayor?

-Por supuesto.

Y comprendiendo que tendría muchas preguntas que responder, tomé asiento con ellos tras una mesa contigua.

Comenzaba el capitán Sánchez a extraer algo de su portafolios, cuando vi en su reloj que ya eran las tres de la tarde.

¿En qué situación estarán Vicky y los niños?

—

Hacía rato que Vicky permanecía junto a la ventana, observando el frente del edificio a través de las persianas entrecerradas, y sintió que el corazón le daba un vuelco cuando vio descender a Cordero, Méndez y Cortés del jeep que acababa de detenerse.

-¡Ya vienen! -murmuró asustada y corrió al baño para mirarse en el espejo -¡Tengo que lucir bien!

Después de almorzar Reyniel había regresado a la escuela y Alejandro se había acostado a dormir la siesta, quedando ella otra vez sumida en la incertidumbre que le producía aquel silencio creado desde que vio despegar el último MiG. Había observado por las ventanas una actividad inusitada entre los vecinos que regresaban de la base. Se reunían éstos en pequeños grupos frente al edificio, y parecían discutir algo en voz muy baja, como si temieran ser escuchados, entre miradas discretas que lanzaban en dirección a nuestro apartamento.

Comprendío que ya lo sabían, pero no podían decírselo a ella.

¿Por qué no podrían hacerlo?

Había llorado mientras observaba a Alejandro dormir plácidamente, rogando a Dios que yo estuviera sano y salvo en mi destino. Y había temido que sus lágrimas la delataran cuando vinieran a darle la noticia, a interrogarla... Varias veces se había lavado por ello el rostro con agua fría, haciendo un esfuerzo para controlar sus emociones.

A pesar de saber lo que ocurría, la atormentaba el por qué no habían ido aún a decírselo. Y se sintió asfixiada, a punto de enloquecer por aquel silencio tendido a su alrededor, como si gestaran algo en su contra.

En su ansiedad había bajado a casa de Miriam, la esposa del teniente coronel Pedro Díaz, uno de mis más cercanos amigos, con la esperanza de que ella le dijera algo. Allí había encontrado también a Marlen, secretaria y esposa de Cordero, quien recién regresaba de la base. Pero ambas se habían mostrado nerviosas con su presencia y habían evadido toda referencia a la Base.

Ahora, llegaban por fin . . .

Sintió que llamaban a la puerta y salió del baño frotándose las mejillas. Tomó todo el aire que pudo en sus pulmones y, conteniendo la respiración, giró el picaporte . . . Frente a ella, los tres hombres del jeep que tan bien conocía. Una rara palidez aparecía en el rostro de Cordero, y Vicky prefirió tomar la iniciativa:

-¿Qué pasa, ocurrió algo?

La miraban fijamente, sin responder . . .

-¿Qué ocurrió? ¿Se mató mi esposo? ¡Díganmelo!

-Peor que eso . . . -comenzó a decir Cordero con una mezcla de temor y rabia en el rostro -Está vivo . . . ¡Aterrizó en Estados Unidos!

¡Gracias señor! ¡Lo logró! -pensó mientras controlaba la alegría que la asaltó, para exclamar: -¿Cóoomo?

-Que aterrizó en Estados Unidos. Ojalá haya tenido un problema técnico con el avión . . . y no se trate de una traición -aclaró Cordero secamente, y Vicky comprendió que aquel hombre, amigo de muchos años, ya no era amigo, ni de ella, ni de los niños . . .

-*Quizás nunca lo fue* -pensó, comprendiendo que aquel hombre actuaría en lo adelante guiado por su propio instinto de conservación, poniendo la mayor distancia posible entre él y ellos; caídos ahora en desgracia . . .

Y se sintió sola, terriblemente sola, enfrentada a toda una maquinaria impredecible que ya se le venía encima. Y quiso llorar, llorar . . .

-¡No puedo creerlo! -exclamó, y se desplomó en el lugar que yo solía ocupar tras la mesa cuando podíamos comer juntos. Cubrió entonces su rostro con las manos, y dio rienda suelta a aquella necesidad de llorar, contenida hasta el momento.

Permanecían ellos en silencio, parados junto a ella, observando aquel llanto, cuando un pensamiento la alarmó:

Sus padres . . . , tengo que darles la noticia. ¡Quién sabe qué cosas pueden decirles!

Y levantándose se dirigió al cuarto.

-¿Qué vas a hacer Vicky? -preguntó Cordero.

-A llamar a mis suegros. Tengo que decirles lo que ocurre . . .

-No, no lo hagas. Ya les avisaremos luego.

-¿Pero por qué luego . . .?

-No te preocupes, estamos investigando . . . Les avisaremos después, hay que esperar . . . -hablaba Cordero como quien da instrucciones, sin emociones en la voz, diciendo únicamente lo imprescindible -No hagas nada por el momento, estaremos en contacto contigo.

Y sin más, marchó escaleras abajo seguido de sus acompañantes.

Vicky regresó a su asiento y sintió que tendría que tragarse sola las emociones que la invadían. Se había preparado para enfrentar aquel momento, pero el dolor ante la incertidumbre por el tiempo que estaríamos sin vernos y la propia duda de si lo lograríamos alguna vez, la hacían sentirse terriblemente desesperada. Necesitaba compasión, alguien que le dijera al menos: ''Lo siento'', y ese alguien no aparecía.

-Yo estaré contigo mientras tanto . . . -escuchó la voz de Marlen que había salido de su apartamento, justo frente al nuestro, para acompañarla.

Por fin concurría alguien a darle algún afecto. Pero Marlen sólo tomó asiento, observándola en silencio mientras ella lloraba. Ni una palabra, una frase de consuelo de quien había sido su amiga y vecina, nada . . . Sólo su miraba acuciante, quemándole en las manos que le cubrían el rostro mientras lloraba . . .

¿Será real o finge? -se preguntó Vicky sintiendo la fuerza de aquellos ojos clavados en ella sin que mediase una palabra.

¿Habrá sido realmente mi amiga alguna vez? No sé . . . , pero si siente pena ahora por mí . . . ¡no podría expresarlo!

Ya Alejandro se despertaba, y por suerte, Miriam acababa de venir de su apartamento. Apenas dijo una palabra, pero la miró con una compasión que Vicky agradeció, notando en sus ojos que también había estado llorando.

-Me llevo a Alejandro a jugar y también a Reyniel cuando llegue de la escuela. No te preocupes por la comida, que yo les cocinaré -dijo Miriam, tomando a Alejandro consigo. Y Vicky sintió infinita gratitud por el valiente gesto de aquella amiga.

Habían quedado otra vez solas Marlen y ella, con el rostro entre las manos, moviéndose ahora como un péndulo adelante y atrás en su asiento, como si aliviara con ello la angustia y la ansiedad que le producía aquella espera por lo desconocido.

Por fin habló Marlen: -Tú siempre fuiste una esclava para ese hombre. Él nunca te quiso y por eso no dudó en traicionarte.

¿Sentirá realmente lo que dice? ¿Temerá tanto ya de su roce conmigo?

Sintió deseos de vomitar aunque no había comido desde el día anterior y, sin responder, corrió al baño. También le dolía el estómago . . . ¡Qué terrible estaba resultando todo! ¡Qué insoportable dolor a pesar de haberse preparado para ello!

¡Cuánto necesito a mis padres! ¿Cuándo me permitirán llamarlos? ¡Tenemos que marcharnos de aquí cuanto antes! -pensaba, mientras sentía aquellas insoportables contracciones en su estómago.

Se sentó junto al lavamanos, apoyó los codos en las rodillas y la cabeza en las manos. No quería regresar a la sala, donde le esperaba la escrutadora mirada de quien antes se hacía llamar su amiga . . .

¿Qué será de él ahora? ¿Lo estarán tratando bien?

Y echó a volar su imaginación, dibujando en su mente aquel país que nos habían enseñado a creer un infierno, y que se había convertido en nuestras esperanzas libertarias después que supimos un poco de su verdad por la nueva prensa rusa no censurada.

—

En Boca Chica, un aluvión de preguntas formuladas con delicadeza por los oficiales de inteligencia de la Fuerza Aérea, caía sobre mí:

-¿Qué le hizo cambiar sus ideas?

Era una de las tantas preguntas que ya me habían hecho, y que yo no esperaba fueran para ellos las más importantes. Aunque sabía que el sistema de exploración óptica y radioelectrónica de Estados Unidos, así como su servicio de espionaje, les permitía obtener datos exactos sobre la ubicación de tropas y armamentos cubanos, esperaba de todos modos un sinfín de preguntas al respecto. Sin embargo, luego de completar una breve biografía mía, aquellos oficiales parecían estar más interesados en las razones que tuve para dar viraje tan radical en mi vida y en el proceso psicológico por el que había atravesado, que en los secretos militares cubanos.

-No podría contestarles en dos palabras, ni mencionar un hecho definitivo . . . Yo era un comunista convencido. Nunca actué por prebendas ni privilegios, sino por convicciones. Diría, que la verdad, la historia limpia y llana que siempre me ocultaron, más el sentido común, me condujeron a ello. Nunca sentí descontento ni frustración ante lo que iba descubriendo pues no tenía nada material que perder con la caída del comunismo. Sentí indignación, irritación por saberme utilizado, traicionado . . . De haber aceptado la convivencia con todo aquello, habría perdido mi dignidad personal, el decoro imprescindible para vivir . . .

-¿Y cree que lo encuentre aquí?

-No creo que Estados Unidos sea el paraíso, ni he venido aquí para cambiar de bando, pues jamás me comprometeré ciegamente con doctrina, líder u organización alguna. La experiencia de toda mi vida es suficiente para preferir la muerte antes que caer en lo mismo. Tengo tan sólo la esperanza de encontrar aquí la verdad que busco: mi derecho a informarme, hacer mis propios juicios, escoger y decir lo que pienso. Y ruego a Dios que me ayude a encontrarla . . . porque de no ser así, pienso que no valdría la pena vivir.

En ocasiones, el capitán Sánchez dejaba de escribir y me miraba fijamente mientras escuchaba. A veces me daba la impresión de que yo hablaba demasiado o que no me comprendían. Entonces me detenía y les preguntaba si debía ser más concreto.

-De ninguna manera. Diga, diga usted todo lo que piensa -solían responderme. Y continuaba yo entonces, hablando y hablando, sintiendo ese infinito placer de poder decir, por primera vez, ¡todo lo que pensaba!

-¿Y cuál fue el momento preciso en que cambió de ideas?

-Tampoco existe un momento preciso. Les decía que actuaba por convicciones. Tuve que demostrarme a mí mismo, una por una, que éstas eran falsas. Desde los líderes de mi país y el sistema de gobierno, hasta la propia filosofía marxista que me había sido inculcada. No me bastó con saber que el comunismo no funcionó en Europa, tuve que demostrarme que no funcionaría nunca en lugar alguno, y por qué. Tenía que estar seguro de que no estaba actuando de manera egoísta o traicionando a los desamparados y víctimas de los abusos que aún se cometen en el mundo. Tenía que probar ante mí mismo, por qué el comunismo no resolvería jamás las injusticias que aún existen sino que las agravaría.

-¿Cuáles son sus planes inmediatos?

-Reunirme aquí con mis familiares, lograr las visas para mi esposa e hijos, aprender inglés y encontrar un trabajo honrado con que mantener a mi familia.

-¿Cree que encontrará un buen trabajo?

-No me preocupa comenzar en lo peor. Confío en mí y sé que me abriré camino.

Me escuchaban mis interlocutores con atención, cuando alguien llamó a Sánchez y éste salió un instante para regresar acompañado de dos hombres en trajes oscuros que me presentó de inmediato:

-Estos señores son oficiales del FBI que han venido también para hablar con usted.

-Soy Rubén -dijo el más joven al tiempo que se adelantaba con la mano extendida.

-Mi nombre es José -se presentó el otro, delgado y alto.

-También hablan ustedes español . . .

-Soy puertorriqueño . . . -comentó Rubén en tono familiar -y José es cubano. Así que estamos en familia . . .

Había hablado él de aquella manera tal vez para ganar mi confianza, pero la idea de que pensaran que me simpatizarían más simplemente por ser hispanos me desagradó:

-Es cómodo que prescindamos de un traductor. Pero no creo que haga especial diferencia que sean ustedes puertorriqueño y cubano.

-Quiero decir que nos entenderemos mejor.

-En eso tiene razón, al menos inicialmente.

Rubén parecía no llegar a los treinta y cinco años. Calzaba mocasines cubiertos casi por completo por los bajos de sus pantalones, y lucía su cabello reluciente por el uso de algún producto que le permitía conservarlo cuidadosamente peinado hacia atrás. De delicadas manos, y aspecto general pulcro y refinado, daba Rubén la impresión de ser un oficial recién graduado de sus estudios superiores y metido ahora en la burocracia de una oficina, muy lejos del hombre fogueado por la experiencia de las operaciones en la calle.

-Queremos ante todo darte la bienvenida . . . -continuó diciendo Rubén mientras José permanecía callado.

Yo respondía simplemente con mirada agradecida al tiempo que asentía con la cabeza. Tanta gentileza de su parte me avergonzaba.

-Y también, hacerte algunas preguntas.

Comprendí que comenzaría de nuevo otra especie de interrogatorio informal, si es que así podía llamársele a aquella sesión de preguntas y respuestas en un lugar improvisado. Y como el nivel de adrenalina en mi sangre no me permitía sentir el menor cansancio, me dispuse gustoso a responder todas sus preguntas:

"¿Nombre y apellidos completos? ¿Fecha de nacimiento? ¿Escuelas en que estudió? ¿Direcciones en que vivió toda su vida? ¿Cuándo ingresó en la Fuerza Aérea, en el Partido? ¿Cargos que desempeñó? . . ."

Rubén preguntaba y José escribía, haciendo otra vez un breve recorrido por mi vida.

"¿Qué te motivó a venir? ¿Cuándo lo decidiste?"

Eran casi las mismas preguntas las que contestaba, cuando Rubén preguntó:

-¿Otra organización o grupo del que hayas sido miembro?

-Bueno . . . , fui también colaborador de la Contrainteligencia Militar.

Rubén cambió su semblante mirándome muy serio a los ojos:

-Eso no me lo habías dicho antes . . .

-¿Y por qué tendría que habérselo dicho antes?

Había percibido cierta insinuación en la manera que hizo el comentario, como quien atrapa al criminal en sus actos. Pero yo no era un criminal. No me consideraba un canalla que ahora mendigaba clemencia, y no pude evitar la reacción de responderle mirándole también muy serio a los ojos.

Nunca había actuado por motivos innobles y, no tenía, por tanto, de qué avergonzarme. Jamás aceptaría ser tratado de aquella manera, y quería que lo supieran.

Rubén pareció comprender.

-Tienes razón, no tenías por qué habérmelo dicho -comentó finalmente con una sonrisa.

Fuimos interrumpidos entonces por la oficial de Inmigración que me había entrevistado y fotografiado horas antes. Traía en la mano un bolso deportivo de tela y una amplia sonrisa en el rostro.

-Todo está bien . . . -dijo al tiempo que me extendía el bolso -Aquí encontrará ropa y todo lo necesario para los primeros días . . . Y aquí veinticinco dólares. Los necesitará.

-Muchas gracias -le dije ruborizado, mientras estrechaba agradecido su mano, sintiendo que no podían aquellas palabras describir mi conmoción por su gesto.

Tomé el dinero y no pude evitar mirarlo con curiosidad antes de guardarlo. Nunca antes había visto dólares, aquellos dólares que había aprendido desde niño a considerar "repugnantes", los mismos por los que iban a la cárcel en Cuba quienes los tuvieran en sus bolsillos, a no ser que fueran parte de la alta jerarquía.

-Ha llegado el momento de partir -indicó Sánchez que acababa de regresar al salón -afuera nos espera un avión que nos conducirá a la Base de la Fuerza Aérea de Homestead. Si lo desea, puede tomar un baño y cambiarse antes de partir.

-No gracias. Prefiero hacerlo en nuestro destino.

Ahora nos marchábamos a un lugar que sólo conocía como uno de los objetivos militares que había estudiado en las academias. Había caído ya la noche, y no había preguntado aún qué harían conmigo.

¿Para qué? -pensaba -*Mi destino está de todos modos en sus manos.*

Ya cuando nos disponíamos a abordar el avión en compañía de los oficiales del FBI, se nos acercó el sargento que hablaba español.

-He venido a despedirme, mayor. He traído este libro que leí hace algún tiempo. Fue escrito por un hombre excepcional y sé que le será muy útil. Habla de la Cuba que usted no conoce.

Estreché su mano con fuerza y leí la cálida dedicatoria en la primera página. En la carátula: el rostro de un hombre de apariencia joven y mirada firme, y sobre éste; el título y el nombre del autor: "Contra Toda Esperanza", Armando Valladares.

Por fin escucharé la voz de este hombre que mi gobierno llamaba "terrorista", liberado cuando estaba yo en Angola -pensé con vivo interés en devorarlo de una lectura.

Abordamos el pequeño avión bimotor y volamos en silencio hasta Homestead. Un manto de luces se perdía en el horizonte hacia el norte cuando girábamos sobre la base para aterrizar.

-Es Miami -me comentó Rubén al verme mirar por la ventanilla presa de la curiosidad.

-Nunca lo imaginé tan grande . . . -le respondí impresionado por la imponente extensión de aquella ciudad conocida como "La Capital del Exilio Político Cubano".

-Parte de su crecimiento se debe a los cubanos emigrados después de 1959 -agregó José.

Y yo me sumí en la nostalgia de recordar la hermosa Habana ahora deteriorada y sumida en la ruina.

¿Cómo sería nuestra capital ahora de no haber sido gobernado nuestro país por tantos años de la manera en que lo ha sido? -me pregunté sin poder evitarlo.

Se detuvo el avión después de aterrizar junto a un edificio con ventanas de cristal y un pasillo cuyo techo se extendía unos pies hacia la rampa de estacionamiento.

Abrió el piloto la portezuela del avión, y me pidió Sánchez que descendiera yo el primero.

Una alfombra roja se extendía unos pasos desde el pie de la escalerilla, y dos soldados permanecían parados de perfil a su extremo, portando sus fusiles de ceremonia en posición solemne. Más allá, el jefe de la Base esperaba de frente . . . ¡Me recibían con honores militares!

Sentí vergüenza de tal agasajo, y avancé conmovido, presa de la confusión, y olvidando hasta mi formación militar para saludar con marcialidad. ¡Tal era la fuerza de la caballerosidad ante el enemigo que se rinde!

Saludé a los soldados primero, olvidando también el protocolo, y me respondieron éstos turbados al tenderles la mano. ¡Estaba tan desorientado!

-Bienvenido . . . -me dijo el jefe de la Base cuando hube llegado junto a él -Nos alegra tenerle de huésped.

Abordamos los automóviles que esperaban para conducirnos al edificio de dos plantas en que descansaría, según me explicó Sánchez durante el trayecto.

Allí pasamos todos, conducidos por el jefe de la Base, a una amplia habitación decorada con sobriedad, en la que se disponían una pequeña mesa, sofá, butacas, refrigerador y televisor.

-Aquí podrá sentirse como en casa . . . -comenzó a explicar el coronel Jefe de Aseguramientos de la Base, que se había unido al grupo. Y pasando por una puerta contigua, nos mostró el baño y el dormitorio, con una cama que me pareció la más grande del mundo. Se marcharon los anfitriones y se quedaron aún unos minutos los oficiales de inteligencia de la Fuerza Aérea y el FBI.

-Aquí tiene varias cosas que puede comer cuando lo desee -comentó Rodríguez, que había permanecido callado casi todo el tiempo, a la vez que abría el refrigerador y una pequeña despensa junto a éste para mostrarme su contenido.

-Gracias, pero aún no tengo deseos de comer.

-Pues debe hacerlo . . .

-¿Qué quisiera desayunar mañana? -interrumpió Sánchez.

-No sé, usualmente sólo tomo café . . .

-Pero debe comer. Dígame si desea algo en especial, para nosotros será un placer . . .

-Gracias, pero . . .

-Sólo queremos atenderlo -Sánchez insistía, y los colores comenzaban a subirme a la cara.

-Bueno, intentaré con alguna fruta o jugo.

-¡Así se habla, hombre!

Sánchez tomó nota y nos sentamos frente al televisor que alguien había conectado, pues un canal hispano de Miami transmitía en ese momento la noticia de mi llegada.

Hablaba la presentadora mientras mostraban imágenes del MiG-23, que ya había sido trasladado a un hangar. Mencionaba mi nombre y grado militar, pero se equivocaba en mi edad, sumándome cuatro años que no había cumplido, y en unas hamburguesas que, decía, había yo comido con evidente apetito al llegar.

-¡Nada más lejos de la verdad! -exclamé al escucharla. Y estallaron mis acompañantes en risas al ver mi reacción.

Terminó el espacio de noticias, y se dispusieron ellos a marcharse. Pero antes, volvió a hablarme Sánchez:

-Habrá dos soldados armados custodiando la puerta . . . -decía mientras apuntaba a ésta con el índice -Pero es sólo para su protección. Usted es libre, y sólo tiene que hacernos saber si desea salir.

-Volveremos por la mañana y te pondremos en contacto telefónico con tu tía de Miami -agregó Raúl, y partieron todos deseándome un buen descanso.

Fui entonces al cuarto, y comencé a desempacar lentamente sobre la cama el contenido del bolso que me había dado la oficial de Inmigración, con la intención de tomar el baño que tanto necesitaba.

No deseaba comer a pesar de no haber probado alimento alguno durante el día, y sabía que no podría dormir. Sólo quería que llegara la mañana cuanto antes, y con ella aquellos oficiales que recién había conocido y de los que me sentía ahora dependiente como un niño.

Iba acomodando las prendas una junto a otra, pero ya no las distinguía. Mi mente había echado a volar muy lejos, junto a Vicky y los niños, mis padres y mis antiguos compañeros . . .

—

Eran ya las siete de la tarde y Vicky no había recibido comunicación alguna de Cordero después que éste le pidió esperar en casa. Desde entonces había pasado el tiempo en continuos viajes entre la sala y el baño, presa de aquellas contracciones que parecían perforarle los intestinos. Por ello, agradecía en silencio el gesto de Miriam al llevarse a los niños a su apartamento, para alimentarlos y entretenerlos en lo posible.

Por suerte todos habían mantenido discreción para que los niños no se enteraran de lo que ocurría. Y había notado Vicky que algunos vecinas los miraban con infinita compasión, como si hubieran perdido al padre para siempre, llevado por la misma muerte.

Un grupo de muchachas que pasaban un año de entrenamiento en la base antes de ingresar en el instituto militar, habían sido enviadas para acompañarla parte de la tarde, cuando Marlen tuvo que salir. Y habían ellas estado allí con los rostros consternados, sin saber qué decir, mientras Vicky se consumía de la ansiedad en aquella espera que Cordero le había pedido.

Ahora estaban allí algunos de mis más cercanos amigos, sentados en silencio y con las miradas extraviadas en una mezcla de desconcierto y tristeza. Tal como hubieran hecho si hubiera yo muerto ese día; como otros amigos en tiempos pasados, en uno de los frecuentes accidentes que tenían los pilotos de combate.

Una vecina subió al apartamento atestado de silenciosos huéspedes, y pidió a Vicky que la acompañara al cuarto.

-Ya están dando la noticia por la radio americana -le susurró al oído, refiriéndose a las frecuencias de Radio Martí, estación del gobierno de los Estados Unidos que trasmitía hacia Cuba y que muchos escuchaban en secreto.

Tomó Vicky entonces el teléfono para llamar a mis padres al tiempo que murmuraba:

-No permitiré que se enteren por la radio. Sería terrible para ellos . . .

-¿Oigo? -la voz de mi hermano menor le salió al otro lado.

-¿Orlando?

-Sí . . .

-Es Vicky. ¿Están tus padres ahí?

-Sí . . . ¿Ocurre algo?

Orlando había notado el tono anormal en la voz de Vicky.

-Sí . . . Tu hermano aterrizó hoy en Estados Unidos, cerca del mediodía . . .

-¿Coómooo?

-Se fue para los Estados Unidos . . . Díselo a tus . . .

No pudo terminar. Orlando había tirado el teléfono y corría ahora, con las manos apretándose las sienes, adonde mi madre en la cocina.

-¡Ay mami, ay mami! ¡Una desgracia, una desgracia . . .! -exclamaba repetidamente con la tragedia dibujada en el rostro.

-¿Qué pasó muchacho? ¡Dime qué pasó!

Era miércoles, y como todos los miércoles que yo volaba, había estado ella pensando en mí más de lo normal, presintiendo siempre que algo terrible podía ocurrirme en aquellos aviones que ella tanto temía.

Ya mi padre se había levantado de su asiento frente al televisor, y saltaba junto a Orlando para observarlo, presa de aquella especie de locura que le hacía repetir una y otra vez la misma imprecisa frase mientras apretaba sus sienes con las manos:

-¡Qué desgracia, qué desgracia . . . !

Una súbita palidez cubrió el semblante de mi padre, que continuaba sin decir palabra, mientras mi madre ya le golpeaba el pecho a mi hermano, gritando:

-¡Ore, Ore! ¿Qué le pasó a Ore? ¡Dilo muchacho!

-No se mató, está vivo . . . -dijo Orlando, saliendo de su extravío.

-¿Qué pasó entonces?

-¡Se fue para los Estados Unidos . . . !

Se hizo el silencio en medio de aquella tormenta de gritos. Mi madre miraba a Orlando con los ojos dilatados, como si no comprendiera lo que acababa de escuchar. Mi padre reaccionó primero: -Eso no es cierto . . .

-Acaba de decírmelo Vicky, ahora mismo . . . -aclaró Orlando sin gritar esta vez.

Mi padre corrió entonces, al teléfono para llamar a Vicky, pero sonaba ocupado. Vicky hablaba con su hermana menor en La Habana:

-Aurora, Ore se fue . . . -comenzó Vicky a explicarle con la voz entrecortada.

-¿Qué se fue de la casa? No puedo creerlo . . .

-No, no. Se fue para . . .

-No importa, mi hermana. Si te dejó, ya sabes que puedes venir para acá a vivir con nosotros . . .

-No, Aurora, no se ha ido de la casa . . .

-Ya me extrañaba que él hiciera eso . . . -Aurora no perdía la costumbre de suponer antes de escuchar, aún en los momentos críticos.

-Se fue para los Estados Unidos en el avión . . .

-¿Dices que para los Estados Unidos?

-Sí . . .

-¡Ay . . . ! -e irrumpió en un llanto incontenible que no le permitió a Vicky explicarle más.

En Matanzas, mi padre trataba afanosamente de comunicarse con Vicky, pero el teléfono continuaba ocupado . . . Esta vez, había llamado Cordero para informarle que una comisión de la contrainteligencia había arribado de la Habana y se dirigía ahora hacia allá para interrogarla. Vicky sintió que un escalofrío le recorría el cuerpo, comprendiendo el motivo del silencio que ellos habían guardado mientras la hacían esperar.

No querían que me preparara para este encuentro -pensó mientras colgaba el teléfono, y sintió que tocaban a la puerta . . .

El primero en entrar fue el teniente coronel Ernesto, seguido de un grupo de desconocidos:

-Queremos hacerte unas preguntas y revisar la casa. No comprendemos aún cómo tu esposo pudo hacer lo que hizo, y necesitamos encontrar alguna evidencia . . .

-Siéntense por favor -les pidió Vicky, indicando los lugares que ya mis compañeros abandonaban ante la presencia de tales visitantes.

-No, preferimos hablar contigo en casa de Cordero mientras ellos revisan aquí.

-Está bien -respondió, cruzando los escasos pasos que la separaban del apartamento de Marlen y Cordero, quien ya subía las escaleras de regreso de la Base.

Esperó hasta el último momento para avisarme -razonó Vicky, viéndolo llegar cinco minutos después de haberla llamado por teléfono.

Apenas entraron al apartamento, sonó el teléfono que Marlen tomó.

-Es para ti, Vicky. Son tus suegros . . . -dijo al tiempo que le extendía el teléfono.

Vicky inquirió con la mirada a los recién llegados de La Habana, y el que parecía el jefe asintió con la cabeza.

Mi padre no podía creer lo que escuchaba y pidió hablar con Cordero, quien le repitió con frases breves lo ocurrido. Mi madre y hermano menor permanecían junto a mi padre mientras éste hablaba con Cordero, observando aquella palidez extrema que volvía a marcarle el semblante.

Depositó el auricular lentamente sobre el teléfono, al tiempo que murmuraba para no volver a hablar en largo tiempo: -Mi hijo me ha roto el corazón . . .

Y todos comprendieron que era cierta la noticia.

-¡Tiene que haberse vuelto loco ese muchacho! ¿Cómo pudo hacer tal cosa? -exclamaba mi madre -Tiene que estar loco. ¡Quién sabe cómo lo estarán torturando ahora para que cuente los secretos militares!

Orlando tomó entonces las llaves del automóvil de mi padre y salió a la carrera en busca de nuestro hermano.

-¡Faure, Faure! ¡Ore se fue para Estados Unidos! -exclamó al tiempo que irrumpía en su casa como un vólido.

Se abrazaron ambos llorando la tragedia después que Faure hubo comprendido lo ocurrido y, derramando lágrimas de dolor como si hubiera yo muerto, hicieron el viaje de regreso adonde nuestros padres. Un ambiente fúnebre se respiraría en lo adelante en el que fue mi hogar de pequeño, por largo tiempo . . .

En Santa Clara, Vicky se enfrentaba al aluvión de preguntas que le hacían los oficiales de la Contrainteligencia en aquella habitación del apartamento de Cordero a donde la habían confinado. Otros hombres, mientras tanto, hurgaban en nuestro hogar buscando evidencias que delataran "mis vínculos con el enemigo", y situaban en lugares ocultos diminutos equipos de escucha para monitorear las actividades de Vicky. No sabían ellos, que se marchaba Vicky inexorablemente el próximo día, a casa de sus padres.

-¿Escuchó usted a su esposo hacer algún comentario crítico sobre la Revolución, últimamente?

El oficial investigador hacía las preguntas inclinándose hacia adelante, como esperando la más reveladora respuesta cada vez.

Antes, había él dejado caer una pequeña bolsa de cuero sobre la mesa, imitando el gesto espontáneo con que alguien se libra de lo que ha ocupado sus manos por largo rato. Ahora, Vicky escuchaba salir de la bolsa el claro *psss, psss, psss* que producía un cassette de audio al girar, descubriendo de manera ridícula que grababan la conversación. Tuvo deseos de pedirle que sacara la grabadora y la pusiese sobre la mesa, pero prefirió callar.

Es mejor que piensen que no lo sé -se dijo entonces a sí misma.

-No. Solía llegar y jugar con los niños o mirar la televisión. Pero no me hablaba de política.

-¿Y al Comandante en Jefe? ¿Le escuchó criticarlo alguna vez?

-De ninguna manera. Él no habría hecho eso.

-Y cuando escuchaba los discursos del Comandante en Jefe . . . ¿qué expresión le notaba en el rostro?

-Bueno, las últimas veces que el Comandante en Jefe habló, él estaba de guardia . . .

-Comprenda usted, necesitamos encontrar las razones por las cuales él traicionó a la Revolución, al Comandante en Jefe y a usted misma.

-Yo misma no lo comprendo. No encuentro causa aparente y estoy a punto de enloquecer haciéndome la misma pregunta.

En ese instante alguien tocó a la puerta. Era uno de los hombres que ya habían terminado el trabajo en nuestro apartamento, murmuró algo al oído de su jefe, y volviéndose luego a Vicky, dijo señalándola con el índice:

-Ya la vecina subió a los niños. Quieren verla antes de dormirse.

Vicky salió en el acto y calmó a los niños, diciéndoles que estaba ayudando a Marlen en algo. Miriam se quedaría velando su sueño por el momento, y regresó adonde la esperaban más preguntas.

-¿No notó usted comportamiento extraño alguno en su esposo últimamente? -ahora el oficial investigador parecía más interesado en mi conducta reciente.

-No sé a qué le llama usted extraño. Yo lo veía con las mismas preocupaciones de siempre por su trabajo.

-¿Lo vio salir sin decir a dónde?

¿Pensarán de verdad que lo compró la CIA? -pensó por un instante, comprendiendo el sentido en que se orientaba la pregunta.

-Hubiera sido imposible. Cuando no estaba trabajando en la Base, estaba de guardia. Apenas si hemos disfrutado dos fines de semana en ocho meses . . .

-¿Y en la Unión Soviética? ¿Nunca le vio viajar a Moscú para verse con alguien?

-Las veces que viajamos a Moscú lo hicimos juntos, incluyendo a los niños. Nunca se vio con extraños allá.

-¿Quiénes eran sus amigos en la Unión Soviética?

-El grupo de cubanos y la familia de un suboficial de la academia.

-¿No vio algo raro en su comportamiento íntimo . . . en las relaciones sexuales por ejemplo . . . ¿No se mostró diferente?

Vicky comprendió que intentaban invadir los momentos más tiernos de nuestras relaciones, hermosas entre otras cosas por ser tan íntimas que no compartiría con nadie.

¿Pensarán que se es comunista o no en la medida del éxito o el fracaso personal en las relaciones sexuales?

La voz del oficial investigador la sacó de sus meditaciones:

-Quiero decir . . . ¿No notó usted algún síntoma de homosexualidad en él?

Vicky comprendió entonces lo que buscaban. El verdadero motivo de todo aquel interrogatorio y el registro en nuestro apartamento.

Sabían ellos de sobra que la CIA no pudo captar a su esposo nunca, porque aunque hubiera querido, no tuvo nunca la oportunidad de hacerlo. Sabían además que nadie lo había inducido a volar a Estados Unidos, y comprendían perfectamente que él había actuado como resultado de sus propias conclusiones.

Buscaban otra cosa . . .

El que ahora se convertía en traidor era un hijo pleno de la Revolución, un hombre que consagró su vida a ella desde niño como un idealista. Apenas si había muebles en su casa, y era precisamente su manera humilde de vivir y su empeño desmedido en servir el fundamento de la autoridad que tenía entre sus compañeros.

¿Cómo explicarle a esos hombres entonces, la deserción de su esposo? ¿Podrían decirles las verdaderas razones que lo habían llevado a actuar de esa manera? Por supuesto que no.

Necesitaban un hecho, un testimonio que les permitiera construir una campaña para desacreditar su imagen ante los que habían sido sus compañeros. Necesitaban aunque fuera una declaración en su contra de quien mejor lo conocía: de ella.

Nunca lograrán tal cosa de mí . . .

-Nunca . . . -respondió -Ustedes lo conocen muy bien y saben que él no es homosexual. Nuestras relaciones fueron siempre hermosas. Hemos sido felices desde el primero hasta el último día.

-Sabíamos que contestaría de esa manera -comentó el interrogador desilusionado.

-¿Y de qué otra manera podría hacerlo?

El hombre miró el reloj y, poniéndose de pie, dio por terminado el interrogatorio.

-Nos mantendremos en contacto con usted.

Y cuando ya se disponía a marchar:

-¡Ah, se me olvidaba! Una psicóloga ha salido desde La Habana para atenderla. Su esposo la traicionó, pero la Revolución se ocupará de que a ustedes no les falte nada -y salió del apartamento seguido de su séquito.

Entonces, Vicky se dirigió a Cordero, que permanecía en la sala:

-Mañana me marcho a casa de mis padres. Vendré otro día a recoger nuestras cosas y entregarte la llave del apartamento.

Cordero la miró con una sombra de preocupación en el semblante.

-Debes quedarte un tiempo más hasta que terminen las investigaciones.

-Que me pregunten lo que deseen en casa de mis padres en La Habana. Pero si continúo aquí un día más, creo que me muero de angustia.

-Piénsalo. De todos modos, veré si algún carro de la Base puede llevarlos mañana a la terminal de ómnibus . . . -le escuchó Vicky decir cuando ya atravesaba el umbral de la puerta en dirección a nuestro apartamento.

Revisó a los niños, que dormían profundamente, y dio las gracias a Miriam despidiéndola. ¡Cuánto le agradecía su apoyo silencioso!

Luego, corrió al teléfono y llamó a un vecino de sus padres, recibiendo con alivio la noticia de que éstos habían salido a su encuentro.

Estarán aquí por la mañana. Ya no estaré sola.

Entonces, llamó a casa de mis padres y pidió a mi hermano Faure que la fuera a buscar al otro día en el automóvil de mi padre. No tendría fuerzas para esperar quién sabe cuánto tiempo por un ómnibus en la terminal.

-No te preocupes, estaré allá antes del mediodía -le había asegurado Faure con disposición.

Regresó al cuarto y observó a los niños en silencio. Eran casi las tres de la mañana, y sabía que no podría dormir.

¿Cómo les haré saber todo? -pensó angustiada, mientras corría la vista por aquel cuarto en desorden a causa del registro.

Seguramente me están vigilando -se dijo, recordando mi advertencia y el consejo que le había dado cuando revisamos el plan de mi escapada.

Se sentó entonces en la cama y, mirando al techo con angustia, exclamó para los oídos ocultos que la escuchaban:

¿Por qué mi amor? ¿Por qué has hecho ésto? ¿Cómo pudiste abandonarnos para siempre?

Miró luego por última vez los detalles de aquellas paredes que habían sido nuestro refugio amoroso durante varios años, y las acarició con los ojos, despidiéndose de ellas para siempre.

Capítulo 16

—

La espera

-Compañeros oficiales, sargentos y soldados . . . En la mañana de ayer hemos sido víctimas de una traición . . .

Los hombres y mujeres formados en el polígono de marcha escucharon la voz de Cordero retumbar en las bocinas, más grave de lo normal. En las primeras horas de la mañana, sus jefes de batallones los habían convocado de manera extraordinaria para realizar el "Mitin de repudio" que, de manera simultánea, se llevaría a cabo en todas las unidades militares del país.

Un sentimiento de vergüenza colectiva, a causa del crimen cometido por un miembro de la gran familia que eran, los embargaba a todos. Y escuchaban ahora las palabras del jefe de la Base, cabizbajos, compartiendo con él la vergüenza de que en lo adelante serían señalados como combatientes de la unidad que engendró un traidor.

-Nos reunimos aquí para expresar nuestro repudio a quien fingió ser nuestro hermano para luego clavarnos en la espalda el puñal de la traición. ¡Abajo el traidor! -esta vez, la voz de Cordero se escuchó especialmente emocionada, ronca.

-¡Abajo! -repitió la multitud de combatientes con el puño en alto.

-Hay traidores que son capaces de vender su alma al diablo por dinero. ¡Pero sepa el Imperialismo. Qué lo sepa bien el Imperialismo, que todo el dinero del mundo no podrá comprar ni a uno solo de los combatientes que hoy aquí nos reunimos! -continuaba Cordero, tornándose más exaltado con cada palabra que pronunciaba:

-El imperialismo a veces se ilusiona con los traidores, los pusilánimes y los cobardes incapaces de afrontar las dificultades económicas que nos imponen con su embargo comercial. Creen los imperialistas norteamericanos que todos terminaremos traicionando a nuestra patria. Pero se equivocan. ¡Aquí hay un pueblo y unas Fuerzas Armadas dispuestos a morir antes que caer de rodillas ante ellos!

Y concluía, golpeando con el puño el podio de concreto en que descansaba el micrófono:

-¡Odio eterno al traidor!

-¡Odio! -respondía la tropa.

-¡Muerte a los traidores de la patria!

-¡Muerte!

-Socialismo o Muerte . . .

-¡Venceremos! -cerró el coro de cientos de voces.

Retrocedió Cordero unos pasos, y se acercó el jefe Político al micrófono:

-Queremos expresar también en este acto de repudio . . . -comenzó diciendo Méndez con voz pausada mientras pasaba la mirada de izquierda a derecha por las unidades formadas -que confiamos más que nunca en la guía genial del Comandante en Jefe. Que no faltaremos jamás a su confianza, y que sabremos lavar con honor la traición que se produjo en nuestras filas.

Todos volvieron a bajar las cabezas entonces. Haber traicionado la confianza del Comandante en Jefe era doblemente vergonzoso.

Méndez hizo una pausa para tomar aire, y elevando la voz todo lo que pudo, exclamó la consigna aprendida por todos desde que estaban en los primeros grados de la escuela primaria:

-Comandante en Jefe: para lo que sea, como sea, donde sea y cuando sea:

-¡Ordene! -respondieron todos a una voz.

—

En casa, Vicky se preparaba para la partida definitiva en unión de sus padres, que habían llegado en su ayuda. Miriam los había interceptado en las escaleras, y las exclamaciones de llanto que Vicky escuchó entonces, le anunciaron su llegada.

Los niños se habían despertado con la alegría de ver a los abuelos, y suplicaban a Vicky que los dejara ir a jugar a los bajos del edificio. Pero una y otra vez ella les negaba el permiso. Una amiga había subido temprano para anunciarle que un grupo de niños se había reunido abajo para gritar a Reyniel y a Alejandro que su padre era un traidor, en una especie de acto de repudio espontáneo. Desde entonces, había ella hecho lo posible por entretenerlos en el apartamento.

En la confusión de que aún era presa, también les había mentido cuando a primera hora ellos preguntaron por su papá, diciéndoles que estaba de guardia. Tampoco había podido explicarle claramente a Reyniel, el motivo por el que no le dejó ir a la escuela. Llegaba ahora, el momento de dar explicaciones más lógicas y les pidió que se sentaran y la escucharan con atención:

-Fíjense bien. Tío Faure está en camino hacia acá. Cuando él llegue nos vamos todos con él.

-¡Qué rico, a ver a los primitos! -exclamó Alejandro, contento de emprender viaje.

-Papi tuvo que irse para otra base a trabajar por mucho tiempo, y por eso nos vamos a vivir con los abuelos de La Habana.

-¡Qué ricooo! -volvió a exclamar Alejandro, quien a sus cuatro años parecía no gustarle mucho donde vivía.

-¿Y por qué papi se fue sin despedirse de nosotros, Mami? -era Reyniel quien preguntaba esta vez con el semblante muy serio.

-Tuvo que irse por la noche y no quiso despertarlos. Pero les habló y besó mientras ustedes dormían.

Trataba Vicky de explicarles lo que harían en lo adelante y por qué, cuando fueron interrumpidos por mi hermano y su esposa, Isabel, que llegaban de Matanzas por ellos.

No mediaron palabras de saludo. Al ver a Vicky frente a él, Faure estalló en llanto abrazándola, mientras Isabel, también víctima de las lágrimas, se fundía con ellos abarcándolos con los brazos. Nunca se había llorado tanto en la familia, nunca antes un miembro de la misma había muerto . . .

Los niños, que observaban asombrados la escena, corrieron también abrazándose a las piernas de Vicky en una reacción natural.

-¿Por qué lloras, mami? ¿Por qué ustedes lloran? -preguntaba Reyniel con lágrimas y temor en el rostro.

-Es que tu papá se ha ido por mucho tiempo . . . Y me da sentimiento dejar la casa. ¡Y estamos todos enfermos!

Los vieron los niños separarse finalmente y tomar asiento, ya más controlados. Y conversaban sobre las pertenencias que llevarían y la manera en que se agolparían todos en el pequeño automóvil, cuando unos toques en la puerta los interrumpieron.

Una mujer joven, de cabellos castaños y tristes ojos pardos, vistiendo uniforme de diario con grados de primer teniente al hombro, apareció en el umbral.

-Buenos días. Soy Magalis, psicóloga del Ministerio de las Fuerzas Armadas. He venido para ayudarla.

-Pase, por favor -le pidió Vicky, al tiempo que indicaba la silla que ya mi hermano cedía a la recién llegada.

-No, gracias. ¿Hay otro lugar en el que podamos conversar a solas? -preguntó, deteniéndose en el medio de la sala y mirando a todos brevemente.

-Bueno . . . , en el cuarto.

Pasaron a la habitación que habíamos compartido Vicky y yo por última vez dos noches atrás, y se sentaron ambas en un borde de la cama, frente a la cómoda en cuyas gavetas guardábamos todos nuestros recuerdos.

-Siento mucho la manera en que la traicionó su esposo. Sabemos cuan duro debe ser esto para usted, y he venido enviada por Ministerio de las Fuerzas Armadas para ayudarla.

Vicky escuchaba en silencio, recordando que Cordero la había llamado muy temprano en la mañana para informarle que otro ómnibus con más investigadores, proveniente de La Habana, había llegado en la madrugada y que querrían hablar con ella. Por suerte había vuelto a llamar luego para decirle que sólo la vería la psicóloga, los recién llegados ya no estaban interesados en hablar con ella. Ahora, aquella joven oficial conversaba con ella, poniendo la mayor dulzura posible en sus palabras:

-Ante todo, quiero que me cuentes toda la vida de ustedes desde que se conocieron. Cómo fue él siempre contigo, con los niños. Si acostumbraba a salir solo, a beber . . .

Y comenzó Vicky a contarle nuestra vida, a la vez que le mostraba las fotos de la familia que la psicóloga le había pedido ver.

Sabía Vicky que aquella psicóloga había sido enviada con otros propósitos, en la búsqueda de probables intrigas que necesitaban para tejer una campaña contra su esposo. Pero, a pesar de todo, el recuento que ahora hacía de nuestras vidas llenas de amor y momentos hermosos le desgarraban el corazón ahogando sus palabras en un llanto contenido, íntimo . . .

-Él siempre me amó. Fue buen padre y muy cariñoso con los niños. Muy atento siempre con sus padres. Todo esto ustedes lo saben, yo no puedo decirles otra cosa. En la casa, en el trabajo, en el vecindario . . . siempre fue el mismo. Nunca tuvo afición por las bebidas, y no solía escaparse en busca de diversión. Cada momento que el trabajo le dejaba libre corría a casa para pasarlo con nosotros . . . , y nuestras vacaciones comenzaban siempre en casa de sus padres. Su único hobby era la pesca submarina que practicaba con sus hermanos cuando los visitábamos. ¡No puedo comprender por qué lo hizo!

-Vicky, ¿Se demoran mucho aún? Si no partimos enseguida se nos hará de noche en el camino . . .

Era mi hermano que hablaba desde el otro lado de la puerta urgiéndola a marchar.

Había visto él el estado de depresión y temor que embargaba a Vicky, y más que la preocupación porque les sorprendiera la noche en el camino, quería sacarla cuanto antes de aquel ambiente agobiante.

-Sí, ya nos vamos -dijo Vicky, poniéndose de pie, y la psicóloga hizo lo mismo al tiempo que le advertía que la visitaría con frecuencia en La Habana.

-Me será fácil ayudarte en lo adelante, pues vivo allá -Le anunció antes de partir.

Se disponían ya todos a salir cuando vino Marlen y pidió a Vicky que la acompañase un instante a su apartamento.

Sentado en una de las butacas de la sala, esperaba por ella el teniente Valdés, de la Contrainteligencia de la Base:

-¿Es cierto que se marchan, Vicky? -preguntó, poniéndose de pie con el rostro surcado por el desvelo.

-Sí, ahora mismo.

-He venido por eso. Es necesario que te quedes un par de días más.

-Lo siento, pero yo no aguanto un segundo más aquí. Todo lo que me rodea me recuerda a él, y no sé cómo distraer a los niños. Necesito de mi familia y me voy.

-Pero, comprende . . . ¡Necesitamos tu ayuda! No tenemos evidencia alguna, no sabemos lo que pasó ni por qué lo hizo. Necesitamos aclarar las cosas, y sólo tú puedes ayudarnos.

-No sé que más podría decirles, sé tanto como ustedes. Lo siento, pero me marcho. Tampoco a los niños les haría bien quedarse.

-Mándalos a ellos con tu cuñado, y quédate tú un par de días más . . .

-No me separaré de ellos en estos momentos. Ustedes pueden ir a La Habana si desean verme.

Valdés había palidecido. No esperaba tal insistencia de Vicky en marcharse, y veía perder ahora su única oportunidad de descubrir algo que lo librara de culpa ante sus superiores. Había sido él asignado a la Base para impedir hechos como aquél, y sabía que los jefes máximos lo culparían por no descubrir a tiempo los planes del traidor.

Todo mi expediente, conteniendo hasta las cosas más intrascendentes que pude decir alguna vez, y recogidas allí por el informe de algún colaborador, sería utilizado en lo adelante como evidencia en su contra. Sería una prueba de que había actuado con negligencia y debía ser castigado con la desconfianza de los líderes, que en lo adelante le impedirían ascender o continuar en su carrera.

Sabía tal vez, que aunque los líderes máximos conocían demasiado bien las razones de mi deserción, jamás podrían explicarlo al pueblo ni a los militares. Y ya no faltaba mucho para que, como resultado de la investigación que hacían sus superiores llegados de La Habana, e interesados también en lavar sus culpas, terminaran incluyendo su nombre en la lista de ''negligentes e irresponsables'' que permitieron mi escapada.

Aquella palidez en su rostro expresaba el miedo que lo invadía por los inevitables acontecimientos que se avecinaban. Había caído también en desgracia.

-¡Tienes que comprender Vicky! Aún no tenemos nada, no hemos encontrado nada . . . , una razón que explique su traición!

Y cambiando el tono prepotente con que antes solía hablar, imploró a Vicky casi con lágrimas en los ojos: -Por favor, te lo suplico . . . ¡Quédate dos días más!

Vicky lo miró con lástima, comprendiendo el pánico de aquel hombre al que todos en la Base temían, y que actuaba ahora por cuenta propia para salvarse a sí mismo. Pero ella no estaba en mejor situación, y ya no habría manera posible de retenerla allí, a no ser que la arrestaran. Y eso, sabía que no lo harían. Nada ganarían con ello sino verse aún en peor situación ante el resto de los pilotos. Mejor tratarían de ganar su confianza para ver si pasado el choque inicial la convencían para construir alguna calumnia. En caso de que sospecharan su complicidad, la mejor manera de saberlo sería vigilándola mientras le hacían creer que los había engañado. De todos modos, siempre la tendrían bajo su total control.

-Lo siento, Valdés, no podría quedarme aunque quisiera. Ya mis fuerzas se acaban y no lo resistiría.

-¿Por qué no acabamos de marcharnos? -inquirió mi hermano desde el umbral de la puerta, a donde había llegado en busca de Vicky.

-Ayúdeme usted para hacerla entender. Por favor . . . -y continuó Valdés repitiendo a Faure lo mismo que había dicho a Vicky.

-¿No ve cómo está ella? ¿No comprende que ha estado enferma con vómitos y diarreas desde ayer por el golpe de lo ocurrido? ¡Necesita tranquilidad y el apoyo de la familia! Ustedes pueden ir a verla a La Habana.

Valdés tal vez hubiera querido arrestarla y arrancarle confesiones que de nada le hubieran servido, pero no era él quien tomaba ya las decisiones . . . Estas estaban en manos de un grupo especial subordinado al Ministro de las Fuerzas Armadas, recientemente llegado de La Habana.

—

Había pasado yo la noche con los ojos clavados en el techo de aquella cómoda habitación de la Base de la Fuerza Aérea de Homestead, pensando en Vicky y los niños, en mis padres, hermanos, amigos. En el impacto que habría tenido en ellos mi deserción, y la manera en que Vicky habría sabido vencer los escollos de las preguntas que le hicieran.

Me parecía que hacía una eternidad no los veía, a pesar de haberme despedido de ellos hacía menos de veinticuatro horas. ¡Cuánto los amaba! Y ahora, la incertidumbre del tiempo que estaríamos sin vernos me apretaba el pecho, pareciéndome que me asfixiaba.

Había comenzado a leer el libro de Armando Valladares en mi desvelo, y el relato que hacía de los crímenes cometidos públicamente a comienzos de la Revolución me pareció una exageración atroz. Lo había echado a un lado decepcionado, convencido de que tales episodios, contados con la pasión y no con la verdad, alimentaban la tesis tan popular entre los intelectuales de izquierda sobre una Revolución víctima de las calumnias del gobierno de los Estados Unidos.

Sumergido estaba en mis pensamientos cuando escuché la puerta del recibidor abrirse. Era Sánchez, que llegaba muy temprano, silenciosamente, para no despertarme. Se sorprendió al verme salir del cuarto vestido con nuevas ropas.

-Buenos días. No esperaba que te levantaras tan temprano -me saludó con una sonrisa, tuteándome por primera vez.

-No he dormido bien. Mi esposa y mis niños no se me van de la mente . . . Pero me alegra que hayas venido temprano, no resistía la soledad.

-He traído algo . . . -comenzó a decir mientras introducía la mano en su portafolios -Es una biblia de bolsillo. Sé lo que ha significado para ti tu encuentro con Dios. Está dividida en trescientas sesenta y cinco lecturas, de manera que puedas hacer una cada noche antes de dormir.

Aquel hombre había iniciado el día con un gesto que me llegó a lo más profundo, haciéndome sentir más humano.

-Gracias Sánchez. Me has dado lo que más necesitaba -dije, mientras observaba aquella biblia en mis manos, la primera biblia en toda mi vida.

-También yo tengo algo para alguien -comenté, mientras me dirigía al cuarto en busca de mi traje de vuelos -¿Crees que será posible encontrar al soldado que me regaló este emblema?

Y le mostré emblema con la frase y la firma del soldado que me lo había dado el día anterior en Boca Chica.

-Sí, creo que puedo encontrarlo.

-Quisiera que le hicieran llegar este traje de vuelo como recuerdo de nuestro encuentro.

Estuvimos conversando de temas generales hasta que alguien llamó a la puerta trayendo el desayuno: una abundante bandeja de frutas diversas, tostadas, mantequilla, jugo y café.

-Me da mucha pena, Sánchez . . . -dije mientras miraba la bandeja -pero creo que sólo podré tomar el café.

-Lo comprendo, no te preocupes.

Minutos después llegaban Rubén y José, envueltos en sus trajes oscuros. Rubén fue el primero en hablar apenas nos saludamos:

-Te tengo una sorpresa -dijo, mientras avanzaba hacia el teléfono y sacaba un papel del bolsillo -Marcaré el teléfono de tu tía para que hables con ella. Puedes decirle que estás con nosotros, pero te ruego que no digas donde estás.

Mi tía no me veía desde aquellas Navidades que celebramos juntos cuando tendría yo unos tres o cuatro años, y ahora se mostraba excitada y contenta de tenerme aquí. Me contó que la televisión local habían irrumpido en su trabajo la tarde anterior haciéndole un sinfín de preguntas sobre mí que ella no había podido contestar, y que un impostor había salido en la televisión haciéndose pasar por mi hermano mayor. También, esperaba que me fuera a vivir con ella.

-Bueno tía, no sé, probablemente . . .

-¿Cómo que probablemente? Tu padre es mi hermano y tú te vienes a vivir para acá -era el mismo tono cariñoso y autoritario de la familia campesina que había abandonado los campos del Zaino hacía casi medio siglo. A pesar de haber pasado más de tres décadas en los Estados Unidos, había ella cambiado menos en su cultura familiar que mi propio padre en Cuba.

-Comprende tía, no sé . . . Aún no he hablado con las hermanas de mami. Aún no sé si consiga un trabajo en otro lugar. ¡No sé nada!

-Bueno, está bien. Dime dónde estás que voy ahora mismo a verte.

-No puedo tía, estoy . . .

-¿Te tienen preso? Mira que busco a un abogado ahora mismo . . .

-No, tía, no . . . -la interrumpí -no estoy preso. Estoy bien y con buenas personas.

-¿Entonces, por qué no puedo ir a verte?

-Es por un tiempo solamente. Comprende, lo que acabo de hacer afecta las relaciones de por sí difíciles entre dos gobiernos. Hay que investigar . . .

-¿Quiénes están contigo?

-El FBI.

-Ah sí, ya me habían llamado. ¿Cómo te están tratando?

-Muy bien, con mucho respeto y consideración.

-Quiero verte aunque sea un momento, llevarte algún dinero . . .

-Nooo, no es necesario. Te dije que estoy bien.

-¿Estás seguro que no necesitas un abogado? Tú tienes derechos.

Mi tía parecía presa de la mayor candidez para comprender la situación en que estaba. Sin embargo, sus últimas palabras me llenaron de emoción, era la primera vez en mi vida que me hablaban de mis derechos.

-Te aseguro que no necesito un abogado -le dije, riendo, y ella pareció calmarse.

Cuando colgué el teléfono, quedé unos segundos pensativo, impresionado por el diálogo con mi tía, a quien sentí tan cercana como si nunca nos hubiéramos separado. Algo en su conversación me había impresionado particularmente: su independencia para hablar, su valor para cuestionar, aunque fuera al propio FBI.

¿A tal punto llega aquí la libertad? -me preguntaba emocionado, cuando la voz de Rubén atrajo otra vez mi atención:

-¿Qué tal tu tía, todo bien?

-Sí, quiere verme cuanto antes.

-No te preocupes, se verán pronto.

-Comprendo.

-Mientras tanto, queremos que lo pases lo mejor posible. Si quieres, te llevamos mañana de excursión a la ciudad.

Pasamos la mañana conversando informalmente como amigos que acaban de conocerse, entre anécdotas de nuestras vidas y discusiones sobre los más disímiles tópicos como el deporte, la guerra del Golfo Pérsico, la música y la vida en Cuba y los Estados Unidos.

Yo comprendía que, en el fondo de aquellas discusiones informales, me estaban estudiando como parte de la investigación que llevaban a cabo. Mas ello no me preocupaba, sino que disfrutaba de su compañía como amigos casuales en un país nuevo, en el que no habría reconocido ni siquiera a mis familiares.

Me sentía sin embargo, muy excitado por la magnitud del cambio y la natural preocupación sobre el destino de mi familia. Unos deseos terribles de quemar energías me acosaban al comienzo de la tarde, y así se lo hice saber a Sánchez:

-¿Será posible salir a caminar o trotar un poco, por favor?

Sonrió él al escucharme, y poniéndose de pie exclamó:

-¡Claro hombre, que también a mí me hace falta!

Minutos después, caminábamos a paso acelerado por el borde de un pequeño lago artificial de la Base, quemando un poco de aquella adrenalina que me impedía dormir. Mientras andábamos, observé varias familias del personal de la Base que paseaban tomados de las manos junto al lago. Y recordé mi vida anterior en Cuba, la que ahora llevaban mis compañeros . . . La entrada de familiares a las bases cubanas se permitía muy rara vez, sólo cuando se organizaba una celebración política en las mismas.

Esa tarde, Sánchez trajo una cena preparada con gusto y delicadeza por el personal del Club de la Base.

-Te la envían con un saludo de bienvenida -dijo sonriendo mientras retiraba el paño que cubría la bandeja en que sobresalía una flor que brotaba de un estrecho y alargado búcaro.

-Tantas atenciones de ustedes me tienen trastornado -comenté ruborizado, sintiendo que por primera vez mi estómago daba señales de querer ingerir algo, lo que hice con gusto mientras mirábamos la televisión.

Esa noche tuve una terrible pesadilla: estaba en un desierto infinito de sal, ya viejo y agotado, con la piel cuarteada por el sol y la sed, queriendo avanzar en dirección a una colina tras la que parecían estar Vicky y los niños llamándome a gritos en su auxilio. Me arrastraba pendiente arriba, sangrando por las grietas en mi carne, sintiendo la fina sal tragarse mis brazos y piernas, impidiéndome avanzar . . . Y ya no escuchaba sus gritos cuando vi la silueta de dos hienas huir en el horizonte . . .

Desperté empapado en sudor y miré el reloj. Apenas si había dormido veinte minutos, lo suficiente para sufrir aquella terrible pesadilla.

En la mañana, llegaron Rubén, José y otro oficial muy joven, vestidos de manera informal para nuestra excursión por la ciudad. Ocupé el asiento delantero del automóvil dispuesto a devorar con mis ojos aquella imponente ciudad que había visto desde el avión, refugio principal de los exilados cubanos.

Las grandes autopistas, los automóviles modernos de diversos modelos y marcas, los desconocidos peajes, llamaban mi atención como datos que incorporaba a una parte de mi cerebro completamente vacía. Pero, sobre todas las cosas, me asombró la hierba. Cientos de miles, millones de hectáreas cuidadosamente cultivadas y cortadas a los bordes de las carreteras, en los jardines de las casas . . . ¡Aquello sí que era algo que no habría podido imaginar!

En mis años de servicio en la Base de Santa Clara, nunca habíamos logrado cortar toda la hierba que circundaba la pista para evitar la aglomeración de aves que venían a comer de sus espigas y ponían en peligro la seguridad de los vuelos. Menos aún había visto en mi vida una carretera con césped recortado a sus lados.

Nuestra excursión incluyó la Calle Ocho de Miami, centro de la Pequeña Habana y corazón geográfico del exilio cubano. Un grupo de ancianos se reunían al aire libre en el patio de un curioso club prohibido para menores de sesenta años. Parados junto a la cerca, les observé jugar dominó y discutir sobre la pasión esclavisada de sus vidas: Cuba. En cada uno se engendraba un sueño: el regreso. Y viéndoles, sentí el dolor de más de un millón de cubanos obligados salir de su tierra por no poder vivir con dignidad en ella.

De regreso nos detuvimos en un ''mall'' y, contrario a lo que esperaban mis amigos, no me sentí impresionado por los productos que allí veía. ¡Suficiente tenía ya con la hierba recortada! Mas las decenas de familias que caminaban allí de la mano con sus niños, me recordaron el vacío dejado en mi país y a la Unión Soviética por la ausencia de imagen similar.

Quiso Rubén entrar en una tienda, y casi me obligó a probarme unos *''snikers''*.

-Para que te sientas más cómodo cuando trotes -me dijo cuando me tendía la bolsa con los mismos.

Ya al regreso, quise indagar sobre mi suerte:

-¿Qué tiempo deberé estar aún con ustedes? -pregunté a Rubén, volviéndome hacia el asiento trasero, desde el que él miraba distraído por la ventanilla.

-No se . . . , no podría decírtelo ahora. Tal vez una semana, dos, tres . . . no lo sé -hablaba pausadamente, pensativo, mientras se frotaba una rodilla con la mano derecha. Luego, levantando la vista, agregó más animadamente:

-Pero no te preocupes, no será mucho tiempo. Por el momento, queremos estar seguros de que tu vida no corre peligro fuera de aquí. Tal vez, decenas de agentes de los servicios especiales cubanos te estén buscando a estas alturas para ajustarte cuentas, y no queremos que lo logren.

-Ya veo -comenté, pensando también que necesitaban tiempo para investigar si era yo realmente quien decía ser, si mi historia era real. También ellos tenían que velar por la seguridad de su país.

-Por lo demás, trataremos de que la pases lo mejor posible -concluyó, dándose una palmada en la rodilla.

-Una pregunta más: ¿Qué tendría que hacer para gestionar las visas de mi esposa e hijos?

-Primero, esperar a que se legalice tu situación en este país, luego, hacer lo que hacen todos. En eso nosotros no te podremos ayudar.

-Comprendo.

Pasé dos semanas más con aquellos oficiales que terminé apreciando como a verdaderos amigos, hasta que concluyeron su investigación y el MiG fue devuelto a Cuba. Me habían permitido hablar por teléfono casi a diario con mis tíos y primos en Miami, Nueva Jersey y Texas, mas no verlos. Ahora me despedían diciéndome que era libre de ir adonde quisiera. Un mundo de familiares y amigos nuevos se abría ante mí dispuesto a ayudarme en lo que ya era una obsesión en mí cuando salí de Cuba: reunirme con Vicky y los niños.

En casa de cada pariente que visité me esperaba toda una comitiva familiar, incluyendo primos segundos que antes ni sabía que existían, pero que me recibieron como si hubiera crecido con ellos. Tal era la tradición familiar cubana, conservada por ellos durante tantos años y transmitida a sus hijos nacidos aquí. Tradición casi perdida en Cuba por la imposición de una ideología que menospreciaba el valor de la familia.

Todo el que llegaba para saludarme traía algo en sus manos para mí, e inexorablemente, dinero que decían necesitaría para comenzar. Todo lo que me obligaban a aceptar les parecía poco, y cada vez yo me sentía enrojecer de vergüenza ante tanta bondad.

Con el tiempo, descubriría una profunda solidaridad por parte de los cubanos exilados hacia los que escapan de la isla, a los que reciben con particular cariño y ayudan en todo lo posible desde el primer momento.

Durante varios días intenté en vano hablar con Vicky, pues las comunicaciones telefónicas con Cuba resultaban en extremo difíciles, y pasé angustiado decenas de horas junto al teléfono, escuchando a la atenta operadora de AT&T recibir siempre la misma respuesta de la computadora en sus insistentes esfuerzos: "todas las líneas están ocupadas . . ."

Se cumplía ya el mes exacto sin vernos, y creía enloquecer por la falta de noticias, cuando una madrugada la operadora logró comunicación. Había llamado a casa de unos vecinos, y me sentí ahogado en la desesperación durante los minutos que demoraron en avisar a Vicky, temiendo que se cortara la comunicación. Cuando Vicky abrió la puerta por los toques agitados a aquellas horas, encontró a la querida vecina frente a ella, pálida y asustada.

-¿Ore . . .?

Vicky sonaba sin aliento por la distancia que había corrido hasta el teléfono. Quise hablarle, mas las palabras me brotaron en un gemido incomprensible:

-Mi-i a-mor . . .

-¿Ore-e..? -tampoco Vicky podía hablar claramente, y ambos fuimos víctimas de las emociones que nos impedían pronunciar palabra en aquella línea, ocupada sólo por gemidos incontrolables.

-¿Cómo están ustedes? -pude por fin pronunciar con voz temblorosa.

-Estamos bien, pero muy tristes . . . Los niños no saben lo que pasó . . .

-Mi amor . . . Perdóname por no haberte dicho nada nunca . . .

Era lo primero que tenía que decir para protegerla.

-¿Pero qué pasó? ¿Por qué te fuiste?

-No podría explicártelo ahora, pero quiero decirte que te sigo amando como siempre. Perdón . . .

Vicky sollozaba del otro lado. ¡Tenía que dejarme hablar, y yo apenas podía hacerlo! Hice otra pausa, tratando de controlarme:

-No podía decirte nada. Sólo quiero saber si tú también me amas . . .

-¡Mi vida . . .! -irrumpió Vicky en llanto del otro lado.

-Vicky, mi amor . . . -sollozaba yo también como un niño.

-¡No te pongas así mi amor! -rogaba ella entre sus propios sollozos sin que pudiéramos controlarnos.

-Quiero saber si me amas.

-¡Claro que sí! No sé por qué lo hiciste, pero te amaré siempre!

-¿Estarías dispuesta a venir con los niños para reunirse conmigo?

-No me importa donde estés. Allí o en medio de un desierto o en la Antártida . . . Pero queremos estar donde tú estés. Te necesitamos tanto . . .

Fueron sus últimas palabras. Nuestra conversación había sido cortada, pero ambos sabíamos que a partir de ese momento lucharíamos por nuestra reunificación.

—

Desde su llegada a La Habana, la psicóloga había estado visitando a Vicky dos o tres veces por semanas, siempre escuchando la historia de nuestras vidas, siempre preguntando nuevos detalles en aquella investigación con disfraz de ayuda que no acababa de concluir, siempre diciéndole que la había yo traicionado, que debía ella comenzar una nueva vida.

Habían transcurrido desde semanas de mi vuelo a los Estados Unidos, y ya los niños asistían a su nueva escuela, cuando Vicky decidió viajar con su hermano a Santa Clara para tramitar el traslado de las cartillas de racionamiento, recoger las últimas pertenencias y entregar a Cordero la llave del apartamento en que vivíamos.

Casi veinte horas les había tomado el viaje entre constantes roturas de aquel camión que alquilaron pagando el equivalente al salario de cuatro meses, y ahora bajaban las cosas ante la mirada de Marlen y Cordero, que les observaban impasibles a través de la puerta abierta de su apartamento, como si quisieran con ello expresarles su abierto desprecio.

Tal era el temor al roce con aquella familia en desgracia, que un antiguo amigo que se marchaba a La Habana en su automóvil días atrás, se había negado a llevar consigo el ventilador que Miriam le pidió devolver a Vicky.

-¿Estás loca? Yo no quiero buscarme problemas -se había negado secamente.

Tuvo Vicky sin embargo, la oportunidad de ver a sus amigas más fieles durante la corta visita, quienes a escondidas le contaron los últimos comentarios que corrían de boca en boca en la comunidad militar: Decían algunos que había yo escapado a los Estados Unidos porque estaba implicado en el caso de sacrificio ilegal de ganado; otros, porque ella me había sorprendido con una de mis amantes; y los más, porque estaba yo envuelto en una red de juegos ilícitos que había sido detectada por la policía. Nadie que me conocía creía semejantes cosas, pero quedó claro para Vicky que, ante la imposibilidad de fabricar una campaña, los órganos de propaganda oficial habían decidido inyectar en el pueblo versiones pueriles para empañar las verdaderas razones de mi deserción.

Eran Vicky y los niños ahora, parte de aquella familia de once miembros que convivían hacinados en el pequeño hogar de tres dormitorios de mis suegros. Su hermana y hermano se habían casado en los últimos años, y habían tenido que quedarse viviendo allí con sus parejas e hijos por no tener adonde ir.

Ayudaban ellos a Vicky y los niños en todo lo posible, pero acostumbrados éstos a hacer vida familiar independiente, se les hacía terrible cada día de permanencia en aquel hacinamiento que no pasó inadvertido para el Grupo Especial que investigaba nuestro caso.

Después de nuestra conversación, Vicky había contado a los niños el lugar verdadero en que me encontraba y, para su sorpresa, Reyniel había tomado la noticia con agrado diciéndole:

-Menos mal que no está en la Unión Soviética. ¡Estados Unidos sí que es un buen país!

El mes vivido en La Habana había sido suficiente para que comprendiera con sus nueve años, por qué los niños de su edad, silenciosos testigos de la humillante desigualdad entre el cubano y el turista, decían que querían ser extranjeros cuando alguien les preguntaba qué querían ser cuando fueran grandes.

Ya caía la tarde, cuando llegó la psicóloga fuera del horario acostumbrado, preguntándole por primera vez si había recibido noticias mías. Vicky comprendió que ella sabía de nuestra conversación sostenida la madrugada anterior.

-Hablé con él por teléfono -respondió Vicky en voz baja y pausada, dispuesta a defender en lo adelante el derecho a reunificar su familia al margen de consideraciones políticas.

-¿Sí? No pensarás que ustedes le importan a ese traidor -exclamó la psicóloga.

-Me dijo que me amaba y me preguntó si yo también lo amaba todavía . . . -continuó Vicky como si no la hubiese escuchado.

-Pero tú no serás tonta de sacrificarte por ese hombre que te demostró que no te amaba.

Con la mirada perdida en algún punto de la pared, continuaba Vicky ignorándola mientras hablaba:

-Y yo sé que no podemos vivir separados . . .

-¡No seas tonta muchacha! Tú eres joven y bonita. Tienes un futuro por delante, y no vas a sacrificarlo por un hombre que no te ama realmente. De lo contrario, no hubiera hecho lo que hizo. Pero la Revolución es generosa contigo y los niños aunque él sea un traidor. Estamos aquí para ayudarte a comenzar una vida nueva, a reintegrarte a la sociedad, a educar a tus niños en un mundo sano, libre de violencia y drogas.

-Ustedes no comprenden. Nosotros no podemos vivir el uno sin el otro.

-Estás equivocada. Piensas así porque ha pasado muy poco tiempo para darte cuenta de las cosas. Precisamente, hoy te traigo una buena noticia.

Vicky la miró entonces con sincera expresión de duda en los ojos. ¿Qué buena noticia podrían darle?

-La Revolución ha decidido darte una casa espaciosa aquí cerca de tus padres, y ofrecerte una plaza de dentista en un policlínico también cercano.

Vicky quedó atónita: una casa amplia para ella y los niños en plena ciudad de La Habana, cuando sabía de miles y miles de profesionales con décadas de servicio destacado a la Revolución que vivían en condiciones del peor hacinamiento, en viviendas deplorables que muchas veces se venían abajo provocando accidentes fatales. Y otros tantos que habían fundado sus familias viviendo separados por no encontrar ni siquiera un techo maltrecho bajo el cual dormir.

¿Una plaza de dentista en un policlínico de la ciudad, cuando otros miles de médicos y dentistas que vivían en La Habana tenían que trabajar durante años en el campo porque allí no había nunca una plaza para ellos?

Sí, evidentemente habían escuchado nuestra conversación, y ahora querían hacerla desistir con ofertas que eran un sueño para miles de necesitados.

Vicky volvió la mirada al punto perdido en la pared, y continuó inmutable el relato de nuestra conversación:

-Me preguntó que si yo estaría dispuesta a reunirme con él.

-Lo habrás mandado al diablo. ¿No?

-Le dije que nos reuniríamos con él donde fuese. No nos importa si en el polo o en un desierto, pero nos amamos. Los niños aman a su padre, y queremos vivir junto a él.

-No sabes lo que estás diciendo. Nunca te dejarán ir con él.

-¿Por qué no? Yo no soy una enemiga del gobierno. Soy sólo una esposa, una madre. Mis niños apenas si pueden comprender de política, y sólo quieren estar con su padre. ¿Por qué no podremos reunirnos con él?

-Porque es un traidor.

-¿Entonces, nos castigan a nosotros?

-No, por el contrario. Te ofrecemos lo mejor que puede darte la Revolución.

-No necesitamos nada. Sólo queremos estar junto a él.

La psicóloga bajó la vista y permaneció en silencio unos segundos. Luego, tomando aire y encogiendo los hombros, dijo con triste resignación mientras los dejaba caer:

-Sabía que me dirías ésto. Lo comprendí desde el primer día.

Se puso entonces, de pie y caminó lentamente, cabizbaja, en dirección a la puerta. Allí se volvió un instante antes de salir, y mirando a Vicky le dijo apuntándola con el índice:

-Piénsalo. Nunca los dejarán marchar.

Vicky había pasado parte del día intentando infructuosamente comunicarse por teléfono con la Oficina de Intereses de los Estados Unidos para iniciar los trámites de visas para ella y los niños de acuerdo con nuestro plan a partir del momento en que yo la llamara. Por fin al segundo día, logró hablar con alguien allí que le dio cita.

-Debe esperar a que se aprueben sus visas antes de iniciar los trámites de salida con las autoridades cubanas. Le avisaremos apenas tengamos una respuesta.

—

En los Estados Unidos, mientras tanto, comenzaba yo a ejercer las tradiciones y creencias de que me habían despojado desde la infancia. Un domingo me dispuse como un niño entusiasmado a asistir a misa con mis tíos y primos. Había sido bautizado por mis padres al nacer cuando aún en Cuba las creencias religiosas no eran una carga vergonzosa para el que las practicara, mas ésta era la primera vez que cruzaba el umbral de una iglesia consciente de ello, era mi primera misa . . . Tomé asiento junto a ellos, turbado por no saber qué hacer en cada momento. No conocía los cantos ni las oraciones, ni siquiera como hojear la biblia en la búsqueda de un salmo. Pero una fuerza superior, profunda, me quemaba las entrañas desde los primeros cantos del coro. Y lo sentí dentro, donde siempre estuvo aunque me lo negaran. Lo sentí en ellos, en todo. Y lloré en silencio porque amaba, sintiéndome hombre, humano...

Poco a poco, fui descubriendo a través de mi familia y sus amigos la historia de los horrendos crímenes cometidos por los líderes cubanos en nombre de la Revolución, superando con creces todas mis sospechas. Fotografías, videos, testimonios de víctimas, y hasta algunos de los personajes mutilados para siempre por las torturas en prisión que describía Armando Valladares en su libro, fueron dándome el mejor testimonio de aquella Cuba que sólo había intuído que existiera después de mis vivencias bajo la *Perestroika.* Sólo entonces volví a tomar el libro de Valladares en mis manos, comprendiendo horrorizado que la magnitud del crimen era aún mayor que la relatada por él.

Supe también de hombres y mujeres, funcionarios civiles y militares que habían escapado de la isla en otras épocas y cuyas familias habían quedado retenidas en Cuba desde entonces, impidiéndoseles salir a pesar de contar con visas de otros países. Muchos de ellos habían dedicado todas sus energías a denunciar el crimen ante el mundo, y habían encontrado casi siempre una diplomacia insensible y una prensa desinteresada en el asunto, contando tan sólo con el apoyo de organizaciones independientes de derechos humanos que eran muchas veces ignoradas por los gobiernos.

Comprendí entonces horrorizado cuán ignorantes y cándidos habíamos sido Vicky y yo al pensar que tendrían que dejarlos salir ante el temor de ser vistos por la opinión pública como secuestradores de niños y mujeres inocentes. Y me llenó de espanto el evidente peligro que vi cernirse sobre ellos, el hecho de que sus destinos fueran dictados en lo adelante por personas que los despreciaban.

Sabían ellos ahora que Vicky quería unírseme, y yo ya no dudaba de que eran capaces de hacer cualquier cosa por obligarla a decir lo contrario. Estaban completamente desamparados, y al menos la rápida llegada de las visas les daría cierta protección al ser aceptados como refugiados por los Estados Unidos.

Uno de mis primos me aconsejó llamar al Departamento de Estado y tratar de hablar con alguien de la oficina de asuntos cubanos. Sin conocer a nadie allí, sin recomendación alguna, llamé a finales de abril identificándome como lo único que podría tal vez ayudarme a ser atendido:

-Soy el piloto del MiG-23 que vino de Cuba el pasado 20 de marzo -dije a la persona que me salió al teléfono, y segundos después, conversaba con la señora Vicky Huddleston, quien aceptó recibirme con interés.

Mi primo Paul Gómez se brindó enseguida para llevarme a Washington en su automóvil, y luego de un día entero en la carretera, llegábamos, cansados y demacrados, al imponente edificio del Departamento de Estado.

La señora Huddleston se mostró interesada en escuchar de mis labios las razones por las que había decidido abandonar mi país, y se mostró especialmente sensible cuando comencé a hablarle de Vicky y los niños, con lágrimas en los ojos que no pude evitar.

-Cálmese usted . . . -me dijo conmovida -Le prometo que haré todo lo posible.

A partir de aquel instante, me pasaba las noches en vela junto al teléfono queriendo hablar con Vicky una vez por semana. Cada vez esperando que ella me diera la noticia de que ya tenía las visas. Cada vez diciéndole yo que pronto las recibiría, para darle ánimos.

La psicóloga había continuado visitándola dos o tres veces por semana, insistiéndole siempre en que comenzara una nueva vida, en que aceptara la casa, el nuevo trabajo, en que olvidara al traidor, al hombre que la había cambiado por el dinero del imperialismo.

Ya los niños se desesperaban también por las visas, preguntándole a Vicky cada noche antes de irse a la cama cuánto tiempo más podrían demorar aquellos papeles necesarios para ir a donde papi. Y siempre les decía ella que no mucho, albergando aún una tenue esperanza de que la dejaran partir con ellos una vez que tuviera las visas.

Llegó el mes de junio, y con él la tan añorada noticia:

-¡Ya tenemos las visas! Hoy mismo me las dieron en la Oficina de Intereses. Mañana inicio los trámites en Inmigración.

Había yo evitado hacer declaración alguna por los medios de prensa siguiendo los consejos de amigos y familiares, quienes pensaban que mi silencio favorecería la buena voluntad del gobierno cubano. Y me había retirado con la ayuda de ellos a la ciudad de Orlando, para mantenerme alejado de los círculos de Miami interesados en el tema cubano y estudiar inglés, lo que hacía denodadamente para estar en condiciones de encontrar un trabajo lo antes posible.

Quedaba ahora, sólo esperar la reacción de las autoridades cubanas . . .

—

Al día siguiente de recibir las visas, Vicky fue a las Oficinas de Inmigración del municipio para solicitar su permiso de salida. Estaban éstas en una casa de estilo colonial con un amplio portal en que esperaban varios individuos de aspecto cansado, sentadas en los bancos que lo bordeaban. Preguntó Vicky por su turno, y alguien levantó la mirada, señalando con el dedo hacia el interior de la casa.

Una docena de personas aparecían ahora dispersas en los bancos de aquella habitación, que habría pasado por el salón de espera de un policlínico dental de no ser por el alto y oscuro mostrador al fondo y los carteles que cubrían sus paredes: en uno, la isla de Cuba pintada en vivos colores, y sobre ésta la frase: "*SOY FELIZ EN ESTA TIERRA*"; en otros, los paisajes más bellos del país con promesas en letras mayúsculas: "*TE SERÉ FIEL*", "*YO ME QUEDO*", "*SOCIALISMO O MUERTE*".

-¡El próximooo!

El llamado de la joven en uniforme del Ministerio del Interior tras el mostrador, sacó a Vicky de los pensamientos en que se había sumido durante la espera.

-Llénelos y tráigalos con las inscripciones de nacimiento y cuatro fotos pasaporte de cada uno, más ciento cincuenta pesos en sellos de correo -dijo la joven tendiéndole tres paquetes de modelos, después que la hubo escuchado sin mirarla.

Vicky sintió que el corazón le daba un vuelco de alegría, y corrió en busca de los niños para tomarse las fotos.

No puedo creerlo. Ha resultado todo tan simple . . . -se decía con júbilo, mientras caminaba a toda prisa las tres kilómetros hasta la casa, en busca de los niños. No tenía tiempo para esperar el ómnibus.

Necesitó dos días para tomarse las fotos, sacar las inscripciones y comprar los sellos. Y dos noches para llenar aquellos formularios que reconstruían sus vidas pregunta a pregunta:

Por qué quería emigrar y quién la reclamaba. Organizaciones en que militó, fechas, cargos . . . Familiares en el extranjero y por qué emigraron. Familiares sancionados alguna vez por razones políticas. Relaciones con éstos . . .

Amanecía cuando escribió la última respuesta, y con prisa nerviosa regresó a las oficinas de Inmigración. Sabía que no podría dormir, y quería ser la primera en entrar cuando abrieran.

La mujer tras el mostrador revisó los documentos con una expresión de desagrado en el rostro.

-¿Y la baja de su trabajo? -preguntó sin levantar la vista.

-¿A qué baja se refiere? -Vicky presintió que las cosas no podían ser tan simples como le habían parecido.

-No me diga que no sabe. Usted es dentista, y como profesional tiene que traer un documento del Ministerio de Salud Pública autorizándola a salir del país.

-No comprendo. Ya yo no trabajo.

-De todos modos, necesita la liberación del Ministerio de Salud Pública.

-Pero no tengo idea. ¿Qué tengo que hacer?

-¿Tampoco lo sabe? Tiene que ir a la Dirección Provincial del mismo en la provincia en que trabajó a pedir la baja.

Vicky sintió sus esperanzas desvanecerse por un instante. Tendría que ir a Santa Clara a solicitar la dichosa baja.

-¿Es lo único que me falta? -preguntó, aterrada de que se repitiera la escena en su próxima visita.

-No. También debe traer el VISTO BUENO del Departamento Técnico de Investigaciones sobre su esposo.

-¿Y dónde queda el Departamento . . .?

-Ahora le dicto la dirección -respondió la mujer, mientras le extendía un pedazo de papel y un lápiz.

Segundos después, salía Vicky a toda prisa en busca del Visto Bueno.

-¿Cuándo dice que se fue su esposo? -preguntó la mujer tras el escritorio adornado con la tablilla en que se leía: INFORMACIÓN.

-En marzo . . .

-¿De este año?

-Sí . . .

-Lo siento, pero los datos de emigrados que tenemos llegan hasta 1989 solamente.

-Pero, ¿qué hago entonces? No comprendo.

-¿Cómo se fue su esposo?

-En un MiG-23.

-¡Aaaah! ¡Imagínese! Ese caso no va a llegar aquí nunca. Ellos lo conocen bien, así que regrese y dígales que aquí no hay ni habrá expediente de su esposo.

Regresó a casa con la duda de si aquello no sería ya una traba insalvable. De todos modos, aún le faltaba su liberación como dentista, y pidió a su padre que la acompañara en aquel insoportable viaje a Santa Clara.

Vicky había vendido mis pertenencias, y con parte de aquel dinero pudieron pagar el mes de salario que les costaron los asientos en uno de los automóviles que daban viajes ilegales a Santa Clara.

-Esperamos que le llegue pronto su liberación -comentó con amabilidad la señora que acababa de llenar los modelos de solicitud de baja en aquella oficina de la Dirección Provincial de Salud.

-Perdón . . . ¿es que no me los puedo llevar conmigo?

-Lo siento . . . -comenzó a decir aquella mujer, la primera que la había atendido con cierta bondad -pero los modelos deben ser aprobados por el Ministerio a nivel nacional. Cuando lo hagan, ya ellos los enviarán a Inmigración. Debe esperar en su casa a que le avisen.

Regresaron Vicky y su padre a La Habana sin pronunciar palabra en todo el camino. Era medianoche cuando llegaron a casa, y vieron que Reyniel y Alejandro estaban dormidos en la sala. La abuela se quejó a Vicky:

-Apenas si han comido esta noche, y no quisieron irse a dormir hasta que tú no llegaras.

Vicky los besó entonces en las mejillas, y despertaron ambos preguntando:

-¿Resolviste, mami? ¿Cuándo nos vamos con papi?

-Aún falta un poquito -les respondió ella y los acompañó al colchón en el piso que compartían con ella, sospechando con terrible amargura que aún mayores dificultades se levantarían en el camino de nuestra reunificación.

A la mañana siguiente, regresó a las Oficinas de Inmigración.

-Mi baja la van a enviar aquí, del Ministerio . . . -le explicaba a la misma mujer tras el mostrador, con la esperanza de que le dejaran saber si era lo único que faltaba para que le dieran los pasaportes y el permiso de salida.

-¿Y el Visto Bueno sobre su esposo?

-Dicen en el Departamento Técnico que sólo tienen los datos hasta 1989 . . .

-¿Cómo salió su esposo del país? -preguntó la mujer mirando a Vicky por primera vez.

-Salió el 20 de marzo de 1991 en un MiG-23.

La mujer entonces, abrió los ojos y frunció el seño endureciendo la mirada.

-Pero, en ese caso . . . Usted sabe . . . es un caso muy especial. Espere un momento.

Y desapareció tras una puerta. Minutos después regresaba acompañada de un Mayor del Ministerio del Interior.

-¿Dice que su esposo es el piloto del MiG que traicionó en marzo? -preguntó el Mayor con penetrante mirada.

-Bueno el que se fue en marzo . . .

-Debe saber que nosotros no decidimos en este caso. Sólo el mando superior puede hacerlo.

-¿Cómo puedo saber la decisión que tomarán?

-Nosotros debemos recibir respuesta en unas dos semanas.

-Comprendo . . .

Y dando las gracias, salió esta vez, lentamente de aquella habitación llena de paisajes hermosos que millones de cubanos habían despedido con la eterna nostalgia del emigrante.

Magalis comenzó a venir casi a diario mientras Vicky esperaba una respuesta. Siempre insistiendo en que yo la había traicionado, en que comenzara una nueva vida, en que aceptara la cómoda casa en el Vedado, el codiciado empleo . . .

Vicky la escuchaba con la mirada perdida como siempre, disfrutando las anécdotas de nuestras vidas que le contaba una y otra vez, lo profundo que nos amábamos. Y Magalis insistía, insistía, aunque sabía que Vicky no cambiaría en su actitud.

Apenas habían llegado a La Habana, los vecinos le hicieron saber a Vicky que habían notado la presencia de huéspedes extraños que pasaban el día y la noche por los alrededores, observando y tomando notas metódicamente de todas las personas que entraban y salían de la vecindad. Y Vicky sonreía cada mañana cuando acompañaba a los niños a la escuela, y veía al extraño observador levantarse nervioso de su acostumbrado asiento en del pórtico de la casa de enfrente, para seguir sus pasos sigilosamente como si ella no notara que lo hacía.

No importaba adonde fuera. A buscar la cuota de alimentos al mercado o a las oficinas de Inmigración, la seguían ellos irremisiblemente. Y ella sonría mientras caminaba, preguntándose cuánto duraría aquella vigilancia absurda, y pensando en como su país no iba a estar sumido en la desgracia, cuando dedicaba tantos recursos a vigilar a miles y miles de personas que, como ella, no representaban ningún peligro para el gobierno, que no fuera de orden moral.

Su nueva posición en la sociedad, como la esposa de un hombre que había escapado del país, comenzó a revelarle el verdadero sentir de decenas de personas que conocía desde pequeña y que nunca había sospechado se opusieran al sistema. Fue a través de ellos, y las vivencias que le contaron al cobrarle confianza, que fue conociendo a esa otra Cuba, silenciosa y oculta bajo el manto del fervor revolucionario, que sobrevivía a costa del batallar diario en el mercado negro, que escuchaba a escondidas las transmisiones de las estaciones de radio extranjeras, y que rezaba cada noche por el fin de la ignominia y el retorno de la esperanza al país.

Al cabo de las dos semanas, volvió Vicky a ver la áspera mujer del mostrador:

-Aún no tenemos respuesta. Espere en su casa a que le enviemos un telegrama -le había dicho sin levantar la mirada otra vez.

Tres semanas más, estuvo Vicky visitando Inmigración del Municipio, ignorando la recomendación de quedarse en casa en espera del telegrama. Esta vez, la última, la mujer volvía a levantar la vista para mirarla y hablarle con desprecio:

-Su salida ha sido denegada.

-¿Por qué?

-Ah . . . ¿Pero tú no lo sabes . . .? ¡Porque tu marido es un traidor, chica!

Vicky sintió la ira, la impotencia y el dolor fundirse en su pecho, haciéndola respirar más rápido.

-Pero ése es él, ¿de qué nos pueden acusar a nosotros?

-De ser su familia -la mujer había vuelto a bajar la vista, y tomaba ahora un lápiz dispuesta a escribir algo ajeno, dando por terminada la conversación.

-Sigo sin comprender -continuó Vicky, reclamando su atención -El Comandante en Jefe y el Segundo Secretario del Partido han dicho repetidamente en sus discursos que todo el que se quiera ir del país puede hacerlo.

La mujer habló sin quitar la vista de los papeles en los que pretendía escribir:

-Eso es en general, no en los casos específicos de los traidores.

-Ellos nunca han hecho excepciones cuando lo han dicho.

-Ven acá, chica: ¿Tú no sabes que existe una directiva del Ministerio del Interior prohibiendo la salida a los familiares de los traidores?

-No creo en esa directiva. La Constitución de mi país dice que puedo salir cuando quiera, y no hay ley que pueda derogarla . . .

-Pues mira: hay una directiva que no te permite salir.

-¿Puedo ver esa directiva?

-No, es verbal -y mirando sobre el hombro de Vicky, casi gritó: -¡El próximooo!

Había pasado un mes desde que recibió aquellas visas que guardaba aún como una esperanza salvadora, y sentía ahora todo el peso de un sistema que no sólo le impedía ejercer sus derechos, sino que evitaba enfrentársele obligándola a lidiar con burócratas sin autoridad para tomar decisiones.

No, no me quedaré tranquila -se decía una y otra vez mientras caminaba de un lugar a otro de su cuarto pensando en lo próximo que haría.

Por suerte, habíamos podido hablar por teléfono dos veces más sin que cortaran la comunicación, y estaba yo al tanto de los pormenores de sus gestiones.

Cada día que pasaba, los niños cobraban mayor conciencia de la realidad que les rodeaba y sufrían en silencio la desesperanza de reunirnos algún día. Una noche, Vicky sintió unos débiles sollozos tras la puerta del cuarto, y al moverla, encontró a Alejandro en cuclillas ocupando el espacio que formaba ésta con el ángulo de la pared. En sus manos sostenía una foto mía mientras le hablaba, y dos gruesas lágrimas rodaban por sus mejillas. Se turbó el niño al saberse sorprendido en su intimidad, y al ver las lágrimas que asomaron al rostro conmovido de la madre, le dijo haciendo que un escalofrío recorriera la espalda de Vicky:

-Mami, mi corazoncito no resiste más . . .

Reyniel ya no gustaba de jugar como antes, y su carita siempre risueña lucía ahora distraída y seria, aunque nunca se le vio llorar. Observaba él a la madre sufrir en silencio por las esperanzas que se desvanecían una tras otra, y le decía entonces:

-Mami, por favor: No estés triste -y se iba luego a su cama, a sufrir los primeros desvelos a los diez años de edad, la primera tos que, como un tic nervioso, le acompañó en lo adelante a todas partes desde entonces.

Quería yo salir a la luz pública, acusando al gobierno cubano de castigar a mi familia por mis actos, pero amigos, familiares y la propia Vicky me pedían que esperara hasta que se agotaran todas las gestiones posibles.

Escribí entonces, decenas de cartas a las cancillerías de los países latinoamericanos y España, pidiéndoles que intercedieran ante las autoridades cubanas en favor de la salida de mi familia. Pero, curtido por la terrible verdad del mundo, que a diario me traía una prensa libre en los Estados Unidos, albergaba pocas esperanzas de una gestión netamente humana por parte de gobiernos que habían dado la espalda a crímenes aún más horrendos.

Vicky escribió entonces al Comandante en Jefe, al Ministro de las Fuerzas Armadas, al Jefe Ideológico del Partido, al Ministro del Interior, al Director Nacional de Inmigración y a los Comandantes Históricos de la Revolución. Y llevó cada una de las cartas a los edificios del gobierno en que radicaban.

Había pasado un mes, cuando recibió un telegrama de la Dirección Nacional de Inmigración, y corrió allá con la esperanza de que sus cartas habían surtido efecto. Estaban las oficinas en un complejo de casas residenciales cuyos propietarios se habían exilado en Estados Unidos al comienzo de la Revolución. Una cerca rodeaba las casas, dejando sólo una puerta de acceso custodiada ahora por un soldado.

-Pase y pregunte por la teniente coronel Manuela -dijo éste a Vicky, devolviéndole el carné de identidad y el telegrama de citación.

Una mujer joven, acompañada de un niño y una niña que no pasaban de los ocho años, esperaban en silencio en aquel pequeño salón, sin mostrador esta vez, que serviría de preámbulo a la entrevista para la que habían sido llamados. Saludó Vicky en voz baja, y tomó asiento en uno de los tres bancos allí dispuesto, sin que volvieran ellas a cruzar palabra durante los minutos que compartieron aquel techo.

Una actividad de puertas que se abrían y cerraban y de oficiales que atravesaban el pequeño salón en una dirección y otra les distrajo hasta que llamaron a la mujer con los niños.

Escuchó Vicky entonces, la ruda voz de otra mujer tras la puerta, que ahogaba con gritos el llanto de la recién llegada:

-¡Tu marido es un traidor! ¡A ti no se te dejará salir jamás!

-Pero si otras personas han salido . . . -suplicaba la madre de los niños entre sollozos que Vicky escuchaba claramente -¿Por qué a nosotros no?

-Esos han sido otros casos autorizados al más alto nivel. Pero no ustedes. ¡Él es un traidor y de aquí no saldrán nunca!

Y escuchó Vicky a la madre de aquellos niños ahogarse en un llanto desesperado, impotente . . . mientras un nudo de desesperación se le aferraba a garganta.

Ahora le tocaba a ella enfrentarse a aquella mujer de aspecto pulcro y peinado reciente, con grados de teniente coronel en sus hombreras, que hojeaba unos papeles sin levantar la vista para interesarse en el aspecto de la persona que esperaba sentada frente a ella hacía ya unos minutos. Una mujer joven, con grado de capitán, sentada tras el escritorio vecino, había pedido a Vicky que esperara en silencio a que la atendiera.

La teniente coronel cerró el expediente que revisaba con un gesto resuelto y reclinándose en su silla con la cabeza ladeada, dijo a Vicky con exagerada calma en sus palabras, como si las disfrutara, mientras la miraba como a una criatura repugnante.

-Victoria, no sé por qué escribió usted aquí, porque la respuesta que le dieron en Inmigración del Municipio no cambiará nunca. Su marido es un traidor, un desafecto a la Revolución.

Vicky escuchaba en silencio, viendo como aquella mujer comenzaba a gesticular y subir el tono de sus palabras con una violencia infundada en la medida que hablaba.

-¡Tú lo que tienes que hacer es graduarte de mujer, chica! Dejarte de tanta bobería y comenzar una vida nueva. Acepta la casa que la Revolución te ofrece con su generosidad incorpórate a trabajar donde te han dicho. Lo que estás haciendo con tu actitud ahora es dañar a tus hijos en lugar de ayudarlos. ¿Cómo vas a quererte ir con un traidor?

Vicky escuchaba en silencio, sintiendo rabia por no poder controlar las lágrimas que le rodaban por el rostro, empañando la visión de aquella mujer que gesticulaba y gritaba cada vez más alto. Sintió que algo le explotaba dentro y, poniéndose de pie como disparada por un resorte, gritó tan alto como ella:

-¡Mi esposo no es un traidor! ¡Yo no puedo verlo así! ¡Él es mi esposo, el padre de mis hijos, el hombre que me ama y amaré yo siempre! Mire usted las cosas como madre . . .

La teniente coronel miró a Vicky desconcertada, y se acomodó nuevamente en su silla sin hablar.

Entonces habló la mujer tras el escritorio contiguo, en tono más calmado:

-Comprende, chica . . . A ustedes no se les puede dar la salida. ¿En qué situación quedarían entonces los otros pilotos de la Fuerza Aérea?

Vicky casi se echa a reír. Era el primer reconocimiento que escuchaba del gobierno, de que sus militares y funcionarios eran rehenes, aunque muchos de ellos no lo supieran.

-Comprende lo que te dice la capitán Zonia -intervino Manuela, también en tono más educado -hay casos que no pueden autorizarse por la connotación que tienen. Quizás de aquí a varios años, en dependencia de la actitud que él mantenga allá afuera y tú aquí, se les permita a ustedes la salida.

Vicky pareció no comprender, y la inquirió con la mirada.

-Quiero decir, si él no hace declaraciones a la prensa en contra de la Revolución, y tú aceptas la casa que se te ofrece y comienzas a trabajar normalmente.

Vicky sonrió entonces comprendiendo el sentido de lo que decían. Aceptar aquello, significaría resignarse a vivir sin la esperanza de vernos jamás.

-Es más . . . -agregó Manuela a modo de despedida -cuando quieras hablar con nosotros, ven por acá. Sólo tienes que decirle al soldado de la puerta quién eres.

Vicky regresó a casa convencida de que estaban dispuestos a llegar adonde fuera para impedirles salir del país, pero quedaba aún una esperanza: sus cartas a los más altos líderes de la Revolución todavía no habían sido contestadas. Esperaría un tiempo más antes de iniciar la lucha abierta por nuestro derecho a vivir en familia donde quisiéramos.

Hacía ya tiempo que no veía a mis padres, y decidió irse a Matanzas con los niños que ya estaban de vacaciones, para distraerlos y mitigar así la ansiedad que los embargaba. No existía un juguete en casa, ni lugar al que llevarlos de paseo que no fuera el mugriento zoológico que ya conocían de punta a cabo. Ni siquiera la televisión la ayudaba a entretenerlos, pues los tradicionales programas infantiles habían sido suspendidos por razones económicas.

En Matanzas, encontró que mis padres habían adelgazado mucho. Víctimas del sufrimiento por la pérdida del hijo mayor, albergaban ellos aún la esperanza de que éste resucitara, erigiéndolo en su imaginación como un probable agente de los servicios de inteligencia cubanos infiltrado en el corazón del enemigo, con una misión extremadamente secreta . . . Vicky los escuchó insinuar sus sueños, conmovida de los recursos a que se aferran los padres en su dolor para salvar al hijo cuando no comprenden la realidad del mundo que los rodea.

-Sé que es duro para ustedes. Pero deben enfrentar la verdad para su propio bien -les había dicho, y vio que mi padre se iba al cuarto, donde permanecía encerrado largo rato escondiendo el llanto que le traía la dura verdad.

Mucho había pensado yo en mis padres, especialmente en él, y comprendía cuan terrible le resultaría aquella verdad, cuan culpable se sentiría del trágico destino de su hijo y del suyo propio. Concebir sueños como un niño le defendía de su propia conciencia, mientras que abrir los ojos a la aplastante realidad significaría la negación de toda su vida. Él quería vivir, sentir que vivió, y se rodeaba por ello de un mundo irreal fundado en el idealismo con que siempre actuó, sin percibir que la ética de la honra que me inculcó había sido mi inspiración para romper con la Revolución.

Una sorpresa esperaba a Vicky y los niños a su regreso a La Habana: dos telegramas de las oficinas del segundo y tercer hombres del gobierno, dos respuestas similares después de un largo silencio:

''Recibimos su carta. Su caso se está analizando. Espere respuesta''.

Capítulo 17

Amor contra maldad

Corrían los últimos días de agosto de 1991 cuando pude hablar nuevamente con Vicky y escuchar la historia de su encuentro con la teniente coronel Manuela, y los telegramas recibidos. Con ellos volvía a surgir una esperanza, y decidimos esperar en silencio un tiempo más.

Tal vez alguna de las cancillería a las que escribí ha intercedido por ellos ante el gobierno cubano -pensé, con un hito de esperanza en el corazón. Pero pasaría otro mes de angustiosa espera antes de que Vicky recibiera la visita de aquella misteriosa mujer que le pidió presentarse a la mañana siguiente en las oficinas de Raúl Castro, en la sede del Consejo de Estado, donde le darían respuesta definitiva a su caso.

Por fin, nuestros ruegos les han tocado el alma -pensó Vicky al escucharla.

Aquella noche no pudo dormir, presa de los dolores intestinales que la asaltaban cada vez que se enfrentaba a la incertidumbre de sus destinos, determinados por la suprema voluntad de aquellos hombres. Se sentía débil, y pidió a su madre que la acompañara al grupo de edificios gubernamentales situado tras la célebre Plaza de la Revolución. Y sintió acelerarse las palpitaciones de su corazón y un cosquilleo punzante poco más abajo de la garganta, cuando el soldado armado con un fusil AKM, que custodiaba la entrada les abrió la puerta de cristal indicándoles dirigirse al buró de información.

Un gigantesco vestíbulo de reluciente piso de mármol se abrió ante ellas, iluminado por fastuosas lámparas que exaltaban la belleza de las plantas y muebles que lo ocupaban, y la inusitada elegancia con que vestían las personas que por allí transitaban. Enmudecidas por opulencia nunca antes imaginada avanzaron con tímidos pasos hasta el mostrador que rezaba: INFORMACIÓN. Una de las dos mujeres que allí estaban les atendió con una sonrisa y, luego de hacer una breve llamada al despacho del Segundo Secretario, les pidió esperar unos minutos.

-Buenos días. Soy Magalis Chacón, asistente del Ministro de las Fuerzas Armadas. ¿Me acompaña por favor? -dijo aquella mujer de baja estatura y aspecto elegante que se les acercó mientras esperaban.

-Usted debe esperar aquí -agregó, dirigiéndose a María, quien se paraba con la intención de acompañarlas.

Vicky la siguió hasta una pequeñísima oficina colmada por un escritorio atestado de teléfonos, tres butacas y una computadora personal que llamó su atención por ser la primera que veía en su vida. Otra mujer que allí esperaba se puso de pie presentándose:

-Soy Melba Chávez, asistente del Jefe Ideológico del Partido.

-Bueno, sentémonos -indicó Magalis, agregando -Victoria, el compañero Raúl Castro no ha podido recibirla personalmente por lo ocupado que está en otras tareas . . . , y nos ha pedido que la atendamos en su nombre. Lo mismo ocurre con el compañero Carlos Aldana, cuya asistente participa en esta reunión.

Vicky comprendió que aquellos hombres delegaban en sus asistentes porque les faltaba el coraje de enfrentar las injusticias que ellos mismos dictaban. Se inclinó entonces hacia adelante en su asiento, prestando toda su atención a lo que se disponía a decir Magalis.

-Queremos decirle que su caso ha sido analizado por la dirección del Partido y el Mando de las Fuerzas Armadas. Y la respuesta que me han pedido que le transmita es . . .

Magalis hizo una pausa, y Vicky sintió su propio pulso en las sienes y un escalofrío recorrerle el cuerpo.

-bueno . . . que su esposo puede regresar.

-¿Cómo dice usted?

-Sí, su caso ha sido estudiado, y pensamos que obró presa de un impulso, de emociones pasajeras. Queremos que le transmita que el Partido y el Gobierno le dan la oportunidad de regresar.

-¿Pero qué quieren ustedes? ¿Que regrese para enjuiciarlo?

-Bueno . . . se tendrá en consideración que él no ha hecho declaraciones en contra de la Revolución.

Vicky comprendió entonces que ella y los niños eran tomados como rehenes. Tenían ellos la esperanza de que la angustia por la separación familiar indefinida me hiciera regresar tarde o temprano, y entonces, montar el show de un juicio por traición a la patria ante el resto de las Fuerzas Armadas con doble propósito: mostrar el arrepentimiento del traidor, y dar un ejemplarizante escarmiento ejecutándolo luego. El precedente del general Ochoa y otros casos de militares que se rumoraba habían sido fusilados en secreto no podía hacerle pensar otra cosa.

-Pero ustedes comprenderán que no quiero que regrese. El motivo de mis cartas era saber cuándo podríamos irnos con él.

-¡Nunca!

Vicky se sintió terriblemente insignificante, impotente. Su vida y la de los niños dependía, había dependido siempre, de la plena voluntad de quienes gobernaban el país. Ni ley, ni juez alguno, ni la propia Constitución, podrían jamás oponerse a la voluntad de aquellos individuos, que gobernaban sus vidas a su antojo.

-Eso no es justo. Los niños sufren, necesitan a su padre.

-El culpable de su sufrimiento es él, que no dudó en traicionarlos. Lo que tienes que hacer es aceptar la casa y el empleo que te ofrecemos y comenzar una vida nueva como una madre ejemplar. ¿Cómo puedes desear llevar a tus niños a aquella sociedad corrupta, consumida por las drogas, la prostitución, la injusticia y cuanto vicio se pueda concebir?

Un hombre con grados de coronel al hombro acababa de entrar a la oficina sin pedir permiso ni llamar a la puerta, y escuchaba ahora en silencio las últimas palabras que decía Magalis.

-Nunca haré eso . . . -comenzó Vicky a decir, sintiendo que la voz se ahogaba en una mezcla de indignación e impotencia -Lo único que necesitamos es vivir en familia con él, no importa donde sea porque sabremos educar a nuestros hijos. Esperaré el tiempo que sea necesario, como si es toda la vida, pero nos uniremos.

-En ese caso . . . -interrumpió el coronel, que había escuchado en silencio hasta entonces -debe saber que el compañero Ministro de las Fuerzas Armadas dice que si su marido tuvo pantalones para irse en un MiG, entonces tendrá que tenerlos para venir por ustedes.

Vicky se volvió entonces para mirar aquellos ojos llenos de arrogancia, pensando lo que no podía decir:

Es su Ministro quien debería tener pantalones para enfrentarse a sus propios crímenes en lugar de enviarlos a ustedes.

Se levantó lentamente, casi sin fuerzas, pero satisfecha de que por primera vez, controlaba los deseos de llorar. ¡No, ellos no volverían jamás a ver sus lágrimas! Y salió en busca de su madre. Hicieron el camino de regreso en silencio, atormentada Vicky por la inminencia del encuentro con los niños, que habían quedado llenos de esperanzas en la pronta reunión con papi.

-Porque Fidel y Raúl sí son buenos -le había dicho Reyniel cuando la despedía con un beso.

Ahora se sentía endurecer, enfrentada con la dignidad y el amor como sus únicas armas contra el poderoso sistema que amenazaba con aplastarlos.

¡Basta ya de esperas en la deshonra del silencio que nos imponen! -se decía a sí misma mientras trataba de sostenerse en el pasillo del ómnibus atestado de pasajeros.

En lo adelante, visitaremos la iglesia aunque lo interpreten como un acto de rebeldía. Dios nos hace sentir unidos aunque ahora nos separen barreras insalvables. Y no temeré hablar con diplomáticos y periodistas extranjeros para denunciar nuestra tragedia y pedir ayuda.

Los niños recibieron la noticia en silencio, sin derramar lágrimas. También ellos se estaban endureciendo, y miraron a la madre con firmeza cuando ella les dijo:

-No sé cuando, pero no les quepa duda de que nos reuniremos con papi.

Reyniel se sumió en sus pensamientos con el rostro muy serio mientras miraba al cielo por de la ventana y Alejandro sólo comentó:

-¿Mami, por qué esos hombres son tan malos?

La psicóloga regresó al próximo día, interesándose por el estado de los niños, y Vicky recordó que una amiga le había contado que ella había visitado la escuela, indagando por el comportamiento de los niños, si saludaban la bandera, participaban en los actos patrióticos y hablaban del padre.

-Tú sabes cómo están los niños y el daño que este abuso les hace. Visitarán la iglesia conmigo en lo adelante y encontrarán en Dios la fe y la esperanza que aquí les han quitado -le dijo Vicky mirándola firmemente.

-Pero, ¿estás loca? Mira como vives . . . Jamás saldrás de aquí . . . Debes aceptar la casa, esa oportunidad no la tiene nadie. Yo misma vivo con mis padres . . .

-No necesito nada . . .

-Pero, ¿cómo vas a destruir tu vida por un traidor? Él es un hombre joven, apuesto, seguramente ya ha encontrado una muchacha bonita y adinerada con quien compartir su vida.

Vicky la miró entonces con pena en los ojos. Suspiró, y poniendo la mano sobre la de la incansable psicóloga, le dijo conmovida:

-Me apenas tanto, Magalis . . . -la psicóloga pareció no comprender, y abrió los ojos con vivo interés -¿Cuántos años llevas casada?

-Cinco años . . . -respondió Magalis turbada.

-Me apena que no hayas conocido el amor en ese tiempo.

La psicóloga quedó estupefacta, en silencio. No sabía qué decir, y Vicky continuó, mientras hacía una breve presión sobre su mano:

-Que no te amen como a mí, y que tú no lo hayas hecho como yo. El amor no es negociable y nada me hará renunciar a él. Sé también que él esperará por mí toda la vida si es necesario.

La psicóloga bajó la cabeza, y la levantó luego queriendo decir algo, pero las palabras se le trabaron en la boca mientras repetía turbada:

-Yo, yo . . . -calló otra vez, y se levantó lentamente, camino de la puerta.

-Adiós, Vicky -dijo desde allí sin volverse, y nunca más regresó para ayudarla a comenzar una nueva vida.

—

Sólo en octubre pude hablar de nuevo por teléfono con Vicky y conocer la historia. Era aquélla nuestra única vía de comunicación, además de las pocas cartas que algún cubano temeroso aceptaba tomar consigo para enviarlas desde otro país cuando salía al extranjero. También había yo enviado varias cartas a Vicky en los comienzos, pero frustrado porque siempre las interceptaban impidiendo que llegaran a ella, desistí de continuar escribiendo. Había permanecido en silencio, consumiéndome en la seguridad de que no les dejarían salir jamás ante la evidencia de otros casos que iba conociendo, y recibía ahora luz verde de Vicky para iniciar la batalla pública por nuestro derecho a vivir en familia.

-Será duro . . . -le advertí cuando hablamos -En lo adelante, caerá sobre ustedes toda la maquinaria coercitiva del régimen. Te vigilarán día y noche, buscando la manera de implicarte en algún delito menor para meterte en la cárcel. Antes quisieron convencerte, ahora querrán destruirte. No salgas de la casa, pues cualquier enviado puede provocarte en la calle para encarcelarte por el delito de escándalo público. No confíes en nadie que te ofrezca participación en la disidencia interna. Eres sólo una madre, una esposa que lucha por la reunificación de su familia. Menos aún intentes abandonar el país ilegalmente, no confíes en nadie que te ofrezca tal cosa.

Hablaba yo a Vicky apresuradamente, temeroso de que cortaran la comunicación y no pudiera darle los tan necesarios consejos. Había recibido información suficiente sobre la cara del régimen que no conocía cuando abandoné el país, y ahora veía claramente las cosas que estarían dispuestos a hacer para someterla.

Nunca la encarcelarían por querer reunificar a su familia, pues siempre habían cometido los crímenes bajo el manto de una justicia que llamaban revolucionaria. Sabían que el ejemplo de su lucha por la integridad familiar terminaría debilitando la autoridad del gobierno al ganarse las simpatías de más y más personas, y tenían por tanto que destruir su ejemplo, pero usando otras razones para ello. No dudarían en tender las más sutiles trampas en su camino para llevarla a prisión, ponerla junto a criminales comunes que recibirían el visto bueno para abusar de ella, amenazarla luego con quitarle los niños por su mala conducta social, obligándola bajo el terror a aceptar en silencio la división de la familia para siempre.

También comprendía yo, que sólo la atención del mundo sobre ellos podría protegerlos de ser avasallados por un régimen sin escrúpulos, pero empeñado en cuidar su imagen como popular y justo. Para ello, debía movilizarme de inmediato, denunciando a voz en cuello su situación. Por su parte, debía ella protegerse de no caer en trampa alguna que les permitiera a ellos juzgarla por otras razones. Terminé de hablar con Vicky, y vi que era la una de la madrugada.

Tía Miladis comprenderá por qué la llamo a esta hora -me dije, y comencé a marcar su número de teléfono.

Tía, me voy a vivir contigo. Comienzo la batalla pública por Vicky y los niños, y Miami es el mejor lugar.

Luego llamé a mi siempre dispuesto primo:

-Paul, quiero que me ayudes a encontrar un periodista interesado en hablar conmigo.

-¿Cuándo?

-Mañana, a primera hora.

-Cuenta conmigo.

Amanecía cuando vi la señal de carretera anunciando la entrada de Hialeah. Tampoco mi tía había dormido después de mi llamada. Cada día de mi estancia en los Estados Unidos, había ella cuidado de mí como si fuera un niño pequeño, aunque estuviéramos lejos. Había compartido conmigo mi tristeza por Vicky y los niños, y veía ahora con preocupación mi próximo encuentro con la prensa, temiendo que el gobierno cubano reprimiera a Vicky y los niños en respuesta.

-Esa será la única manera de evitar que lo hagan. La reprimirán no por lo que yo diga, sino porque le temen a ella, a su ejemplo. Y la denuncia inmediata es la única protección que puedo darle.

Llegó Paul cuando Miladis me regañaba porque no quería desayunar. Luego de saludarnos me tendió un pedazo de papel. Decía: Tomás Regalado, y más adelante el número telefónico del conocido periodista cubano. Esperamos a las nueve para llamar, y una hora más tarde el propio Regalado me recogía en su automóvil para llevarme a una estación de radio local que se escucha en Cuba.

Fue aquella mi primera entrevista, la primera denuncia del atropello que se cometía con mi familia en Cuba. Luego, Paul me acompañaría en todo un periplo de continuas entrevistas con periodistas del *Miami Herald*, *El Diario de las Américas*, y los principales líderes del exilio cubano en Miami. Estos últimos, empeñados hacía años en la lucha por el respeto de los derechos humanos en Cuba, no dudaron en ofrecerme el respaldo de sus organizaciones y estaciones de radio que transmiten en honda corta hacia Cuba para mis propósitos de llevar la denuncia hasta el pueblo de la isla.

Fue especialmente emotivo mi encuentro con Jorge Mas Canosa, Líder de la Fundación Nacional Cubano-Americana, hombre inteligente y enérgico, escuchó con marcado interés las razones por las que yo había decido tomar el camino del exilio. Me habló entonces de su visión sobre una Cuba del futuro, democrática y abierta al libre mercado, sin las gigantescas Fuerzas Armadas que ahora existían, y donde la propiedad privada y el culto a las libertades humanas serían el principal incentivo para sacar al país de la pobreza.

Lo escuché impresionado por su personalidad y alegre al descubrir que sus puntos de vista sobre una Cuba libre coincidían con los míos.

-Nuestra emisora de radio está a tu disposición -me dijo cuando nos despedíamos en los bajos de su oficina. Allí me ofreció un pomo de miel producida por la colmena de abejas que se había alojado en uno de los remolques con que solía repartir leche en sus comienzos como exilado, y que aún conservaba como un símbolo de la prosperidad que se puede alcanzar cuando se trabaja en libertad.

Al día siguiente, nos encontramos frente a los micrófonos de la estación que era escuchada en toda Cuba y otros países. Nos acompañaría en la transmisión Ninoska Pérez, periodista salida de Cuba en su niñez, sensible y apasionada defensora de los derechos de su pueblo.

Desde allí, logramos establecer comunicación telefónica con Vicky y los niños a través de un amigo periodista en el Canadá, y pudieron ellos denunciar a la luz pública por primera vez el atropello de que eran víctimas. Todos vivimos emocionados aquellos minutos de tensa conversación en los que Vicky y los niños clamaban por su derecho a salir del país. Reyniel había salido de su mutismo habitual para decir que se sentía como un esclavo, y Alejandro repetía una y otra vez: "Unos hombres malos no me dejan ir con mi papá".

Resonaban sus voces en las bocinas que se encontraban fuera de la cabina de grabación, y poco a poco se fueron congregando allí los hombres y mujeres que trabajan en las oficinas de la Fundación, llorando enternecidamente por el impacto del tono desesperado con que hablaban los niños. Apenas si su propia emoción dejaba a Ninoska continuar preguntando, cuando Mas Canosa comenzó a hablar:

-Responsabilizo ante el mundo a los hermanos Castro si algo llegara a ocurrirle a esta familia cubana. Son sólo una madre y dos niños inocentes que no tienen filiación política alguna.

Luego, me dirigí yo al pueblo dando a conocer dónde vivían Vicky y los niños.

-Ustedes son su único apoyo y protección -le decía a las decenas de miles de cubanos que sabía nos escuchaban -Todo lo que les pido es que les brinden apoyo espiritual en estos momentos, calor humano. Nadie tiene derecho a dividir una familia arbitrariamente.

Nuestros líderes no se cansaban de repetir en sus intervenciones públicas que en Cuba todo el que quisiera salir del país podía hacerlo libremente y yo sabía que muchos cubanos, imposibilitados de escuchar otras voces, lo creían. Si el pueblo se acercaba a Vicky y los niños, habría ahora una doble razón para que el gobierno se abstuviera de reprimirlos abiertamente.

Nos habíamos adelantado al gobierno cubano, y en lo adelante les sería más difícil cometer cualquier canallada contra Vicky y los niños.

Ya concluíamos la entrevista cuando repetí a Vicky las palabras llenas de fe que sólo ella me había escuchado en una ocasión.

-Ésta es una lucha de la verdad contra la mentira, del amor contra la maldad. ¡Y el amor triunfará!

—

La propia noche en que se transmitió el programa a Cuba, la casa de los padres de Vicky se vio inundada de personas que llegaban, con discreción unos, y abiertamente otros, a brindarles ayuda. Traían oraciones, alimentos, dinero y, sobre todo: afecto.

Pasaban los días y no tenía Vicky un momento de sosiego atendiendo el constante ir y venir de simpatizantes. Algunos de otras provincias que pasaban por La Habana, aprovechaban la ocasión para visitarlos. Y no faltaron desde entonces el campesino y el pescador anónimo que traían algún alimento en las manos para el sustento de ella y los niños.

Dos ancianas de la distante provincia de Camagüey ofrecieron sus oraciones más queridas, otra regaló a los niños juguetes que había conservado durante años y hasta poemas inspirados en ellos llegaban ahora a sus manos.

Un grupo de diez madres de La Habana escribió una carta al Máximo Líder, y la hicieron pública a través de la prensa extranjera, pidiendo la liberación inmediata de Vicky y los niños. Y no había día en que no se alzara alguna voz dentro del país para denunciar en contactos telefónicos con periodistas en el exterior el abuso que se cometía con ellos.

La simpatía despertada por el coraje con que defendían su derecho a vivir en familia, llegó incluso a funcionarios menores con los que tenían que lidiar en el quehacer cotidiano, y lejos de ser repudiados por aquel pueblo cada vez más asfixiado por las escaseces y el control político, disfrutaban del respeto y la consideración de éste.

Se convirtió Vicky sin quererlo, en un personaje popular, detenida a su paso constantemente por personas que la saludaban afectuosamente, muchos de ellos reconocidos revolucionarios, para su sorpresa. En las colas de alimentos, solía sonrojarse ante la insistencia de los que la instaban a pasar primero; y grupos de jóvenes del barrio hablaban de pelear si por allí asomaba alguna turba con el propósito de organizar un acto de repudio contra ellos. Cuando llegaba un nuevo ''observador'' para situarse del otro lado de la calle, no pasaba un minuto sin que alguien viniera a avisarles, así como a contarles sobre la más reciente verificación hecha por la Seguridad del Estado, que ya la señalaba ante el Comité de Defensa como una ''enemiga peligrosa''.

Pero, al mismo tiempo, tenía Vicky que lidiar con los agentes encubiertos enviados para inducirla a participar en actividades que sirvieran de excusa para encarcelarla. A pesar de mis advertencias por radio, que escuchaban los que venían en su ayuda, de que no serían amigos quienes se brindaran para sacarlos del país a escondidas, algunos le ofrecían embarcaciones que decían tener para escapar del país, y ella contestaba que sólo se irían cuando se lo permitieran las autoridades, sabiendo que en el lugar de embarque les esperaba la Seguridad del Estado.

Había hablado por teléfono con Vicky y los niños después de las primeras transmisiones, y quedé anonadado por la inocente pena que atormentaba a Alejandro.

-Papi, ¿tú no me oyes cuando te mando besos por el radio? -me había dicho sin que yo comprendiese muy bien lo que quería expresar. Vicky me explicaría después que cuando el niño me escuchaba en el receptor, corría hasta éste abrazándolo y besándolo como si fuera a mí mismo.

Un día, Paul me trajo el teléfono de Armando Valladares, el hombre que la Revolución había calumniado como a un terrorista para torturarlo durante veintidós años por sus ideas. Había sido embajador de los Estados Unidos ante la Comisión de Derechos Humanos de las Naciones Unidas después de su liberación, y ahora ponía su experiencia y pasión en la defensa de la dignidad humana a través de la fundación que había creado con su nombre.

-Creo que él podrá ayudarte -comentó Paul cuando me entregaba el número telefónico.

Armando nos brindó su apoyo y experiencia de inmediato, y coincidí con él en que la denuncia pública constante sería la única manera de proteger a Vicky y los niños hasta lograr su libertad. Él mismo había sido liberado por la presión internacional sobre el gobierno cubano, lograda por la extensa campaña de denuncias llevada a cabo por Martha, su esposa, alrededor del mundo.

-Hay que llevar la campaña a todas partes, y creo que debemos comenzar por Washington -me dijo, pensando en tocar a las puertas de congresistas, senadores y diplomáticos, al tiempo que me ofrecía su casa en Virginia para ello.

Desde entonces, mantuve comunicación constante con él y Kristina Arriaga, Directora Ejecutiva de su fundación, quien de inmediato inició una campaña de denuncias a través de la red de trabajo que tenían establecida con las más conocidas organizaciones de Derechos Humanos del mundo.

Concluía el año y llegaban las primeras Navidades que vivía yo en libertad. Arbolitos, las tradicionales canciones y el querido Santa Claus aparecieron en todas partes. Recibí yo los primeros juguetes que, como a un niño, me regalaban amigos y familiares y por primera vez en mi vida, visité una tienda de juguetes en busca de regalos que hacer.

En cada estante un sueño, una expresión de la fantasía infantil, la congoja por mis niños ausentes, privados de su infancia, de sus sueños, de sus juguetes. Vagué como un orate sin rumbo de casa en casa aquellos días, sintiendo en mi alma el vacío que no podría llenar con nada, consumido por la angustia que me producía el malvado castigo a que estaban sometidos mis niños. Doce campanadas anunciaban la llegada del nuevo año en casa de un amigo, y se abrazaban padres e hijos cuando salí al balcón para hablarle a los míos mirando a las estrellas.

-Tienes que ser fuerte, hombre. Tarde o temprano estarán contigo -sentí la voz de mi amigo a mis espaldas, pues no había querido verme el rostro, comprendiendo que tal vez lloraba.

-Puedes estar seguro de que más temprano que tarde. ¡Éstas serán sus últimas navidades despojadas . . . ! -le respondí con los puños crispados sin volverme, conteniendo todo el aire que podía en los pulmones, sintiendo sus palmadas de consuelo en mi espalda.

Solía yo participar dos o tres veces por semana en los programas de La Voz de la Fundación, que se grababan en las oficinas de la organización, animado por el apoyo de los hombres y mujeres que allí trabajaban. Una tarde, nos visitaron cuatro norteamericanos propietarios de la planta transmisora, quienes al escuchar a Ninoska contar la tragedia de mi familia, nos pidieron pasar con ellos a una pequeña oficina. Allí nos tomamos las manos formando un círculo silencioso, sobre el que se alzó la voz de uno de ellos en la primera oración que escuchaba en inglés: ''Señor, escucha este ruego de tus hijos'', y cuando él acababa, fuimos dominados por el llanto que brota cuando amamos. Los hijos del pueblo que me enseñaron a odiar, oraban hoy por mis hijos. ¡No, primero moriría antes de permitir que mis niños fueran adoctrinados en el mismo odio diabólico!

Con los programas de radio, habíamos logrado el apoyo del pueblo cubano en la isla y en Miami, pero no era suficiente para generar el clima de presión que obligara al gobierno a permitir la salida de Vicky y los niños. Necesitábamos el apoyo moral de todos, hombres, mujeres, niños, gente de familia que estuviera dispuesta a escribir una carta a las autoridades cubanas pidiendo su libertad. Y vivía convencido de que si lográbamos inundar sus oficinas con cientos de miles de éstas, accederían a liberarlos ante el temor al renombre que cobraba el caso. Pero, ¿cómo llegar a la gente, cómo hacerles saber lo que ocurría y pedir su ayuda? Para cada cosa hacían falta los fondos que no tenía, y cuando Paul y yo buscábamos con qué pagar la impresión de los primeros volantes con las fotos de Vicky y los niños que había traído en mi vuelo, Armando Muñoz, un amigo que también hacía campaña por ellos cubrió los gastos.

Terminaba enero de 1992, cuando un grupo de artistas e intelectuales que negaban la violación de los derechos humanos en la isla, se reunieron en el centro de convenciones Jacob Javits de Nueva York, para difundir las bondades de la Revolución y recaudar fondos para el gobierno cubano. Miles de cubanos se movilizaron entonces desde todos los Estados Unidos para dar a conocer ese día en las calles de Manhattan la ignorada verdad de Cuba. Y partimos Paul y yo hacia allá en un avión fletado por la Fundación, con los primeros veinte mil panfletos de Vicky y los niños donados por el querido Armando Muñoz. Decenas de voluntarios y amigos repartirían los mismos, y otros marcharían por las calles exhibiendo las gigantescas copias que manos amigas habían hecho de sus fotos.

Amigos de otros países soportaron junto a la dolida muchedumbre el viento helado que soplaba frente al centro Jacob Javits, mientras escuchaban los testimonios de decenas de víctimas. Tuve allí la primera oportunidad de hablar libremente ante una multitud, y no pude evitar lágrimas de emoción por el culto a la libertad que se ejercía en el país en que ahora vivía, donde sus propios detractores se reunían ahora en un centro de convenciones protegidos por la policía.

Fue en aquella manifestación que conocí a Janet Weininger, quien también había sufrido el atropello de las autoridades cubanas. Durante dieciocho años había ella luchando infatigablemente porque le devolviesen el cadáver de su padre, piloto norteamericano derribado durante la invasión de Bahía de Cochinos. Pero el gobierno cubano exigía el pago de treinta y cinco mil dólares que ella no tenía, haciendo del derecho de Janet a sepultar al padre en su tierra, una razón para lucrar.

Se había ella casado además, con un piloto de F-16 el mismo año en que lo hicimos Vicky y yo, y tenían sus hijos edades similares a los nuestros, por lo que se sintieron especialmente conmovidos con nuestra historia.

Poseedora de una energía extraordinaria, escribió Janet a los principales diarios del país y concertó citas con personalidades influyentes reclamando su ayuda para obtener la libertad de Vicky y los niños. Fue entonces que el hogar de la familia Weininger se convirtió en una especie de centro de coordinación de la campaña, en el que solíamos discutir cada día los próximos pasos a dar. Apenas si me entendía con ellos en mi primitivo Inglés, mas el afecto sincero de aquella familia se robó para siempre mi cariño.

Para entonces, la mayoría de la comunidad cubana de Miami ya conocía nuestra lucha, y cientos de manos se tendían a nuestro paso ofreciendo su ayuda y no faltaba el amigo que me hacía enrojecer de vergüenza al poner dinero en mis bolsillos para ayudarme en la campaña.

Una tarde, pedí a Paul reproducir en un estudio propiedad de un matrimonio cubano una cantidad limitada de fotografías de Vicky y los niños que podíamos pagar. Cuando llegué más tarde a recogerlas, encontré que habían hecho cientos de copias que se negaban a cobrar. Habían ellos sufrido la separación familiar en los años sesenta, cuando él vino primero de Cuba. Con el tiempo, Benito y Bertha Filomía terminaron adoptándome como a una especie de hijo al que protegían y cuidaban con verdadero cariño.

Un día, alguien me dio el número de teléfono de Álvarez Andrade, oficial de la Seguridad del Estado, que había escapado recientemente de la Isla y quería hablar conmigo. Lo llamé enseguida, y supe que había trabajado en el Estado Mayor del temido órgano represivo hasta el momento en que desertó.

-Sé de planes importantes contra ti y tu familia, pero no quiero hablar por teléfono -me dijo insinuando la necesidad de vernos, por lo que concerté de inmediato una cita con él.

En voz muy baja, como si temiera ser escuchado por alguien más, me contó Álvarez que un equipo de la Contrainteligencia Militar subordinado directamente a Raúl Castro había elaborado un plan para asesinarme. Se había enterado porque ellos necesitaban la colaboración de los agentes de la Seguridad del Estado que trabajaban con él, para llevarlo a cabo.

Según Álvarez, un equipo de psicólogos ocupados en el caso había llegado a la conclusión de que pronto, estaría yo tan desesperado por la imposibilidad de reunirme con mi familia, que estaría dispuesto a regresar a Cuba si me prometían que sería perdonado. Agentes cubanos en el exterior me lo insinuarían para que la oferta partiera de mí, y prepararían entonces mi regreso clandestino, dándome muerte durante el mismo.

Luego, en Cuba, el gobierno difundiría la historia de que yo había sido un agente cubano infiltrado en las entrañas del enemigo con una importante misión, y que la CIA y las organizaciones contrarrevolucionarias del exilio en Miami me habían asesinado cuando intentaba regresar después de ser descubierto.

Una foto mía sería expuesta en el Salón de los Mártires de la Seguridad del Estado, y alguna escuela sería bautizada con mi nombre. Hasta la propia Vicky, desalentada por mi muerte, terminaría por aceptar la casa, el empleo y el automóvil que le darían ahora como un gesto de la Revolución hacia la familia de uno de sus más recientes mártires. La prensa revolucionaria haría el resto, y nadie más pensaría en las razones que pudo tener un hombre de trayectoria limpia e hijo genuino de la Revolución cubana, para romper con ella.

Una noche, me llamó desde México un amigo de muchos años que solía viajar fuera de Cuba por razones de trabajo.

-Quería que supieras de la terrible situación en que se encuentran Vicky y los niños, sin posibilidad alguna de que los dejen salir del país -comenzó contándome, para inculparme luego -Sé que tarde o temprano te arrepentirás de lo que hiciste, pues eres el culpable de la situación en que ellos están.

Comprendí que nuestro amigo había dejado de serlo cuando concluyó:

-Sólo quería decirte que, si decides regresar, puedo servirte de intermediario con nuestro gobierno para que seas perdonado.

Comprendí que era el primer mensaje directo que me enviaba el gobierno cubano.

-Gracias, pero prefiero morir antes que traicionar a mis hijos -le respondí, y nunca más volvió a llamarme durante sus frecuentes viajes al exterior. ¿Para qué iba a hacerlo?

Habíamos reunido por fin Paul y yo el dinero necesario para alquilar un automóvil, y realizar un viaje de una semana a Washington y Nueva Jersey con el fin de coordinar esfuerzos con la Fundación Valladares y el grupo de entusiastas que componían mi familia allá junto a los tíos y primos de Vicky con quienes ya me había puesto en contactado.

Dos días pasamos en casa de mis tíos de Nueva Jersey, tiempo suficiente para conocer a decenas de personas que concurrían a estrechar nuestras manos con afecto, y darnos alguna ayuda monetaria con la que llevar adelante la campaña. Fue allí que supe por primera vez las verdaderas razones por las que mis tíos se vieron forzados a emigrar a los Estados Unidos cuando tenía yo once años. Y no salía yo de mi desconcierto e indignación al descubrir que me habían ocultado hasta los atropellos cometidos por la Revolución en el seno de la familia.

Vivían ellos en un pequeño apartamento de West New York, modestamente, pero sin deudas a pesar de haber llegado aquí con dos hijos pequeños y sin otra riqueza que sus brazos. Era aquel derecho encontrado en los Estados Unidos, de vivir decorosamente con el fruto del trabajo honrado, el que le habían negado al pueblo de Cuba durante tantos años, provocando el éxodo de casi el veinte porciento de su población.

Era mi tía Fela un encanto de bondad y candidez que conservaba tan frescas, como cuando con sus ocho hermanas campesinas emigraron en 1950 a Cabaiguán. Pequeña y gruesa, conversadora y enérgica, se movía por el apartamento estando en todas partes a la vez. ¡Y pobre de mí que estuve bajo su deliciosa tutela culinaria! Me sentí perseguido por ella para hacerme tragar algo exquisito a cada minuto.

-Muchacho, come, come. ¡Mira qué flaco estás! -solía decirme entonces a pesar de no estarlo, cuando henchido, me quejaba de no poder engullir nada más.

Habían organizado su propio grupo de voluntarios para iniciar la campaña en el noreste del país, y cada día solía tío Raúl visitar decenas de establecimientos comerciales en los que dejaba los folletos que ellos mismos imprimían, mientras su hijo William enviaba cientos de FAX y cartas a personalidades recabando su apoyo.

Casi pasábamos Paul y yo más tiempo dentro del automóvil que fuera de éste, en el constante ir y venir entre entrevistas con la prensa y personalidades, visitas a escuelas, iglesias y sinagogas. En Washington, nos esperaban Armando y Kristina con una apretada agenda que debíamos cumplir a pesar de estar extenuados.

Armando nos recibió en su casa, encantada por los gritos y carcajadas de sus tres preciosos niños, que corrían entre nuestras piernas mientras hablábamos. Eran sus risas como música que me alegraba y llenaba de nostalgia al mismo tiempo, por el silencio de los míos. Y no tardé mucho en verme por el suelo, jugando con aquellos felices bribones que me llamaban tío y me robaban el corazón con la fuerza de su candor.

Nos contaron Armando y Martha de sus vidas, de la lucha librada por ella alrededor del mundo para lograr su libertad, y ya cuando nos íbamos vimos en la biblioteca los pequeñísimos pedazos de papel en que a escondidas, Armando escribió apasionados poemas de amor mientras estaba en una reducida celda de castigo.

-A pesar de las torturas, nunca lograron que los odiara -había dicho Armando sobre sus verdugos mientras yo escuchaba horrorizado el recuento de las torturas a que fue sometido.

Veríamos a Kristina a la mañana siguiente, quien nos conduciría a varias citas que había concertado en el Congreso. Temprano, ya nos esperaba en la acera, y al vernos, me extendió la mano al tiempo que decía:

-Soy Kristina -tenía el rostro infantil y vivaces ojos pardos que saltaban constantemente de un lugar a otro al tiempo que hablaba atropelladamente, como quien siempre tiene prisa . . .

-Tu corbata es horrible -comentó cuando la saludaba. Quedé sin saber qué decir, pues nunca antes había pensado en cómo debían lucir mis corbatas.

Revisamos el horario que había ella preparado cuidadosamente, y conversamos brevemente sobre la estrategia a seguir en aquel mundo de políticos desconocido para mí.

-También la corbata es importante -dijo por fin, arrojando luz sobre su interés en la que llevaba puesta.

En el Congreso, seguimos a Kristina de oficina en oficina por los pasillos, asombrados de la habilidad y soltura con que se desenvolvía allí, y de la amabilidad con que éramos atendidos en cada despacho sin que nadie nos pidiera identificación personal alguna ni telegrama de citación.

Armando y Kristina habían logrado en corto tiempo que varios congresistas y senadores estuvieran dispuestos a firmar una carta dirigida al gobernante cubano en la que pedían la liberación de Vicky y los niños. Si con ella no se lograba su libertad, al menos les brindaba una sólida protección ante posibles represalias, por la reacción que éstas podrían producir en el grupo de legisladores norteamericanos ya interesados en el caso.

Una gestión más fue posible a última hora gracias a la intervención de un amigo de Kristina: Wayne Smith, exjefe de la Oficina de Intereses de los Estados Unidos en La Habana, quien mantenía relaciones cordiales con el gobernante cubano y viajaba allá con frecuencia, estaba dispuesto a recibirme. Apenas tomé asiento, Smith comenzó a hablarme en perfecto español, criticando la política del gobierno de los Estados Unidos hacia Cuba.

-He venido a pedir su ayuda en el caso de mi esposa e hijos. Es todo lo que me interesa -le dije francamente, evitando comentar sobre un tema en el que no estaríamos de acuerdo. ¿Acaso era Estados Unidos culpable de que los líderes cubanos cometiesen los peores crímenes traicionando al pueblo y a la revolución que los llevó al poder?

Tal era la actitud de no pocos intelectuales que, atormentados por los horrores del mundo, seguían confiando en una revolución pura que les pusiera fin. Así había ocurrido con los crímenes de Stalin y Mao, que hoy asombraban al mundo. Y se repetía ahora en el caso de Cuba, con aquellos que preferían justificar la existencia de una tiranía desde el amparo y comodidad de las democracias en que vivían, en lugar de informarse y confrontar la verdad con valor.

Smith me escuchó finalmente. Todo lo que le pedí fue que, en su próximo viaje a Cuba, intercediera ante las autoridades del país pidiéndoles que permitieran la salida de una mujer y dos niños inocentes por razones humanitarias.

-No me llame, yo le prometo que le traeré una respuesta de Cuba -me dijo por último, al tiempo que tomaba los números de teléfono para encontrarme.

Le di las gracias y salí de la oficina, preguntándome si realmentemente haría la gestión. Smith viajó varias veces a Cuba desde entonces, pero nunca me llamó.

Cuando yo escuchaba decepcionado de alguien que se negaba a ayudarnos, Kristina solía recordarme que el camino era largo y tortuoso, mas no imposible.

-Este es sólo el comienzo . . . Habrá que trabajar mucho, pero lo haremos -me decía, mientras me tendía una nueva lista de organizaciones y personalidades que contactar.

—

A finales de mes se reuniría en Ginebra la Comisión de Derechos Humanos de las Naciones Unidas, ante la cual yo hablaría en un turno cedido por la Asociación para la Paz Continental (ASOPAZCO), reclamando ayuda internacional para convencer al gobierno cubano de liberar a mi familia. Armando y Kristina aprovecharon la ocasión para entregarme decenas de cartas que dirigían a embajadores y jefes de delegaciones que conocían desde sus años de trabajo allá, en las que pedían su apoyo para nuestra causa.

En Cuba, Vicky se atrevía a desafiar una vez más al gobierno, escribiendo cartas a dignatarios que entregaba en las embajadas de sus países en La Habana.

Si logramos denunciar el caso ante las Naciones Unidas tendrán que dejarlos salir -pensaba yo, presa de la mayor excitación, confiado en la efectividad del prestigioso organismo. Mientras, trabajaba día y noche en la grabación de "cassettes" con los testimonios de Vicky y los niños que pensaba repartir allí como prueba, en caso de que la delegación oficial cubana negara la existencia del caso.

Con un pasaje facilitado por la Fundación Nacional Cubano-Americana, marché a Ginebra lleno de ilusión, disfrutando por primera vez en mi vida de la libertad de viajar sin tener que esperar por el consentimiento de nadie para ello.

En Ginebra me esperaban Mari Paz Martínez Nieto y María Del Valle Alvares Guelmes, a quienes nunca había visto, pero que por gestiones de Armando y Mas Canosa, ponían a mi disposición ASOPAZCO para hablar ante la Comisión de Derechos Humanos y correr con los gastos de mi permanencia allí.

Era Mari Paz una menuda española de cabellos y ojos negros como el azabache, que desbordaba energía y talento en la lucha que libraba con obsesión por el respeto a la dignidad humana. Mujer sincera y valiente, capaz de cambiar las cosas con sus actos, era temida por su palabra, y había sido ya abofeteada por el Jefe de la Seguridad del Estado de Cuba cuando la expulsaban del país apenas minutos después de aterrizar en el aeropuerto internacional de La Habana, adonde había llegado para investigar abiertamente la violación de los derechos humanos en la isla.

Valle había venido de la Argentina con sus veintiséis años cargados de sueños por un mundo más justo, y entregaba ahora, como Mari Paz, su energía y talento a la defensa de los derechos de otros.

Ellas y Luis Zúñiga, expreso político cubano con quien compartí la habitación del hotel y las anécdotas de las torturas que sufrió en las cárceles cubanas, serían mis compañeros de equipo en la batalla que libraríamos ante los ojos del mundo. Y juntos preparamos el discurso que yo pronunciaría, agregando los nombres de otras familias en situación similar a la nuestra.

El primer día que asistí a la reunión de la Comisión, me sentí sorprendido e indignado por la intervención de Vilma Espín, esposa de uno de los hermanos que se arrogaban el derecho de dividir eternamente a nuestra familia. En su intervención, habló sobre los derechos del niño, y la manera ejemplar en que Cuba los respetaba, provocando mis nauseas con sus palabras. Al final de su discurso, en el que llamaba al ''imperialismo yanqui, culpable del hambre y la miseria de millones de niños en el planeta'', decía que era preferible para esos niños, la muerte bajo los efectos de una guerra nuclear antes que el hambre que sufrían hoy día.

Nunca imaginé que escucharía semejante atrocidad en las Naciones Unidas.

Los miembros de la delegación cubana corrieron entonces por los pasillos del salón, aplaudiendo fuerte y ridículamente para producir un efecto de contagio en la sala, y me sentí horrorizado de la apatía con que los presentes observaron un claro llamado al holocausto mundial.

-Me dirijo a esta Asamblea y a la comunidad internacional, en reclamo de ayuda para poner fin a la tragedia que hoy viven mi esposa e hijos, tomados como rehenes por las autoridades de mi país . . . -comencé leyendo con voz temblorosa ante aquellos diplomáticos que se movían de un lado a otro por el salón que antes creía dominado por la disciplina. En breves palabras, conté la manera en que eran obligados a vivir ellos y otras familias separadas arbitrariamente, bajo el constante temor e incertidumbre de saber que sus vidas no dependían de leyes, sino de la voluntad de hombres que los despreciaban. Ya cuando concluía, llamando por sus nombres a las víctimas y a sus secuestradores, fui interrumpido por los golpes que, enfurecido, daba el jefe de la delegación cubana en su mesa.

¡Ni siquiera en las Naciones Unidas, se comportaban con decencia! ¿Qué podría entonces esperarse en Cuba?

Terminaba el período de sesiones de la Comisión, y se aprobaba por mayoría el nombramiento de un Relator Especial de Naciones Unidas para investigar la situación de los derechos humanos en Cuba. El jefe de la delegación cubana habló después de la votación, atacando con groseros epítetos a los países que pedían el respeto a los derechos humanos en la Isla, y anunciando que jamás permitirían la entrada al país de un relator del más alto organismo internacional. No sólo cometían los peores crímenes, sino que además, se burlaban del mundo.

—

Regresé a Miami decepcionado de los resultados de mi viaje por la impunidad con que actuaban las autoridades cubanas ante las propias Naciones Unidas, carcomidas por la burocracia, y despreciadas por los gobiernos que ignoraban sus decisiones y violaban los derechos de millones de personas en el mundo.

Calculaban ellos bien el estado de desesperación en que me encontraba, y me vi de inmediato asediado por agentes cubanos disfrazados de exilados que me ofrecieron sus servicios para ir a Cuba por Vicky y los niños. Tan entusiasmados estaban con que yo caería en la trampa, que hasta hombres ranas, sofisticados equipos electrónicos, y la colaboración de supuestas redes clandestinas que tenían en Cuba, me ofrecían para ello.

Me bastaba con la experiencia de algunos infelices que habían ido armados a la isla con la tonta idea de que podrían liberarla con sus fusiles, y eran esperados en el lugar de desembarco por las tropas guardafronteras que habían sido alertadas de antemano. Montaba entonces, el gobierno cubano, a costa de aquella pequeña incursión de hombres armados llegada en el momento preciso, otra campaña acusando de terrorismo a la CIA y a la comunidad cubana en Miami. La existencia de un enemigo externo, volvía a servir para reprimir a los disidentes que surgían y para exacerbar el espíritu nacionalista de un pueblo cegado por la desinformación.

Meses después, un agente cubano infiltrado en la jefatura de una organización de exilados, provocaría un escándalo al decidir descubrirse y colaborar con un canal de la televisión local de Miami para grabar con cámara y micrófonos ocultos, uno de los encuentros en que recibía instrucciones de un Oficial de la Inteligencia de Cuba acreditado como diplomático ante las Unidas en Nueva York. Luego, contó ante las cámaras cómo el propio gobierno cubano le había entregado dinero para financiar algunas de aquellas operaciones ilegales de desembarco que efectuaban grupos de exilados contra Cuba.

Otros individuos quisieron "ayudarnos" también con otros fines. Un día, fui invitado por un grupo de acaudalados hombres de negocios que pusieron a mi disposición un helicóptero Bell para rescatar a mi familia, lo que me llenó de entusiasmo entonces, pues confiaba en ellos. Mas pronto se esfumarían mis sueños cuando me pidieron que, en pago, asesinara yo a Fidel Castro durante una de sus intervenciones públicas al aire libre, utilizando el mismo helicóptero.

-Pondremos en tus manos dinero suficiente para que puedas esconderte para siempre con tu familia en cualquier lugar del mundo, después que lo hagas -me dijeron cerrando la oferta.

-Gracias, pero no soy el hombre que ustedes buscan -les respondí, y nunca más volvimos a vernos.

Cada día que pasaba me convencía más de que el gobierno cubano, temeroso de los oficiales más jóvenes de las Fuerzas Armadas, jamás permitiría la salida de Vicky y los niños, y de que tendría que ir yo mismo por ellos tarde o temprano. Mas, ¿cómo? Necesitaba ante todo encontrar los medios, y elaborar un plan que personas de toda confianza pudieran entregar a Vicky en Cuba. No tenía ni una ni otra cosa. Las personas en quienes confiaba no podían viajar a Cuba.

Había logrado Janet para entonces, contactar a un grupo de prominentes cubanos que vivían en Atlanta y que nos invitaban a visitarlos para buscar el apoyo de personalidades de la región que podrían interceder ante el líder cubano. No pudimos ponernos en contacto allí al Señor Ted Turner, propietario de CNN, cuyo asistente nos respondió en una escueta carta que no podría ayudarnos, pero sí recibimos el importantísimo apoyo de la señora Coretta Scott King, a quien no pudimos ver por encontrarse de viaje, pero que envió una magnífica carta a Fidel Castro pidiendo la salida inmediata de los niños y Vicky.

La carta de la viuda del líder norteamericano que tanto luchó por los derechos civiles fue ignorada como tantas otras por el gobierno cubano, y una vez más volví a convencerme de que ninguna gestión de aquella índole daría resultados.

Acabábamos de regresar a Miami, cuando recibí una llamada telefónica:

-Somos de la Canadian Broadcasting Corporation, y acabamos de arribar de Cuba. Kristina, de la Fundación Valladares, nos dio la dirección de su familia, y les hicimos una entrevista que queremos mostrarle, para luego conversar con usted.

Creí que el corazón me estallaría cuando les escuché, y caminé de un lado a otro del apartamento de mi tía como animal enjaulado mientras esperaba la llegada de aquellos reporteros que me traían imágenes de quienes tanto amaba y no veía hacía ya más de un año.

Vicky se veía valiente y con la frente erguida por la razón que la asistía, cuando mostraba a los reporteros las visas norteamericanas que no podían usar, pero con el rostro surcado de las tristes huellas dejadas por más de un año de sufrimientos y vejaciones. Me filmaban ellos mientras miraba yo las imágenes de mis seres queridos en el televisor y hacía un esfuerzo descomunal por contener mis emociones. Cuando con rostros tristes mis niños contaban que "unas personas malas" no les dejaban ir a vivir con el papá que tanto añoraban, ya no pude contener más lo que estallaba en mi pecho como un volcán.

Pasé después varias noches sin dormir, acosado por la desesperación, pensando angustiado que me llevaría largo tiempo preparar el rescate si la campaña no daba resultados.

Cualquier cosa que decida hacer, tendré que prepararla fuera de aquí

-meditaba, comprendiendo que me sería difícil planear el rescate en Miami sin levantar las sospechas de los agentes cubanos que infectaban la ciudad.

Armando y Kristina me insistían entonces en que me fuera a vivir cerca de ellos para organizar una mejor campaña, y pensando en que allí lograría mejores resultados, me despedí de la familia y los innumerables amigos que ya tenía en Miami, para establecerme en un pequeñísimo apartamento de un edificio atestado de alegres estudiantes africanos, en Alexandria.

-Ambas cosas marcharán a la vez . . . -me decía con los ojos clavados en el techo, intentado dormir la primera noche en mi nueva morada -la campaña pública y los planes para rescatarlos.

Capítulo 18

—

Manos amigas

Apenas instalado en Virginia, me invitó Armando a una actividad cultural de La Casa Cuba, especie de asociación creada por la pequeña comunidad cubana en la región, pues estábamos a la búsqueda de voluntarios que pudieran ayudarnos en la campaña. Llegué tarde al teatro en que se reunían, e impresionado por la calidad y cubanía de los que cantaban, avancé en silencio tomando asiento en un escalón del oscuro pasillo, próximo al escenario. Canciones, bailes, poemas de lo más genuino de nuestra cultura, fueron tocando las cuerdas más sensibles en mí, haciéndome disfrutar el recuerdo de mi patria, perdida en los abismos de un culto revolucionario falso.

Desorientado al comienzo, vivía con Armando y Kristina en una constante actividad de oficina en oficina del Congreso, la Organización de Estados Americanos y organizaciones religiosas y de derechos humanos. Pero, al mismo tiempo, estudiaba en silencio el mundo que me rodeaba, en busca de la manera que me permitiera rescatar a mi familia por mí mismo. Era piloto, y un avión o helicóptero sería el medio ideal para ello, pero antes tendría que obtener mi licencia en los Estados Unidos. Por ello, pasaba las horas estudiando inglés, empeñado en estar listo cuanto antes para enrolarme en alguno de los cursos para pilotos privados que ofrecían algunas escuelas de la región.

Un día, me pidieron Armando y Kristina que los acompañara a casa de Elena Díaz-Versón Amos, Directora de la Fundación, y fundadora con su esposo de la importante compañía de seguros American Family Life Insurance.

-Puede ayudarte mucho e insistió en que tú fueras -me dijo Kristina, observando que no me entusiasmaba mucho la idea.

En realidad, me desagradaba la posibilidad de que alguien me viera como a un individuo que tendía la mano en busca de dinero para lograr la libertad de su familia. ¿Qué otra cosa podría pensar Elena de un extraño que llegaba a su casa con un problema como el nuestro?

-Gracias, pero no es dinero lo que necesito, sino personas que me comprendan y luchen conmigo -le respondí, con la acostumbrada sinceridad con que nos hablábamos Kristina y yo.

-No hables así, no conoces a Elena.

Vencieron por fin mi testarudez, y ahora viajaba en el avión privado de Elena, enviado por ella para recogernos, aún incómodo por el encuentro que me esperaba.

En Columbus, Georgia, nos esperaba al pie de la escalerilla una mujer de sonrisa perenne, vestida con gusto y sencillez, que nos saludó con animado gesto para presentarnos luego uno por uno a sus acompañantes, irradiando cierta energía infantil mientras se movía de un lado a otro dando instrucciones alegremente.

Abordamos con Elena la limousine que nos aguardaba y partimos de inmediato escoltados por dos policías en motocicletas. Fue entonces que, mirándonos con la expresión del niño que hace una travesura, dijo:

-Este no es mi carro, es la única limousine del pueblo. ¡Se la pedí prestada a la funeraria! -y estalló seguidamente en una risa cristalina y alegre, como un niño que disfruta su travesura, contagiándonos con ella de inmediato. En el trayecto a su casa parecía disfrutar cada recodo del camino, hablándonos de la historia de aquel pueblo que amaba con pasión, y estallando en candoroso júbilo cuando los policías hacían sonar las sirenas en cada intersección que cruzábamos.

Estaba la casa de Elena, un ''penthouse'', sobre un estacionamiento de siete pisos junto al edificio de su compañía que, imponente, dominaba con su altura a toda la ciudad. Cuando entrábamos al recibidor de reluciente piso de mármol, se quitó ella los zapatos con un suspiro de alivio, mientras decía:

-¡Ah!, me encanta caminar descalza en mi casa, quítense los suyos también si lo desean.

Asombrado de mi soltura en aquel lugar en que nunca antes había estado, la imité junto a Kristina y Armando, disfrutando la limpia frialdad de aquel piso después del viaje. Habían pasado apenas unas horas de conocerla, y ya el candor de la personalidad de Elena me había cautivado tanto que me escuché reír en su compañía como no había hecho en largo tiempo. Cada cosa en su casa inundada de flores era un vestigio de su carácter.

Amó Elena apasionadamente al hombre con el que se casó cuando eran casi adolescentes, y había quedado desde su muerte el año anterior con un vacío inmenso en el alma.

Cuando conoció los detalles de la situación en que estaban Vicky y los niños, lloró de pena y quiso hablarles por teléfono y escribirles en lo adelante como si fueran parte de su propia familia. Y no dejó desde entonces, de hacer algo por lograr la intervención de personas que pudieran ayudarnos, ya fuera en la iglesia y las escuelas o entre los numerosos congresistas y senadores que conocía.

Intentó ella contactar Ted Turner otra vez, para que llamara a Castro y utilizara el hecho de que le había conocido en Cuba, para pedirle la libertad de los míos. Pero tampoco recibimos una respuesta, y preferimos entonces no insistir.

Otras personas como la señora Coretta Scott King nos llenaban de esperanza, quien nos recibió en su despacho del King Center expresándonos su disposición en ayudar en todo lo posible para lograr la reunificación de nuestra familia.

En Cuba, Vicky recibía la única respuesta a las tantas cartas que escribió a personalidades en el exterior. Le respondía la esposa del Presidente francés, Madame Danielle Mitterrand, que sentía no poder ayudarla porque ella no podía gestionar una visa norteamericana para ellos.

Evidentemente, no había comprendido lo que le pedía Vicky, y volvió a escribirle explicando en detalles que lo tenía todo, sólo le rogaba que, en su próxima visita a Cuba anunciada por los medios de prensa oficiales, aprovechara el encuentro con Fidel Castro para pedirle que les permitiera salir del país por razones humanitarias.

La segunda respuesta de la señora Mitterrand fue más explícita: "Lo siento, pero su esposo seguramente llevó secretos militares a los Estados Unidos, y no podré interceder por usted".

-¿Habrá entonces causa que justifique el castigo a personas inocentes? -me preguntaba una y otra vez sin lograr comprender.

Otras personas sin embargo, me devolvían la fe en un mundo mayoritariamente justo y noble. Tal era el caso del joven Brandon Scheid, estudiante de la universidad George Washington y voluntario de la Fundación Valladares, que pasaba las horas en las oficinas de ésta organizando y concibiendo nuevas estrategias para la campaña.

Escribía él a la prensa, a políticos, líderes religiosos y artistas. Bondadoso y modesto, parecía poseído de una especie de obsesión por lograr justicia, por ayudar y ser útil. Solía yo decirle en broma que él era el arma más poderosa de los Estados Unidos contra sus detractores, y me miraba al parecer sin comprender que existía una parte del mundo empeñada en pintar a su país como el reino del egoísmo y el fratricidio.

De regreso a Virginia fui invitado a almorzar por un cubano envuelto desde su adolescencia en la defensa de los derechos humanos que quería ayudarnos. Era Frank Calzón, el representante de Freedom House en Washington, quien disponía de una amplia red de relaciones en el Congreso y la prensa norteamericana que nos permitiría dar un nuevo impulso a la campaña. Frank había sido uno de los organizadores de la campaña por la libertad de Armando, y creía de buena fe que si lográbamos desarrollar suficiente presión desde el exterior sobre el gobierno cubano, éste accedería a liberar a Vicky y los niños.

Como en los meses que estuve en Miami, un grupo de familias cubanas de Virginia me adoptaron espontáneamente poniendo tanto cuidado en atenderme, que no me daban sosiego entre continuas invitaciones a cenar y pasar tiempo con ellos para que no estuviera solo. La casa de Armando se había convertido en mi segundo hogar, y solía visitarlos con frecuencia para disfrutar el bullicio con sus niños, enloqueciendo a Martha con el alboroto que solíamos armar en unión de la dócil y alegre perra de la casa. Entonces, nos miraba Martha desde el comedor, y sin hacer distinción decía:

-¡Niños.., a comer, qué ya está la mesa!

Cinco bribones campeaban por su escandalosa alegría en la casa: los tres niños, la perra y yo. Y cuando alguna vez me observaban Armando y Martha, que no jugaba yo como de costumbre con los niños, me preguntaban preocupados qué me ocurría.

-Amo el retozo con los niños . . . -les decía mientras miraba con tristeza a éstos jugar sin mí -pero el silencio de los míos a veces es tan grande que ahoga el ruido de ellos . . .

Corría ya el mes de junio, y la Fundación Valladares y Freedom House habían imprimido miles de postales en varios idiomas con las fotos de Vicky y los niños para entregarlas a personas que las enviaran al gobierno cubano. Frank Calzón había logrado publicar un artículo sobre el caso, y ahora desarrollaba con el grupo de voluntarios de Of Human Rights una campaña de cartas y postales a la Reina Sofía, de España, para que intercediera ante el líder cubano durante la próxima asistencia de éste a la Cumbre de Jefes de Estados Iberoamericanos en Madrid.

Para entonces, había logrado con la ayuda de Mari Paz, ponerme en contacto con la oficina del Presidente de la Junta de Galicia, quien mantenía también cordiales relaciones con el gobernante cubano y había sido galardonado recientemente por éste con la más alta condecoración oficial cubana. Había él logrado la libertad de varios presos políticos con sus gestiones, y recibí con alegría la noticia de que el Presidente de la Junta había escrito al Máximo Líder pidiendo la salida de Vicky y los niños por razones humanitarias.

Será difícil decirle que no -pensé esperanzado en que Fidel Castro accedería a la petición de quien llamaba amigo de Cuba. Pero me equivocaba . . .

Por aquellos días, mi suegro había sido invitado por sus hermanas de Nueva Jersey a venir de visita por razones humanitarias, pues hacía más de veinte años que no las veía. Primero, logró la visa temporal norteamericana, y ya sus hermanas habían pagado en dólares la exorbitante tarifa que cobraba el gobierno cubano por los documentos de viaje y el billete de avión que sólo permitía comprar en la compañía que les dejaba sólidos dividendos. Faltaba solamente tomar el avión . . .

Sufría yo entonces, la ansiedad que nos producen las ilusiones, y ya había comprado los puros y la comida que más gustaba aquel hombre que quería como a mi propio padre. Mi pequeña morada transpiraba celebración por su llegada. ¡Qué alegría cuando lo abrazara!

En Cuba, Gerardo, excitado como un niño que recibe el mejor regalo, iba de un lado a otro de la casa en los preparativos del viaje. Lo tenía todo, documentos, pasaje . . . A la mañana siguiente, ¡el aeropuerto!

En unas horas estaré con mis hermanas, y con él -pensaba, sintiendo su pulso acelerado y ese cosquilleo interno que nos consume en la ansiedad. No, no podría dormir esa noche . . .

Alguien llamó a la puerta, y corrió él mismo a abrirla:

Seguramente alguien más que quiere enviar una carta a un familiar -se dijo, recordando las visitas que ya había recibido durante el día de personas que le pedían que depositara sus cartas en algún buzón de los Estados Unidos. Era la manera más utilizada para escribir a los familiares, la más rápida y segura.

-Buenas noches -saludó al joven desconocido.

-¿Gerardo Rojas?

-Sí . . .

El hombre sacó su billetera, y le dejó ver el carnet cruzado por una franja diagonal de color verde y tres grandes letras impresas a lo largo de la misma: D S E. Gerardo sintió un escalofrío. ¿Qué querría la Seguridad del Estado?

En silencio, el hombre guardó su billetera, mientras Gerardo le miraba aturdido, con los ojos muy abiertos y la respiración contenida.

-Me han dicho que viniera a informarle -comenzó por fin a hablar el desconocido, al tiempo que miraba sobre el hombro de Gerardo hacia el interior de la casa -a informarle que usted no puede viajar.

Gerardo sintió que algo se le trababa en la garganta, y con voz que le brotó aguda por el esfuerzo preguntó:

-Pero, ¿por qué? Si lo tengo todo, pasaje, documentos . . . Debe ser un error . . .

-Ya le dije, para que no haga maletas o las desempaque ahora mismo. Usted no puede salir del país, y sabe por qué. ¡El esposo de su hija es un traidor!

Regresó a su cuarto arrastrando los pies, como si una carga terrible le impidiera andar. Miró la pequeña maleta abierta sobre la cama y se echó a llorar. Era la primera vez que lo hacía, desde la muerte de su padre, ocurrida hacía ya muchos, muchos años.

—

Comenzaba a finales de julio de 1992 la Reunión Cumbre en Madrid y me dispuse a asistir con la intención de realizar una huelga de hambre que llamara la atención sobre nuestro caso de los jefes de estados y la prensa allí presentes.

Tal vez la vergüenza pública de verse en el papel de un tirano que secuestra a mujeres y niños lo fuerce a dejarles salir -pensaba cifrando todas mis esperanzas en el impacto que pudiera causar la huelga. Pero necesitábamos encontrar fondos para mi viaje.

Un amigo que había conocido por intermedio de Armando, llegado de los campos cubanos a estas tierras hacía más de treinta años, y que aún mantenía fresco el candor de un campesino, se lanzó entusiasta a recaudar fondos entre los miembros de la Casa Cuba. Ya eran Nelson Lima y su familia, como especie de tutores que velaban al igual que Armando y Martha, por mi equilibrio, preocupados siempre por lo que pudiera hacer cuando me asaltaba la desesperación ante la realidad de los repetidos fracasos.

Una vez, presa de la frustración, había estallado yo diciendo que iría a buscar a Vicky y los niños, y todos se llenaron de horror al escucharme. Desde entonces, Nelson me insistía en los fines de semana en que lo acompañara de cacería, o de visita a sus amigos en el campo. Yo comprendía que lo hacía para que no fuera pasto de una depresión que me condujera a hacer una locura.

Los preparativos para la huelga de hambre se convirtieron en un sufrimiento colectivo, especialmente para mí, víctima del exceso de atención de aquellas personas que me querían y me daban mil consejos con el deseo de que no me ocurriera nada.

"Tienes que tomar vitaminas". "Tienes que dejar de fumar hoy mismo". "Tienes que alimentarte bien ahora para crear reservas de energías". -eran los consejos que escuchaba por doquier de la mañana a la tarde, cada día.

Elena solía venir con alguna regularidad, y nos reuníamos siempre en su casa de Washington para discutir los últimos proyectos de la campaña. Ahora estaba ella organizando con iglesias de varios países una cadena de oraciones alrededor del mundo por Vicky y los niños, y nos mostraba entusiasmada el prototipo de la tarjeta con sus fotos que invitaba a unirse a ella.

Ya próximo a mi partida para España, nos reunimos Armando, Kristina y yo con ella para cenar. Y me veían comer con magnífico apetito al tiempo que ellos lo habían perdido, cuando Elena exclamó señalándome:

-Si no pasa rápido esta huelga de hambre, ¡nos vamos a morir todos menos él!

Y nos echamos todos a reír. Armando era el único que me comprendía y apoyaba totalmente, pues con su experiencia de once huelgas de hambre en las prisiones cubanas, sabía que no me ocurriría nada.

-Lo más importante es que estés saludable antes de comenzar la huelga -solía decirme -y verás que no pasa nada. El hambre es lo único terrible, pero te dura sólo los primeros dos días. Luego, pierdes el interés por los alimentos y sientes hasta cierto bienestar.

Sabía que resistiría la semana que me había propuesto, pero la idea de soportar un hambre cada vez más atroz no me entusiasmaba en lo absoluto.

Llegó el día de la partida, y con el dinero recolectado por más de un centenar de personas, me marché a España en aquel esfuerzo en que ponía todas mis esperanzas. Había hablado con Vicky antes de partir y había logrado convencerla de que mantuviera una vida normal, pues quería ella hacer una huelga al mismo tiempo que yo.

-Será absurdo que hagas una cosa así en Cuba. Allí no existe prensa capaz de reportar lo que hagas. Te necesito con fuerzas -le había dicho.

Reyniel, por su parte me leía una carta que había escrito al líder cubano:

-Usted, que es bueno con los niños, sé que cuando reciba ésta nos dejará ir con nuestro papá.

Y yo tragué en seco la amargura de no tener fuerzas para explicarle que eran vanas sus ilusiones.

En Madrid, me esperaban Mari Paz y Valle más alarmadas que mis amigos de Virginia.

-Estás loco. España es muy diferente de Estados Unidos. Una huelga de hambre aquí no tendrá repercusión alguna -me decían una y otra vez, tratando de convencerme para que no la hiciera -en cambio, organizaremos encuentros con la prensa que todos los visitantes leerán. Y verás que lograrás un efecto mejor.

Había arribado unos días antes del comienzo de la gran reunión de Jefes de Estado, y estuve con Mari Paz en varias entrevistas y en el popular programa de Encarna Sánchez. Meses antes habíamos participado en su programa de radio desde Miami yo, y desde La Habana Vicky y los niños, por teléfono. Ahora, volvía a lograr comunicación telefónica desde los estudios con un vecino de Vicky, y transmitía en vivo la entrevista con ellos.

Vicky y los niños hicieron un dramático llamado a las familias españolas para que escribieran cartas al gobernante cubano durante su visita, y Encarna daba la dirección de la oficina de Mari Paz al final del programa.

Había yo preparado un primitivo documental en video, de ocho minutos, en el que mostraba imágenes del líder cubano y su hermano, afirmando en sus intervenciones públicas que nadie era retenido en contra de su voluntad en Cuba, en contraste con las tomadas a Vicky y los niños por la televisión canadiense en Cuba, donde Reyniel y Alejandro explicaban que se sentían como esclavos que no podían reunirse con su padre.

Nadie quiso mostrar ni un fragmento del material que había reunido con tanta dificultad, y convencido de que sólo la huelga lograría el objetivo de romper el silencio impuesto sobre el caso por el gobierno cubano, aparecí en la oficina de Mari Paz y Valle la mañana del lunes veinte de julio, con las cadenas y los dos candados que acababa de comprar para atarme con ellos a la verja del famoso Parque del Retiro, justo frente a la célebre Puerta de Alcalá, y apenas a unos metros del hotel que alojaría a los presidentes de visita. Con las cadenas quería simbolizar la situación en que estaban mis seres queridos.

Sabía que para lograr la credibilidad de la huelga, debía realizarla a la luz pública, donde no cabrían las especulaciones que de un lado y otro suelen surgir en estos casos sobre si el que está en huelga come a escondidas o no, desviando la atención del propósito de la misma.

Por ello, la noche del viernes había tomado diez tabletas de un laxante para asegurarme de que entre sábado y domingo mis intestinos quedarían totalmente limpios, y así poder permanecer encadenado a la verja toda la semana.

Teníamos en Madrid 38 C, y había estudiado el lugar en mi trayecto a la oficina de Mari Paz, convencido de que podría resistir sin deshidratarme bajo la sombra de los frondosos olmos que allí había.

-Estás loco de remate -me dijo Mari Paz cuando vio las cadenas y los candados en mis manos, pero convencida de que sería inútil insistirme en suspender la huelga, corrió con Valle y su hermana Alicia para dar la noticia a los medios de prensa.

Cerca del mediodía se cerraban los candados en las cadenas que ataban mis brazos a la hermosa verja de hierro, y llegaban los primeros fotógrafos y periodistas. Sólo me acompañaban la foto de Vicky y los niños que había logrado colgar a la verja con el letrero: "¡Castro, libera a mi familia rehén!" y el libro de Armando *Contra Toda Esperanza,* que me serviría de inspiración para soportar los momentos más duros de la huelga.

De inmediato, se movilizaron los voluntarios de la campaña en Madrid, y en breve mi lugar quedó inundado por sillas, una nevera para el agua fría, mantas, un radio para escuchar las noticias, una tira de tela enorme que decía: ''En huelga de hambre por la libertad de mi esposa e hijos rehenes en Cuba'', y cientos de las primeras cartas que enviaban los oyentes de Encarna a la oficina de Mari Paz.

Preocupado por la impunidad con que podrían agredirme algunos de los más de trescientos agentes cubanos que la prensa española reportaba como llegados para proteger a Fidel Castro, Oscar Pérez, un amigo piloto de Iberia sugirió que sus hijos se quedaran conmigo para velar mi sueño. Luego, organizaron una especie de custodia constante en colaboración con un grupo de exprisioneros políticos cubanos que vivían en Madrid.

Encarna también envió el equipo móvil de su estación, y todos sus oyentes, que por meses habían seguido el drama de nuestra familia, supieron lo que ahora hacía en un acto más de desesperación.

En pocas horas se fue llenando el lugar de personas que venían a ofrecernos sus simpatías y ayuda, y aquel primer día de huelga, pero el tercero sin ingerir alimento alguno, fue el comienzo de la batalla con decenas de ancianas madrileñas que venían con lágrimas en los ojos y alimentos en las manos, a pedirme que comiera algo aunque fuera a escondidas.

En la tarde apareció el equipo de la televisión hispana de Miami, y aproveché la ocasión para hacer público lo que ya había dicho al diario ABC: ofrecía al gobierno cubano mi retorno inmediato al país para ser juzgado por lo que ellos llamaban ''traición a la patria'' si asumían el compromiso público de permitir la salida inmediata del país de mi esposa e hijos apenas me entregara.

-¡Ahora sí que estás loco de remate! -exclamó Mari Paz horrorizada ante la posibilidad de que las autoridades cubanas aceptaran y me fusilaran sin cumplir su promesa.

-Si lo hicieran . . . -comencé a explicarle -ya habríamos ganado la batalla. El gobierno cubano no puede reconocer ante su pueblo que toma como rehenes a mujeres y niños inocentes. Sólo pretendo privarlos de argumentos ante la opinión pública internacional, y forzarlos con ello a liberar a mi familia. Preferirían eso antes que aceptar lo que les propongo. Me quisieran de vuelta, pero no de esa manera, sino en el silencio que les permita tejer otra historia y ocultar al pueblo y a los oficiales más jóvenes de las Fuerzas Armadas las razones que tuve para escapar.

Mari Paz me miró a los ojos, y luego de unos segundos de silencio volvió a estallar:

-¡Claro, ahora sí que ganaremos la batalla! Tendremos un fusilado, una viuda, dos huérfanos . . . ¡Y habremos perdido la guerra!

Había pedido a Valle que se llevara las llaves de los candados, y al llegar la tarde comprendí que el largo de las cadenas no era suficiente para permitirme dormir en el suelo. De todos modos, vencido por la debilidad y el calor, me tendí sobre el pavimento dejando mis brazos colgar de las cadenas, mientras escuchaba las voces de mis improvisados custodios alejarse en la medida que me vencía el sueño. Por la madrugada, un dolor insoportable en las muñecas me despertó, las tenía inflamadas por la presión de las cadenas y decidí que sería preferible dormir sentado antes que quitármelas. Pero ocurriría a media mañana lo que más me temía: una pareja de policías vino a pedirme que me quitara las cadenas, y pensando que les convencería con facilidad, les respondí que había tirado las llaves por una boca del alcantarillado. Aunque gentiles, se mantuvieron firmes en lo que exigían, advirtiéndome que si no me las quitaba, llamarían a un equipo para que las cortara y me expulsarían del lugar. Lo que me llenó de espanto, pues una vez más los verdugos de mis seres queridos se anotarían una victoria indirectamente. Trataba yo inútilmente de convencerlos, cuando llegaron Mari Paz y Valle en el momento preciso.

-Él no tiene permiso para hacer esta huelga . . . -comenzó el policía a explicarle a Mari Paz -y el uso de cadenas saben ustedes que es algo que no podemos aceptar. Pero simpatizamos con su causa. Si se las quita, le dejaremos hacer su huelga hasta que quiera.

Valle sonrió con júbilo, extrajo las llaves de sus bolsillos y comenzó a abrir los candados. En los próximos días habría siempre una pareja de policías españoles en el área que compartían amistosamente con nosotros.

El líder cubano debe llegar el próximo día, y ya sale su foto en el diario ABC junto a la mía, encadenado a la verja. El contraste es notable, y siento júbilo de haber logrado algo que le será difícil ignorar ante la opinión pública española: ya no es un líder carismático y humanista, sino un tirano que toma como rehenes a mujeres y niños inocentes.

Tal vez la vergüenza lo haga acceder ahora -pensaba entusiasmado, dispuesto a continuar la huelga mientras él permaneciera en Madrid, o hasta que diera una respuesta sobre el caso a la prensa que lo acechaba.

Ya hay 40° C, mas no me siento débil. Mari Paz me anuncia que hay una concentración popular de condena al tirano en la Plaza de Colón, y que los participantes se proponen marchar con velas en las manos adonde me encuentro para participar en la velada por Vicky y los niños que han anunciado Valle y ella por radio.

Está cayendo la tarde cuando siento las sirenas de la policía y veo a la multitud aproximarse por la calle Serrano entre gritos, pancartas y banderas cubanas que traen consigo. Llegan y me rodean expresando su apoyo a nuestra causa.

-¡No estás solo hermano! -grita Luis Zúñiga, mi compañero de cuarto en Ginebra, y le acompañan los otros. De manera espontánea se nos unen diputados españoles y rusos que han venido a observar la reunión de mandatarios. Prácticamente están presentes todas las organizaciones que luchan por una Cuba democrática, y siento en el apoyo de todos la tragedia vivida por las familias cubanas en las últimas tres décadas.

Cientos de velas se prenden al tiempo que oramos por Vicky y los niños, y cubren el muro de la verja dejando su huella de parafina para largo tiempo entre estampillas, notas y juguetes que, como símbolo deja la gente. Kristina ha enviado con toda urgencia una foto gigantesca de Vicky y los niños, y ahora cuelga junto a las primeras mil cartas recibidas del pueblo español. Un mural con dibujos y cartas que envían los niños libres a mis niños rehenes cubre también una parte de la verja, llamando la atención de turistas y transeúntes que se detienen a leer y a estampar sus firmas en un libro preparado por Alicia, la hermana de Mari Paz, con la petición que se enviará al mandatario cubano.

Un hombre y una mujer, que distinguimos por sus ropas como cubanos recién llegados, se detienen a observar la velada y comienzan a insultarnos a gritos. Alguien reacciona con indignación, pero llamo al orden pidiendo a todos ignorarlos, pues lo que buscan es un escándalo público que fuerce a la policía a interrumpir la huelga. Y les damos las espaldas hasta que, cansados de gritar sin recibir respuesta, se retiran.

Es mi tercer día de huelga y tengo un hambre atroz, lo que me hace recordar a Armando constantemente y su advertencia de que no la sentiría después del segundo día. A pocos metros de distancia hay un kiosco que vende comestibles, y sufro con la presencia de las personas que cándidamente se paran a conversar conmigo mientras saborean un helado o mastican un bocadillo.

De la oficina de correos llaman que han recibido más de mil cartas ese día que les es imposible entregarlas, y Mari Paz manda por ellas para colgarlas de un hilo atado a la verja. Cada día que pasa se expande el espacio que ocupan las cosas que trae la gente, y más y más turistas y madrileños vienen a estampar sus firmas y a tomarse fotos con nosotros.

El gobernante cubano ha llegado, pero rodeado de un cordón de seguridad impenetrable, es el único mandatario que evade la prensa, y presiento horrorizado que logrará escapar sin que algún periodista pueda confrontarlo en nombre de Vicky y los niños.

Cada día me llegan mensajes de Elena, Kristina y Armando por FAX, o grabaciones que hace Mari Paz cuando habla con ellos por teléfono. Han organizado una manifestación frente a la Oficina de Intereses de Cuba en Washington, y los niños de Armando caminan entre los manifestantes portando unas pancartas de Vicky y los niños tan grandes como ellos.

Al cuarto día de huelga me envía Armando un mensaje grabado, y contento, escucho el relato de los niños sobre su alegre participación en la demostración ''para que puedan venir los primitos'', como me dicen.

-Ya lo más duro ha pasado, seguro que no sientes ni gota de hambre . . . -escucho la voz de Armando.

Y yo miraba la pequeña reproductora entre mis manos al tiempo que le decía:

-Alégrate de no estar frente a mí, porque te tomaría por el cuello. ¡Me comería un elefante vivo del hambre que tengo!

Reía luego de mí mismo y comentaba a Mari Paz que escribiría un consejo para el Manual de la Huelga de Hambre:

''No hacer la huelga en lugar público donde se vea a otros comer golosinas''.

También, Elena me envía mensajes cargados de humor y fe con Rino

Puig, el amigo común venido desde Miami, que solía visitarme a diario en mi morada del Parque del Retiro, siempre envuelto en su acostumbrada alegría para levantarme los ánimos, siempre queriendo poner cien o doscientos dólares en mi bolsillo para la campaña. Supe luego por Kristina, que Elena, conmocionada por la huelga apenas si podía comer cuando en la mesa, la asaltaba mi recuerdo.

Era el cuarto día de huelga, pero el sexto sin ingerir alimentos, y el hambre que sentía era cada vez más horrible, e insoportable en la lucha constante que llevaba con ancianas y hasta médicos que venían con alimentos y un universo de bondad a pedirme que comiera aunque fuera a escondidas. Lo que no me ayudaba.

-Por favor. Comprendan que si dejo de respetarme perdería las fuerzas que necesito para luchar -repetía una y otra vez, pero parecían no comprenderme al insistirme en lo mismo con una candidez que me hacía reír y me mortificaba al mismo tiempo.

Cada noche se reúne un grupo de amigos y periodistas llegados de Miami, que junto a Mari Paz, Valle y Alicia vienen a compartir conmigo hasta que me vence el sueño. Apenas si las tres últimas han dormido y comido en estos días de ajetreo en que me colman de atenciones, al punto que están casi también en huelga.

En la tarde del viernes veo que viene Valle corriendo con el júbilo en el rostro. Había participado en la conferencia de prensa que dio el Presidente español y traía en su mano la grabación de la respuesta de éste a la pregunta que le hiciera sobre su disposición a interceder ante el gobernante cubano por mi familia.

-Estamos dispuestos, desde luego, a interceder en el caso . . . -comenzaba a responderle el gobernante español con inseguridad -pero pensamos que estos casos no deben tratarse a la luz pública.

Lo escuché, apenado por el entusiasmo de Valle, convencido de que las gestiones que no se hacían a la luz pública, como las muchas que ya se habían hecho, no darían nunca resultados.

A primeras horas de la mañana se marchaban de Madrid los jefes de estado y desmantelábamos nosotros los estandartes de la huelga con las más de ocho mil cartas que habíamos recibido de toda España, cuando vimos una comitiva que avanzaba en dirección a nosotros, era el Presidente de Chile con su escolta. Valle lo interceptó de inmediato con su grabadora de periodista en la mano para hacerle la misma pregunta que al Presidente español.

-Creo que la peor gestión es la que no se hace, y estoy dispuesto a interceder ante el Presidente cubano por esta familia -aseguró el Presidente chileno, y volviéndose hacia mí, dijo -contacte a nuestro embajador en Washington, y ponga en sus manos toda la información del caso para que me la haga llegar.

Concluía la batalla de la última semana. Había perdido casi doce kilogramos de peso, quería terminar cuanto antes de limpiar el área que nos sirvió de morada bajo las estrellas, deseaba tomar un baño y comer, comer . . .

Cuando me despedía de Mari Paz y Valle, les dije:

-Estoy cansado de pedir a otros la libertad de Vicky y los niños. Tendré que ir yo mismo por ellos.

Me miraron unos segundos sin decir palabra. ¿Para qué?

-Que Dios te acompañe -murmuró Mari Paz dándome un beso.

Regresé de Madrid frustrado una vez más de que el líder cubano escapara sin que nadie le pidiera personalmente la libertad de mis seres amados.

Durante cuatro meses estuvimos luego Kristina, Brandon y yo, insistiendo inútilmente ante la embajada de Chile en Washington para que recibieran la carpeta que con esmero habíamos preparado.

-Ya les diremos cuando pueden traerla -solían decirnos por teléfono cuando insistíamos en arreglar una cita con el embajador o alguno de sus asistentes. Un día dejaron de responder a nuestras llamadas y comprendí una vez más que sólo había una manera de lograr la libertad de Vicky y los niños: el rescate.

Capítulo 19

—

Hay en quien confiar

Corría agosto, y utilizando la información que me había dado Mari Paz sobre otras familias en la misma situación que la nuestra, establecí contacto con sus parientes aquí proponiéndoles asociarnos para difundir los casos, aprovechando la experiencia y las relaciones de todos. Un principio quedaba establecido: nos uníamos para luchar en la arena pública por los derechos de nuestras familias, en lugar de esperar por la ausente compasión del gobierno cubano. Algunos, que preferían el camino del silencio y la espera, llevaban ya más de ocho años sin ver a sus seres queridos.

Fue así que, después de varias llamadas telefónicas e invitaciones que hacíamos por radio y televisión, nos reunimos en Miami un grupo de personas cuyos familiares estaban retenidos por el gobierno cubano.

Intelectuales disidentes, médicos, ingenieros, economistas, fundaban la organización Padres por la Libertad, que no tendría fondos ni líderes sino sólo una agenda de contacto regular con el propósito de intercambiar experiencias y coordinar esfuerzos para dar mayor fuerza a la denuncia de todos los casos. En los meses subsiguientes, Padres por la Libertad haría escuchar su voz con fuerza, demostrando al mundo que la práctica de castigar a los familiares de quienes no se les sometían, era una norma en la actuación de las autoridades cubanas.

Ya a finales de septiembre, en New York, Padres por la Libertad logró entregar una carpeta con la descripción de todos sus casos de familias rehenes al Relator Especial de las Naciones Unidas.

—

En Washington, Frank Calzón preparaba una campaña con globos en los que había impreso la foto de Vicky y los niños, y nuevas postales para enviar al líder cubano con la petición de su libertad. Quería él invadir las calles de la capital con ellas, y junto a su grupo de voluntarios de Of Human Rights nos fuimos todos un domingo a Georgetown para repartirlas a los transeúntes con la petición de enviarlas, mientras le regalábamos a sus niños los globos inflados.

Luego de tantas gestiones infructuosas, me sentía incómodo, como quien mendiga sus derechos, el verme en aquellas calles implorando a la gente que enviaran sus postales. Algunos transeúntes que por allí caminaban, desviaban sus pasos temiendo que les pidiéramos algo, y otros dejaban caer las postales más adelante en un cesto de basura. Por suerte, la mayoría las aceptaba con una expresión de duda en el rostro, sin comprender cómo podía mi familia ser rehén de un gobierno. Y habría desistido temprano de tal acoso a los inocentes transeúntes, de no ser por el entusiasmo con que Frank y su grupo de voluntarios actuaban.

Tímidamente, y avergonzado, interceptaba yo a los que pasaban, cuando un hombre joven y de tupida barba se paró a leer la postal. Luego, me miró y me dijo con desprecio:

-No voy a mandar nada. Si no te hubieras ido, ahora ellos no estarían en esa situación.

Avergonzado, tomé la postal de sus manos diciendo solamente:

-Perdone, no quería molestarlo.

¿Qué podría explicarle? ¿Cómo iba a comprender, viviendo como ha vivido, siempre en libertad de decir lo que piensa? Era la ignorancia, más que la crueldad, lo que le hacía actuar así.

Otro hombre, también joven y de pelo desgreñado, me miró como a un insecto repugnante diciéndome:

-¿Y por qué no vas tú mismo a buscarlos?

Terminé el día terriblemente angustiado. Necesitaría años para explicarle a la gente del mundo libre la situación en que estaban mis seres queridos y por qué. Y con todo, les sería difícil comprenderme.

Rescatar a Vicky y los niños por mi cuenta implicaba un riesgo grande para sus vidas. El gobierno cubano había ordenado a sus tropas guardafronteras disparar sin contemplaciones contra todo al que sorprendieran huyendo del país. No pocos niños inocentes habían muerto bajo las ráfagas de ametralladoras disparadas a distancia por soldados del Servicio Militar en las Tropas Guardafronteras, entrenados y adoctrinados para ver en cada embarcación que salía del país a grupos terroristas de la CIA. Cuando descubrían que habían matado a personas inocentes, ya era tarde. Entonces, sacaban a aquellos soldados del servicio y les daban tratamiento psicológico, como si se tratase de un lamentable error del que nadie era culpable. Luego, otros infelices serían enviados a ocupar sus puestos, para disparar contra nuevas lanchas enemigas.

Así había ocurrido en la conocida Masacre de Canímar en 1980. Entonces la prensa oficial había informado que las Tropas Guardafronteras habían atrapado a los terroristas que habían secuestrado una embarcación de turismo, y habían disparado a mansalva contra los niños que viajaban allí cuando se vieron perdidos. Testigos de los hechos que escaparon luego a Estados Unidos contaban una verdad muy diferente:

Dos soldados que cumplían el Servicio Militar en una Unidad cercana al río Canímar decidieron escapar con sus fusiles AKM. Abordaron la embarcación que daba paseos por el río a familias que visitaban el lugar, y encañonaron a la tripulación exigiéndole que se dirigiera a los Estados Unidos. Los tripulantes avisaron por radio a las Tropas Guardafronteras y cuando la embarcación no se detuvo al ser interceptada, la hundieron antes para impedir que escaparan. Los niños que paseaban con sus familiares ese día, algunos que no llegaban al año de nacidos, desaparecieron para siempre en las aguas de la bahía de Matanzas por la crueldad de un régimen que prefería sus muertes antes que permitir a otros escapar del país.

Tal era el riesgo que enfrentábamos si éramos sorprendidos durante el rescate, y la posibilidad de que una bala tronchara la vida de mis hijos me horrorizaba. Mas, ¿qué garantías tenía de que sus vidas, regidas por la voluntad de los mismos que ordenaban la muerte de otros niños, serían respetadas mañana?

Cada día en Cuba, la situación se tornaba más explosiva, y no albergaba la menor duda de que llegado el momento en que el régimen temiera una rebelión del pueblo, se impondría por el terror abierto. Entonces la vida de Vicky y los niños, como la de los niños de Canímar, como las de millones de víctimas del comunismo, no valdría nada.

No podía esperar que respetaran sus vidas entonces quienes hoy eran sus verdugos. No esperaríamos eternamente por el derecho a vivir unidos y en libertad, lucharíamos por ello. Todo cuanto pudimos hacer lo habíamos hecho, y continuaríamos haciéndolo, pero la prioridad número uno en mis acciones sería buscar la manera de rescatarles por aire.

Era piloto, y me sería fácil evadir a las Tropas Guardafronteras que actuaban en la superficie. Conocía muy bien el Sistema de Defensa Antiaérea de Cuba, la ubicación y posibilidades de sus radares y complejos de misiles tierra-aire, así como el funcionamiento de su Sistema de Dirección de Fuego. Yo podía hacerlo con un margen real de posibilidades para lograrlo si lo preparaba todo en el mayor secreto. Necesitaba sólo mi cabeza, el avión o helicóptero y alguien de toda confianza que pusiera en manos de Vicky los detalles del plan.

Tampoco quería violar las leyes de los Estados Unidos, ni poner a su gobierno en situación embarazosa. Les estaba agradecido y debía ante todo respetar sus leyes, que ya eran mis leyes, las mismas que protegían mis derechos y libertades. Tendría por tanto que obtener la licencia de piloto, y actuar por mi cuenta en un marco legal lógico.

Corría septiembre de 1992, y luego de varias indagaciones encontré una escuela de aviación en Virginia, que por doscientos dólares impartía el curso teórico de Piloto Privado. Era lo que necesitaba, sabía que la práctica de vuelos no me sería muy difícil.

Comencé el curso, y en poco establecí una estrecha relación con el director de la escuela, Doctor Donald O. Robb, quien se alegró mucho de tenerme como estudiante, y se mostró dispuesto a ayudarme en obtener mi licencia cuanto antes.

-La necesito para encontrar trabajo -le había dicho en nuestras conversaciones, al igual que a mis amigos para alejar sospechas de lo que realmente planeaba.

Un día, supe de alguien de toda confianza que iba a Cuba, y envié a Vicky un escueto mensaje verbal:

-Dile que voy por ellos yo mismo. Antes de Navidad si Dios nos lo permite.

En una tienda de Washington encontré los mapas de Cuba con los detalles del relieve que necesitaba para hacer el primer bosquejo de mi plan, y comencé a ubicar en éste los radares y complejos de misiles antiaéreos de la parte occidental del país, calculando sus posibilidades en base a sus datos técnicos y la elevación del terreno en que estaban emplazados.

Luego, con líneas de diferentes colores iba marcando los límites de sus posibilidades de localización y destrucción a diferentes alturas, así como las zonas en las que no podían actuar debido a la interferencia de objetos locales que les impedían efectuar la búsqueda de aeronaves en determinadas alturas y direcciones.

Como resultado, tenía ahora ante mí las zonas en que encontraría la mayor concentración de fuego antiaéreo, otras regularmente protegidas con pocos medios, y aquéllas en que podría actuar con relativa impunidad, fuera del alcance de los radares, la artillería y los cohetes antiaéreos. Quedaba ahora seleccionar el lugar más adecuado para el aterrizaje según el terreno y las posibilidades de Vicky y los niños de llegar hasta allí sin levantar sospechas. Eran muchos los factores que influían de una manera u otra en la decisión que tomaría finalmente, y pasaba por ello las horas de la madrugada en mi cuarto, calculando y calculando, agregando cada vez más datos a mis mapas y libretas de notas que escondía con cuidado.

Sabía además, que el sistema de Defensa Antiaérea de Cuba no estaba en condiciones de dar una respuesta rápida a una incursión aérea, pues debido a la crisis económica y la falta de combustible, la mayoría de los radares permanecían desconectados la mayor parte del tiempo, y gran cantidad de los complejos de misiles antiaéreos que veía en mi mapa se encontraban fuera de servicio por la misma razón.

Como consecuencia adicional, los hombres que prestaban servicio en dichas instalaciones se encontraban ocupados ahora en tareas agrícolas para la producción de sus propios alimentos, y la falta de entrenamiento hacía que sus acciones fueran lentas, y muchas veces, erróneas. Pero decidí no contar con estos últimos factores y basar mi plan en el supuesto de que todo el Sistema de Defensa cubano funcionaría a la perfección. Sólo así podría elaborar el plan más acertado.

Una y otra vez revisaba los datos obtenidos y chocaba siempre con la infeliz circunstancia de que los lugares más seguros para el rescate estaban demasiado distantes de Vicky y los niños, quienes no podrían llegar hasta allá sin levantar sospechas. Había, por tanto, que escoger un sitio dentro de los límites de sus movimientos acostumbrados: en La Habana, cerca de sus padres; o en Matanzas, cerca de los míos, a quienes solía visitar. Pero ambas ciudades se encontraban rodeadas de complejos de misiles antiaéreos y radares.

Sólo una cosa podría darnos cierta ventaja: el inoperante sistema de Dirección de las Tropas cubanas. Convencidos de que el país nunca sería agredido, y temerosos de que sus propios hombres de la Defensa Antiaérea los derribaran en una conspiración cuando se trasladaban por aire de un lugar a otro, los líderes cubanos habían concebido un sistema de dirección en el que sólo ellos podían autorizar el empleo del armamento contra objetivos aéreos.

La ausencia de líneas de comunicación adecuada y medios automatizados de transmisión de la información aérea en el Sistema de Defensa cubano, más la propia dificultad de encontrar a los máximos líderes, quienes siempre mantenían en secreto sus movimientos, estaban a nuestro favor dándonos un tiempo precioso para actuar.

Sumé el tiempo que necesitaría el operador de radar para confirmar la aproximación de un objetivo a muy baja altura, el que invertiría en transmitir la alerta al Puesto de Mando de la Brigada por los primitivos medios de comunicación con que contaba, el que necesitaría la dotación de éste para procesar la información y pasarla al Puesto de Mando de la División, así como desde allí al de la Defensa Antiaérea en La Habana y, de éste, al Puesto Central de Mando de las Fuerzas Armadas, donde perderían aún más tiempo buscando a los máximos líderes para tomar una decisión. Calculé la demora del mismo proceso en orden descendente, y los minutos que necesitarían los complejos de misiles para conectar sus propios radares y cabinas de conducción, iniciar la búsqueda y estar listos para el disparo.

Dando por supuesto que todo el sistema de defensa cubano trabajara con precisión, nunca estarían listos para disparar hasta pasados quince minutos después de localizarme. Necesitaba entonces saber con precisión el tiempo que me tomaría desde el momento de ser detectado por los radares cubanos durante la aproximación al país hasta el instante en que cruzara la línea de alcance máximo de los cohetes antiaéreos durante el regreso con mi preciosa carga a bordo.

Esto último no podría resolverlo hasta encontrar la aeronave con la que haría la operación, conocer la velocidad máxima a la que podría volar a muy baja altura y la distancia exacta a la que sería detectado en base al valor de la superficie efectiva con que la aeronave reflejara las ondas electromagnéticas de los radares cubanos.

Si este tiempo resultaba menor que el que necesitaba el Sistema Cubano de Dirección de las tropas para transmitir la información, tomar una decisión y actuar, ¡entonces podríamos burlar la Defensa Antiaérea del país!

Hacía tiempo que no hablaba con Vicky, cuando una mañana logré comunicación con ella. Se sentía desesperada por las decepciones sufridas con las gestiones que habíamos hecho y, por las presiones de que era objeto. En una carta que envió con alguien que salía de Cuba, me había contado que un joven del barrio había escrito un letrero en la pared del edificio vecino pidiendo el fin de la tiranía. Alguien lo delató luego, y lo encarcelaron. Desde la prisión, envió a Vicky un importante mensaje: "Ten cuidado, me han presionado mucho para que te implique en lo del letrero".

Vicky se había enterado de lo del letrero sólo cuando alguien se lo contó y comprendió que buscaban cualquier excusa, aunque fuera una acusación falsa, para encarcelarla. Con la carta, me había desesperado todavía más, sabiendo que tarde o temprano encontrarían una razón para poner a Vicky en prisión rodeada de criminales, y tomar a los niños bajo la tutela del gobierno. Ello habría sido el fin de nuestra familia, y no confiaba ya mucho en la reacción de un mundo que parecía muy ocupado en otras cosas como para impedir al gobierno cubano cometer tales atropellos. Tenía que actuar lo más rápido posible.

-Nunca los abandonaré, nunca, cueste lo que cueste -le repetía por teléfono una y otra vez para que comprendiera que estaba de lleno en la preparación del rescate.

-No te preocupes, aunque me quemen viva no lograrán hacerme renunciar a ti -me decía ella entre lágrimas una y otra vez.

Escuchaba la voz de Alejandro insistiendo en hablar conmigo inmediatamente, y la conversación que tuve con él me desgarró:

-Papi, escucha . . . -comenzó diciéndome sin saludarme, en voz baja y tono confidencial -mira, tú puedes venir a buscarnos . . . por la noche tarde, cuando todos los policías estén durmiendo. Entonces, tú vienes en un helicóptero y te fijas bien en que no haya policías . . .

Vicky trató de interrumpir al niño, temerosa de que su imaginación llamara la atención de las autoridades que escuchaban hacia lo que realmente planeábamos.

-No, no. Déjalo que me hable -le pedí, mientras escuchaba las protestas de Alejandro.

-Papiii . . . -volvió a sonar su aguda e inocente voz -mira, cuando no haya policías en la calle, tú te pones con el helicóptero sobre la casa, entonces tiras una cuerda con un saco. Nosotros nos metemos en el saco y tú nos subes, y así nos vamos todos.

Sentí que se me desgarraba el corazón mientras mi niño hablaba. Los últimos meses apenas si había logrado dormir, siempre escuchando sus voces en la madrugada, siempre llamándome en su auxilio, siempre sumido en las pesadillas. Y ahora me hablaba de aquella manera a sus seis años. ¡Cuán desesperado estaba! ¡Qué crimen el que cometían con criatura tan inocente! ¡O Dios, dame fuerzas para soportarlo!

-Ale . . . -trataba de decirle con la voz más calmada posible, mientras sentía todo mi cuerpo vibrar en la lucha contra mis emociones.

-Papi nunca hará eso . . . -le mentía a conciencia, y sufría de tener que hacerlo -tú verás que van a salir pronto por el aeropuerto en un avión de pasajeros, casi seguro antes de las Navidades que tú no conoces, pero que vas a disfrutar aquí.

-¿Con los Reyes Magos, Santa Claus?

-¿Ya los conoces?

Me sentí contento de que saliera del angustioso silencio en que se había sumido.

-Sí, mami me contó, y en la iglesia . . . ¡Pero yo quiero verte pronto!

Las últimas palabras del niño me fulminaron como un rayo.

-Me vas a ver pronto . . .

Ya mi voz sonaba ahogada otra vez. Y protestaba él llorando cuando Vicky le quitó el teléfono de las manos.

-¡Yo quiero ver a mi papá pronto, yo quiero verlo!

-Criminales, cobardes . . . -las palabras me brotaban roncas, llenas de ira hacia los líderes cubanos.

-Mi amor . . . -era Vicky otra vez -Perdónalo, él se pasa las noches imaginando cosas antes de dormirse, pensando en cómo salir de aquí . . .

-No puedo comprender cómo pueden torturar a niños de esa manera.

-Papi, es Reyniel . . .

Todos querían, como siempre, decirme algo a la carrera por si cortaban la comunicación.

-No te preocupes, que yo soy un hombre -Reyniel hablaba con seguridad y orgullo de sí mismo. Había endurecido en los dieciocho meses que no nos veíamos -yo cuido de mami y mi hermanito aquí. Sigue luchando tú, que nosotros resistimos.

Después de aquella conversación creí enloquecer. ¡Si al menos aceptaran mi entrega a cambio de su libertad! Pero lo querían todo: a mí, y a ellos. Sólo alimentándose sin piedad de la sangre de todos los cubanos podrían mantenerse en el poder. Desde entonces no hubo espacio de mi vida en que pudiera permanecer tranquilo un instante. Me consumía en el desvelo y la desesperación por terminar el curso de piloto privado, por encontrar un avión y alguien dispuesto a llevar el plan de rescate a Vicky.

Vagaba como un loco de un lado a otro en constante actividad, y sentí muchas veces las miradas piadosas de personas que me veían como a un demente, obsesionado por una lucha imposible. Hasta un amigo había venido a verme para recomendarme que comenzara una nueva vida:

-Te estás consumiendo poco a poco, destruyéndote a ti mismo . . . -me decía sin levantar la mirada -Debes dejar ya esta lucha que no ganarás nunca. Vicky no podrá resistir mucho más. Busca una mujer e inicia una nueva relación.

Lo observé con pena antes de decirle:

-Sé que crees en lo que dices, pero nuestras vidas son diferentes. Amarás y te sentirás amado algún día, como nosotros. Entonces, no te importará que otros piensen que estás loco.

—

Una noche me llamó Frank Calzón anunciándome que Tom Carter, periodista del Washington Times, viajaría a Cuba en los próximos días.

-Tal vez, si entrevista a tu familia, podamos difundir mejor el caso aquí -sugirió.

A la mañana siguiente, Kristina me acompañó a la redacción del periódico. El señor Carter nos recibió con amabilidad y se interesó por toda la información que pudiera adelantarle sobre Cuba. Cuando le pregunté si podría entrevistar a Vicky y los niños, una sombra de preocupación le cubrió el rostro y comprendí que temía a los riesgos que correría haciéndolo.

Días después, Tom llegaba a La Habana y escuchaba las experiencias de sus colegas de Europa.

-Otros periodistas han entrevistado a los disidentes políticos sin tener problemas con las autoridades cubanas, aunque es imposible predecir cómo reaccionarán éstas en cada ocasión -explicaban éstos al reportero del *Washington Times.*

-Pero no te aconsejamos que visites a la familia de ese piloto. Podemos asegurarte que disgustarás al gobierno con ello.

A la mañana siguiente, Tom marchó a casa de mi familia con la cámara fotográfica y la pequeña grabadora de periodista en las manos. Mientras entrevistaba a Vicky, no pudo disimular la tensión que lo embargaba por las posibles consecuencias de su acción.

Esa misma tarde, regresó Tom a la casa de nuevo, pero esta vez, sin la cámara ni la grabadora; traía en las manos un paquete con alimentos y otros artículos para Vicky y los niños, a pesar de que su segunda visita también duplicaba sus riesgos. Luego, mientras él se alejaba con paso rápido y nervioso, Vicky quedó en la puerta, observándole conmovida, pensando en la fuerza de la bondad de aquel hombre que venció su miedo.

—

Una tarde de fines de septiembre, me llamó Armando:

-Ven a la oficina. Estoy reunido con unas señoras mexicanas que van pronto a Cuba.

Habían ellas venido en busca de apoyo a la lucha que libraban en México por los derechos de los enfermos mentales. Inundadas de coraje, amor y fe como únicas armas, se enfrentaban a la corrupción imperante entre funcionarios que robaban los fondos públicos destinados a los enfermos mentales, haciendo que viviesen éstos en condiciones infrahumanas.

-Soy Azul Landeros. Mucho gusto -me dijo aquella mujer de pelo rubio y bellas facciones poniéndose de pie.

-Y ésta es la Chaparra -agregó, señalando a la muchacha de ojos vivaces que la acompañaba.

Armando les había explicado la situación de Vicky y los niños al saber que asistirían la próxima semana a un Congreso de Psiquiatría en Cuba, y habían ellas brindado de inmediato su ayuda.

-Dime qué quieres que les diga, que les lleve. Pide tú, que nosotras lo hacemos -me dijo Azul mirándome con sus ojos llenos de dulzura cuando le pedí que llevaran a Vicky y los niños cartas, fotos y las denuncias del caso que habían salido en televisión. Quería que no se sintieran solos después de tantos fracasos, que supieran que la mayoría aplastante de las personas, aunque no fueran poderosas, estaban con nosotros.

A la mañana siguiente fui a verlas al hotel en que estaban. Bajo el brazo llevaba una caja que Kristina había preparado mientras yo escribía una extensa carta a Vicky. Medicinas, vitaminas, un pequeño camión para los niños, los videos y fotos más cuanta cosa imaginó ellos necesitarían, había puesto ella en la caja con esa entrega silenciosa que le era natural.

En el hotel conocí a la tercera integrante del equipo que no había visto el día anterior. Me saludó con una sonrisa:

-Soy Virginia González, y estoy impresionada con la historia de amor tan bonita de ustedes.

Tomamos asiento, y respondí a sus preguntas mientras tomábamos un café. Querían saber todo de nuestras vidas y yo les contaba y contaba en voz baja de nuestra lucha y sufrimiento, de cuánto amaba a Vicky y a mis hijos.

Había quedado con los ojos clavados en mi café, sumido en el recuerdo de los míos, cuando sentí una cálida mano posarse sobre la mía y apretarla tiernamente. Levanté los ojos, y vi los de Virginia anegados en lágrimas. No tuvo ella que hablar, tenía el don de hacerlo con la mirada. Y me sentí comprendido por la bondad de un ser excepcional, capaz de llegar al rincón más débil del alma que escondemos por temor: el de las penas.

Cuando nos despedíamos, sin que yo conociera sus vidas, sin que pudiera explicármelo, sentía que podía confiar en ellas hasta el punto de poner nuestras vidas en sus manos.

—

Ya estaban en Cuba y esperaban la oportunidad para visitar a Vicky. Habían pasado varias veces por la calle en que vivía y la constante presencia de un policía en la esquina las tenía nerviosas. Decidió entonces Virginia, descender primero del automóvil que habían alquilado y transitar por la acera disimuladamente, en lo que Azul daba la vuelta a la manzana. En la primera distracción del policía, entraría al vecindario . . .

Vicky estaba sentada frente al televisor con Alejandro sobre las piernas, sus ojos perdidos en la pantalla y la mente tan lejos de allí como siempre, cuando aquella mujer de pelo negro se asomó de súbito a la puerta:

-¿Vickyyy?

Comprendió por la entonación y el vestuario que no era cubana, y se puso de pie como disparada por un resorte.

-¿Vienen de su parte verdad?

-Sí -y entró a la reducida sala con rapidez, puso la caja sobre una silla y desenfundó una cámara fotográfica y otra de video.

-Esto te lo manda él, pero primero unas fotos, un video. Quiero llevarle imágenes de ustedes -hablaba con precipitación y nerviosismo, como si temiera la llegada del policía impidiéndole tomar las fotos.

Reyniel había salido del cuarto y, luego de saludar, hurgaba en el contenido del paquete.

-¡Mami, fotos. Papi mandó muchas fotos! -repetía, con el paquete de fotografías que recogían los instantes de Ginebra y Madrid en sus manos, sin prestar atención a los juguetes dentro de la caja.

-Él te quiere mucho. Déjame besarte. ¡Son ustedes una familia admirable! -continuaba Virginia, hablando rápidamente mientras tomaba sus fotos -No estoy sola, hay otras amigas conmigo. ¡Y vamos a ayudarlos a reunirse, a salir de aquí!

Vicky observaba a Virginia en silencio, presa del hechizo que yo sentí cuando la conocí, y sólo lloraba, lloraba. Virginia la abrazó y lloró con ella, para interrumpirla luego sonriendo:

-Ándele mujer. Ya verás que todo se arregla y ahoritica están juntos. ¡Ya verás cómo lo hacemos!

Y Vicky volvía a llorar conmovida por la presencia de aquel ángel.

Azul apareció entonces en la puerta, y no necesitaron presentarse.

-¡Ay, mi niña! ¡Cómo los quiero!

Y se fundió con Vicky en un abrazo emocionado que Virginia recogió para siempre en una foto. Se sentaron luego, y tomó Azul las manos de Vicky para contarle:

-Lo vi, y me pidió que te dijera que te quería, que no podía vivir sin ustedes, que los sacaría de aquí de algún modo. ¡Cómo los quiere!

En unos minutos el hogar quedó inundado por el encanto de aquellas mujeres desconocidas que ahora los niños colmaban de besos.

-¿Sabes? -continuó Azul, ahora señalando a Virginia -¡Me ha hecho pasar un susto! No me esperó afuera a que yo terminara de investigar la zona, y cuando no la vi, ¡pensé que la habían tomado presa! Virginia sonreía sin pronunciar palabra. No lo necesitaba, toda ella era una expresión de amor. Al día siguiente, volvieron por Vicky:

-Queremos comprarle unas cositas a los niños.

Le habían dicho antes de dirigirse a una de las tiendas protegidas con cortinas de la vista de los curiosos, que venden a los extranjeros que pagan en dólares. Y creyó Vicky que su cabeza estallaría del embarazo por tanta bondad. Llenaron los baúles y los asientos traseros de dos automóviles con productos que Vicky nunca había imaginado que existieran. Todo les parecía poco a aquellas amigas mexicanas: ropa, zapatos, comida. ¡El alma misma querían poner en aquellos paquetes! Y Vicky, que no había visto nunca tantos alimentos juntos, tanta generosidad espontánea, se desplomó enferma en casa por el impacto tan fuerte que le produjo aquel gesto.

Llegaba el momento de la partida después de dejar un rastro de cariño a su paso. Hacía apenas unos días que se habían conocido y al despedirse todas tenían lágrimas en los ojos.

-Quiero que te quedes con algo muy mío -dijo Virginia a Vicky, quitándose la cruz de madera que le colgaba del cuello -me la devolverás el día que estén juntos.

Y sólo con el lenguaje del llanto, se despidieron en un abrazo.

-Enviaremos a alguien todos los meses para que les compre comida -dijo Azul volviéndose cuando ya marchaban. Y no pasó mes en lo adelante, que no viniera alguien en su nombre, con una carga de alimentos y un mensaje de cariño para la familia.

—

Una tarde, recibí un aviso de Brandon:

-Hay unos representantes de la Unión de Jóvenes Comunistas de Cuba que están de gira por varias ciudades de los Estado Unidos, y esta noche darán una conferencia en mi Universidad.

Kristina y yo nos unimos a Brandon para asistir, con las fotos de Vicky y los niños en las manos. Sabíamos que el mensaje que los jóvenes cubanos traían a los jóvenes norteamericanos era el de una Cuba democrática donde se respetaban los derechos del individuo como en ningún otro país, tal era el modelo de comunismo que pretendían vender al mundo. Y nos proponíamos, con la mayor educación, defender el derecho de los asistentes a la conferencia de recibir información ceñida a la verdad.

Pasamos a la sala y vimos con asombro que los funcionarios de la Oficina de Intereses de Cuba en Washington, aunque estaban en una institución ajena, se habían arrogado el derecho de determinar la distribución de la audiencia en la sala. Un grupo de personas que los acompañaba impedía el acceso a los asientos vacíos de las primeras filas, poniendo sus cuerpos como barrera e ignorando las peticiones que les hacíamos para que nos permitieran ocuparlos.

Al fondo, una amplia mesa abarrotada de las obras de los más conocidos autores del comunismo y los discursos y entrevistas de Fidel Castro. En un extremo, una caja de cartón con un letrero: DONACIONES. ¡Pobres de los que pusieran allí su dinero, para alimentar una causa que pretendía privarlos de la libertad de leer otras obras que no fueran aquéllas!

Tomamos asiento al final de la sala y comenzamos a escuchar a los visitantes cubanos, que llegaron acompañados de la profesora Yvonne Capitán-Hidalgo.

No parecían agotarse sus viejos argumentos sobre la consabida educación y la salud gratis que brindaba el comunismo. Y sabían lo que hacían. En una sociedad como la norteamericana, cada vez más alarmada por el continuo aumento en el costo de la salud y la educación, sería posible ganar simpatizantes entre los jóvenes más románticos.

Luego, el momento destinado a las preguntas y respuestas, y levanté la mano todo lo que pude reclamando la atención de la profesora Capitán-Hidalgo, que servía de moderadora. Pero siempre concedían la palabra a los que habían ocupado las primeras filas que les habían reservado. Y no preguntaban éstos, sino que exponían las maravillas que encontraron en Cuba durante sus cortos viajes al país.

Quería hablar, quería expresarme, decir a los estudiantes que escuchaban aquella sarta de mentiras que la educación y la salud gratis en Cuba se paga con un precio mayor que el dinero: con la vida, con la pérdida del derecho a pensar y opinar libremente, a informarse, a viajar. Quería contarles la tragedia que vivían mi esposa e hijos, y preguntarle a los conferencistas al respecto. Pero, parecía que no lo lograría, por más que levantaba la mano, era ignorado por la profesora Capitán-Hidalgo.

¡Y estaba en los Estado Unidos!

Brandon intentó hablar, y quisieron impedírselo también. ¡Un joven norteamericano silenciado por la mano de Cuba en su propio país!

-¡Este es un país libre y nadie puede impedirme hablar! -protestó Brandon al tiempo que sacaba las fotos de Vicky y los niños.

-Quiero que me expliquen por qué esta familia no puede salir de Cuba.

Los visitantes quedaron estupefactos y, con voz temblorosa, uno respondió después de vacilar unos segundos:

-Nosotros no sabemos. Sólo hemos venido a un intercambio cultural con los estudiantes norteamericanos.

¡Menudo intercambio cultural aquél!

Terminó la conferencia y, marché a casa, satisfecho de que los estudiantes norteamericanos que asistieron, vieran en la propia organización de la misma un ejemplo de las bondades que les ofrecía el comunismo. No habían logrado engañar a su audiencia esta vez, pero había sentido con horror, por primera vez desde mi escapada, la asfixiante impotencia de no poder expresar lo que pensaba.

¿A cuántos lograrán engañar en su periplo por ciudades norteamericanas? -me preguntaba con amargura, observando cómo utilizaban la libertad de este país para destruirla.

Esa noche escribí a la profesora Capitán-Hidalgo:

> *No creo que la verdad pueda abrirse paso si otros no pueden expresar sus opiniones. Le agradecería si dispone usted de unos minutos cuando mejor le convenga para conocernos y discutir cordialmente sobre el tema cubano.*

Tomé una cinta de video con la entrevista que hiciera la Televisión Canadiense a Vicky y los niños, y la anexé a la carta que Brandon depositó en el buzón personal de la profesora Capitán-Hidalgo al día siguiente.

Nunca recibí respuesta. A diferencia de los jóvenes encontrados en las calles de Georgetown el día de los globos, la profesora Capitán-Hidalgo no actuaba de esa manera por ignorancia.

—

Una noche de octubre me llamó Frank Calzón con una grata noticia:

El Presidente Bush se proponía visitar Miami y aprovecharía la ocasión para dirigirse al gobernante cubano durante su discurso, pidiendo la libertad de Vicky y los niños. Aquel mensaje sería recogido de seguro, por los medios de prensa internacionales, muy difícil de ignorar por el líder cubano.

En el acto fui invitado a ocupar asiento junto a la familia del Presidente, y escuché emocionado sus claras palabras llamando a Vicky y a los niños por sus nombres para decir al gobernante cubano:

''Castro, haz lo correcto, haz lo decente: ¡Deja marchar a la familia Lorenzo!''

Agradecí al Presidente Bush sus palabras, las primeras de un político de relevancia dichas con valor y sin condiciones a favor de mi familia, y cuando regresaba del acto con Frank, no pude evitar comentar a mi amigo:

-Si las palabras del Presidente son ignoradas por el gobierno cubano, iré yo mismo a buscarlos.

-No me lo digas. Prefiero no saberlo -me respondió Frank, convencido de que tales secretos no se comparten con nadie.

Ojalá no tengas razón . . . -quedé pensando en silencio -*Si no existiera alguien en quien confiar . . . ¡no valdría la pena vivir!*

Capítulo 20

—

Mensajeras del amor

Pasaron los días sin que se produjera la esperada reacción de la prensa, sin que el gobierno cubano respondiera al llamado del Presidente de los Estados Unidos. Decepcionado por tantos fracasos, decidí hablar con Armando lo que antes sólo le había insinuado como una posibilidad:

-Me voy a Cuba a buscar a Vicky y los niños -le dije mientras caminábamos en el corto paseo que le había invitado a dar por el jardín de su casa.

Armando detuvo sus pasos mirándome con la alarma en el semblante.

-¡Estás loco! ¿De verdad piensas hacerlo?

-No soporto más . . . , creo que me muero si no lo hago.

-Tienes que resistir, ser fuerte . . .

-La campaña nunca dará resultados, nunca los dejarán salir.

-No han salido porque la campaña no ha logrado desarrollar la presión suficiente. Yo mismo salí, nada menos que de una prisión, gracias a la campaña que llevó a cabo Martha.

Armando se veía notablemente preocupado. Había notado él en los últimos meses, el estado de ánimo en que me encontraba, y presentía alguna locura por mi parte. Nos unía un cariño sincero y le inquietaba que yo actuara cegado por los sentimientos que entorpecen la razón. Con la experiencia de su propio caso, tenía fe en que la campaña condujera a la liberación de Vicky y los niños. Pero los tiempos habían cambiado. Antes, el gobierno cubano se sentía fuerte, ahora estaba acorralado por sus propios crímenes y la caída del bloque oriental. Temía ante todo a los oficiales más jóvenes de sus Fuerzas

Armadas, y no dudaría en enviar un claro mensaje de intolerancia a éstos.

No, mi familia jamás sería liberada, y así trataba de explicárselo a Armando.

-Creo que estás equivocado -me recalcaba él -Pueden capturarte, matarte, matarlos a todos. Vicky y los niños te necesitan vivo, no muerto.

Se veía ahora atormentado. Mi captura y muerte habrían sido un rudo golpe no sólo para mi familia, sino para la suya propia, para los innumerables amigos . . . Me respetaba y no quería herirme, pero la idea de que pudieran matarme en el intento lo angustiaba.

-Eres mi amigo y he venido a decirte mi decisión después de haberla tomado. Llevo meses que apenas duermo, pensando en ello constantemente. No hay otra salida. No pretendo improvisar, he pasado horas y horas haciendo los cálculos más detallados. Tengo una probabilidad de éxito y voy a utilizarla.

-¿Has pensado en los resultados si te capturan y te matan?

-Te he dicho que me estoy muriendo, consumiéndome en la angustia. Mis fuerzas no dan para esperar más, y temo por la seguridad de Vicky y los niños. Cada día cierran más el círculo de presiones alrededor de ellos, y no puedo dormir por el terrible presentimiento de que les ocurrirá algo. ¿Te imaginas que me convenzas, y mañana les ocurra algo? Sería mi culpa por cobarde, y ya la vida no tendría sentido para mí.

Los ojos de Armando se llenaron de horror. Permaneció unos segundos en silencio y comprendí que se vio en mi lugar, desesperado por lo que pudiera ocurrirle a sus niños.

-Cuenta conmigo para lo que necesites. Pero quiero saber cómo le harás llegar a Vicky tu plan. Tal vez mi experiencia de presidio para comunicarnos en clave te sirva de algo.

Abracé a Armando, contento de que me comprendiera, era el primero de mis amigos que sabía con exactitud lo que planeaba.

-¿Cómo le comunicarás cuándo los vas a buscar?

-Enviaré un mensaje detallado con alguien de confianza. Luego, le daré por teléfono una contraseña con el significado de que voy al día siguiente por ellos.

-¿Qué contraseña?

-Pienso aterrizar en una carretera, cerca de una playa que conocemos bien los dos. Sencillamente le mencionaré el lugar en una conversación de rutina, como si recordara nuestros ratos de novios pasados allí.

-Eso no sirve. No puedes hacer mención alguna del lugar. Tienes que usar otro código.

Juntos elaboramos las que nos parecieron las frases más rutinarias en una conversación telefónica para utilizarlas como códigos.

Aquella noche regresé más tranquilo a casa. Tenía un amigo con quien compartir el secreto más grande de mi vida, no estaba solo.

Al día siguiente, Kristina estalló en regaños cuando le conté mis planes. Habíamos trabajado juntos durante meses, compartiendo las angustias que me atormentaban. Me había cuidado como una hermana mayor a pesar de su juventud y desaprobaba ahora mis planes, pero terminó por aceptarlos.

-No suspendas la campaña hasta el último momento. Todavía hay una esperanza de que puedan salir sin riesgos -me pidió por último, agregando:

-Por cierto, ya contacté a David Asman. Tenemos cita con él pasado mañana en Nueva York.

Se refería ella al conocido periodista del Wall Street Journal, quien teníamos la esperanza que escribiera un reportaje sobre Vicky y los niños, que en las páginas de periódico tan prestigioso podría ser la gota que provocara el bochorno del gobierno cubano, forzándolo a liberarlos.

Escéptico sobre los resultados de la entrevista que tendríamos, partí con Kristina al encuentro de Asman, quien nos atendió con gentileza y sugirió al final del encuentro lo que le pareció la mejor manera de ayudarnos según el estilo de su diario:

-Escriba usted su propio artículo y veremos si podemos publicarlo.

Escribí el artículo que salió en la edición del veintisiete de noviembre: ''Mensaje a Fidel: fusílame, pero deja salir a mi familia''.

Pero nunca hubo una reacción del gobierno cubano, no quiso el verdugo aceptar públicamente mi vida a cambio de la libertad de mis seres queridos, a no ser un mensaje intimidante que enviaron a Vicky.

Estaba ella restregando una pieza de ropa contra la irregular superficie de la batea cuando la madre le avisó, nerviosa, que un desconocido la reclamaba en la puerta.

-¿Me buscaba usted? -inquirió Vicky.

-He traído una citación de Villa Marista para usted.

Vicky sintió un escalofrío al escuchar el nombre del lugar en que estaba el Estado Mayor de la temida Seguridad del Estado.

-Debe presentarse allí a las ocho de la mañana -concluyó el individuo, volviendo la espalda mientras ella leía el papel.

A la mañana siguiente, se presentó con los niños ante el oficial que la había citado para interrogarla.

-¿Por qué ha traído usted a los niños? -preguntó éste molesto.

-Ellos me acompañan a todas partes -respondió Vicky clavándole la mirada.

Vestía él de civil, y sostenía entre sus dedos un puro encendido, de los destinados a la exportación. Había tomado asiento frente a Vicky y se había recostado en su silla tras el escritorio cruzando las piernas, mientras echaba la cabeza ligeramente hacia atrás y exhalaba una larga bocanada de humo. Luego, miró el puro entre sus manos, y ladeando la cabeza para mirar a Vicky en un gesto que a ésta le pareció ridículo, preguntó poniendo la voz más grave y melosa que pudo:

-¿Sabe por qué la hemos mandado a buscar?

Ahora se palpaba los voluminosos bíceps, cultivados en el gimnasio, en un gesto inconsciente del que pasa mucho tiempo frente al espejo explorando el progreso de sus músculos.

-No, no lo sé. ¿Nos van a dar acaso la salida?

El oficial la miró perplejo, y poniéndose de pie dio unos pasos nerviosos por la habitación.

-No, de ninguna manera. Nosotros no tenemos que ver con eso. Eso es un asunto de inmigración.

-¿Entonces?

-Espere aquí, volveré en un rato -y salió de la oficina.

Vicky recorrió con la vista la habitación, observó el escritorio limpio de papeles, el banco de madera junto a la pared en el que permanecían los niños encogidos en silencio, la cámara de televisión en un ángulo del techo. Eran las ocho y cuarto de la mañana. Sacó de su bolso los juguetes que le había enviado Kristina a los niños y se los dio, observando cómo comenzaban a jugar con timidez. Y se sumió en la espera . . .

Habían pasado ya dos horas y el oficial no regresaba. Tres, ya los niños se mostraban impacientes y extrajo del bolso unas tabletas de chocolate de las compradas por Virginia y Azul, pero las recibieron éstos sin entusiasmo. Pasado el mediodía, cuando se preguntaba ella si la espera sería eterna, apareció de nuevo el oficial.

-Hemos sabido de personas que han ido a ofrecerle las vías para salir ilegalmente del país.

-¿Sí?

¡Cómo no habrán de saberlo si las han enviado ustedes mismos! -pensó Vicky al tiempo que lo miraba con dureza.

El hombre bajó la vista, y poniendo unos papeles sobre la mesa:

-Sabemos que usted no ha aceptado esas ofertas.

-Sólo me iré de mi país por la vía regular, cuando ustedes me lo permitan. ¡No hemos cometido ningún crimen! -y sintió que no podía contener las palabras -¿Qué culpa tienen los niños para que los castiguen de esa manera? ¿Qué crimen han cometido?

-Por favor, señora, no, no tengo nada que ver . . . -el oficial tartamudeaba sin levantar la vista de los papeles -Sólo quiero que firme esta declaración en la que jura que nunca intentará abandonar el país ilegalmente.

Vicky tomó la declaración en su nombre, y la firmó mientras pensaba:

Son ustedes quienes violan la ley reteniéndonos en el país a la fuerza. La ley dice que podemos salir y saldremos de cualquier modo.

—

Había yo pasado los exámenes teóricos, y después de los primeros vuelos realizados en el aeródromo de Leesburg, pensé que estaba listo para el examen de vuelos y fui a ver al Doctor Robb.

-Creo que ya puedo tomar el examen.

-¿Tan pronto? Has volado muy poco.

-Tengo horas suficientes en mi récord de piloto. Legalmente ya puedo tomar el examen.

-Pero no acostumbramos a . . .

-Por favor, lo necesito. En esa licencia va el destino de mi familia.

El Doctor Robb pareció comprender.

-Volaré primero contigo antes de que lo hagas con el Inspector.

Luego del vuelo, me entregó un número de teléfono:

-Es el señor Pears, inspector de la Administración Federal de Aviación. Él puede tomarte el examen, llámalo.

Y estrechando mi mano con fuerza, exclamó:

-¡Suerte, muchacho!

El Inspector Pears me atendió con gentileza:

-No podré tomarle el examen hasta el trece de diciembre. ¿Prefiere esperar hasta enero?

-De ninguna manera, le ruego que el mismo trece de diciembre.

-Entonces, a las diez de la mañana en el aeródromo de Leesburg, ese día.

-Allí estaré -a partir del día trece, podría llevar a cabo la operación si encontraba el avión.

Si Dios nos ayuda, éstas serán las primeras Navidades de los niños -me decía una y otra vez lleno de júbilo.

—

Armando, Kristina y yo fuimos invitados otra vez a Columbus por Elena, para dar inicio en su iglesia a la cadena de oraciones que había organizado alrededor del mundo por Vicky y los niños, así como para ultimar los detalles del encuentro que el representante de la Fundación en Moscú había concertado entre Armando y Mijail Gorbachov durante la visita de este último a México la próxima semana. Serviría yo de intérprete en la reunión a que asistiríamos los cuatro, y aprovecharíamos la ocasión para pedir al prestigioso estadista que gestionara ante el líder cubano la liberación de mi familia.

Aún continuábamos trabajando en las dos direcciones, y mis amigos tenían la esperanza de que se produjera el milagro de la liberación de Vicky y los niños a última hora, haciendo innecesarios los riesgos de mi plan para rescatarlos.

Varias vallas gigantescas de carretera que reproducían las fotos de Vicky y los niños saltaron a nuestra vista apenas llegamos a la ciudad, y comprendimos conmovidos que la mano de Elena estaba tras ellas.

Asistimos al servicio agradecidos al Reverendo Creed Henshaw por su interés personal en ayudarnos, y cuando él se dirigió a los feligreses, no pude contener mis lágrimas al ver las de ellos rodar por sus mejillas. Allí y dondequiera que estuviésemos mañana, nos acompañarían sus oraciones y su fe. ¡En un mundo con tantos que aman, la maldad jamás podrá destruirnos!

Esa noche nos reunimos los cuatro para ultimar los detalles del viaje a México, y hablar de mis planes de rescate. Durante largos meses Elena había estado pendiente de mí a diario, colmándome de su alegría, amor y fe aunque fuera a distancia, cuando me llamaba por teléfono. Ahora la veía entristecer mientras nos escuchaba, visiblemente atormentada por lo que pudiera ocurrirnos.

-Compréndanme, si no lo hago me muero.

Elena me miró fijamente, y vi lágrimas en sus ojos. Tomó mi mano, y me dijo:

-Si Johnny viviera, sé que te habría apoyado. Él era como tú de osado. Cuenta conmigo. ¿Cómo encontrarás el avión?

No lo sé, aún tengo que buscarlo.

-Tengo una amiga a la que le encantaría ayudarte. Hazme saber cuando encuentres ese avión.

Sabía que Elena se refería a sí misma. Siempre había tenido mucho cuidado en no herirme a causa de su dinero.

Aproveché la visita a Columbus para almorzar a solas con los pilotos que trabajaban para Elena, a quienes conocía desde el primer viaje a la ciudad.

-Estoy buscando un avión. Se imaginarán para qué lo quiero . . .

-Gary levantó la vista de su plato mirándome perplejo. No le cabía en la mente que yo planeara lo que insinuaba.

-¿Estás loco? Te vas a meter en un lío.

-Por favor, dejemos eso. Quiero que me ayuden a saber de un avión barato y capaz de despegar y aterrizar en un campo corto.

-Yo tengo un avión que quiero vender -comenzó Ron a decir -es un CESSNA-310F, de 1961.

No podía creerlo, y estallé en júbilo.

-¿Dónde está? ¿Podemos verlo?

Gary me interrumpió, dirigiéndose a Ron:

-¿Sabes para qué él quiere el avión? Puede meterte en un lío . . .

Sentí que me subían los colores a la cara. ¡Yo sólo quería comprar el avión de su compañero! Me controlé como pude, y hablé pausadamente:

-No estamos hablando del avión de Ron sino del mío después que lo haya comprado.

-Pero van a investigar . . .

La conducta de Gary me resultaba incomprensible. No estaba buscando un cómplice para un crimen, sino alguien que vendiera un avión con todos los requisitos de la ley. En todo caso no era asunto suyo.

Y comencé a temer a Gary, a lo que pudiera decir y hacer. Más de una vez, hombres endebles habían llevado al fracaso proyectos ajenos, sólo por su incapacidad de aceptar los riesgos, aunque no fueran suyos. ¡Y en este caso lo que estaba en juego con una indiscreción era la vida de mi familia!

-¿Hay alguna ley que te impida vender lo tuyo a quien te dé la gana? -pregunté mirándolo con dureza, sin disimular mi desagrado por su intromisión.

Gary quedó pensativo.

-Yo quiero vender mi avión -dijo entonces Ron.

-¿Cuánto?

-Treinta mil dólares.

-Aún no tengo el dinero, pero lo tendré pronto. Prométeme que no lo venderás a nadie más. En ello va la vida de mi familia.

-Prometido.

Regresamos a Virginia, y vi que contaba con un día para ultimar el plan antes de partir hacia México. Virginia y Azul eran las personas que mejor podían hacerle llegar un mensaje a Vicky.

Si pudiera verlas en México . . . -pensaba al tiempo que escribía a toda prisa una escueta nota que envié de inmediato a Azul por FAX:

''Estaremos en Monterrey. Es importante nos veamos allí. Creo que podremos pasar estas Navidades juntos''.

Azul me llamó de vuelta enseguida:

-Claro que sí, iremos a Monterrey.

Desplegué el mapa sobre la mesa y comencé a calcular en base a los datos del CESSNA-310 y la carretera de cuatro sendas en la misma costa de Matanzas, frente a la playa El Mamey, que había escogido para el rescate. Estaba cerca de la casa de mis padres y Vicky y los niños podrían llegar hasta allí sin levantar sospechas.

Había ya calculado el tiempo que necesitaría el caduco Sistema de Dirección de las tropas para lanzar sus cohetes, y faltaba saber ahora si el tiempo que transcurría desde el instante en que fuera localizado hasta el momento de salir del alcance de los cohetes sería menor que el que ellos necesitaban para estar listos a dispararlos contra nosotros.

En vuelo rasante, no seré localizado antes de treinta millas náuticas del lugar de aterrizaje . . ., y los cohetes pueden alcanzarnos hasta doce millas náuticas de la costa durante la salida . . . Podemos volar a una velocidad máxima de doscientos doce nudos . . . Si permanecemos en tierra no más de un minuto lograríamos cruzar la línea límite de alcance de los cohetes catorce minutos y cincuenta segundos después de ser localizado. ¡Diez segundos menos de los que necesita el Sistema de Defensa para estar listo a lanzar sus cohetes!

Sólo la aviación de combate podría interceptarnos en aguas internacionales, y trataríamos de evadirla protegidos por la oscuridad de la noche, pero necesitaba un poco de luz para volar rasante y aterrizar en aquella carretera.

Era el anochecer, por tanto, el mejor momento para el rescate. Como piloto de combate, sabía que resultaría casi imposible para mis excompañeros, mal entrenados ahora por la crisis de combustible y conducidos además por navegantes que daban instrucciones por radio desde las pantallas de radares con poca capacidad resolutiva, localizar un objetivo de poca velocidad que volara a muy baja altura sobre el mar en plena oscuridad.

Me senté frente a la computadora y escribí un detallado mensaje que imprimí en la letra más pequeña posible:

''Cuchita'':

Era la manera íntima en que sólo yo la llamaba. Sabría que era genuino al leerlo.

> *. . . En la carretera frente a la Playa El Mamey, de Matanzas . . . esperar desde media hora antes del anochecer . . . Aproxímense al avión sólo por*

detrás. Cuidado con las hélices. Sostén a los niños de las manos . . . La clave por teléfono: Yo, preguntándote si apruebas el plan: "¿Cómo está mi padre?". Tu respuesta afirmativa: "Está más delgado, pero está bien". Para decirte que voy al próximo día, en esa u otra conversación telefónica: "Voy a mandarte dinero para que compres un equipo de video". Confirma la hora de la puesta del sol y házmela saber como si me hablaras de la talla de un par de zapatos que me pides, quiero estar seguro de que tenemos el tiempo sincronizado.

Amanecía cuando concluí de escribir. Siempre me sorprendía la luz del día en los momentos más emotivos. Miré el boleto de avión y descubrí que no tendría tiempo de descansar, en un par de horas debía estar en el aeropuerto. En México, nos esperaba la interesante reunión con Gorbachov, y la más importante aún con Azul y Virginia.

Hicimos el viaje riendo, gracias al don de Elena de alegrarlo todo a su paso, y nos dispusimos para la breve reunión con Gorbachov en una pequeña oficina del Centro de Convenciones en que hablarían él y Armando.

Asistí con una pequeña grabadora en las manos, ya no creía en la efectividad de las gestiones que no se hicieran a la luz pública.

Realmente, sentía gran admiración por Gorbachov. Le creía responsable de los cambios ocurridos en el mundo y le estaba agradecido por ello. De no haber sido por la *Perestroika*, tal vez estuviera aún sumergido en aquel mundo surrealista y de culto al odio en que había crecido. Había hablado con su esposa, Raisa, durante la cena de la noche anterior, y me sentí ilusionado cuando ella tomó mis manos con ternura prometiéndome que hablaría con él esa noche.

-Ten confianza en nosotros -me había dicho antes de despedirnos.

Gorbachov llegó al pequeño despacho en que esperábamos, y después de un breve intercambio con Armando, pedí permiso a éste para hablarle directamente:

-Mijail Sergueyvich, mi esposa e hijos pequeños llevan dos años en Cuba como rehenes . . .

Gorbachov dejó de sonreír en este instante, y tomándome la mano en la que sostenía la grabadora que no le había molestado hasta entonces, me la apartó a un lado diciendo:

-La solución de problemas familiares aislados debe estar en el contexto de la solución del problema cubano. Por eso . . .

Ya no lo escuchaba. Había apagado la grabadora que le preocupaba, y daba unos pasos hacia atrás diciéndole:

-Gracias, no se moleste, no es necesario . . .

Minutos después, asistía a la conferencia dada por el célebre estadista. Alguien del público le preguntó sobre su creencia o no en la existencia de una voluntad divina, y se perdió en un enredo de palabras cuyo sentido nadie pudo captar.

Otro, repitió la pregunta aún con más claridad:

-¿Cree o no cree usted en Dios?

Tampoco pudo decir ni que sí, ni que no. Y lo vi caer del altar de mis héroes.

No, un hombre así no inició la Perestroika por voluntad propia . . . -pensaba mientras me marchaba frustrado del encuentro con una de las figuras históricas que más había admirado -*¡La inició para no perecer!*

Esa tarde llegaron Virginia y Azul, envueltas como siempre en una aureola encantada de bondad. Nos reunimos los seis en el bar del hotel y, hablando lo más bajo posible, expliqué los detalles del plan de rescate y el terrible presentimiento de que algo le ocurriría a Vicky y a los niños si no lo ponía en práctica cuanto antes.

Alguien volvió a mencionar los riesgos que correrían las vidas de todos, y Virginia intervino entonces con los ojos humedecidos.

-Si Vicky y él presienten una desgracia si no lo hacen, deben hacerlo. Sólo ellos pueden saberlo.

Una vez más, Virginia captaba la fuerza del espíritu humano. Luego, agregó sonriendo:

-Bueno hombre, diga cómo quiere que le ayudemos.

-Necesito que alguien le lleve este mensaje a Vicky -dije extrayendo el pequeño papel plegado de mi billetera.

Virginia lo tomó y lo guardó en su cartera, al tiempo que decía:

-No te preocupes, Vicky lo recibirá lo antes posible.

Durante el regreso me sentí confrontado conmigo mismo:

¿Qué le ocurriría a la persona que llevase el mensaje si la Seguridad del Estado se lo ocupaba?

La probabilidad de que ello ocurriera era muy remota, pero no pude dejar de sentir que actuaba con egoísmo al dejar que otros corrieran un riesgo por mi familia. Y me sentí avergonzado de ello. ¡A tal punto me había llevado la desesperación!

Corría el doce de diciembre de 1992. Me quedaba pendiente el examen de vuelos al día siguiente y la compra del avión. Ya Elena había dicho que una amiga suya donaría los treinta mil dólares a la Fundación para comprarlo, y todos comprendimos que se trataba de ella misma. Era su estilo para hacernos sentir más cómodos con su ayuda.

Si Dios nos ayuda, estaremos juntos en Navidad -pensaba excitado cuando ya aterrizábamos en el aeropuerto National en Washington.

—

Había tomado el examen de vuelos sin contratiempo y, con la añorada licencia en mi bolsillo, iba ahora de un lado a otro de la habitación tratando de desentrañar la manera en que se desarrollarían los acontecimientos en el futuro. Era la tarde del martes quince de diciembre. Sonó el teléfono y lo tomé de un salto:

-¿Orestes?

¡Era la voz que esperaba!

-¿Sí?

-Es Virginia, salgo mañana con dos amigas para Cuba. Regresamos el viernes por la tarde.

Temblaba de emoción de pies a cabeza. ¡Había esperado tanto! ¡Había sufrido tanto! Y lo que me parecía casi imposible meses atrás se desarrollaba ahora con rapidez extraordinaria. ¡Qué mano la de Dios que había puesto en nuestro camino tales amigos!

Me dejé caer tras el escritorio y, con mano temblorosa, comencé a escribir siete cartas: Armando, Kristina, Elena, Mari Paz, Valle, Azul y Virginia.

> *. . . sepan que no estaré nunca arrepentido de las razones por las que escapé de Cuba, ni de cuanto he hecho desde entonces. Haberles conocido es razón suficiente para estar satisfecho de ello. He sido libre al menos durante veintiún meses, y ni la muerte misma podría arrancarme ya esa libertad que llevo dentro. Me despido, por tanto, alegre.*

Miré las cartas que dejaba a los más queridos amigos y me sentí seguro del triunfo: un hombre excepcional y seis mujeres. ¡Qué afortunada correlación! ¡Oh, las mujeres! ¡No hay obra que fracase si ellas ponen su amor, talento y fidelidad en ella!

Tomé el mapa con los cálculos, un "walkie-talkie" que había desistido de enviar a Vicky para que se comunicara conmigo durante el vuelo, y el cheque de la Fundación por los treinta mil dólares que había donado Elena. Armando había partido a Miami en un viaje de trabajo, y llamé a Kristina para despedirme y dejar las cartas antes de marchar a Columbus, donde me esperaba la compra del avión.

-Son para que las abran sólo en caso de ocurrir lo peor -le dije, mientras esperábamos por mi vuelo en un banco del aeropuerto.

Permanecía callada, y rodaban ahora por su rostro las lágrimas que había contenido los últimos días. ¡Cuánto la quería! Habíamos luchado juntos por largos meses, cada vez con una nueva ilusión, cada vez con un nuevo fracaso. Estuvo presente siempre en cada detalle, sumida en una actividad constante por llegar a la sensibilidad de quienes podrían ayudar, al tanto de las cosas más pequeñas que pudiera enviar a Vicky y los niños.

-¿No regresas a Virginia antes?

-No.

Quedó pensativa unos segundos.

-Yo quiero estar allí cuando te vayas . . .

Ya era hora de partir. Nos abrazamos y, sin volverme, corrí al avión a punto de salir.

—

Había Vicky recibido una llamada telefónica de Virginia:

Te voy a mandar un regalo de Navidad.

Y ahora, estaba ella jugando con los niños en el cuarto cuando sintió a la hermana llamarla con un grito de alegría:

-¡Vickyyy!

Corrió a la sala, y vio que entraba aquel ser tan querido acompañada de sus dos amigas, Maribel y Mónica.

-Aquí estoy. ¡Yo soy el regalo de navidad! -exclamó Virginia al tiempo que corría hacia ella para abrazarla.

Saludó uno por uno a todos en la casa y, cuando Vicky se disponía a tomar asiento junto a ella, vio en un gesto de sus cejas una invitación a pasar al cuarto. Entraron en silencio a la habitación, y Vicky conectó el radio con el volumen más alto posible. Virginia le puso una mano en el hombro, y se llevó el índice de la otra a los labios en un gesto de cómplice silencio. Abrió luego, el bolso y buscó entre tarjetas y documentos un diminuto pedazo de papel plegado cuidadosamente.

Vicky leyó en silencio la nota que temblaba en sus manos, emocionada, pero no sorprendida. La había estado esperando mucho tiempo . . . Levantó los ojos radiantes de alegría, y chocó con la mirada inquisidora de Virginia. Asintió entonces con la cabeza al tiempo que apretaba los labios como si temiera se le escaparan las palabras, y vio el puño de Virginia batir el aire en un arranque de regocijo. Virginia tomó luego sus manos y las apretó con fuerza, dejándola leer en sus ojos todo lo que le deseaba. Quemó Vicky el mensaje en el baño, y regresaron a la sala donde hablaron en voz alta y alegre de ir el próximo día a la playa.

Ahora, viajaban apretados en el pequeño automóvil, entre alegres cantos y miradas de complicidad que los niños ignoraban. Les esperaba la playa y, en el trayecto, un espacio de carretera que revisarían sin detenerse: el lugar del rescate.

Quiso Virginia detenerse en una tienda para turistas y compró tres camisetas y tres gorras de vivo color naranja que extendió a Vicky, al tiempo que le susurraba:

-Para que los vea mejor desde el aire.

Sólo los niños quisieron tomar un baño, entre gritos de júbilo que daban con las olas que rompían. Los llamaron ellas a la arena, donde esperaban sentadas, y formaron un círculo tomados de las manos. En el centro, una botella: mitad agua, mitad arena. Explicó entonces Virginia:

-Ahora, cada cual toma una pequeña concha, la pone en la botella y pide en silencio un deseo.

Pusieron en la botella sus conchas y sus deseos. Y quedaron en silencio un tiempo con las cabezas bajas, los ojos clavados en la arena. Reyniel habló primero, dirigiéndose a Alejandro:

-Yo pedí estar pronto con mi papá, ¿y tú?

-Yo también pedí ver pronto a mi papá.

De regreso a La Habana, vieron el sol ocultarse tras el horizonte. Vicky miró el reloj: eran las cinco y treinta p.m. del jueves diecisiete de diciembre.

—

Había esperado con impaciencia por Ron hasta el viernes, y ahora probábamos el Cessna matrícula N5819X antes de la compra.

-¿Puedes mostrarme la velocidad de desplome con tren y ''flaps'' extendidos? -le pedí, sabiendo que necesitaría maniobrar en los límites aerodinámicos del avión.

-Setenta y cuatro millas . . . -dijo al tiempo que reducía velocidad y tocaba con el índice el viejo instrumento graduado en millas corrientes.

-¿Podríamos probar un poco menos hasta el desplome?

Ron me interrogó con la mirada, y dijo después:

-O.K., tomemos un poco más de altura.

Suponía que el avión debía desplomarse a menos velocidad. Las fábricas indicaban generalmente un valor algo mayor para dar un margen de seguridad al piloto, y necesitaba saber el límite verdadero. ¡Tendría que maniobrar sobre una carretera con tránsito, y aterrizar al primer intento con muy poca luz!

Estaba contento con las características del CESSNA-310. Cortísima carrera de despegue y aterrizaje, maniobra excelente, ¡era lo que necesitaba! Como los fieles y nobles amigos que tenía, había sido puesto en mi camino. Y di gracias a Dios por ello.

Después de la compra, pregunté a Ron si me podría acompañar a Cayo Marathon, lugar desde el que pensaba partir. No quería hablar por radio. Quería excluir hasta la muy remota posibilidad de que los radioescuchas cubanos reconocieran mi voz durante los partes radiales en el vuelo hacia los cayos, pues esto les daría tiempo suficiente para informar y aumentar la vigilancia sobre Vicky y los niños. Estuvo de acuerdo, y quedamos en vernos a la hora de la cena en casa de Elena. Kristina había llegado también a Columbus horas antes, diciéndome cuando la abrazaba:

-No habría podido esperar en Washington.

Virginia debía regresar a México de un momento a otro, y ahora los tres nos consumíamos en ansiedad junto al teléfono. Elena, impaciente, daba breves viajes a la cocina, apareciendo cada vez con nuevas golosinas en las manos, como si el comer acelerara el paso del tiempo. El teléfono había sonado varias veces haciéndonos saltar de nuestros asientos, pero eran llamadas rutinarias.

Ocho de la noche: Elena parece querer caminar una distancia infinita entre la cocina, su cuarto y el salón en que esperamos. Ríe cada vez que aparece, pero veo en el fondo de sus ojos la angustia que no quiere traslucir. *''Si fracaso esta vez, pagaré con la vida''*. Kristina quiere tomar fotos del momento, y se mueve de un lado a otro, hostigándome con el flash de su cámara. Dudo que las fotos queden bien, sus manos tiemblan demasiado. Miro las mías, y noto que también tiemblan.

Ocho y veinte . . . ¡Suena el teléfono!

-¿Buenooo?

Era la voz más dulce del universo.

-¿Virginia?

-Padrísimo, hombre. Ya estoy de vuelta.

-Virginia . . .

-Todo está listo. La enferma estará en la consulta del médico a las cinco y cuarenta y cinco el día que la citen.

Parecíamos estatuas mientras la escuchábamos.

-¿Puedes comunicarme con ella en La Habana? Desde aquí es imposible . . .

-Puedo hacerte un puente con otro teléfono que tengo aquí. Espera . . .

Quedamos en silencio, escuchando el sonido que producía Virginia al discar.

-¿Buenooo?

¡Había comunicado!

-Hola, Vicky, llegué bien . . . Tengo a tu esposo en otra línea. Hace días te quiere hablar pero no hay comunicación . . . Espera . . .

Mi pulso parecía acelerarse hasta estallar.

-¿Qué le digo? -hablaba ahora en un susurro.

-Pregúntale cómo está mi papá.

De nuevo su voz más lejos, en el otro teléfono:

-Pregunta que cómo está su papá.

Silencio.

-No, el tuyo no. Quiere saber de SU papá.

Otra vez en nuestra línea:

-Dice que está más delgado pero que está bien.

Casi doy un salto de júbilo. Elena y Kristina escuchaban petrificadas.

-Dile que le mandaré dinero para un equipo de video y un televisor.

Era infinitamente feliz. Salté y corrí de un lado a otro como un niño, y en cada giro daba un abrazo a Elena y a Kristina, que no sabían si reír o llorar.

-Yo no me quedo aquí mañana -advirtió Elena con su cándida gracia -yo quiero estar en Marathon cuando salgas.

Y, tomando el teléfono, llamó a Gary para decirle que volaría a Miami a la mañana siguiente.

-Mañana le digo adónde vamos realmente -comentó cuando colgó el teléfono.

Ron llegó, listo para partir hacia Marathon, pero aún le pedí esperar un poco. Elena quería ir a la iglesia, y al saber que ya estaba cerrada, llamaba al hospital para ir a rezar en su capilla. La hermana Patricia nos condujo hasta la capilla que abrió para nosotros. Entramos en silencio y ocupamos puestos, arrodillados, lejos unos de otros. Sentí los sollozos de Kristina y Elena a mis espaldas, y ya cuando nos retirábamos sin cruzar palabra, nos interceptó de nuevo la hermana Patricia. Traía un rosario en las manos y se lo extendió a Kristina diciendo:

-¡Que el Señor los acompañe!

-Tómalo -dijo Kristina volviéndose hacia mí -lo necesitarás en tu viaje.

Tomé el rosario y vi que la hermana asentía con la cabeza mientras me apretaba la mano.

En casa de Elena aún indagué por una cámara de video que trajo ella enseguida. Pedí a Kristina me filmara, y comencé a explicar los detalles del plan ante el mapa desplegado:

"Sé que si soy capturado, el hecho será utilizado por el gobierno cubano para montar una campaña acusando a la CIA y el gobierno de los Estados

Unidos de terrorismo contra Cuba. Sé también que pueden poner las peores cosas en mis labios. Y quiero dejar constancia al mundo de que actúo bajo mi entera responsabilidad, con la ayuda de unos pocos amigos. No estoy ni estaré arrepentido de lo que he hecho hasta hoy por mi libertad y la de mis seres queridos. No llevo armas en mi vuelo. Sólo el amor por los míos''.

Elena quiso preparar una nevera con Coca-Cola y golosinas de chocolate para los niños.

-Les relajará la tensión del vuelo -decía mientras la llenaba de hielo.

Justo antes de partir, regresó Kristina de su cuarto con un paquete en las manos.

-Es un traje deportivo que buscó Brandon. Es nuestro regalo de Navidad para ti. Quiero que te lo pongas -dijo, extendiéndolo ante mis ojos.

Regresé en un instante, vistiendo el regalo de mis amigos, presa ya de la mayor prisa.

-Espera . . . -era Elena, extendiendo sus brazos hacia mí -esta es una medalla de la Virgen de la Caridad que perteneció a mi madre. ¡Llévala contigo!

Y la prendió en el pecho de mi nuevo traje.

—

Era medianoche cuando despegamos de Columbus. Las tres horas y media de travesía hasta Marathon las hicimos en silencio, interrumpido únicamente por los partes de radio que daba Ron. Encontramos un motel frente al aeropuerto para pasar la noche, y me inscribí con un nombre venido a mi mente al azar: Joao García.

Partimos a nuestras habitaciones. Ron descansaría, yo revisaría los cálculos otra vez. De todos modos, no pegaba un ojo desde el martes.

Eran las cuatro y treinta de la madrugada.

Capítulo 21

—

El último día

Se había despedido de Virginia al mediodía, y desde que ésta la llamó de vuelta comprendió que no podría dormir. Cuando leyó el mensaje, pensó que aún me tomaría algún tiempo conseguir el avión, y al escuchar la contraseña tan pronto, tuvo que hacer un esfuerzo para no desplomarse delante de todos.

Entonces, trató de controlar la excitación que la invadía visitando a los vecinos con alguna excusa. Había nacido allí, entre el bullicio de aquellos hogares lindantes unos con otros, viéndoles llegar a la puerta de su casa en busca de algo que necesitaban, con la misma familiaridad con que su mamá la solía mandar por sal o azúcar a sus casas cuando en la suya no había.

Los últimos meses habían sido muy duros, y a pesar de ser un vecindario de familias revolucionarias que asistían a las reuniones y guardias del Comité de Defensa, todos estuvieron con ella desde el comienzo, brindándole afecto, al tanto de mis llamadas a casa de cualquiera para hacérselo saber con un grito, alertándola sobre la presencia de algún desconocido que la vigilaba.

Sí, ellos eran parte de su vida. Los quería y se despidió sin que lo supieran, en las breves visitas que hizo a sus casas esa noche.

Ya tarde, cuando su madre se disponía a dormir, le dijo que iría el día siguiente a visitar a mi familia en Matanzas.

-Eso es una locura, con lo difícil que está el transporte . . . -Le respondió María, pensando en los trabajos que pasarían para llegar allá.

-Saldré por la mañana hacia la terminal de ómnibus. Si en dos horas no hemos logrado irnos, regresamos -dijo entonces a su madre para tranquilizarla, sabiendo que los seiscientos pesos que le había dejado Virginia antes de partir serían suficientes para pagar a uno de los choferes que esperaban con sus automóviles en las inmediaciones de la Terminal.

Cerró la puerta de su cuarto para no delatar que aún tenía la luz encendida, y comenzó en silencio a arreglarse el pelo frente al espejo. Hacía mucho no lo hacía, como tampoco cuidaba de aquellas manos temblorosas que ahora lo envolvían en pequeños rollos.

No puede verme como estoy -se decía luego, estrenando la pintura para las uñas que le mandó Kristina. Y revisó después, su rostro, sus arregladas cejas, sus uñas ahora alegres . . . ¡Aún entre la vida y la muerte quería que la viera bella!

Entonces dio la espalda al espejo para contemplar a los niños y a la pequeña sobrina dormir plácida e inocentemente. ¡Qué lejos estaban de imaginar lo que se tramaba! ¡Qué crueles los padres, que en nuestro amor determinamos sus destinos sin consultarlos! ¡Qué cruel su inocencia que nos impide alertarlos!

Sabía que reaccionarían corriendo hacia el avión cuando llegara el momento crucial. Mil veces, en sus cabecitas, habían tejido la esperanza de ser rescatados por el padre. Pero la atormentaba no poderlos alertar por temor a su inocencia, la que les haría contarlo todo sin ver la maldad que les acechaba.

Mañana los esperaba el desenlace, la unión de la familia, la libertad. Tal vez la muerte . . . Y sintió pánico de sus propios pensamientos.

¿Qué me dirían ellos cuando sean hombres si no lo hiciéramos? -se preguntó otra vez, comprendiendo que el riesgo que corríamos estaba dictado ante todo, por ellos, por su derecho a crecer libres.

¡No les dejaremos ser esclavos! -murmuró, y besó sus mejillas dormidas.

Observó entonces a su única sobrina. Había dormido con ella desde que vino a vivir a casa de sus padres. Diminuta, dispuesta y vivaz, la perseguía durante el día tirando de su falda: "Tía, tía . . ." Y solía por la noche, hacerse un ovillo a su costado, al calor de su cuerpo.

Quería siempre la niña que ella la vistiera, que fuera la primera en celebrar su bata nueva o los zapatos que el tío le mandaba desde aquel lejano país . . . Y a partir de mañana dejaría de verla. ¿Para siempre?

Una lágrima cayó sobre el rostro de la pequeña cuando la besaba, y la apretó contra su pecho, desfallecida como estaba en su sueño.

Tomó la Biblia que guardaba en el viejo ropero, y se sentó junto a los niños a leer. Un leve quejido tras a la puerta atrajo su atención y, al abrirla, vio correr entre sus piernas aquella dócil y fiel criatura que había aparecido un mes antes, y a la que los niños bautizaron "Motica". Fue en aquella tarde lluviosa que Vicky estaba en casa de la vecina, que ella llegó a la puerta del hogar. Reyniel y Alejandro la vieron aparecer empapada en el umbral, y allí se quedó como una persona, en espera de la invitación a pasar.

Los niños la observaban curiosos cuando la tía gritó para echarla: ¡Perro, sal, fuera!, y ella corrió alejándose de la puerta, mientras Aurora exclamaba: ¡Sólo eso nos faltaba en esta casa en que no cabemos: un perro!

Regresó Aurora a la cocina, y regresó Motica a la puerta. Aurora salió otra vez a la sala, y Motica se alejó otra vez corriendo.

Varias veces se repitió la escena, cada vez Aurora más conmovida al echarla. Y la siguieron Reyniel y Alejandro hasta el pasillo en su última carrera, donde Vicky los encontró con ella.

-Mira, mami . . . -dijeron ambos a la vez, y Motica movió la cola con alegría.

Vicky la miró a los ojos, y quedó conmocionada.

-Este animalito provoca compasión con la mirada. Vamos a casa.

Y entraron los cuatro al hogar. Motica, como si lo hiciera al suyo de siempre, corriendo al comedor para echarse bajo la mesa.

Se había convertido en el último inquilino de la casa ya atestada de gente, y esperaría después cada día, echada a la puerta, por la llegada de los niños de la escuela, para saltar a sus pechos presa en una euforia de brincos alegres.

Entró Motica a la habitación, y notó Vicky que no movía la cola con la alegría habitual. Sólo subió al colchón y ocupó un lugar junto a los niños, con las patas delanteras entrecruzadas y la mirada triste clavada en Vicky.

-¿Tú lo sabes verdad? -le habló Vicky.

Y por primera vez, esa noche, Motica movió la cola.

Crecía la luz del diecinueve de diciembre en su ventana cuando tomó la mochila en que Reyniel solía llevar sus libros a la escuela, para poner las cosas del viaje: las camisetas y las gorras color naranja, el dinero de Virginia, la Biblia, caramelos y una merienda que fue a preparar a la cocina. Allí encontró a su padre tomando en silencio el primer café.

-Está muy extraño ese viaje de ustedes a Matanzas hoy -le comentó, escrutándola con la mirada.

-Papi . . . -suplicó Vicky, a la vez que le tomaba el brazo apretándolo con fuerza -Por favor . . .

Gerardo bajó la cabeza sin pronunciar palabra, y Vicky lo besó en la frente.

Cuando se alejaba con los niños por el pasillo, se volvió para mirar a sus padres que permanecían aún en la puerta. Movió la mano en un adiós y recibió la misma respuesta. Caminó unos pasos más y se volvió de nuevo. Allí estaban aún, con Motica junto a sus piernas y la tristeza en sus miradas, viéndolos marchar.

Lo presienten . . . -pensó mientras caminaba, dolida por no haberles dicho nada -*¿Pero para qué? Los habría matado de angustia.*

Eran las ocho de la mañana, si tenían suerte llegarían temprano a Matanzas. Caminaron seis cuadras hasta la parada del ómnibus, y se mezclaron con la gente en la espera que parecía siempre eterna. Un hombre, parado en la esquina de la calle, miraba con insistencia hacia la parada, y Vicky sintió un temblor recorrerle el cuerpo.

¿Nos estará siguiendo? -y trató de fingir que no le prestaba atención.

Casi había transcurrido una hora cuando el ómnibus asomó por la calle y pasó raudo junto a la parada, sin detenerse, con un enjambre de desesperados viajeros colgando de sus puertas.

-Vamos para la calle Paseo -dijo a los niños tomándolos del brazo.

-¿Vamos a pedir que nos lleven a los carros que pasan? -preguntó Reyniel, avergonzado de tener que hacer señas a quienes por allí transitaban.

Hacía algún tiempo que, para aliviar en algo el malestar del pueblo por el pésimo transporte, el gobierno había ordenado a los funcionarios que disponían de vehículos estatales para su trabajo, que recogieran en sus trayectos habituales a los viajeros que lo pidieran.

En la esquina, Vicky volvió a mirar hacia atrás. A una cuadra de distancia, en el mismo lugar que antes, continuaba el hombre mirando en dirección a ellos.

Es evidente que nos vigila . . . -se dijo horrorizada, pensando en cómo deshacerse de él.

Un automóvil se detuvo por fin junto a ellos.

-Voy hasta la Plaza de la Revolución nada más -dijo el chofer inclinándose hacia la ventanilla, mientras la mujer a su lado se apartaba un tanto hacia atrás.

-Gracias. Nos sirve -respondió Vicky, abriendo la puerta trasera.

La Plaza de la Revolución no distaba mucho de la Terminal. Podrían caminar el resto. Abandonaron allí el automóvil, también la mujer del asiento delantero. Y emprendió Vicky la marcha a paso ligero tirando de los niños que parecían no tener prisa.

Volvió el rostro, y vio a la mujer que los había acompañado cruzar la calle en dirección al edificio del Ministerio del Interior, volviendo el rostro repetidas veces para observarlos a ellos también.

Miró entonces hacia adelante, a ambos lados. El hombre de la esquina no aparecía por allí.

Tal vez sea mi imaginación. Pero atravesaré por entre estos edificios -y tirando de los niños, cambió el rumbo para pasar entre los edificios y llegar a la Terminal por una vía menos usual.

No entraron a ésta. En una calle contigua se estacionaban varios automóviles de médicos, ingenieros y otros profesionales, que los habían recibido en otros tiempos como un estímulo que les daba la Revolución. Ahora, esperaban allí por viajeros dispuestos a pagar el servicio que les reportaría más de dos meses de salario.

-Vamos para Matanzas -dijo al hombre recostado sobre el guardafango del Moskovich que encabezaba la fila.

-Son cien pesos por persona.

-Está bien.

Y haciendo el chofer señal a otros pasajeros que esperaban, abrió las puertas del vehículo.

Vicky echó en derredor una ojeada, y no vio a nadie que pareciera seguirlos. Tomó asiento junto a los niños y miró el reloj. Eran las diez de la mañana.

Sí, llegaremos sin contratiempos -pensó con regocijo.

—

En Marathon, aterrizaba el avión de Elena pilotado por Gary.

-¿Dormiste algo? -me preguntó Kristina cuando la recibí al pie de la escalerilla.

-Imposible. Es que el tiempo no pasa . . .

-Tampoco nosotras hemos podido . . .

-Vamos a caminar entonces. Estoy loca por conocer Marathon -agregó Elena con entusiasmo, tratando de aliviar la tensión.

Caminamos los tres a lo largo de la calle, sintiendo en la piel el sol que sólo era posible en aquellos parajes en tal época del año, mirando a cada minuto las manecillas del reloj que parecían soldadas en un punto de la esfera.

Decidimos almorzar en un Pizza Hut, y allí encontramos a Ron y Gary que ya lo hacían. Había observado que, desde su llegada a Marathon, un nerviosismo inusitado embargaba a Gary, quien se movía constantemente de un lado a otro presa de la inquietud más evidente, con el rostro contraído por el temor y la incertidumbre. Su actitud añadía una preocupación adicional a las que ya tenía, poniéndome los pelos de punta.

-Temo por lo que Gary pueda hacer -comenté preocupado a Elena y a Kristina, mientras lo observaba junto a Ron en otra mesa.

-Si hace una llamada y soy retrasado sólo unos minutos al momento de partir, se habrá venido todo abajo -agregué, temeroso de la actitud de aquel hombre que se comportaba como si estuviera en peligro su propia vida o intereses.

-Es buen muchacho . . . No te preocupes, hablaré con él -dijo Elena, con tranquilidad.

Observé a Gary otra vez, sentado junto a Ron con el semblante descompuesto. No, no le perdería de vista un instante. Eran las doce del día.

—

Habían entrado en la ciudad de Matanzas y pasaban en el Moskovich junto al ómnibus detenido en la parada. Vicky volvió la cabeza y leyó el rótulo sobre el parabrisas: RUTA 16 - CANÍMAR.

-Queremos bajarnos en la próxima parada de ómnibus -Pidió al chofer.

Al descender, vio el ómnibus aproximarse atestado de pasajeros. La avenida estaba limpia de otros vehículos. Nadie parecía seguirlos. Abordaron éste a fuerza de empujones, por la puerta trasera; en silencio los niños, acostumbrados desde que nacieron a tal agolpamiento. Ya pasaban frente a la calle en que vivía mi hermano, a la salida de la ciudad, cuando Reyniel exclamó:

-¡Se nos pasó la parada, mami!

-No . . . ellos ahora están trabajando. Mejor vamos a la playa un rato.

Reyniel la miró intrigado. Diciembre no era época en que solieran visitar la playa.

Hoy mi mamá no está muy bien de la cabeza -pensó, pero prefirió no contradecirla. Algo en la mirada de Vicky le decía que debía callar.

Al llegar a Canímar, aún les quedaba un kilómetro por caminar hasta la playa El Mamey, y cruzaron el puente, descendiendo por el borde de la carretera hasta el mar que esperaba abajo.

-¡Mami, estoy cansado de caminar! -estalló por fin Alejandro luego del viaje que había hecho milagrosamente en silencio. Y lo tomó Vicky en sus brazos para complacerlo el resto del camino. ¡Dulce tiranía la de los hijos, que no saben, que a los padres también los invade el cansancio!

Divisaron la playa, desierta, en una especie de hondonada cavada por el agua y la sal durante siglos. Y bajaron a ella por la escalera tallada entre el arrecife, la más alejada del quiosco en el que cuatro hombres parecían compartir una botella de ron. Se sentaron en una roca próxima a las olas que nadie disfrutaba, y Vicky pensó en qué hacer para distraer a los niños. Faltaban aún cinco horas para la cita.

-¿Mami, qué vamos a hacer aquí? Estoy aburrido -se quejó Reyniel.

-Por el momento, comer . . . -respondió Vicky, al tiempo que abría la mochila -No tenemos adónde ir hasta que tu tío regrese del trabajo. El viaje fue más rápido de lo que pensaba.

Caminaron luego por la arena reuniendo conchas de diferentes tamaños, persiguiendo diminutos cangrejos que desaparecían a la carrera en sus pequeñas cuevas.

Vicky miró en dirección al quiosco, preocupada por la presencia de aquellos hombres que los habían observado insistentemente cuando descendían por las escaleras, y sintió que el corazón le daba un vuelco: dos policías charlaban animadamente con ellos.

¡Los han mandado, de seguro, porque sospechan algo! ¡Y no tengo manera de avisarle para qué no aterrice! -pensó, sintiendo que todo su cuerpo se estremecía. Miró a los niños que corrían ahora por la arena, y tomó la Biblia de la mochila, refugiándose en ella.

—

-Señora -la voz a sus espaldas la hizo volverse con un sobresalto -¿Podría usted vigilar mi ropa en lo que pesco?

El hombre vestía traje de baño. En una mano, el arpón y las aletas de nadar, en la otra, su ropa en un rollo apretado.

-Ya una vez me robaron la ropa. ¿Sabe? Y tengo que pescar algo, la vida se ha puesto muy dura.

-Puede ponerla ahí . . .

-¿Mami?

Era Reyniel, que se acercaba a toda carrera seguido de Alejandro. Ambos se consideraban protectores de la madre, y habían visto cuando se le acercó el extraño. ¡Menudos guardianes aquellos!

-¿Pasa algo, mami?

-Nada. Él quiere que le cuidemos su ropa mientras pesca.

Miraron al hombre con curiosidad, recordando los tiempos en que me acompañaban a la costa para yo hacer lo mismo.

-Hay dos policías allá arriba . . . -dijo Reyniel al hombre, indicando con la mirada hacia el quiosco.

-Ya los he visto . . .

-Sólo a los extranjeros les permiten pescar submarino -agregó Reyniel, recordando la prohibición existente para los cubanos.

-Sí, pero yo pesco cada vez que quiero. Ya me han quitado el equipo dos veces, y me han multado. Pero soy tornero y vuelvo a hacer otro arpón. Tengo que comer . . .

Y el hombre saltó al agua con prisa.

Vicky miró hacia el quiosco. Allí estaban los policías, conversando.

-¡Métanse en el agua, báñense! -ordenó a los niños, apenas sin mover los labios.

-Pero, mami, es diciembre, el día está bueno, pero el agua sigue fría . . .

-Reyniel, por favor . . .

El niño observó en silencio los ojos de la madre clavados en los suyos. Había en ellos una fuerza mayor, urgente. No dijo nada, se volvió, y corrió al agua seguido de Alejandro, para quien cualquier temperatura parecía ser buena.

Y volvió Vicky a refugiarse en su lectura . . .

—

-Señora . . .

El hombre había regresado de su pesca y le chorreaba el cabello que le colgaba ahora en desorden sobre los ojos. En la mano, una enorme langosta.

-Fue lo único que pesqué . . . Quédese con ella.

-Muchas gracias, pero no.

-¿Cómo qué no? ¿Quién ha visto rechazar una langosta así en estos tiempos?

¿De dónde habrá salido personaje tan pintoresco? ¡Sólo me falta ahora que me detengan por tener una langosta! -se dijo a su vez Vicky. Lo menos que necesitaba en esos momentos era alguien empeñado en regalarle algo ilegal para los cubanos.

-Se lo agradezco, pero no la necesito . . .

-Entonces, se la daré a los niños -volvió el hombre a insistir.

-No se moleste usted. Somos alérgicos a los mariscos. No podemos comerlos.

El hombre la miró extrañado, y con cierta pena.

-Bueno, este . . . Entonces me la comeré yo o la venderé -y dando las gracias, comenzó a ascender por la roca.

Vicky siguió con la vista al simpático personaje, y cuando éste alcanzó la cumbre del arrecife, observó que ya no había nadie junto al quiosco. Suspiró con alivio y miró el reloj: cinco de la tarde.

-¡Reyniel, Ale. Vengan a cambiarse! ¡Nos vamos!

—

Habíamos visto a Elena conversar brevemente con Gary minutos después de almorzar, y me sentía ahora tranquilo de verlo sosegado, sin aquella expresión de temor en el rostro.

Ocupamos en la terminal los cómodos butacones alrededor de una mesa atestada de revistas, y permanecimos en silencio un rato, cada cual hojeando sin leer una de aquellas publicaciones, mirando y remirando el impávido reloj que colgaba de la pared.

Había tomado los datos del tiempo para la navegación, y el día no podía ser mejor. Apenas si había nubes en el cielo y la visibilidad parecía ilimitada.

Me tomaría treinta y ocho minutos llegar a la playa El Mamey según mis cálculos corregidos por el viento. Debía despegar a las cinco y siete minutos, exactamente.

-Me voy al avión una hora antes del despegue . . . -anuncié, observando que eran ya las tres y media.

-Hay que tomar unas fotos . . . -intervino Kristina sacando su cámara -Vamos, quiero hacer las fotos junto al avión.

-De ninguna manera, no quiero llamar la atención.

-No seas tonto. Sólo una foto.

Me paré de mala gana para acompañarla hasta el Cessna.

-Ponte aquí, junto al ala, así . . . Ahora, pon la mano en la hélice.

-Kristina, por favor . . . ¡Basta!

-Pero, ¿qué pasa?

No se daba cuenta de que me aterraba llamar la atención.

-Estamos en el extremo sur del país. Yo llegué de madrugada en un avión privado. Luego, llegan ustedes, también en un avión privado. Pasamos la mañana caminando por el pueblo y hablando español en voz baja. ¡Y aquí nadie nos conoce!

-¿Y eso qué tiene qué ver?

-No es normal nuestra conducta. ¡Cualquiera puede pensar que estamos envueltos en un tráfico de drogas procedente del sur!

-¡No seas tonto!

-Tonto sería que alguien apareciera ahora para revisar mi avión. ¡En el momento preciso de partir! ¡Ni una foto más!

-Está bien, no te enfades.

-Perdóname, tengo pánico de las pequeñeces que suelen echar por tierra los esfuerzos más grandes.

-No quería . . .

-Vamos, tengo algo que darte . . . -dije tomándola del brazo para regresar a la Terminal. Allí le extendí el pequeño bolso que había preparado.

-Aquí están todos mis documentos. Licencia de conducir, número del seguro social, todo. No quiero que caigan en sus manos si me capturan. ¡Quién sabe cómo puedan utilizarlos! Lo poco que tengo es tuyo.

Había lágrimas en sus ojos.

Chequeamos otra vez la frecuencia del "walkie-talkie" que habíamos acordado para comunicarnos a mi regreso.

-Conéctenlo a las seis de la tarde. Les llamaré por el nombre de Bicicleta Uno, yo seré Bicicleta Dos.

Ambas sonrieron. Solíamos referirnos al avión como la "Bicicleta" cuando hablábamos por teléfono en la etapa de preparación del rescate.

Me despedí de Ron y Gary, abracé con todas mis fuerzas a Elena y a Kristina y me encaminé al avión. En la mano llevaba un reducido bolso con los audífonos, el mapa, una cámara Freedom AF-35 y una pequeña computadora de vuelo ASA CX-1. En la cabina, repasé mentalmente cada una de las acciones desde el despegue hasta el regreso definitivo:

Coordenadas del Mamey en el sistema LORAN de navegación . . . Co-

rrectas. Abro la puerta así . . . , y la cierro así . . . No, no, tengo que utilizar ambas manos. Así.

Repetí la operación varias veces, temeroso de perder tiempo en el momento preciso.

Es hora de arrancar . . . Baterías . . . ¡Arranque!

Las manos y las piernas me tiemblan, también el corazón se me quiere salir del pecho. ¡En menos de una hora veré a los seres que más amo!

El aeródromo luce desierto, sin tráfico. Comienzo a taxear, y veo a Elena y a Kristina agitando los brazos en un adiós. Aún tengo tiempo de probar los motores al final de la calle de rodaje. Entro a la pista cuando el reloj marca las cinco y seis minutos. Tomo el rosario que me cuelga del pecho, y lo aprieto en mi puño con la medalla de la Virgen de la Caridad.

-Señor, hágase tu voluntad -digo en voz alta mientras miro al cielo y, llevando la mano derecha a los controles de los motores -¡Despegue!

—

-¿Llegó tío del trabajo? -pregunta Alejandro.

Ya visten las camisetas y gorras color naranja, y ascienden por la escalera en las rocas rumbo a la carretera.

-No, aún no. Iremos primero a cazar cangrejos . . .

-¿Cazar cangrejos? -pregunta Reyniel con manifiesto asombro.

-Sí, cangrejos. No hay otra cosa que hacer por ahora.

Llegaron a la carretera, y Vicky tiró del brazo de los niños en dirección contraria a la ciudad.

-¿Estas loca, mami? ¿Adónde vamos?

-A cazar cangrejos . . .

Reyniel pensó que su madre estaba completamente loca.

-No, mami. ¿Cómo vamos a alejarnos más con lo que aún tenemos que caminar?

-¡Reyniel! -Vicky se detuvo mirando al niño con rudeza. Alejandro callaba, no parecía importarle mucho hacia dónde caminar.

-¡Escúchame! Hazme caso sin protestar. ¡Es un asunto de vida o muerte! Se trata de papi.

Reyniel la miró estupefacto, bajó la cabeza un instante, y levantando de nuevo la mirada:

-Está bien, mami. ¡Vamos!

Caminaron por el borde de la carretera tomados de la mano. Vicky se volvía de vez en cuando para mirar hacia atrás. No, nadie los seguía. Escrutó el cielo y miró el reloj: cinco y veinte de la tarde.

-Vamos abajo a buscar los cangrejos -dijo a los niños indicando el campo junto a la carretera.

Descendieron por la cuneta hasta meterse en la hierba que casi los cubría, y llevaban un rato hurgando en ella cuando Reyniel exclamó frustrado:

-¡Primero encontraremos un elefante aquí que un cangrejo!

-Vamos -dijo Vicky mirando el reloj.

Y comenzaron otra vez a andar por el borde de la carretera en la misma dirección. Miró al cielo delante y detrás, hacia el horizonte norte. Eran las cinco y cuarenta de la tarde.

—

Elena y Kristina vieron el avión convertirse en un punto y desaparecer sobre las aguas, en el horizonte. Se sentaron tras una mesa de concreto en el exterior de la Terminal que ya cerraba, y se sumieron en una espera silenciosa, observando el reloj a cada instante. El tiempo parecía no transcurrir.

-Son las cinco y treinta y ocho -comentó Kristina.

Sabían que era la hora prevista para el aterrizaje en Cuba. Elena hurgaba en su bolso sin saber lo que buscaba. Comentó:

-Cuando estoy ansiosa me dan unos deseos terribles de limpiar un closet.

-¿Un closet? -preguntó Kristina.

-Sí. El tiempo pasa más rápido cuando ordenas un closet.

Ambas rieron nerviosamente.

-Es una pena. No veo por aquí casa alguna. ¡Le hubiéramos ordenado todos sus closets!

—

En México, los relojes marcan una hora de diferencia. Son las cuatro y cuarenta.

Virginia ha invitado a varios amigos a reunirse en su casa con Azul, Chaparra, Maribel, Mónica y su familia.

Van todos a la habitación más amplia. Se sientan en el suelo. Las manos tomadas formando un círculo. En el centro: una botella. En ella: agua de mar, arena, unas conchas y el simbolismo del sueño que incubaron dos días antes en Varadero. Cierran los ojos e inclinan la cabeza.

Virginia habla, la voz le vibra:

-Dios, ellos se aman. ¡Haz que lo logren!

—

Había ascendido hasta mil pies después del despegue, altura que mantuve hasta diez millas náuticas, antes del paralelo 24. Allí, desconecté las luces de navegación y el contestador automático. Mis propias ondas de radio no delatarían mi posición.

Ahora, volaba sobre las crestas de las olas, tan bajo como me lo permitía la vista, ignorando la indicación de la altura que ya no me importaba, como tampoco el funcionamiento de los motores. Sólo tres instrumentos tenían algún valor para mí: velocidad, las indicaciones del LORAN y el rumbo.

¿Habrán llegado sin percances al Mamey? ¿Qué encontraré en la carretera? ¿Demasiado tránsito? Tengo que aterrizar en el primer intento . . .

Unas crestas opacas sobre la línea del horizonte me llamaron la atención:

¿Serán las lomas del Pan de Matanzas?

Ya deben haberme localizado, el operador del radar estará levantando el teléfono para informar al Puesto de Mando.

Años atrás, había volado en un MiG-21 a muy baja altura con rumbo norte y sur desde las mismas, para sincronizar con la geografía las indicaciones de radar de los complejos de misiles en Matanzas. No imaginaba entonces, que algún día intentaría burlarlos.

Son inconfundibles . . . ¡Es el Pan de Matanzas! La bahía está justo a la izquierda . . . Entraré por su centro . . . ¡Ya no necesito el LORAN ni el rumbo!

Ya lo saben en la División, estarán llamando a La Habana.

Poco a poco, fueron creciendo las crestas de las montañas sobre el horizonte, ligeramente a la derecha de mi ruta. Luego, las torres de la termoeléctrica de la ciudad, los contornos de la costa . . .

¡El puente! ¡Ahí está el puente Canímar!

Chequeo la velocidad: 240 millas por hora.

Dos millas hasta el puente, una . . . ¡Tengo que reducir velocidad!

Llevo los aceleradores al mínimo y tiro enérgicamente de los controles para perder velocidad con rapidez. Los motores rugen con una vibración que estremece todo el avión, mientras asciendo hasta la altura del puente.

¡Los motores, los motores . . . !

¡Qué revienten!

Ya estoy sobre el puente, giro a la izquierda con un banqueo profundo. Parece que el ala rozará sus bordes . . .

Aunque estuvieran listos, no podrían lanzar los cohetes. ¡Los edificios del nuevo hotel al otro lado les impiden verme!

¡La carretera, la carretera!

Desciendo con ella, buscando El Mamey. Abajo, hace una curva a la derecha . . . Un kilómetro después de la curva deben esperar ellos. Van dos automóviles en mi dirección, y los sobrevuelo. La colina y los árboles a mi derecha no me dejan observar la carretera después de la curva. Giro sobre la curva como un auto más, pero en el aire. De frente, vienen un camión con trailer y un ómnibus queriendo pasarlo. Ya tienen las luces encendidas . . .

Tres puntos de vivo color naranja se mueven allá delante, a la izquierda, delante del camión y el ómnibus.

¡Están ahí. Ahí están! -grito en la cabina -*¡Maldito automóvil!*

Un vehículo pequeño y blanco va en mi dirección, justo entre ellos y yo.

¡No puedo aterrizar antes que él! ¡Aún menos espacio entre el camión y el ómnibus que vienen, y yo!

Sobrevuelo el automóvil con los trenes casi ronzándole el techo, y veo con espanto que aún no puedo aterrizar. ¡Hay una roca en el centro de la carretera!

Tampoco a la derecha puedo maniobrar. ¡Una señal del tránsito me lo impide!

Si le doy con el ala quedaríamos, aquí para siempre.

Ya casi toco el suelo antes de la piedra . . . Un suave tirón de los mandos, un pequeño banqueo a la derecha . . .

¡El pedal izquierdo! ¡El pedal izquierdo, que te sales!

Ahí está el camión . . . ¡Están frenando, se están apartando! ¡Desploma el avión, desplómalo! ¡No tienes espacio!

Cae el Cessna con brusquedad sobre el pavimento, y oprimo los frenos con todas mis fuerzas. Vicky y los niños han quedado atrás. Soy todo un amasijo de emociones. El avión se detiene en contados segundos.

He quedado de narices con el camión. El ómnibus se ha ocultado tras éste. Veo los detalles en el rostro del hombre tras el parabrisas. Está inclinado hacia adelante, las manos crispadas al volante y el desconcierto en el rostro. Los ojos, asustados, parecen salidos de sus órbitas.

—

Acababa Vicky de mirar hacia atrás, buscando en el cielo que encontró limpio, cuando vio caer ante sus ojos, ''vertical como un helicóptero'', la mole blanca y verde de aluminio y hierro. No la habían escuchado aproximarse . . . El ruido del camión era demasiado fuerte.

-¡Es papi, es papi! ¡A correr! -gritó, apretando los brazos de los niños con todas sus fuerzas.

-¡Es papiii! -exclamó Reyniel.

-¡La mochila, suelta la mochila, Reyniel!

El niño deja caer la mochila de sus espaldas, y corre ahora adelante, tirando del brazo de la madre . . .

-¡Mi zapato mami, se me cayó el zapato! -es Alejandro, quien grita también en su carrera.

-¡Suelta el otro!

—

¿Pasará el ala sin tocarle?

Me pregunto mirando el camión mientras doy potencia al motor derecho y oprimo con fuerza el freno de la rueda izquierda. ¡Tengo que girar! El avión gira rápido, y endereza la carretera con un bamboleo final.

¡Ahí vienen, ahí vienen! ¡Vicky, mis niños!

Un minuto. ¡No podemos demorar más de un minuto!

Corren tomados de la mano, con los torsos inclinados hacia delante. Están muy cerca.

¡Las hélices, las hélices! ¡Tengo que ponerme de lado!

Giro a la izquierda al tiempo que freno, casi perpendicular al centro de la carretera.

¡La puerta! ¡Corre el asiento!

—

Al girar el avión, Reyniel reconoce el rostro de su padre.

-¡Papii! -grita dando un tirón del brazo que lo libera del de la madre. Ve la puerta que se abre y trepa por el ala.

-¡Papiii!

-¡Reyniel!

Hay mil emociones a la vez en el rostro de mi hijo, como debía haberlas en el mío. Llora, tiembla, teme, enloquece . . .

Salta al asiento trasero, y siento su mano en mi hombro, en mi cabello . . .

-¡Papitooo!

Ahora está Alejandro en la puerta. Pálido, asustado, feliz . . . ¡petrificado! Vicky lo empuja dentro y siento sus manitos rodearme el cuello.

-¡Mi amor! -exclama ella casi sin voz. Tiene los ojos rojos y muy abiertos. En el rostro, el sufrimiento de dos años le brota ahora de un golpe. Tiembla, vibra de pies a cabeza como vibramos todos. Entra y extiende sus manos hasta tocar las mías, exclamando:

-¡Es mejor arriesgarlo todo antes que ser esclavos!

-¡No me toquen, no me hablen! -tomo la puerta para cerrarla con una mano. No cierra. Intento otra vez y no cierra. Me parece que el tiempo se congela, que todo transcurre en cámara lenta.

-¡Cálmate, cálmate! -me grito a mí mismo.

-¡Con calma mi amor, con calma! -repite Vicky.

Tomo la puerta con las dos manos. *¡Con las dos manos diablos!* Con toda la calma del mundo.

¡Cerró!

-¡Nos vamos! -grito, dando toda la potencia, buscando el centro de la carretera. El avión gira dando un salto, oscilando inestable de un lado a otro, mientras lucho con los pedales por ponerlo en la recta.

Me parece un siglo, pero todo ha ocurrido en un instante, no ha pasado aún el minuto desde que toqué tierra.

Atrás han quedado el camión y el ómnibus. El automóvil que sobrevolé está ahora más cerca, en la senda a mi izquierda. Tengo que pasar junto a él, casi ronzándole con el ala.

-¡Vamos a rezar, vamos a rezar! -escucho a Vicky pedirle a los niños.

Ahí está la curva . . .

¡Se acaba la carretera!

Velocidad . . . ¡No tengo velocidad!

Sesenta . . . Sesenta y cinco millas por horas . . .

¡Tiene que despegar!

Tiro de los mandos con suavidad, pero en todo su recorrido. El avión levanta el morro pesadamente, justo al borde de la curva, y siento sus alas bambolear sin fuerzas, como si estuviésemos en equilibrio sobre una aguja que descansa de punta en una bola de billar.

¡Estamos en el aire, en el aire! ¡No te desplomes! ¡Cuidado con los pedales, los pedales!

Los motores rugen potentes, y la velocidad aumenta rápidamente. Siento que estamos seguros, y giro a la derecha, buscando el norte, rozando con el ala las copas de los pinos que crecen tras la playa El Mamey.

Un grito me brota espontáneo, sin poder evitarlo:

-¡Lo logramos, canallas! ¡Lo logramos!

Apenas si puedo ver la superficie del mar, no queda casi luz alguna. Escucho a Vicky y a los niños rezar tras de mí, y siento que sollozo, que lloro a todo pulmón. Pero no hay lágrimas en mis ojos, no las tengo . . .

Ya han tomado la decisión de derribarnos. Ahora transmiten la orden a los complejos de misiles . . .

Echo una ojeada breve hacia atrás, quiero ver a mis pasajeros, los emperadores de mi vida. Está Alejandro encogido, con los ojos muy abiertos, desconcertado, con las piernas apretadas, luciendo sus medias blancas. Reyniel tiembla de pies a cabeza, mirándome asustado, sin poder creerlo.

-Papi, papitooo . . . -repite una y otra vez.

-¡Llora, Reyniel, llora! ¡No te aguantes! -le pide Vicky, y rompe el niño a sollozar.

Ya corren los hombres a sus puestos en los complejos de misiles. Las antenas de búsqueda y las rampas de cohetes comienzan a girar . . .

El avión vibra como si fuese a desintegrarse por el efecto de la velocidad. Miro el reloj y las indicaciones del LORAN . . .

Once millas náuticas de los cohetes. Once y media . . . Ya nos localizan en las cabinas de conducción. Tienen nuestras coordenadas . . .

Doce millas náuticas. Los cohetes apuntan en nuestra dirección . . .

¡Doce y media millas náuticas! ¡Ya no pueden alcanzarnos . . . !

¡Lo logramos!

Es imposible volar a esta altura, la bóveda del cielo se funde con el mar formando una esfera negra. Asciendo hasta doscientos pies y regulo la luz de la cabina lo más tenue posible.

Si ha despegado algún caza para interceptarnos ya no podrá hacerlo . . .

Estamos llegando al paralelo veinticuatro . . . Recuerdo entonces la cámara fotográfica que había llevado con la idea de tomar alguna foto durante la aproximación y salida de Cuba.

Fue imposible, ¡no tenía reserva de neuronas para ello!

La saco del bolso y oprimo el obturador cuatro veces mientras la sostengo en la mano derecha sobre la cabeza. El dramatismo del momento, presente en los rostros de Vicky y los niños, queda grabado para siempre.

Pido a Vicky hacer lo mismo y cierro el ojo derecho para que el flash no me ciegue. Parte de la pizarra de instrumentos queda también perpetuada en la película. El reloj del avión marca las seis y dos minutos . . .

Sobrevolamos el paralelo veinticuatro. ¡Ha pasado el peligro! Y continuamos el ascenso hasta los dos mil pies.

Tiro mi brazo derecho hacia atrás, y siento muchas manos prenderse de la mía.

-¡Lo hicimos! ¡Estamos juntos . . .! ¡Juntos para siempre! -exclamo.

-¡Juntos para siempre! -repite Vicky.

Conecto las luces de navegación y el respondedor automático. Es hora de avisar a Kristina y a Elena:

-BICICLETA UNO, BICICLETA DOS.

Silencio.

-BICICLETA UNO, BICICLETA DOS.

Repito . . .

—

Kristina sostiene el "walkie-talkie" cuando escucha mi voz entrecortada, incomprensible en la distancia. Responde a mi llamada, pero no recibe respuesta. No es suficiente la potencia del aparato. Corre al teléfono, y marca el número de Armando, que ya ha regresado a Washington. También está allí Mari Paz, que ha venido de España y espera ansiosa.

-Ya viene, escuchamos su voz. Pero no sabemos si trae la familia -le dice Kristina, hablando atropelladamente.

-Si está regresando, es porque trae a su familia -contesta Armando del otro lado, y seguro de lo que dice, cuelga para llamar con la noticia a las estaciones de radio de Miami. Mari Paz a su lado da un salto y abraza a Martha, quien da gracias a Dios y rompe a llorar.

Kristina corre al avión de Elena. Ron y Gary han conectado la radio y les hacen señas desde la puerta. Entra, y escucha mi voz con claridad mientras hablo con el Control de Aproximación de Cayo Hueso informando mi posición y altitud. Regresa a la portezuela del avión, y ve a Elena que sube.

-¡Viene, viene! -exclamaba, cuando escucha un nuevo llamado en el ''walkie-talkie'' que todavía sostiene en las manos.

-Adelante BICICLETA DOS PARA BICICLETA UNO.

Responde con voz emocionada.

-BICICLETA DOS informando.

Escucha mi voz quebrada, vibrante de la excitación.

-Llevo un avión cargado de amor. ¡Un avión cargado de amor!

Ambas saltan, se abrazan, lloran. Gary y Ron que las ven, comprenden y también saltan, gritan, se abrazan. Parecen cuatro locos solitarios presas de júbilo febril en medio de la rampa de un aeropuerto abandonado.

—

Nelson está solo en su casa, tirado en el sofá mirando CNN NEWS, cuando suena el teléfono. Es Armando:

-¡Nelson, Nelson! -habla atropelladamente -¡Viene con la familia, con la familia!

Nelson no comprende.

-¿Qué familia?

-Está volando de regreso con ellos, van a aterrizar en Cayo Marathon.

Como una luz que se prende, lo comprende todo en un segundo. ¿Quiénes más podían ser? Corre de un lado para otro de la casa, salta, repite en voz alta las palabras de Armando. No, no puede esperar por su esposa, y sale a la calle. Lo miran extrañados los vecinos cuando toca a sus puertas voceando la noticia. No cabe en sí de la euforia, corre al automóvil y sale disparado para la casa de Armando.

—

Tío Raúl se dispone a tomar el baño. Se ha quitado la ropa y conecta el radio que cuelga junto al espejo. Están las noticias que siempre escucha a esa hora en la estación hispana . . .

Tía Fela está ordenando la sala . . . De pronto, siente un grito y ve a Raúl salir completamente desnudo del baño, chorreando agua.

-¡Fela, Fela! -exclama éste agitando sus brazos.

-¡Te quemaste con el agua caliente! -grita ella asustada y corre hacia él, que la toma por los hombros.

-¡Fela, Fela! -sigue gritando mientras la sacude.

-¡Qué pasa! -está asustada, no comprende lo que ocurre.

-¡El sobrino, el sobrino!

-¡Qué pasa con el sobrino!

-¡Que viene volando . . .!

Raúl toma aliento, tartamudea:

-La, la radio está dando la noticia. Dicen que aún no han aterrizado. ¡Que rescató a Vicky y los niños!

—

Aparecen en el horizonte las luces de los Cayos, y Vicky salta llena de júbilo en su asiento.

-¡Estados Unidos! -exclama.

Aterrizamos en el aeródromo que parece desierto. En la rampa nos esperan Elena, Kristina, Ron y Gary.

Vicky es la primera en saltar fuera y se funde en un abrazo con ellas. Reyniel y Alejandro están prendidos de mi cuello en la cabina. Siento la fina piel de sus rostros restregarse con el mío, empapado de sudor.

Descienden ellos del avión, y les sigo yo. En tierra, Vicky corre hacia mí, y se me abalanza al cuello. Grita, tiembla, llora . . .

-¡Al fin juntos! ¡Cuánto sufrimos! ¡Cuánto sufrimos . . . ! -repite una y otra vez, mientras la beso con frenesí en la frente, los ojos, las mejillas, los labios . . .

Siento a Reyniel y a Alejandro prenderse de mi cintura, y me inclino para tomarlos en mis brazos. ¡Hacía tanto que no los cargaba! Y los alzo apretándolos contra el pecho. El Universo entero cabe en mi felicidad.

Reyniel levanta el puño, lo sacude en el aire y grita:

-¡Soy libre! ¡Soy libre!

Alejandro lo imita en el gesto:

-¡Soy libre! ¡Soy libre!

Epílogo

De mis abuelos aprendí el valor de la palabra, más que como un medio de expresión, como un principio del decoro. Contaba mi padre que siendo él un niño una vez pasó por su casa un forastero, ofreciendo al abuelo un mísero pago por su próxima cosecha de tabaco y, que él aceptó en su afán de venderla dada la desesperada miseria en que vivían. Pasaron los meses, y una ola de plagas asoló las siembras de tabaco por todo el país, pero no así la del abuelo, que por gracia divina fue ese año más hermosa que nunca. Se dispararon los precios y no faltaron los compradores en ofrecerle hasta cinco veces el valor que él había pactado de palabra con aquel desconocido. Mas, siempre se negó el abuelo a venderla en espera del forastero que demoró en llegar para llevarse su ganga.

-Mi palabra vale más que todo el tabaco del mundo -solía decir entonces, el abuelo.

Hoy la palabra parece haber perdido su valor. Sólo la firma, sancionada por nuestros abogados, es digna del respeto. Y cada día, los compromisos escritos invaden más nuestras vidas en las relaciones con colegas, amigos y hasta la propia familia, cediendo lugar a los sentimientos y las enseñanzas de Dios. Así nos protegemos del posible engaño y la traición, olvidando que las leyes humanas no podrán nunca devolvernos los valores sagrados que perdemos.

Pienso que mi vida habría sido muy diferente si no hubieran marchitado los principios que tanto defendió mi abuelo, pues no habría encontrado el comunismo en que crecí un espacio para pastar en el alma de la sociedad. Como comprendo ahora que penderá sobre nosotros el peligro del comunismo u otra doctrina destinada a destruirnos como criaturas pensantes, creadas por y para el amor, cada vez que estén en crisis esos valores.

Cuando decidí relatar mi vida, contaba únicamente con esos sentimientos agolpados en mi corazón. Luego, en la medida que pasaba las noches de desvelo escribiendo, fui descubriendo la tremenda diferencia entre el sentir y el contar. ¡Dura tarea la del que escribe!

Poco a poco, fueron los recuerdos, como desgajadas tiras de dolor, tomando la forma de un libro gracias a la comprensión de Vicky, mis niños y la entrañable Elena, quien supo salvarme en el momento preciso del inevitable acoso del teléfono y los cotidianos problemas, "raptándonos" a la tranquilidad de su morada junto a un hermoso río. Ellos, con el resto de mis amigos y los que me contaron los detalles de los episodios aquí narrados en que no estuve presente, me animaron en los momentos más difíciles. Tampoco habría logrado la armonía necesaria entre lo que escribía y lo que sentía sin los útiles consejos de mi agente literario Thomas Colchie y mi editor Michael Denneny. Ellos captaron la esencia de lo que quería expresar. A todos les agradezco su invaluable colaboración.

Más importante aún fue el apoyo de aquellos que hicieron posible la libertad de mi esposa y mis hijos. Muchos ni siquiera son mencionados aquí pues habría sido interminable esta trabajo. Tal es el caso de tantos que me ofrecieron su hogar y su mesa durante mi constante peregrinar en reclamo de ayuda, de las decenas de miles de personas que desde los cinco continentes escribieron cartas reclamando la libertad de mis seres queridos y de los que oraron por nosotros alrededor del mundo. A la mayoría de esas buenas almas ni siquiera conozco. Ellos me demostraron que los valores de la convivencia humana aún se imponen, devolviéndome la fe en un mundo regido por el amor al prójimo. Para ellos mi eterno agradecimiento.

W-174D
D=89NM
D=86NM
D=89NM
328 FT
δ=96 FT^2
44,5 KM = 23,9 KN
320 FT
25,7 KM = 13,9 KN
D=32
CUE
LA HABANA
PLAYA BARACOA
MUP1
MUP3
MUR 10
CAYERIA LAS CAYAMAS
$D_{LOC\,DEST} = V_{HEL}(t_{LOC} + t_{DEC} + t_{PI} + t_{BUS} + t_{DISP} +$
$t_{DEC} = t_{ALAR} + t_{COM} = 80$ seg
$t_{PI} = 180$ seg.
$D_{LOC\,DEST} = V_{HEL}(40 + 80 + 180 + 60 + 60 + 45$
$D_{LOC\,DES} = V_{HEL} \times 7$ min. 45 seg. = 0,12917
$V_{HEL\,MIN} = \frac{13,9\ KN}{}$ = 108 KN